令和３年版

食料・農業・農村白書

農林水産省　編

食料・農業・農村白書の刊行に当たって

農林水産大臣

野上浩太郎

我が国の農業は、関連産業である食品産業と共に国民の皆様に食料を安定供給し、地域の経済やコミュニティを支え、その営みを通じて、国土の保全などの役割を果たしている、まさに国の基です。農業を発展させるとともに、日本の原風景である美しく豊かな農村を守っていくことが重要であると考えております。

一方、我が国の農業・農村は、人口減少に伴う国内マーケットの縮小、農業者や農地の減少等の課題に直面しています。さらに、昨年来、新型コロナウイルス感染症により、農林水産業・食品産業を含む我が国の経済・社会に大きな影響が生じています。このような中、国民の皆様への食料の安定供給を確保する観点から、国内の生産基盤をしっかりと守り、強化していくことの重要性は一層増しています。

これらを踏まえ、今回の白書では、「新型コロナウイルス感染症による影響と対応」を特集のテーマとし、食料消費面や農業生産・販売面への影響、緊急経済対策等について記述しております。引き続き、感染拡大の影響を受けた農林漁業者の皆様や関連産業に従事される皆様の生産基盤を守るため、生産の継続や販売促進・消費拡大等の支援に全力を尽くしてまいります。

また、国民の皆様の豊かな食生活とそれを支える農村を次世代に引き継ぐためには、海外における日本の農林水産物の需要や、国内外でのSDGsや環境の重要性の高まり等への対応も必要となっています。このため、冒頭のトピックスにおいては、令和２年度における特徴的な動きとして、農林水産物・食品の輸出の新たな戦略、みどりの食料システム戦略、スマート農業実証プロジェクト、農業DX構想などを取り上げ、我が国食料・農業・農村における今後の取組の展開方向等を紹介することとしております。

この白書が、農業や食品関連の職業に現在従事されている皆様はもとより、１人でも多くの国民の皆様に、食料・農業・農村の今を知っていただき、その役割や重要性についての御理解を深めていただく一助となれば幸いです。

令和３年５月

この文書は、食料・農業・農村基本法（平成11年法律第106号）第14条第１項の規定に基づく令和２年度の食料・農業・農村の動向及び講じた施策並びに同条第２項の規定に基づく令和３年度において講じようとする食料・農業・農村施策について報告を行うものである。

令和２年度

食料・農業・農村の動向

第204回国会（常会）提出

目次

第1部　食料・農業・農村の動向

第2章　農業の持続的な発展

事例一覧

特集

第1章

第2章

第3章

コラム一覧

第2部　令和２年度食料・農業・農村施策

○図表の数値は、原則として四捨五入しており、合計とは一致しない場合があります。
○本資料に記載した地図は、必ずしも、我が国の領土を包括的に示すものではありません。
○食料・農業・農村とSDGsの関わりを示すため、特に関係の深い目標のアイコンを付けています。
（関連する目標全てを付けている訳ではありません。）

第1部

食料・農業・農村の動向

はじめに

「食料・農業・農村の動向」(以下「本報告書」という。)は、食料・農業・農村基本法に基づき、食料、農業及び農村の動向に関する報告を、毎年、国会に提出しているものです。

新型コロナウイルス感染症は、令和2(2020)年に世界的な大流行に発展し、我が国の経済・社会に大きな影響を及ぼしています。このため、本報告書では、特集において、「新型コロナウイルス感染症による影響と対応」と題し、新型コロナウイルス感染症の拡大による食料消費面や農業生産・販売面での影響と新たな動き、地方への関心や働き方、交流に関する新たな動き等について記述しています。

また、冒頭のトピックスでは、令和2(2020)年度における特徴的な動きとして、「農林水産物・食品の輸出の新たな戦略」「みどりの食料システム戦略～食料・農林水産業の生産力向上と持続性の両立をイノベーションで実現～」「令和元(2019)年度スマート農業実証プロジェクト」「農業・食関連産業でのデジタル変革の推進」「鳥インフルエンザ、豚熱《ぶたねつ》への対応」「植物新品種の海外流出対策」「フードテックの現状」の7つのテーマを取り上げています。

トピックス、特集に続いては、食料、農業及び農村の動向に関し、食料自給率の動向や食育の推進、食品の安全確保等を内容とする「食料の安定供給の確保」、担い手の育成・確保や主要な農畜産物の生産動向等を内容とする「農業の持続的な発展」、田園回帰の動向や中山間地域等の特性を活かした農業経営の推進等を内容とする「農村の振興」の3つの章立てを行い、記述しています。また、これらに続けて、「災害からの復旧・復興や防災・減災、国土強靱《きょうじん》化等」の章を設け、東日本大震災や大規模自然災害からの復旧・復興、令和2(2020)年度に発生した災害の状況と対応等について記述しています。

本報告書の記述分野は多岐にわたりますが、統計データの分析や解説だけでなく、全国各地で展開されている取組事例等を可能な限り紹介し、写真も交えてわかりやすい内容とすることを目指しました。

本報告書を通じて、我が国の食料・農業・農村に対する国民の関心と理解が一層深まることを期待します。

トピックス

1　農林水産物・食品の輸出の新たな戦略

2　みどりの食料システム戦略
～食料・農林水産業の
生産力向上と持続性の両立を
イノベーションで実現～

3　令和元（2019）年度スマート農業実証プロジェクト

4　農業・食関連産業での
デジタル変革の推進

5　鳥インフルエンザ、豚熱への対応

6　植物新品種の海外流出対策

7　フードテックの現状

トピックス 1　農林水産物・食品の輸出の新たな戦略

政府の輸出額目標である令和 7(2025)年に 2 兆円、令和 12(2030)年までに 5 兆円を達成するため、令和 2 (2020)年 12 月に農林水産業・地域の活力創造本部において、「農林水産物・食品の輸出拡大実行戦略」を決定し、海外市場で求められる量・価格・品質・規格の産品を継続的に生産・販売するマーケットインの体制を整備することとしました。以下では、輸出戦略で示された 3 つの基本的な考え方と具体的な施策について紹介します。

(第 1 の戦略：日本の強みを最大限に活かす品目別の具体的目標を設定)

農林水産物・食品の輸出が多い先進国では、その国が強みを持つ品目を輸出向けに専門的・継続的に生産・輸出する体制を整備しています。一方、日本の輸出品目は多岐にわたり、それぞれの輸出額は小さくなっています。これは、これまでの日本の農林水産物・食品の輸出が「国内市場向け産品の余剰品を輸出する」事業にとどまり、マーケットインによる輸出の体制が整備されていないためです。今後の輸出拡大に当たっては、海外で評価される日本の強みがある品目を中心に輸出を加速させる必要があります。

そのため、海外で評価される日本の強みがあり、輸出拡大余地の大きい 27 品目を重点品目に選定しました(**図表トピ 1-1**)。これらの品目について、主として輸出向けの生産を行う輸出産地をリスト化し、1,227 産地[1]を掲載しています。

図表トピ 1-1　輸出重点品目

輸出重点品目	海外で評価される日本の強み
牛肉	和牛として世界中で認められ、人気が高く、引き続き輸出の伸びに期待。
豚肉、鶏肉	とんかつ、焼き鳥など日本の食文化とあわせて海外の日本ファンにアピールすることで、今後の輸出の伸びに期待。
鶏卵	半熟たまごが浸透し、生食できる卵としての品質が評価され、更なる輸出の伸びに期待。
牛乳・乳製品	香港や台湾で品質が高評価。アジアを中心に輸出の可能性。
果樹(りんご、ぶどう、もも、かんきつ)、野菜(いちご)	甘くて美味しく、見た目も良い日本の果実は海外でも人気。
野菜(かんしょ等) ※	焼き芋がアジアで大人気。輸出が急増。
切り花	外国にはない品種に強み。輸出の伸び率が高い。
茶	健康志向の高まりと日本文化の浸透とともに欧米を中心にせん茶、抹茶が普及。
コメ・パックご飯・米粉及び米粉製品	冷めても美味しい等の日本産米は寿司やおにぎり等に向き、日本食の普及とともに拡大が可能。
製材	スギやヒノキは、日本式木造建築だけでなく香りの癒しの効果も人気で、今後の輸出の伸びに期待。
合板	合板の加工・利用技術は、日本の得意分野。日本式木造建築とともに、今後の輸出の伸びに期待。

輸出重点品目	海外で評価される日本の強み
ぶり	脂がのっている日本独自の魚種。近年、米国等への輸出額が増加。
たい	縁起のよい赤色は中華圏でも好まれる。活魚輸出の増加に期待。
ホタテ貝	高品質な日本産ホタテ貝は世界で高く評価。水産物では輸出額ナンバーワン。
真珠	真珠養殖は日本発祥。日本の生産・加工技術が国際的に高評価。
清涼飲料水	緑茶飲料など日本の味が人気となり、伸び率が高い。
菓子	日本独自の発展を遂げ、他国にはない独創性。バラエティ豊かな商品とコンテンツの普及とともに海外で人気。
ソース混合調味料	カレールウなど日本食の普及とともに日本を代表する味に成長。
味噌・醤油	日本が誇る発酵食品。和食文化の浸透とともに欧米・アジア地域で人気も上昇。
清酒(日本酒)	「ＳＡＫＥ」は日本食のみならず各国の料理に合う食中酒等として世界中で認知が拡大中。
ウイスキー	日本産品の品質が世界中でブランドとして定着。
本格焼酎・泡盛	原料の特徴を残すユニークな蒸留酒としての評価があり、今後の輸出拡大に期待。

※その他の野菜（たまねぎ等）についても、水田等を活用して輸出産地の形成に積極的に取り組む。

資料：農林水産省作成

また、重点品目ごとに、海外の市場動向や輸出環境等を踏まえ、輸出拡大を重点的に目指すターゲット国・地域を特定し、ターゲット国・地域ごとの輸出目標を設定しました(**図表トピ 1-2**)。さらに、官民一体となった海外での販売力の強化のため、重点品目ごとに品目団体又は生産・流通・輸出事業者等が連携したコンソーシアムを組織化することとしています。品目団体等が主体となって、輸出先の情報収集、販売戦略づくり等に取り組むこととしています。

[1] 令和3(2021)年4月1日時点

図表トピ1-2　品目別輸出目標の例

牛肉

【目標額】
297億円(2019年) → 1,600億円(2025年)

○国・地域別輸出額目標とニーズ対応への課題・方策

国・地域名	2019年	2025年	ニーズ・規制対応への課題・方策
香港	51億円	330億円	消費者向けﾌﾟﾛﾓｰｼｮﾝの強化。ｽﾗｲｽ肉、加工品等の新たな品目の輸出促進。
台湾	37億円	239億円	
米国	31億円	185億円	認知度向上のためのﾌﾟﾛﾓｰｼｮﾝ。様々な部位も含めた輸出促進。
EU	21億円	104億円	

○輸出産地　15産地

- 生産から輸出まで一貫して輸出に取り組むコンソーシアムを産地で構築
- 食肉処理施設等による輸出先国が要求する条件への対応
- 繁殖雌牛の増頭奨励金交付、牛舎等の施設整備等による生産基盤の強化

○販路開拓

- コンソーシアムによる産地と一体となった商談
- オールジャパンでの和牛の認知度向上に向け、日本畜産物輸出促進協議会やJFOODOによるプロモーションを実施

コメ・コメ加工品

【目標額】
52億円(2019年) → 125億円(2025年)

○国・地域別輸出額目標とニーズ対応への課題・方策

国・地域名	2019年	2025年	ニーズ・規制対応への課題・方策
香港	15億円	36億円	中食・外食を中心にした需要開拓
米国	7億円	30億円	外食、EC等の需要開拓。パックご飯・米粉の更なる市場開拓。
中国	4億円	19億円	EC、贈答用需要の開拓。指定精米工場等の活用・追加。
ｼﾝｶﾞﾎﾟｰﾙ	8億円	16億円	中食・外食を中心にした需要開拓

○輸出産地　30～40産地

- 千トン超の輸出用米の生産に取り組む産地を育成
- 大ロットで輸出用米を生産・供給
- 生産・流通コスト低減、輸出用米の生産拡大を推進

○販路開拓

- 一般社団法人全日本コメ・コメ関連食品輸出促進協議会による新興市場でのプロモーション等を実施

果樹(りんご)

【目標額】
145億円(2019年) → 177億円(2025年)

○国・地域別輸出額目標とニーズ対応への課題・方策

国・地域名	2019年	2025年	ニーズ・規制対応への課題・方策
台湾	99億円	120億円	大玉で赤色の贈答用に加え、値頃感のある中小玉果の生産・供給体制を強化
香港	37億円	45億円	香港で好まれる黄色品種の生産・供給体制を強化
タイ	4.5億円	5.5億円	富裕層のほか、買い求めやすい価格帯の生産・供給体制を強化

○輸出産地　7産地

- 既存園地の活用や水田への新植、省力樹形の導入等による生産力の強化
- 産地と輸出事業者等が連携したコンソーシアムの形成

○販路開拓

- 日本青果物輸出促進協議会の機能強化に向けた検討
- 輸送実証、プロモーション活動などを支援

ぶり

【目標額】
229億円(2019年) → 542億円(2025年)

○国・地域別輸出額目標とニーズ対応への課題・方策

国・地域名	2019年	2025年	ニーズ・規制対応への課題・方策
米国	159億円	320億円	小売店の調達基準を満たす生産の拡大と安定供給。現地の食嗜好に合わせた商品を開発・製造。
中国	13億円	60億円	活魚の需要があるアジア向けに、活魚運搬船を活用した物流・商流を構築
香港	11億円	40億円	

○輸出産地　5産地

- 漁場の大規模化、沖合養殖の推進、生け簀の整備により増産
- 育種や低魚粉飼料の開発により生産コストを低減

○販路開拓

- 水産物・水産加工品輸出拡大協議会と有限責任事業組合日本ブリ類養殖イニシアティブとが共同でプロモーション等を行うことを検討

資料：農林水産省作成

(第2の戦略：マーケットインの発想で輸出にチャレンジする農林水産事業者を後押し)

輸出のマーケットインへの転換のためには、リスクを取って輸出向け産品の生産・輸出にチャレンジする事業者が不可欠です。そのため、海外の規制やニーズに対応した輸出に取り組む事業者や産地に対し、重点的な支援・環境整備を行うことが重要です。

これまでの支援に加え、輸出に取り組む事業者への資金の供給を後押しするため、「農業法人に対する投資の円滑化に関する特別措置法の一部を改正する法律案」を国会に提出しました。また、専門的・継続的に、輸出向けの生産を行う輸出産地をリスト化し、輸出産地の形成に必要な施設整備等を重点的に支援することとしました。さらに、大ロットで高品質、効率的な輸出を後押しするため、港湾や空港の具体的な利活用の方策、輸出のための集荷等の拠点となる物流施設の整備・活用、海外におけるコールドチェーンの拠点整備・確保の方策等について検討することとしています。

(第3の戦略：省庁の垣根を越え政府一体としての輸出の障害を克服)

輸出加速を支える政府一体としての体制の整備の一つとして、輸出先国・地域の規制緩和・撤廃に向け、農林水産物・食品輸出本部の下、政府一体となって協議することとしています。また、輸出先国・地域の規制やニーズに対応するため、HACCP[1]対応施設等の整備といった加工食品等への支援も重要で、適合施設の認定を迅速に行うこととしています。そして、生産・加工・販売等の関連事業の海外展開が我が国のノウハウ等の流出につながらないよう、我が国の農林水産業・食品産業の利益となる海外展開の推進方策について検討するほか、海外での品種登録や改正種苗法(トピックス6参照)に基づく輸出先国・地域の指定等を行う品種数等の数値目標を設定することとしています。

さらに、上記の戦略を実行するため、農林水産省に「輸出・国際局」(仮称)の設置を予定しており、今後、同局を中心として、輸出関連施策を政府一体となって実施します。

→第1章第4節を参照

1　用語の解説3(2)を参照

トピックス 2 みどりの食料システム戦略 ～食料・農林水産業の生産力向上と持続性の両立をイノベーションで実現～

食料・農林水産業は、自然災害や気候変動に伴う影響、生産者の減少等による生産基盤の脆弱《ぜいじゃく》化や農山漁村の地域コミュニティの衰退等の課題に直面しています。また、SDGs(持続可能な開発目標)[1]への対応や令和 32(2050)年までのカーボンニュートラルの実現に向けて、食料・農林水産業の分野においても貢献が求められています。

諸外国では、持続的な生産・消費が活発化するとともに ESG 投資[2]が拡大しています。中でも、EU は令和 2(2020)年 5 月に環境や健康に関する「Farm to Fork 戦略」[3]を発表し、これを国際ルールに反映させようとする動きが見られます。このような中、同年 10 月から、我が国の食料・農林水産業の生産力向上と持続性の両立をイノベーションで実現させるための「みどりの食料システム戦略」の検討を開始し、令和 3 (2021)年 3 月に中間取りまとめを公表しました。以下では、中間取りまとめで示された戦略の基本的な考え方を紹介します。

(策定に当たっての考え方)

戦略においては、革新的な技術・生産体系を順次開発し、社会実装することにより、令和 32(2050)年までに農林水産業の CO_2 ゼロエミッション化の実現を図ることとしています(**図表トピ 2-1**)。また、同年までに化学農薬や化学肥料の使用量の低減、有機農業の取組面積の拡大、食品製造業の労働生産性の向上、持続可能性に配慮した輸入原材料調達の実現等を目指すこととしています。

実現に向けては、食料システムを構成する農林漁業者・食品企業・消費者の行動変容が必要不可欠です。そのため、食料システムが抱える課題に対する関係者の理解の促進を図るとともに、意欲的な取組を後押しする必要があります。さらに、令和 3(2021)年 9 月に開催予定の国連食料システムサミット等において、この戦略をアジアモンスーン地域の持続的な食料システムのモデルとして我が国から発信することとしています。

図表トピ 2-1　みどりの食料システム戦略中間取りまとめ

目指す姿と取組方向

2050年までに目指す姿

- 農林水産業のCO_2ゼロエミッション化の実現
- 低リスク農薬への転換、総合的な病害虫管理体系の確立・普及に加え、ネオニコチノイド系を含む従来の殺虫剤に代わる新規農薬等の開発により化学農薬の使用量（リスク換算）を50%低減
- 輸入原料や化石燃料を原料とした化学肥料の使用量を30%低減
- 耕地面積に占める有機農業の取組面積の割合を25%（100万ha）に拡大
- 2030年までに食品製造業の労働生産性を最低3割向上
- 2030年までに食品企業における持続可能性に配慮した輸入原材料調達の実現を目指す
- エリートツリー等を林業用苗木の9割以上に拡大
- ニホンウナギ、クロマグロ等の養殖において人工種苗比率100%を実現

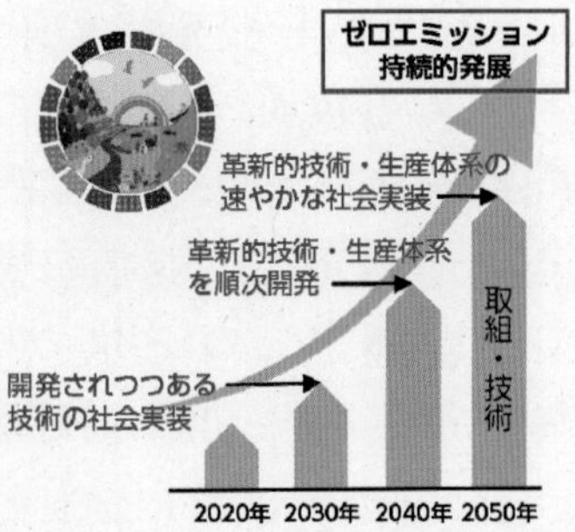

戦略的な取組方向

2040年までに革新的な技術・生産体系を順次開発（技術開発目標）
2050年までに革新的な技術・生産体系の開発を踏まえ、
今後、「政策手法のグリーン化」を推進し、その社会実装を実現（社会実装目標）

アジアモンスーン地域の持続的な食料システムのモデルとして打ち出し、国際ルールメーキングに参画（国連食料システムサミット（2021年9月）など）

資料：農林水産省作成

---

1 平成 27(2015)年 9 月の国連サミットにおいて全会一致で採択された、令和 12(2030)年を期限とする国際社会全体の開発目標
2 従来の財務情報だけでなく、環境(Environment)・社会(Social)・ガバナンス(Governance)要素も考慮した投資のこと
3 第 2 章第 9 節を参照

(資材・エネルギー調達における脱輸入・脱炭素化・環境負荷軽減の推進)

新型コロナウイルス感染症の影響により、複数の穀物の輸出国等において輸出規制が行われるなど、サプライチェーンの混乱が発生しました。我が国では、食料生産を支える肥料等の資材原料やエネルギーの調達を輸入に依存していることから、資材原料やエネルギーを国内で調達する割合を増やすことが重要です。

このため、営農型太陽光発電等による地産地消[1]型エネルギーマネジメントシステムの構築といった持続可能な資材やエネルギーの調達等を推進していくこととしています。

養殖飼料としての水素細菌の利用技術の開発

農業水利システムでの小水力発電

(イノベーション等による持続的生産体制の構築)

我が国の農業生産の担い手は年々高齢化、減少していることから、労働力不足等の生産基盤の脆弱化が深刻な課題となっています。そのため、スマート農林水産業や農業機械の電化等を通じて、高い労働生産性と持続性を両立する生産体系への転換を推進することとしています。

スマート技術によるピンポイント農薬散布

小型除草ロボット

(ムリ・ムダのない持続可能な加工・流通システムの確立)

加工・流通段階では、データ・AI[2]の活用による流通の合理化や、食品製造・加工、小売、外食の労働生産性の向上等が課題となっています。電子タグを活用した商品・物流データの連携や需給予測システムの構築、ロボットを活用した加工・調理の自動化・非接触化により、流通・加工の効率化とともに、食品ロスの削減を目指すこととしています。

(環境にやさしい持続可能な消費の拡大や食育の推進)

環境にやさしい消費の実現に関しては、外見ではなく、持続性を重視した消費の拡大、消費者と生産者の交流を通じた相互理解の促進等に取り組んでいくこととしています。

→第 2 章第 9 節を参照

1 用語の解説 3(1)を参照
2 用語の解説 3(2)を参照

トピックス 3 令和元(2019)年度スマート農業実証プロジェクト

労働力不足等に直面している我が国の農業生産の現場では、ロボット、AI[1]、IoT[2]等の先端技術を活用した「スマート農業」の社会実装の加速化がますます重要になっています。

このため、農林水産省では、令和元(2019)年度から「スマート農業実証プロジェクト」を、初年度は 69 地区において各地区 2 年間の事業期間で実施し、農作業の自動化、情報共有の簡易化、データの活用等を実際に行い、導入コストと経営改善効果の分析や成果の情報発信をすることとしています。以下では、スマート農業実証プロジェクトの初年度の成果(中間報告)と、これを踏まえた今後の対応方針について紹介します。

(水田作では労働時間の削減効果を確認)

水田作では、(1)大規模水田作、(2)中山間水田作、(3)輸出水田作の 3 事例について、慣行農法と比較した労働時間の削減効果等を検証しています(**図表トピ 3-1**)。

労働時間については、無人で作業ができるロボットトラクタ、水管理を遠隔・自動制御できる水管理システム、ドローンによる農薬散布等、多くの技術で削減効果が確認され、いずれの事例でも全体の労働時間が減少しました。また、収量についても、いずれの事例でも増加しました。一方、経営収支については、高額なスマート農業機械を限られた面積で実証し、機械費が大きく増加したこと等により、いずれの事例でも利益が減少しました。

図表トピ 3-1　水田作の実証成果事例(10a 当たり労働時間の慣行農法との比較)

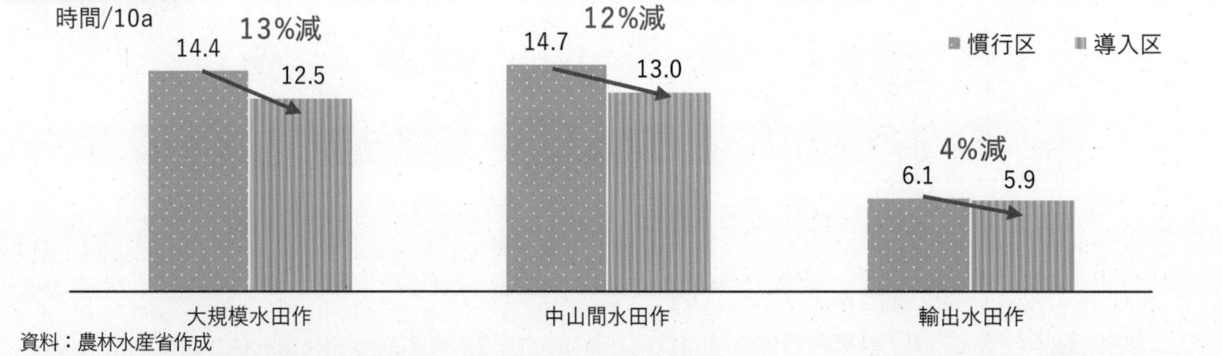

資料：農林水産省作成
注：1) 令和元(2019)年度に採択された実証事例
2) 四捨五入による端数処理の関係で、減少した労働時間数と減少率が合わない場合がある。

無人のロボットトラクタと
有人のトラクターの協調作業

水田の水管理を遠隔・自動制御
できる水管理システム

ドローンによる農薬散布

資料：農林水産省

(畑作等では品目により効果に差異)

畑作(小麦、大麦)、露地野菜(キャベツ、ほうれんそう、さといも、すいか)、施設園芸(ピ

1 用語の解説 3(2)を参照
2 用語の解説 3(2)を参照

ーマン)、果樹(温州みかん)、地域作物(茶)についても、水田作と同様に営農面のデータを収集し、検証しています(**図表トピ 3-2**)。

労働時間については、新しい省力栽培技術と組み合わせたトラクターの自動操舵システムやロボットハンドによる腐敗果の自動選別技術等のスマート農業技術の導入により、ほぼ全ての事例で、削減効果が確認できました。一方、増収に伴い収穫時間が増加した施設園芸等、労働時間が増加した事例もありました。

経営収支については、施設園芸では、環境制御装置等の導入による収量の増加により、利益が増加しましたが、その他の事例では、実証規模が限られていた中で、スマート農業機械の導入によって機械費が大きく増加したこと等により、利益が減少しました。

図表トピ 3-2 畑作等の実証成果事例(10a 当たり労働時間の慣行農法との比較)

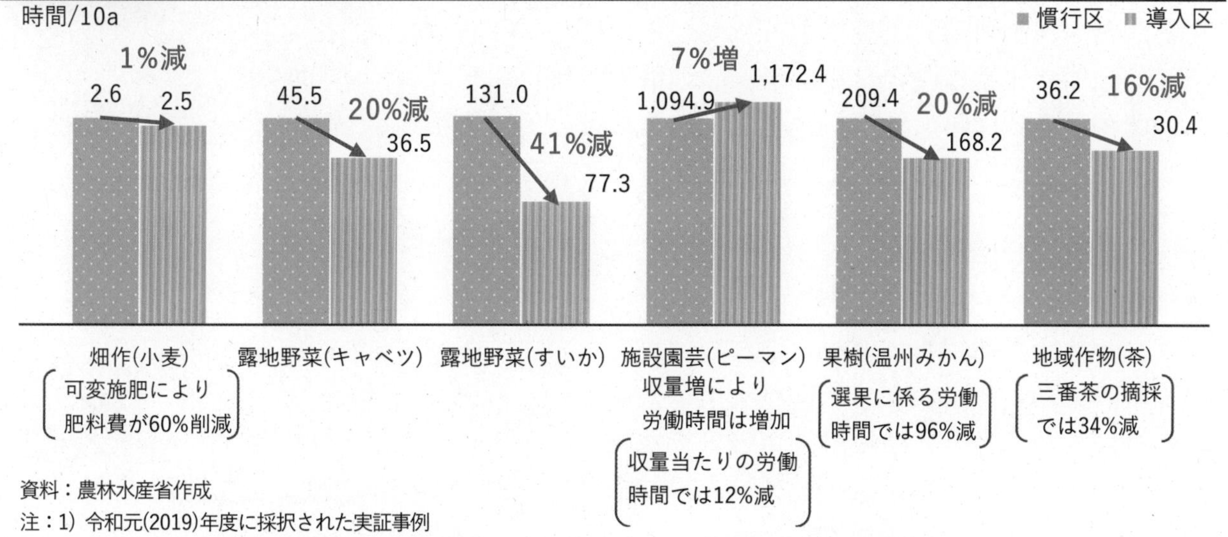

資料:農林水産省作成
注:1) 令和元(2019)年度に採択された実証事例
　　2) 四捨五入による端数処理の関係で、増加・減少した労働時間数と増加・減少率が合わない場合がある。

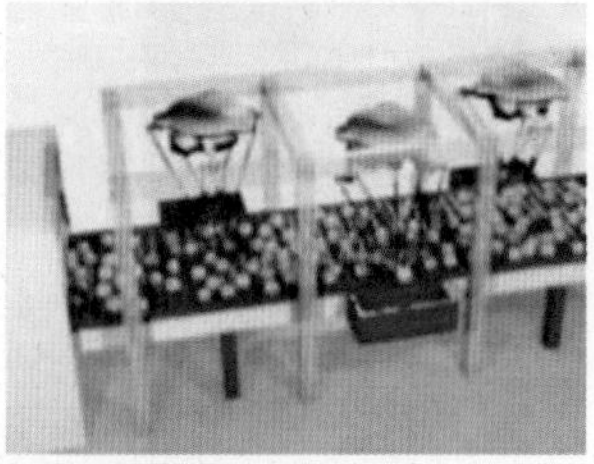
腐敗果を排除するロボットハンド

ハウス内の環境を最適化する制御盤

資料:農林水産省

(今後の対応方針)

令和元(2019)年度の実証プロジェクトの成果により、スマート農業による労働時間の削減効果等のメリットや、スマート農業機械の初期投資の負担等の課題が明らかになりました。

農林水産省では、これらの課題に対して、令和 2(2020)年 10 月に策定した「スマート農業推進総合パッケージ」(令和 3(2021)年 2 月改訂)を踏まえた取組を推進しています。今後は、適正な最大稼働面積を見極め、スマート農業機械導入後の機械費等の削減方策の検討や、シェアリング等の農業支援サービスによる初期投資の軽減方策の検証、地域の実情に応じたスマート農業技術の導入効果の情報提供の充実等を実施していきます。

→第 2 章第 8 節を参照

トピックス 4　農業・食関連産業でのデジタル変革の推進

社会全体でデジタル化の実現に向けた取組が加速する中、農業や食関連産業分野でも、デジタル技術の活用による変革、デジタルトランスフォーメーション(DX)に向けた取組が進みつつあります。以下では、農業・食関連産業でのデジタル技術活用の現状やデジタル変革の推進状況について紹介します。

(生産現場でのデジタル変革)

スマート農業技術の生産現場での実証プロジェクトを全国148地区で進めている中、その横展開や通信インフラの整備等の本格的な社会実装を加速化していく段階にあります。

また、データを活用した農業を行っている農業経営体は現段階では全体の2割に満たないほか、農地情報が個別に管理され、農業者や関係職員に負担が生じているなど、データ活用による経営改善の取組促進や負担の軽減等が必要な状況にあります。

ドローンによるセンシング

(農村地域でのデジタル変革)

デジタル技術を活用して都市と地方の住民や地域内の異業種人材をつなぐプラットフォームが生まれつつあり、農村地域の課題解決や地域資源への活用が期待されますが、現時点では限定的です。

また、鳥獣被害対策、農業基盤整備等にデジタル技術を活用し、対策の効率化やスマート農業の実装に向けた取組が進みつつありますが、本格的な実装はこれから進めていく段階です。

都市と地方の人材をつなぐプラットフォーム

資料：株式会社おてつたび

(流通・消費におけるデジタル変革)

物流の効率化・自動化に向けて、他産業では、共同輸送、混載や、最適な輸送経路の選択等にデジタル技術を活用する取組も進みつつありますが、農業分野では限定的です。

また、ネット通販では、消費者と農業者を直接つなぎ、消費者ニーズに基づく生産・販売を展開しているケースも見られますが、農業者や流通・小売業者との接点は限られているのが一般的であり、デジタル技術を活用して、川上から川下までデータでつなぎ、情報の共有を可能とすることが求められています。

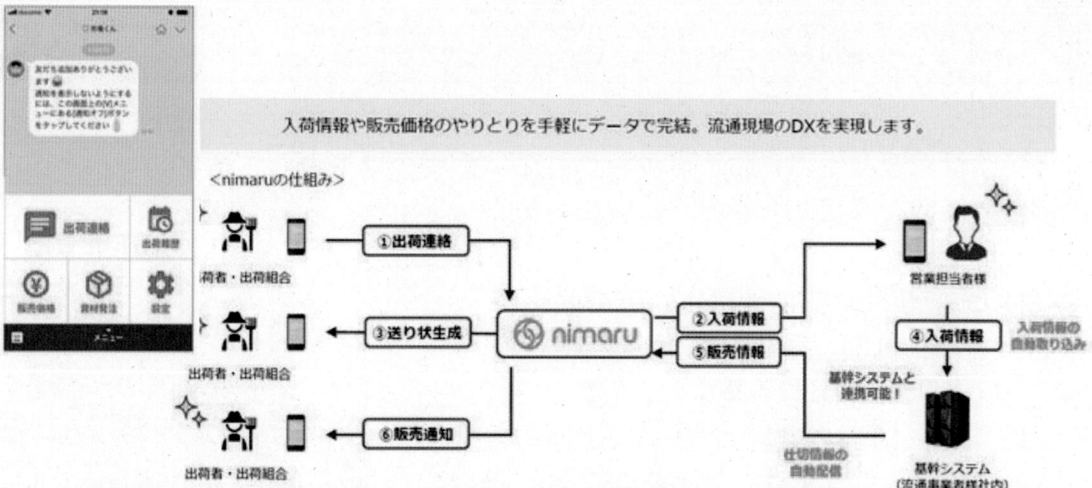

SNS をベースとしたアプリで産地情報・販売情報を農業者と流通業者でやりとりする取組

資料：株式会社 kikitori

(食品製造業、外食・中食産業におけるデジタル変革)

食品製造や外食産業等の労働力不足に対応するため、進展する AI[1]やロボット技術による食材の加工や皿洗いの自動化等、様々な場面での先端技術の活用が期待されています。

また、資源循環型の食料供給の必要性が高まる中で、代替タンパク、機能性食品等を利用したフードテックに取り組む事業者が登場し始めており、技術開発と併せて、その価値を科学的に評価し得る技術・仕組みの構築も求められています。

(「農業 DX 構想」を策定)

以上のように、農業や食関連産業分野でのデジタル変革は、これから進めなければならない段階にあります。このため、令和 3(2021)年 1 月から「農業 DX 構想検討会」において、農業・食関連産業分野の DX の方向性や取組課題の議論が行われ、「農業 DX 構想」が同年 3 月に公表されました。これらの分野における DX の実現に向け、多種多様なプロジェクトが実施される予定です。

→第 1 章第 3 節、第 2 章第 8 節を参照

1 用語の解説 3(2)を参照

トピックス5 鳥インフルエンザ、豚熱への対応

鳥インフルエンザや豚熱《ぶたねつ》[1]を始めとする家畜伝染病については、家畜伝染病予防法に基づき、発生予防措置及びまん延防止措置を講じています。以下では、鳥インフルエンザや豚熱の防疫措置の強化等に関わる様々な取組を紹介します。

(鳥インフルエンザの感染拡大防止対策の強化)

令和2(2020)年11月、香川県で約3年ぶりとなる高病原性鳥インフルエンザ[2]が発生し、令和3(2021)年3月末時点で、18県の農場において52例の発生が確認されており、これまでにおよそ987万羽が殺処分の対象となっています。

農林水産省から全国の都道府県に対して、発生状況等に応じて、飼養衛生管理基準の遵守指導の徹底等を通知するとともに、各都道府県を通じて、飼養衛生管理の全国一斉点検、全国一斉の緊急消毒、緊急的な防疫演習等の取組を実施しました。

なお、我が国の現状において、家きんの肉や卵を食べることにより、ヒトが鳥インフルエンザウイルスに感染する可能性はないと考えています。

農場に入る車両の徹底した消毒

(豚熱の感染拡大防止対策の強化)

平成30(2018)年9月、岐阜県で我が国において26年ぶりとなる豚熱が発生し、令和3(2021)年3月末時点で、12県の豚又はイノシシの飼養農場において63例の発生が確認されています。

令和2(2020)年度は、5県の飼養農場で、5例が発生しています。

このため、農林水産省は豚熱対策として、農場防護柵の設置やエコフィード[3]の加熱基準の引上げ等の飼養衛生管理の徹底、捕獲強化や経口ワクチン散布等の野生イノシシ対策に加え、令和元(2019)年10月から飼養豚への予防的ワクチンの接種を実施してきているところです。

また、確実かつ継続的なワクチン接種体制を構築するために、豚熱に関する特定家畜伝染病防疫指針を改正し、都道府県職員である家畜防疫員に加え、一定の要件を満たす獣医師による豚熱ワクチンの接種を可能としました。

→第1章第8節を参照

[1] 用語の解説3(1)を参照
[2] 用語の解説3(1)を参照
[3] 用語の解説3(1)を参照

トピックス 6 植物新品種の海外流出対策

植物の新品種は、我が国農業の今後の発展を支える重要な要素となっています。これまでも、環境や消費者の嗜好《しこう》に合った新品種の開発は、農産物の生産性の向上や付加価値の増加をもたらし、農業者、消費者ともにその利益を享受してきました。

また、このような植物の新品種に係る知的財産の重要性に鑑み、近年、我が国の登録品種が海外に流出する事例が見られたことも踏まえ、優良な植物品種の育成者権を保護し、新品種の開発を促進するため、令和2(2020)年12月に「種苗法の一部を改正する法律」(以下「改正種苗法」という。)が成立しました。以下では、植物の新品種の海外流出対策について紹介します。

(我が国で開発された品種の潜在力)

優良な品種は、我が国農業の強みの一つであり、輸出品目として海外でも高い評価を得ています。一方で、シャインマスカットやイチゴ等の種苗が海外に持ち出され、中国や韓国で産地化された上で東南アジア等にも輸出され、我が国からの輸出産品と競合するなどの問題も指摘されています(**図表トピ 6-1**)。

図表トピ 6-1　シャインマスカットの海外流出について

【国内】

- シャインマスカットは我が国で育成されたブドウ品種
- 甘みが強く、食味も優れ、皮ごと食べられることから、高値で取引
- 輸出産品としての期待も高い

苗木が海外に流出 →

【中国】

- 「陽光バラ」「陽光玫瑰」「香印翡翠」等の名称での販売を確認

※「香印」はシャイン（xiāng yìn)と発音される。

- 「香印」を含む商標の出願（香印青提、香印翡翠）が判明
- 日本原産として、高値で苗木取引

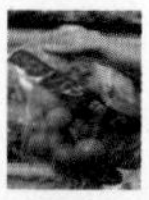

中国産「陽光バラ」（約490円/パック）

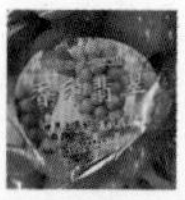

「中国産」香印翡翠（約1,357円/kg）

【韓国】

- 韓国国内でのシャインマスカットの栽培、市場での販売を確認

生産物が更に輸出 →

【東南アジア等】

- タイ市場で中国産、韓国産シャインマスカットの販売を確認
- 香港市場で中国産、韓国産のシャインマスカットの販売を確認
- マレーシア、ベトナム市場で韓国産シャインマスカットの販売を確認

タイ市場で発見された中国産「陽光バラ」

タイ市場で発見された韓国産「SHINE MUSCAT」

資料：農林水産省作成

我が国で開発された優良な植物品種の流出により、我が国の農業者が本来得られるべき利益が失われることは大きな問題です。一方で、このような海外における栽培の拡大は、我が国の品種の海外における潜在力が大きいことを示しているともいえます。令和2(2020)年9月に植物品種等海外流出防止対策コンソーシアム[1]が公表した調査結果では、我が国の登録品種[2]と同名の種苗が中国や韓国のインターネットで36品種販売されていることが確認され、我が国の品種の人気の高さが裏付けられました(**図表トピ 6-2**)。

---

[1] 公益社団法人農林水産・食品産業技術振興協会、一般社団法人日本種苗協会、一般社団法人日本果樹種苗協会、全国食用きのこ種菌協会、国立研究開発法人農業・食品産業技術総合研究機構種苗管理センターで構成

[2] 種苗法に基づき品種登録を受けている品種

図表トピ 6-2 ウェブサイト上で販売が確認された日本における登録品種の名称一覧

イチゴ 10 品種(紅ほっぺ、さがほのか等)、ブドウ 4 品種(シャインマスカット、クイーンニーナ等)
ウンシュウミカン 1 品種(大分果研 4 号)、その他カンキツ 10 品種(はるみ、せとか等)
リンゴ 3 品種(もりのかがやき、はるか等)、ナシ 1 品種(あきづき)
モモ 2 品種(西王母《せいおうぼ》等)、スモモ 1 品種(アルプス王子)
カキ 1 品種(早秋)、サクランボ 2 品種(紅てまり等) 、サツマイモ 1 品種(べにはるか)

計 36 品種

資料：植物品種等海外流出防止対策コンソーシアムの公表資料を基に農林水産省作成
注：令和 2(2020)年 7 月時点

(新品種の展開方向)

都道府県等が開発した新品種のブランド化等が図られる場合、大きく 2 つの戦略に整理することが可能です。一つは、福岡県が開発したイチゴの「あまおう」[1]や、北海道が開発した稲の「ゆめぴりか」のように、栽培地域を自らの都道府県内に限定するなどにより品質管理を徹底し、高付加価値の農産物として販売していくものです。もう一つは、栃木県が開発したイチゴの「とちおとめ」(平成 23(2011)年 11 月から一般品種[2])や、山形県が開発した稲の「つや姫」のように、自らの都道府県外を含めて栽培を許諾し、その新品種の知名度を高めた上で、自らの都道府県内で栽培された生産物をトップブランドとして販売していくものです。いずれの戦略も、品種を開発した都道府県内の産地づくり、ひいては生産者の高収益につながります。

改正種苗法により、許諾を得ていない登録品種の利用が防止しやすくなったことで、こうしたブランド化戦略を更に後押しできることとなります。

(改正種苗法を活用した海外展開)

農産物輸出に当たっても、国内で都道府県が行っているブランド化戦略と同様の戦略が有効と考えられます。しかし、我が国の種苗法のような品種の保護を受けることができる制度や仕組みが世界の全ての国・地域で設けられているわけではありません。同様の制度のある国・地域では、各国・地域の国内法である品種保護制度に基づき品種登録を行えば、当該国・地域における無断栽培を防止することや、我が国の品種の開発者が特定の現地生産者等をパートナーとして品質や数量、出荷時期、輸出先等を管理させた上で栽培を許諾することは可能です。一方で、品種登録を行っていない国・地域や品種の保護を行う制度そのものが十分でない国・地域では、無断栽培を止めることはできず、海外におけるブランド管理に限界があったというのが現状です。

改正種苗法では、これまで持ち出しを止めることができなかった登録品種の種苗について、育成者権者が海外へ持ち出しが可能な国・地域の指定や国内で栽培可能な地域を指定できるようになり、これに違反した登録品種の海外持ち出しを止めること等が可能となりました。この仕組みを活用すれば、育成者権者の許諾がない登録品種の海外への持ち出しに対する抑止力が高まることとなります。これにより、我が国の新品種を活用した海外展開の選択肢が広がることが期待されます。

→第 1 章第 4 節を参照

---

1 登録品種名は福岡 S6 号
2 一般品種には、①在来種、②品種登録されたことがない品種、③品種登録期間が切れた品種が含まれる。とちおとめは平成 23(2011)年に登録期間満了

トピックス7 フードテックの現状

世界的に健康志向や環境志向等、食に求める消費者の価値観が変化していること等を背景に、生産から流通・加工、外食、消費等へとつながる食分野の新しい技術及びその技術を活用したビジネスモデル「フードテック」への関心が高まっており、世界のフードテック分野への投資額は年間2兆円を超えています[1]。

以下では、我が国における取組事例、研究会の立ち上げとその中間取りまとめ、官民協議会の設立等、フードテックをめぐる動きを紹介します。

(我が国におけるフードテックの取組事例)

我が国におけるフードテックの取組事例としては、代替肉や、健康・栄養に配慮した食品、人手不足に対応する調理ロボット、昆虫を活用した環境負荷の低減に資する飼料・肥料の生産等の分野で、スタートアップ企業等が事業展開、研究開発を実施しています。

必要な栄養素をバランス良く配合した完全栄養食のパン
資料：ベースフード株式会社

人手不足に対応する食洗機ロボット
資料:コネクテッドロボティクス株式会社

(フードテック研究会の立ち上げと中間取りまとめ)

農林水産省は、フードテックに関わる産業について、協調領域における課題やその対応を議論するため、令和2(2020)年 7 月、食品企業や、スタートアップ企業、関係省庁、研究機関等の関係者で構成する「フードテック研究会」による「中間取りまとめ」を公表しました。

この中では、フードテックを資源循環型の食料供給システムの構築や高い生活の質を実現する上で鍵となる技術であると位置付け、国内に技術基盤を確保していくことが重要であること等が示されました。

また、重点的に研究開発・投資や社会実装を進めるべき分野としては、多様化する消費者の価値観に対応した食品・素材等の提供、ユニバーサルに食を楽しむことのできる調理環境の整備、新型コロナウイルス感染症の収束後を見据えた新たな食産業への転換、持続的な資源循環の実現に資する技術やビジネスモデルが挙げられました。

このほか、海外の動向も押さえた戦略的なルールづくりや、フードテックに特化した研究開発への支援、投資環境の整備についても意見が出されました。

(フードテック官民協議会の設置)

フードテック研究会の中間取りまとめを踏まえ、農林水産省では、令和 2(2020)年 10 月に官民連携による「フードテック官民協議会」を立ち上げました。官民協議会では特定の分野について協調領域の課題解決に向けた専門的な議論を行うための作業部会を発足させるとともに、フードテックの機運を盛り上げるため、Web を活用したセミナー等のコミュニティ活動を実施することとしています。

今後も、官民協議会等の活動を通じて、代替肉や、健康・栄養に配慮した食品、昆虫を活用した飼料・肥料生産等の日本の強みを生かしたフードテックの新たな市場創出を進めていくこととしています。

→第1章第3節を参照

1 AgFunder「AgFunder AgriFoodTech Mid-Year Investment Review－H1'20」、各年平均のドル円相場で円換算

特集

新型コロナウイルス感染症による影響と対応

特集　新型コロナウイルス感染症による影響と対応

新型コロナウイルス感染症は、令和2(2020)年に世界的な大流行に発展し、世界の経済・社会に大きな影響を及ぼしています。

我が国においても、学校の休校や外出自粛、インバウンド需要の減少等により、経済・社会に多大な影響が生じました。高密度を避ける生活様式が常態化する中で、食事をする場所や食べ物の入手先が変化し､個々の農畜水産物の需要に大きな影響を及ぼしています。一方、デジタル技術を活用した生活様式の変化は、テレワーク等場所を問わない働き方の進展につながるとともに、オンラインを通じた消費者と生産者、地方と都市との新たな交流をもたらしています。

このような中で、農林水産省は、新型コロナウイルス感染症拡大の影響を受けた農林漁業者の経営継続支援や国産農産物の販売促進・消費拡大等に向けて各般の措置を講じました。

本特集では、これら食料・農業・農村における影響と対応について記述します。

(1)食料消費面での影響と新たな動き

ア　食料消費への影響

令和2(2020)年2月以降、学校の休校や外出自粛、インバウンド需要の減少等により、外食事業者を始め、関連産業に大きな影響が発生しています。

感染症が拡大するにつれ、外出自粛に伴う家庭内消費が増加し、一時的に米やパスタ、冷凍食品等の品目がスーパーで欠品又は品薄になりましたが、食品製造事業者の生産継続や、流通事業者の休日配送等により、食料は安定的に供給されました。

(外食への支出が大きく減少、生鮮食品への支出が増加)

令和2(2020)年以降の食料消費支出額を見ると、令和元(2019)年と比べ、令和2(2020)年3月以降は外食への支出額が大きく減少する一方、生鮮食品への支出額は増加し、高止まりしています(**図表 特-1**)。令和3(2021)年1月に緊急事態宣言が再度発出され、回復の兆しが見えた外食への支出額は再び大きく減少しました。

図表 特-1 1人1か月当たりの食料消費支出額の推移

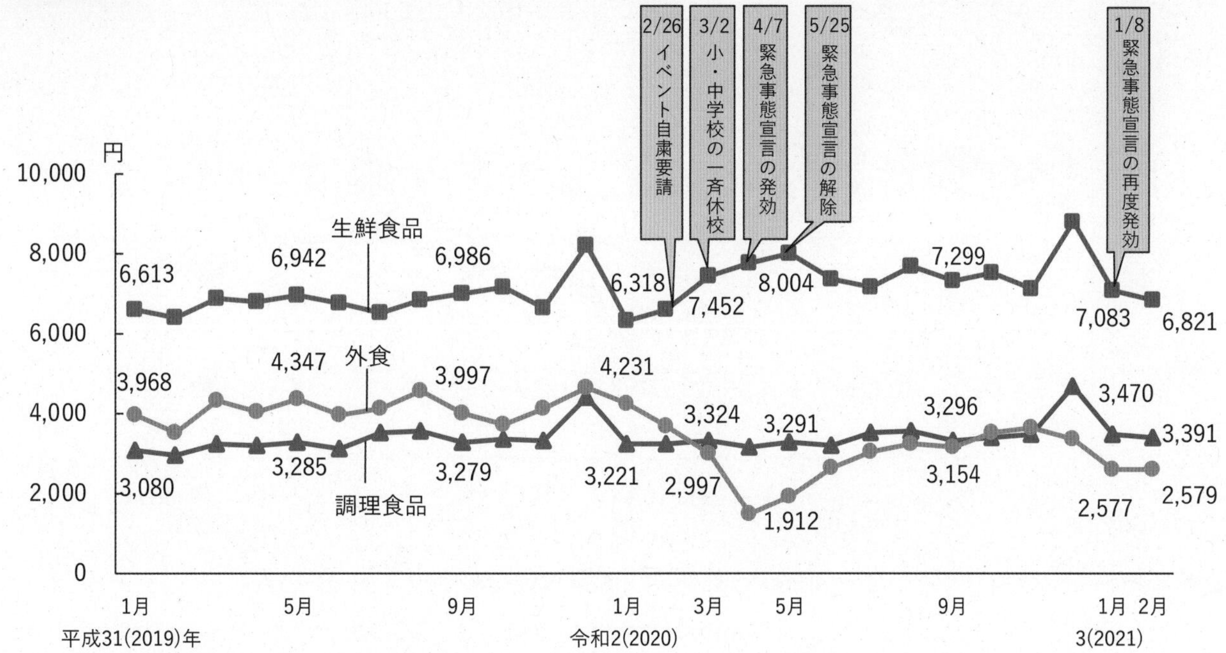

資料：総務省「家計調査」(全国・用途分類・二人以上の世帯)を基に農林水産省作成

注：1) 消費者物価指数(食料：平成27(2015)年基準)を用いて物価の上昇・下落の影響を取り除いた数値

2) 世帯員数で除した１人当たりの数値

3) 生鮮食品は、米、生鮮魚介、生鮮肉、牛乳、卵、生鮮野菜、生鮮果物の合計

4) 調理食品は、主食的調理食品と他の調理食品の合計で、他の調理食品には冷凍調理食品も含む。

5) 令和3(2021)年１月の緊急事態宣言は７日に発出し、８日から発効

(外食産業の売上げが大幅に減少)

一般社団法人日本フードサービス協会の調査によれば、令和２(2020)年の外食産業全体の売上高は前年と比べ 15.1%減となり、平成 6(1994)年の調査開始以来最大の下げ幅となりました。テイクアウト・デリバリー需要に支えられたファストフードは 3.7%減と踏みとどまった一方、パブレストラン・居酒屋では 49.5%減と大きなダメージを受けました。

月ごとの推移を見ると、令和２(2020)年５月以降は、緊急事態宣言の解除により全ての業態で売上げは回復し、同年 11 月の外食産業全体の売上高は前年同月比で９割強まで回復しましたが、その後の新型コロナウイルス感染症の再拡大を受けて再び減少しました。令和 3(2021)年１月に緊急事態宣言が再度発出され、同年２月の外食産業全体の売上高は前年同月比で 77.7%となりました(**図表 特-2**)。

図表 特-2 外食産業における業態別売上高の推移(前年同月比)

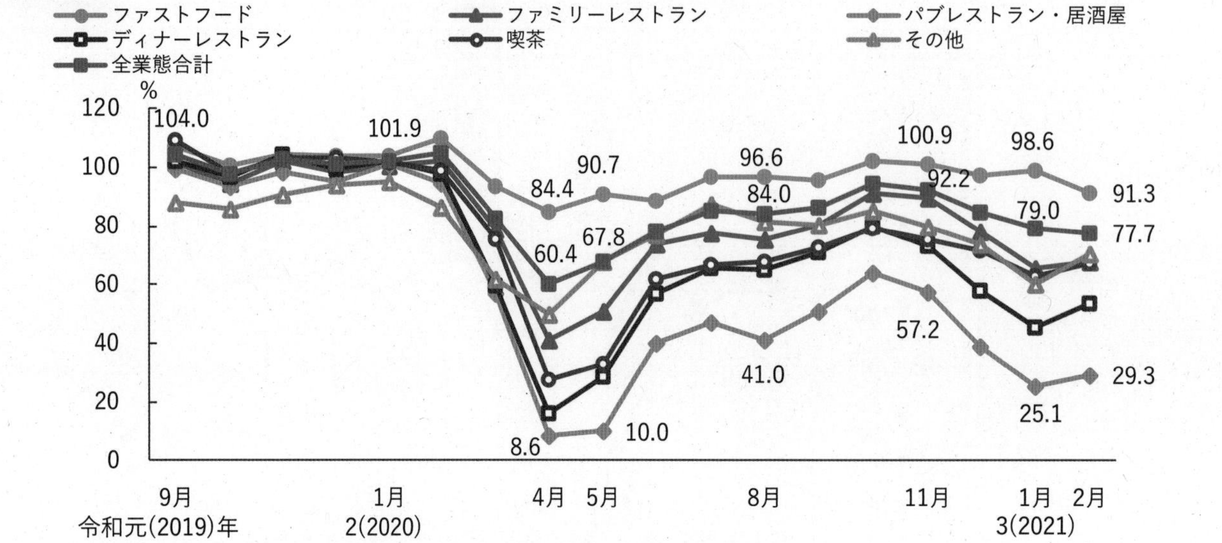

資料：一般社団法人日本フードサービス協会「外食産業市場動向調査」を基に農林水産省作成
注：1）協会会員社を対象とした調査
2）その他は総合飲食、宅配ピザ、給食等を含む。

また、株式会社帝国《ていこく》データバンクが令和3(2021)年３月に公表した調査によると、「新型コロナウイルス関連倒産」の件数は全国で1,237件にのぼり、業種別では、「飲食店」が205件で最も多く、「食品卸」も62件と全体で５番目に多くなっています。外食産業の売上げの減少により、関連する食品卸にも影響が波及していると考えられます(**図表 特-3**)。

図表 特-3 新型コロナウイルス関連倒産数（業種別件数上位）

	業態	件数
1	飲食店	205
2	建設・工事業	110
3	ホテル・旅館	86
4	アパレル小売	67
5	食品卸	62
全体		1,237

資料：株式会社帝国データバンク「「新型コロナウイルス関連倒産」動向調査」(令和3(2021)年３月31日公表)を基に農林水産省作成
注：1）業種別件数上位を抜粋
2）令和3(2021)年３月31日時点の数値

(インバウンド需要は大幅に減少)

日本政府観光局(JNTO)の調査によれば、令和2(2020)年の訪日外国人旅行者数は、外国との往来規制により前年比で９割弱減少し、412万人となりました(**図表 特-4**)。これにより、訪日外国人旅行者の旅行消費額も同程度減少していると考えられます。

図表 特-4 訪日外国人旅行者数

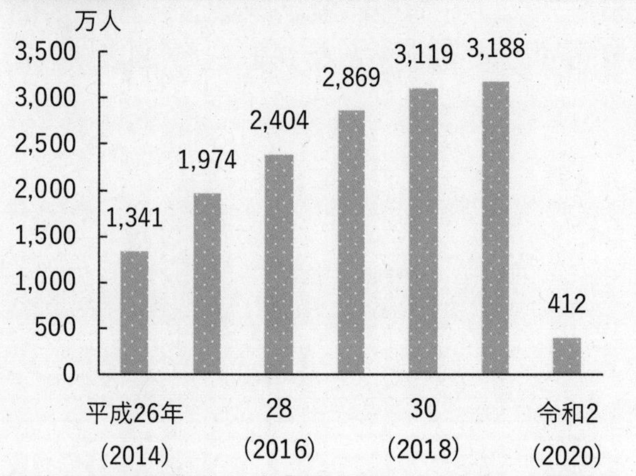

資料：日本政府観光局(JNTO)「訪日外客数」を基に農林水産省作成
注：令和2(2020)年の数値は暫定値

(長期保存が可能な加工品等の消費が増加)

令和 2(2020)年 3 月以降、長期保存が可能な米、パスタ、小麦粉、バター、冷凍調理食品等の加工品や生鮮肉等の生鮮品への支出額が増加しています(**図表 特-5**)。

図表 特-5 主な品目別の1人1か月当たりの支出額(前年同月を 100 とする指数)

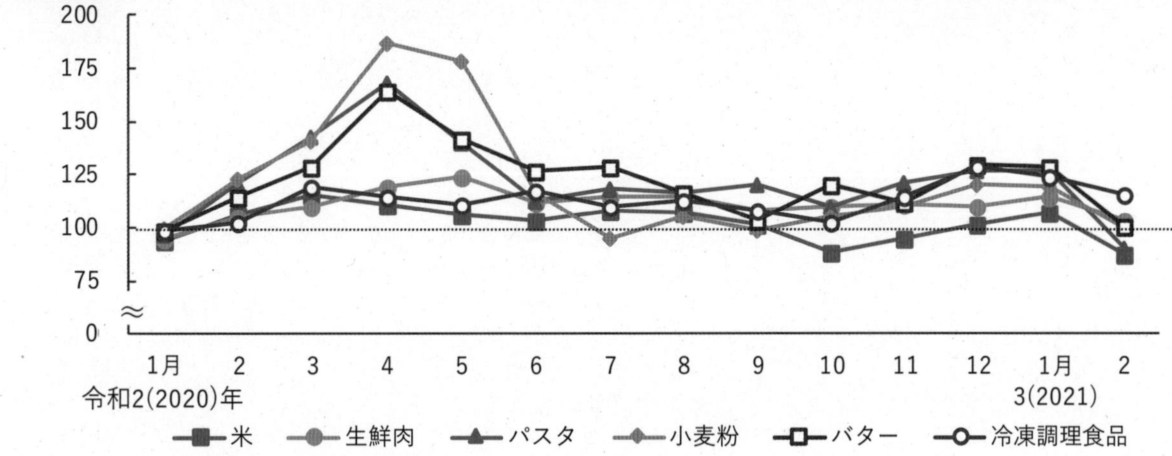

資料：総務省「家計調査」(全国・品目分類・二人以上の世帯)を基に農林水産省作成

注：1) 消費者物価指数(食料：平成 27(2015)年基準)を用いて物価の上昇・下落の影響を取り除いて算出

2) 世帯員数で除した 1 人当たりの数値

3) 算出方法は、当月金額÷前年同月金額×100

米については、内閣府が令和 2(2020)年 9 月に実施した世論調査によると、新型コロナウイルス感染症発生前と比べ米の消費が「増加した」と答えた者が全体の約 2 割(「変わらない」が約 8 割)で、年齢別に見ると、「増加した」と答えた者の割合は 30 歳代、50 歳代で高くなっています(**図表 特-6**)。

図表 特-6 新型コロナウイルス感染症発生前後の米の消費の変化

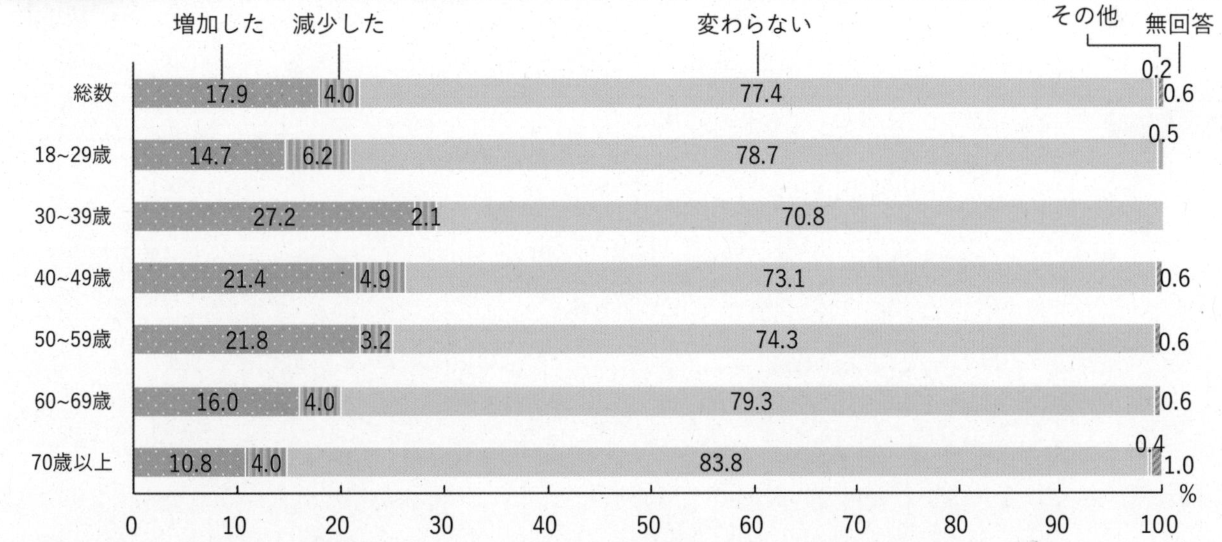

資料：内閣府「食生活に関する世論調査」(令和 3(2021)年 1 月公表)を基に農林水産省作成

注：令和 2(2020)年 9 月に、全国 18 歳以上の日本国籍を有する者を対象に行った調査(有効回答数 1,967 人、回収率 65.6%)

また、令和 2(2020)年 3 月以降、納豆、ヨーグルト等の発酵食品や緑黄色野菜への支出額も前年同月と比べ増加しています(**図表 特-7**)。これは消費者の健康志向の高まりが一因と考えられます。

図表 特-7 発酵食品や緑黄色野菜の1人1か月当たりの支出額(前年同月を100とする指数)

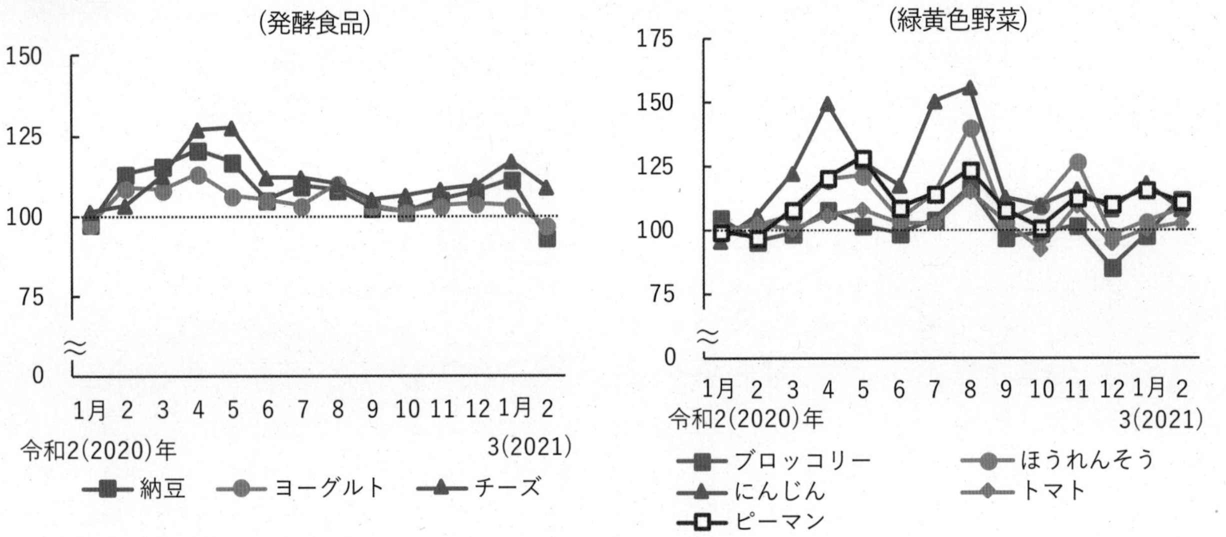

資料：総務省「家計調査」(全国・品目分類・二人以上の世帯)を基に農林水産省作成
注：1) 消費者物価指数(食料：平成27(2015)年基準)を用いて物価の上昇・下落の影響を取り除いて算出
2) 世帯員数で除した1人当たりの数値
3) 算出方法は、当月金額÷前年同月金額×100

(自宅での食事・料理機会が増加)

生鮮食品への支出額が増加した要因としては、自宅での料理機会の増加が考えられます。

株式会社マクロミルが令和2(2020)年7月に公表した調査によれば、外出自粛やテレワークの浸透に伴い、自宅での食事機会が増えたと回答した人、料理機会が増えたと回答した人は、それぞれ5割程度となっています(**図表 特-8**)。

また、農林水産省が令和2(2020)年12月に実施した調査でも、自宅で食事する回数が増えたと回答した人は4割弱、料理する回数が増えたと回答した人は3割弱となり、自宅内での食事、料理機会の増加傾向が継続していることがうかがえます(**図表 特-9**)。

図表 特-8 自宅における食事及び料理の頻度

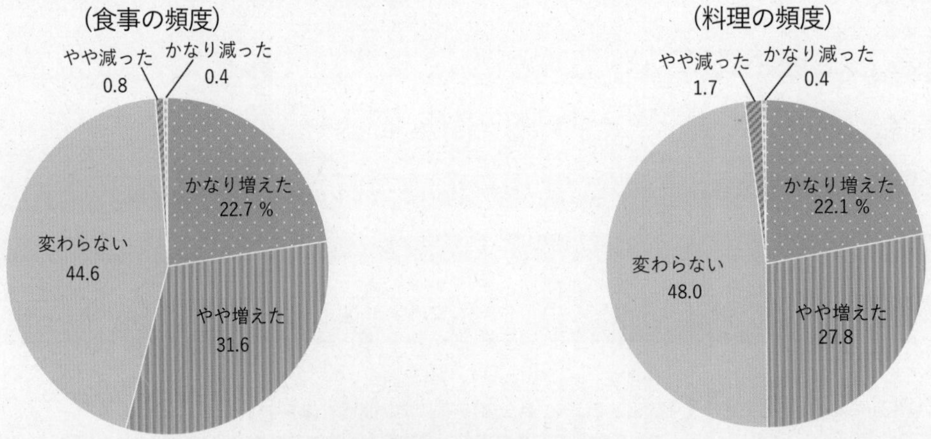

資料：株式会社マクロミル「新型コロナによる食生活と健康に対する意識調査」(令和2(2020)年7月公表)を基に農林水産省作成
注：1) 令和2(2020)年6月に、全国20~69歳の男女2,000人を対象として実施したインターネットによるアンケート調査
2) 料理の頻度についての設問は、2,000人のうち自宅での料理をメインで行っている者1,114人が対象

図表 特-9　自宅における食事及び料理の頻度

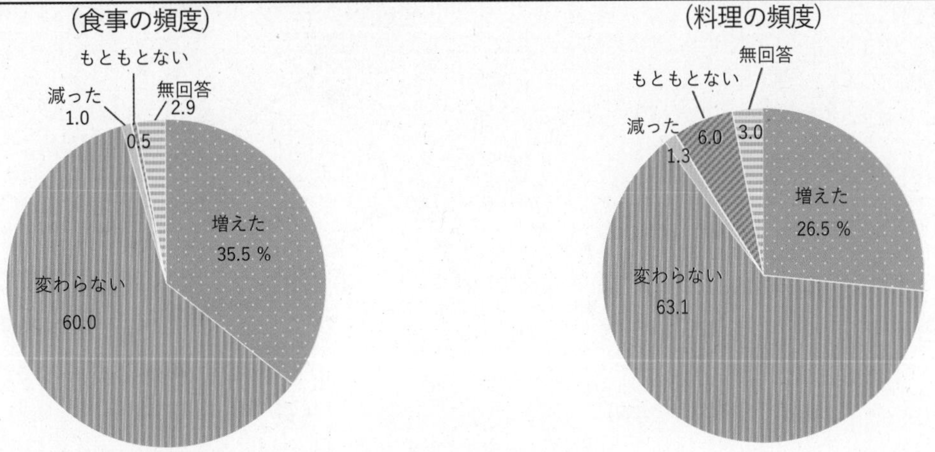

資料：農林水産省「食育に関する意識調査」（令和 3(2021) 年 3 月公表）を基に作成

注：令和 2(2020) 年 12 月に、全国の 20 歳以上の者 5,000 人を対象として実施した郵送及びインターネットによる調査（有効回収率 47.9%）

（食品スーパーの売上高は増加）

家庭における料理機会の増加に伴い、食品スーパーの売上高は増加しています。

スーパーマーケット業界３団体合同の調査によると、令和 2(2020) 年２月以降、食品全体の売上高は前年同月と比べ増加しています。特に生鮮３部門（青果、水産、畜産）の売上高が増加しており、令和 2(2020) 年５月には前年同月と比べ２割程度増加し、６月以降も例年より高い水準で推移しています（**図表 特-10**）。

図表 特-10　食品スーパーの売上高（前年同月比）

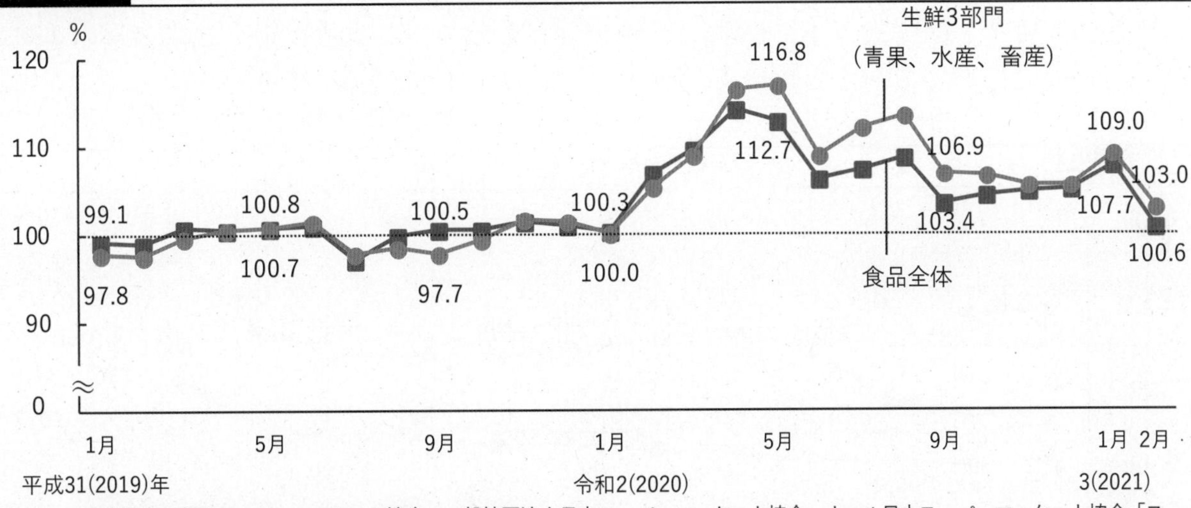

資料：一般社団法人全国スーパーマーケット協会、一般社団法人日本スーパーマーケット協会、オール日本スーパーマーケット協会「スーパーマーケット販売統計調査」を基に農林水産省作成

注：1）食料品を中心に取り扱うスーパーマーケットを対象とした調査
　　2）生鮮３部門は、青果、水産、畜産の合計
　　3）前年同月を 100 とした当月の数値
　　4）令和 2(2020) 年度末時点の数値

（１回の買物で食料品をまとめ買いする消費者が増加）

スーパーマーケット業界３団体合同の動向調査によると、令和 2(2020) 年４月以降、スーパーマーケットの来客数は減少する一方、客単価は、前年同月比で 2～3 割程度増加して推移しています（**図表 特-11**）。外出自粛に伴い、スーパーマーケットへの来店は、回数を減らし、１回の買物で食料品をまとめ買いする消費者が増加したためと考えられます。

図表 特-11 スーパーマーケットの来客数DIと客単価DI

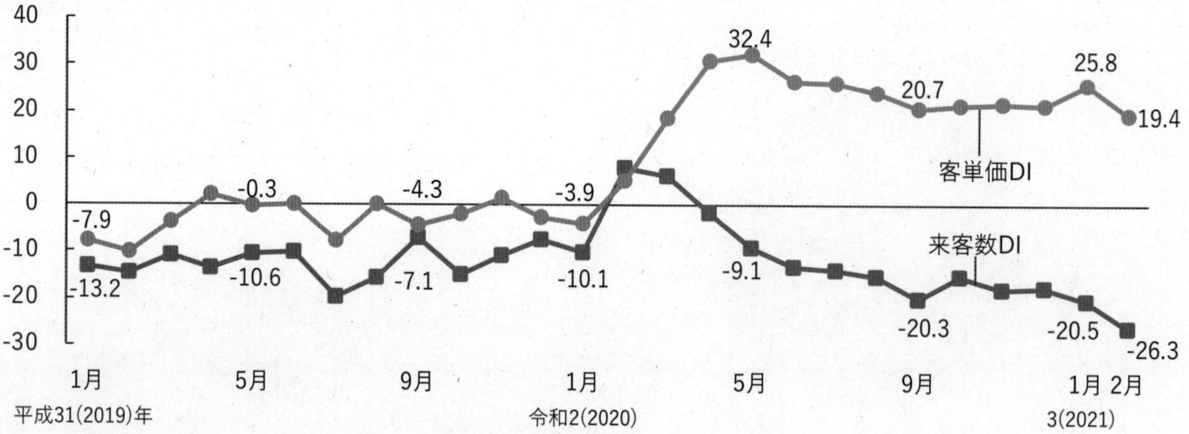

資料：一般社団法人全国スーパーマーケット協会、一般社団法人日本スーパーマーケット協会、オール日本スーパーマーケット協会「スーパーマーケット景気動向調査」を基に農林水産省作成

注：1) 食料品を中心に取り扱うスーパーマーケットを対象とした調査

2) DI(Diffusion Index、動向指数)は、協会会員社の中核店舗における客単価及び来客数について、前年同月と比較し「かなり増加」、「やや増加」、「変わらない」、「やや減少」、「かなり減少」の5段階で評価。その回答構成比(%)にそれぞれ+0.5、+0.25、±0、-0.25、-0.5を乗じた数値を合計して算出

3) 令和2(2020)年度末時点の数値

（インターネット通信販売での食料消費が増加）

令和2(2020)年3月以降、インターネットによる通信販売での食料支出額が増えています(**図表 特-12**)。同年5月には前年同月比で8割増加し、その後も前年同月比で5～7割程度増加して推移しています。

年齢別に見ると、29歳以下での利用が最も多いものの、60歳代以上の高齢者層も含め、全ての年齢層において前年と比べ支出額が増加しています(**図表 特-13**)。

図表 特-12 インターネットによる通信販売での食料支出額

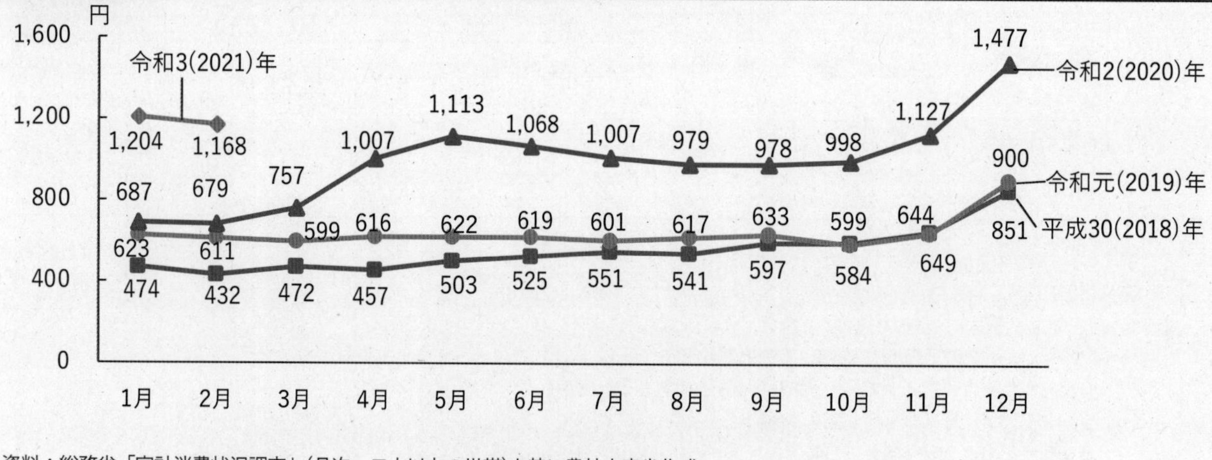

資料：総務省「家計消費状況調査」(月次・二人以上の世帯)を基に農林水産省作成

注：1) 消費者物価指数(食料：平成27(2015)年基準)を用いて物価の上昇・下落の影響を取り除いた数値

2) 世帯員数で除した1人当たりの数値

図表 特-13 インターネットによる通信販売での食料支出額(年齢別)

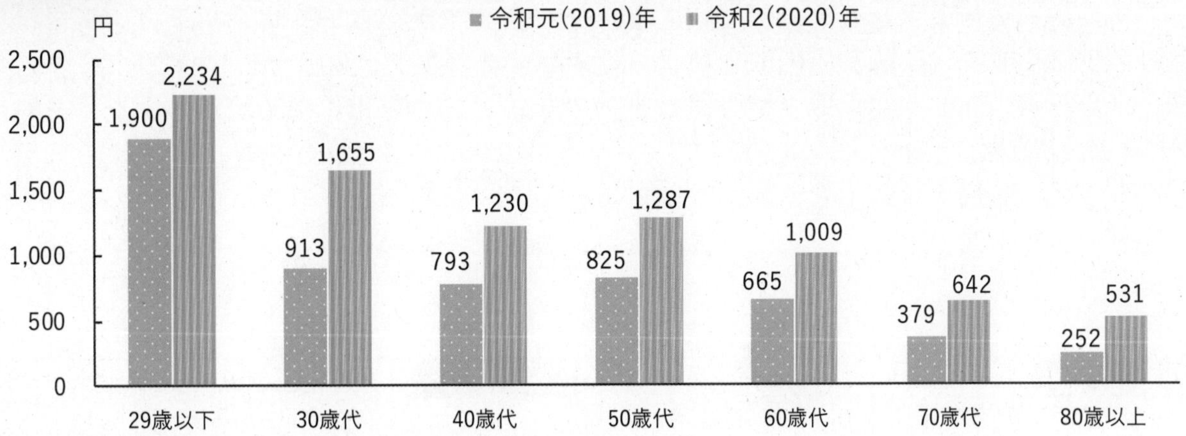

資料：総務省「家計消費状況調査」(年次・総世帯)を基に農林水産省作成
注：1) 消費者物価指数(食料：平成 27(2015)年基準)を用いて物価の上昇・下落の影響を取り除いた数値
2) 世帯員数で除した１人当たりの数値

(コラム) 調理器具の購入額変化

自宅での料理機会の増加により調理器具への支出も増加しています。令和 2(2020)年における１人1か月当たりの包丁やまな板を含む台所用品への支出額は前年に比べて約1割増加しています。また、調理家電の需要が増加しており、令和 2(2020)年におけるホットプレート及びトースターの国内出荷額は、前年比でそれぞれ 4 割増加、2 割増加となりました。

１人１か月当たりの「他の台所用品」への支出額

資料：総務省「家計調査」(全国・品目分類・二人以上の世帯)を基に農林水産省作成
注：1) 消費者物価指数(家事雑貨：平成 27(2015)年基準)を用いて物価の上昇・下落の影響を取り除いた数値
2) 世帯員数で除した１人当たりの数値
3) 他の台所用品には包丁、まな板等の調理器具のほか、台所用たわし、ふきん等の備品も含む。

調理家電の国内出荷額

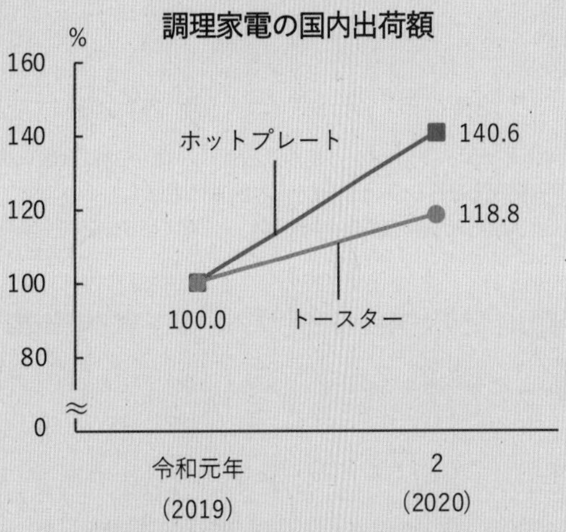

資料：一般社団法人日本電機工業会「民生用電気機器自主統計調査」を基に農林水産省作成
注：令和元(2019)年の国内出荷額を 100 としたときの割合

イ　食料、農産物需要をめぐる新たな動き

(外食事業者によるテイクアウト、フードデリバリーの取組が増加)

外食事業者の中には、提供する料理を消費者が持ち帰る「テイクアウト」や、料理を自宅に宅配する「フードデリバリー」への取組を拡大する動きが見られます。

エヌピーディー・ジャパン株式会社が令和 3(2021)年 2 月に公表した調査によれば、令和 2(2020)年 4 月以降、外食事業者のデリバリー部門の売上げは対前年同月比で増加して推移し、特に同年 5 月は 204%増加しました(**図表 特-14**)。

ファミリーレストラン等を全国展開する、株式会社すかいらーくホールディングスは、令和 2(2020)年 4 月以降、店内飲食による売上げが半減したため、テイクアウトやフードデリバリー用の商品開発に取り組み、これらのサービスの令和 2(2020)年の売上げを対前年比で約 6 割増加させました。また、フードデリバリーについては、自社で配達するほか、宅配ニーズの急増に対応するため、フードデリバリーを専門に行う代行業者への委託も増加し、令和 2(2020)年では、フードデリバリーの売上げ全体の 1 割となっています(**図表 特-15**)。

図表 特-14 フードデリバリーの売上額の増加率(前年同月比)

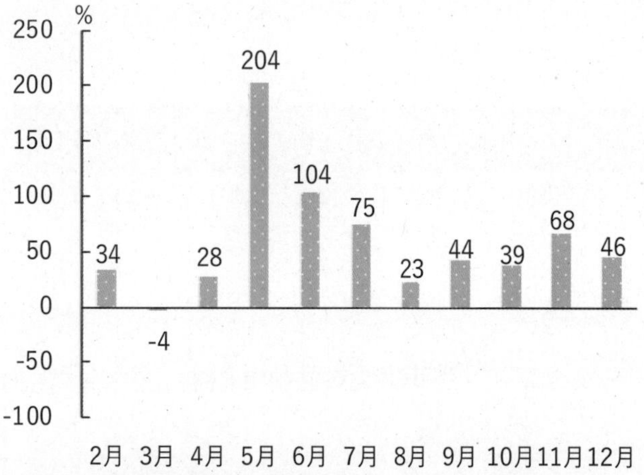

資料：エヌピーディー・ジャパン株式会社「外食・中食 調査レポート」(令和 3(2021)年 2 月公表)を基に農林水産省作成
注：令和 2(2020)年の数値

図表 特-15 株式会社すかいらーくホールディングスのフードデリバリー・テイクアウトの売上額

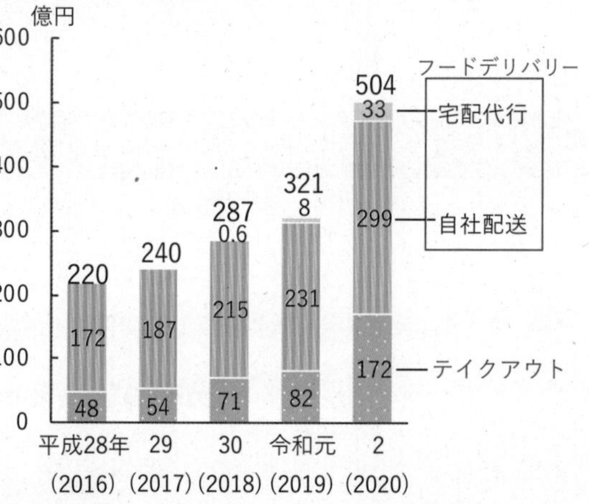

資料：株式会社すかいらーくホールディングス資料を基に農林水産省作成

(消費者によるフードデリバリー専門事業者の利用が増加)

消費者によるフードデリバリーの専門事業者の利用は増加しています。

フードデリバリーサービス事業者の株式会社出前館を利用する消費者は令和 2(2020)年 8 月現在で 300 万人[1]を超え、加盟する飲食店数は、同年 12 月時点で前年に比べ 2.5 倍に増加し約 5 万店になりました。また、フードデリバリーサービス事業者の Uber Japan 株式会社においても、加盟する飲食店数は、同年 12 月時点で前年に比べおおむね 4 倍に増加し約 7 万店になりました。

飲食店から商品を受取
資料：株式会社出前館

商品の配達
資料：Uber Japan 株式会社

[1] 直近 1 年間に 1 回以上オーダーしたユーザー数

(消費者の１割が国内生産者への応援消費を実施したと回答)

新型コロナウイルス感染症の拡大により販路を失った国内生産者から農水産物を購入する「応援消費」の動きが見られました。公益財団法人流通経済研究所が令和2(2020)年４月に実施した調査では、「コロナ問題で被害を受けた生産者・事業者に貢献する意図での買い物」を行ったと回答した消費者が全体の１割いました。特に 20〜39 歳の男性と 60 歳以上の女性において割合が高くなっています(**図表 特-16**)。

応援消費を行った理由としては、「商品・サービスに価値がある」、「応援先が困っていると感じた」が多くなっています(**図表 特-17**)。

図表 特-16 農水産業の生産者に対して応援消費を行った人の割合

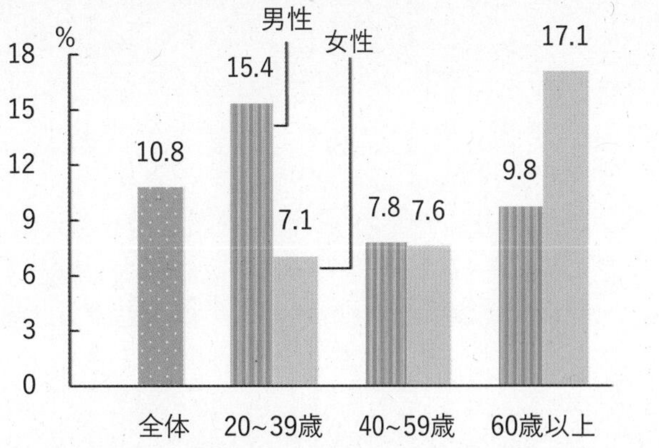

資料：公益財団法人流通経済研究所「新型コロナウイルス問題下における応援消費の獲得方法の提案」(令和 2(2020)年５月公表)を基に農林水産省作成

注：全国 20 歳以上の男女 1,876 人を対象としたインターネット調査

図表 特-17 応援消費を行った理由(複数回答)

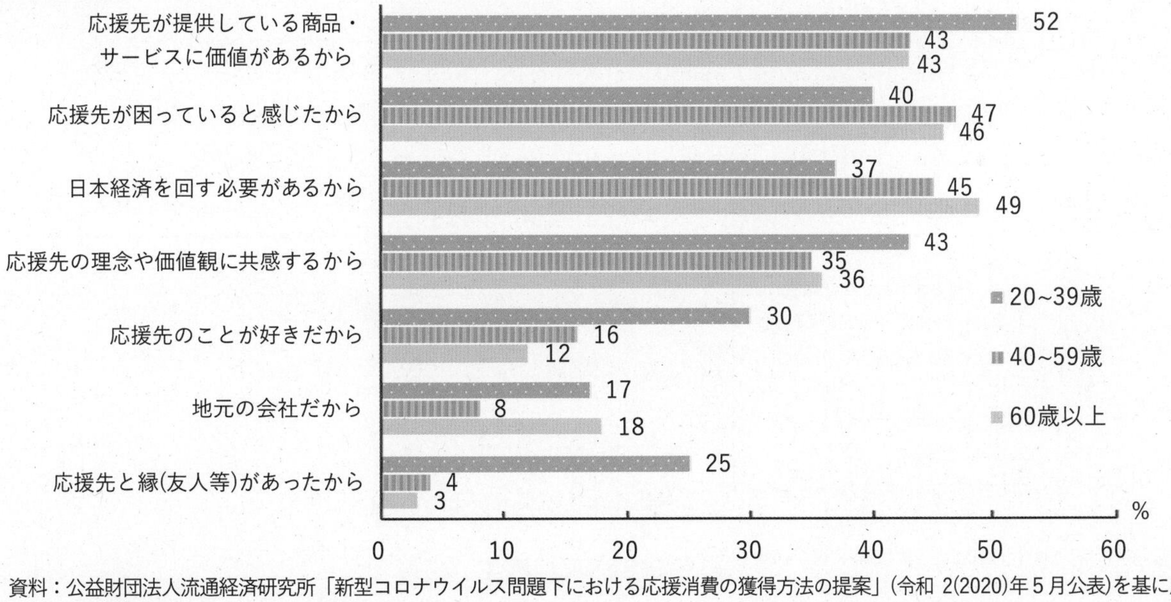

資料：公益財団法人流通経済研究所「新型コロナウイルス問題下における応援消費の獲得方法の提案」(令和 2(2020)年５月公表)を基に農林水産省作成

注：1) 全国 20 歳以上の男女 1,876 人を対象としたインターネット調査
2) 応援消費を行ったと回答した 203 人が対象

（事例）JA グループが農産物の販売を支援するキャンペーンを実施

全国農業協同組合連合会(以下「JA全農」という。)は、平成 13(2001)年より、全国の農業協同組合(以下「農協」という。)や生産者が農畜産物や加工品等を産地直送するインターネット販売サイト「JAタウン」を運営してきました。新型コロナウイルス感染症の拡大に伴い、農産物の売り先に困っていた生産者を支援するため、令和 2(2020)年 5 月から、和牛、果実、乳製品、花きを対象に、送料をJAグループが負担する「さんち直送おうちごはん　送料無料キャンペーン」を実施しました。開始当初の対象アイテム数を 1 か月間で約 5 倍の 1,000 アイテムまで増加し、消費が低迷した農畜産物の販売拡大を継続的に支援しています。

このような産地支援や旺盛な巣ごもり需要の影響を受けて、キャンペーンの効果もあり、令和 2(2020)年の JA タウンの売上高は前年比で約 2 倍に増加しました。また、サイトの登録会員数も同様に増加し、特に20～30 歳代の若い世代の利用が増加しました。JA 全農の担当者は、「今後も、継続的なキャンペーンの実施、会員向けの特典の充実等により、コロナをきっかけに会員となった方々が繰り返し利用したくなる仕組みを整備していきたい。」と話しています。

送料無料キャンペーンの
バナー画像
資料：JA 全農

（コロナ禍で食品産業の 3 割が国内産地との取引を増やしたいと回答）

株式会社日本政策金融公庫《にっぽんせいさくきんゆうこうこ》(以下「公庫」という。)が令和 2(2020)年 7 月に実施した調査では、コロナ禍における国内産地との取引意向について、食品産業の 3 割が国内産地との取引を増やしたいと回答しています。

その理由としては、「販売先(消費者サイド)の国産志向の高まり等でニーズ増加」が 5 割と最も多く挙げられています(**図表 特-18**)。一方で、国内産地との取引の課題としては、「価格が合わない(高い、相場が不安定)」との回答が 7 割となっています。

図表 特-18　コロナ禍における国内産地との取引意向(複数回答)

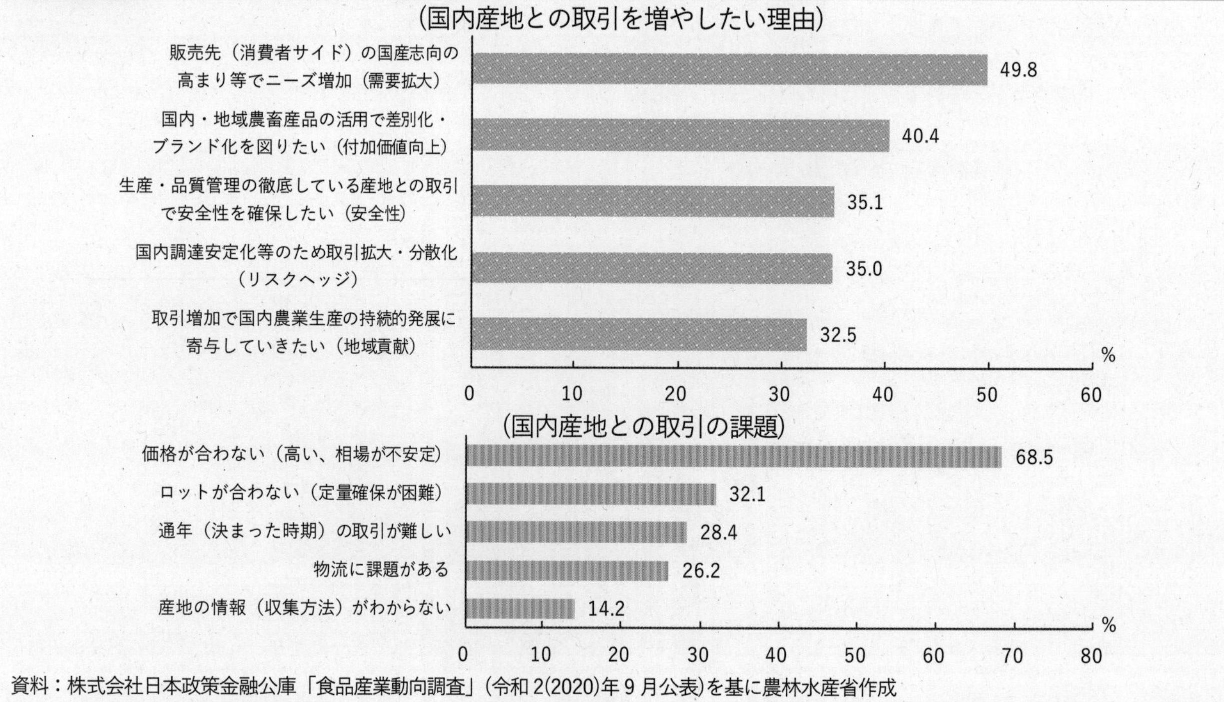

資料：株式会社日本政策金融公庫「食品産業動向調査」(令和 2(2020)年 9 月公表)を基に農林水産省作成

注：1）全国の食品関係企業を対象としたアンケート調査。有効回答数は 2,771、内訳は製造業 1,773、卸売業 685、小売業 227、飲食業 86

2）国内産地との取引を増やしたい理由についての設問は、国内産地との取引を増やしたいと回答した者が対象

3）回答率が高い上位 5 項目

(フードバンクを通じて未利用食品を「こども食堂」等に提供)

外食向けに販売予定であった未利用食品を、フードバンク[1]を通じて「こども食堂」等、食に困っている人へ提供する動きが見られました。

株式会社クラダシでは、在庫を抱える食品メーカー等から協賛価格で商品の提供を受け、手頃な価格で消費者に販売する Web サイトを運営しています。外食向けなどに食品を出荷していた食品事業者が在庫を抱える中、令和 3(2021)年 2 月にフードバンク向けオンラインマッチングシステムを立ち上げました。当システムでは、同社が食品事業者から寄贈品を募り、事前に会員登録したフードバンクが自団体の倉庫の規模や在庫状況を踏まえて寄贈品の引取りを申し込むことができます。寄贈品の配送コストは同社が運営する販売 Web サイトの売上げから拠出しており、品代及び配送料ともフードバンク側の負担はゼロとなっています。同月の取組開始から、麺類や菓子類等の寄贈があり、フードバンクで活用されています。

また、神奈川県横浜市《よこはまし》の公益社団法人フードバンクかながわでは、学校給食や各種イベントの中止に伴い、一部の食品で余剰が発生したことや、ひとり親世帯や学生等、食に困っている人の急増に伴う行政、「こども食堂」等の団体からの支援の依頼が増加したことにより、令和 2(2020)年度の食品の取扱量は 210t と前年度の 97t から大幅に増加しました。

フードバンクを通じて提供される食材

資料：公益社団法人フードバンクかながわ

(ロシアなど穀物の輸出国等の 19 か国が輸出規制を実施)

新型コロナウイルス感染症の拡大により、令和 2(2020)年度においては、小麦の主要輸出国であるロシア等 19 か国で輸出規制が行われました(**図表 特-19**)。

このような中、我が国は、国際的な枠組みを活用し、不当な輸出制限措置の導入回避を含む、新型コロナウイルス感染症による食料安全保障[2]等の諸課題への対応について国際協調を推進しました。

例えば、令和 2 (2020)年 4 月に開催された G20 農業大臣会合では、新型コロナウイルス感染症対策を理由に不必要な輸出規制は厳に行うべきでないこと、同年 9 月に開催された G20 農業・水大臣会合では、食料や農業のサプライチェーンの強靭《きょうじん》化のために、各国が輸出規制等の措置を行わず、国際的な市場の透明性と信頼性を向上させる必要があること等を発言し、それぞれ、我が国の主張が反映された大臣声明も採択されました。

そのほか、令和 2 (2020)年 11 月に開催されたカナダ政府主催 WTO[3]非公式閣僚会合では、輸出規制を真に必要最小限なものに抑制し、国際価格の高騰の防止に向けて議論を継続すべきこと、令和 3 (2021)年 1 月に開催されたベルリン農業大臣会合では、疾病による世界の食料供給への影響に備えるため、サプライチェーンの各段階での取組が重要であること、同月に開催されたスイス政府主催 WTO 非公式閣僚会合では、輸出規制の規律の明確化と透明性の向上を第 12 回 WTO 閣僚会議に向けた優先事項の一つとすべきこと等を提案し、各国に協力を呼び掛けました。

輸出規制を実施した国の多くはその後、輸出規制を解除しましたが、引き続き、不当な輸出規制が導入されることのないよう各国の動向を注視していく必要があります。

---

[1] 用語の解説 3(1)を参照
[2] 用語の解説 3(1)を参照
[3] 用語の解説 3(2)を参照

図表 特-19　新型コロナウイルスによる農産物・食品の輸出規制に関する動き

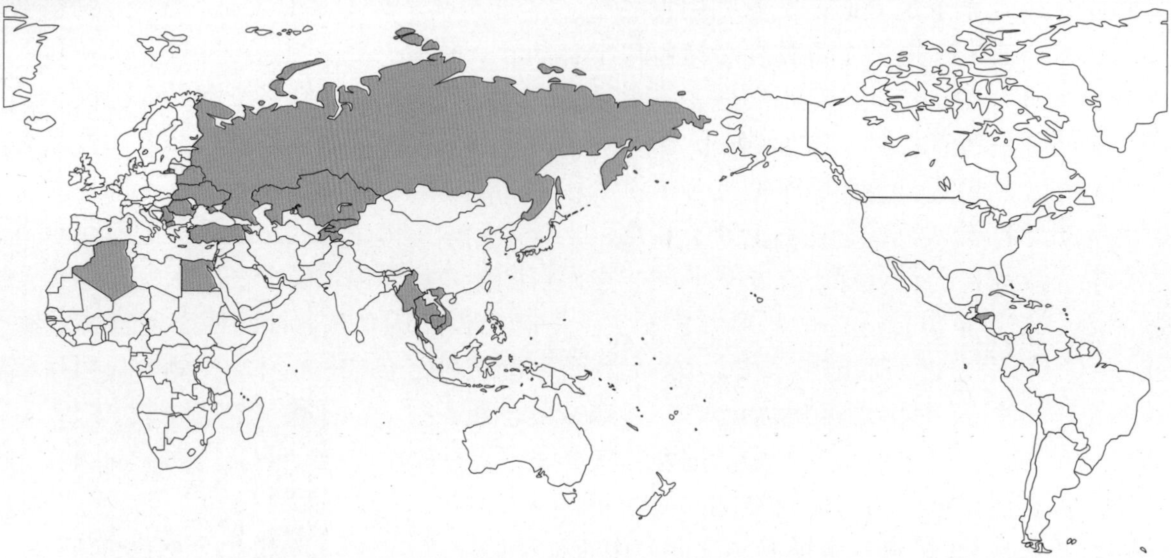

新型コロナウイルス感染拡大等による農産物・食品の輸出規制を実施した国19か国（令和2（2020）年度）

ロシア	小麦、メスリン、ライ麦、大麦、トウモロコシ 輸出枠（4/1～6/30）
ユーラシア経済同盟※	ライ麦、コメ、ソバ、キビ、穀物（コメを除く）のひき割り・ミール・ペレット、ソバ加工品、ヒマワリ種子等：輸出禁止（4/12～6/30）、大豆：輸出禁止（4/12～6/12）、ヒマワリ種子：輸出許可制度（7/1～8/31）
ウクライナ	小麦：輸出枠（3/30～6/30）、ライ麦：輸出枠（8/17～2021年6/30）、ソバの実：輸出禁止（4/2～7/1）
ベトナム	コメ：輸出枠（4/10～4/30）
ミャンマー	コメ：輸出枠（5/1～9/30）

このほか、ルーマニア、北マケドニア、セルビア、トルコ、カザフスタン、タジキスタン、タイ、カンボジア、アルジェリア、エジプト、エルサルバドル、ホンジュラス。
※ユーラシア経済同盟…（ロシア）、ベラルーシ、（カザフスタン）、キルギス、アルメニア
注1：インドでは、4～7月において、政府による輸出規制はなかったが、ロックダウンの影響で一時的に輸出が停滞。
注2：アルゼンチンでは、新型コロナウイルス感染症拡大以前より、大豆、トウモロコシ、小麦、牛肉等に輸出税を賦課。
注3：ロシアは、国内食料価格の高騰等により、令和3（2021）年2月から小麦、トウモロコシ、大麦、ライ麦の輸出枠設定、小麦、大豆の輸出税賦課などの輸出規制を実施。

資料：農林水産省作成

オンラインによるベルリン農業大臣会合
における各国の出席者

オンラインによるＷＴＯ非公式閣僚会合
で発言する農林水産大臣

(2)農業生産・販売面での影響と新たな動き

ア　市場価格や販路への影響

(和牛肉、わさび、マダイの卸売価格は４～５月にかけて大幅に低下)

令和2(2020)年2月以降、外食需要やインバウンド需要の減退により、和牛肉、わさび、マダイ等の卸売価格は4月から5月にかけて大幅に低下しました。6月以降は回復基調で推移しましたが、わさび、マダイ等は新型コロナウイルス感染症の再拡大による外食需要の落込みを受け、価格は再度低下しています（**図表 特-20、図表 特-21、図表 特-22**）。

図表 特-20 牛枝肉の卸売価格

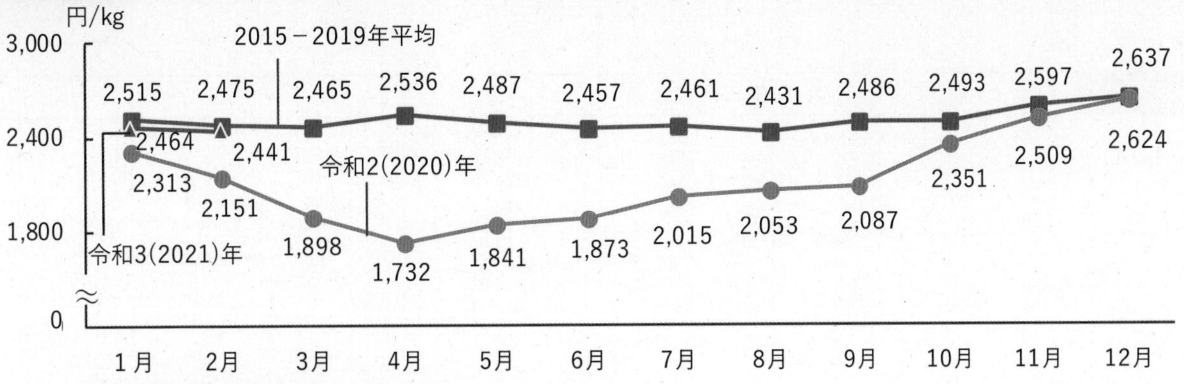

資料：農林水産省「畜産物流通統計」を基に作成
注：1) 中央卸売市場10市場の合計
2) 2015－2019年平均は、各年該当月の単純平均
3) 和牛去勢「A4」規格

図表 特-21 わさびの卸売価格

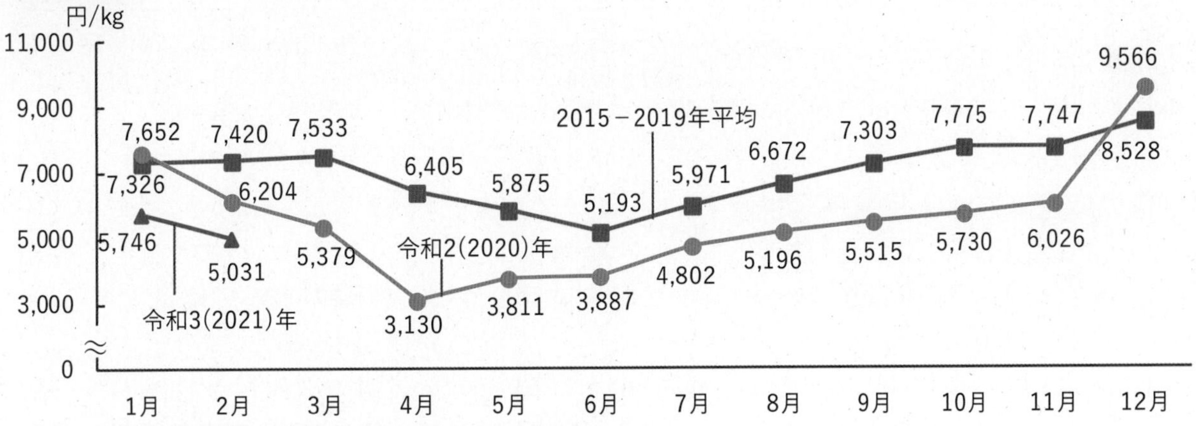

資料： 東京都中央卸売市場「市場統計情報(月報)」を基に農林水産省作成
注：2015－2019年平均は、各年該当月の単純平均

図表 特-22 マダイ(天然)の卸売価格

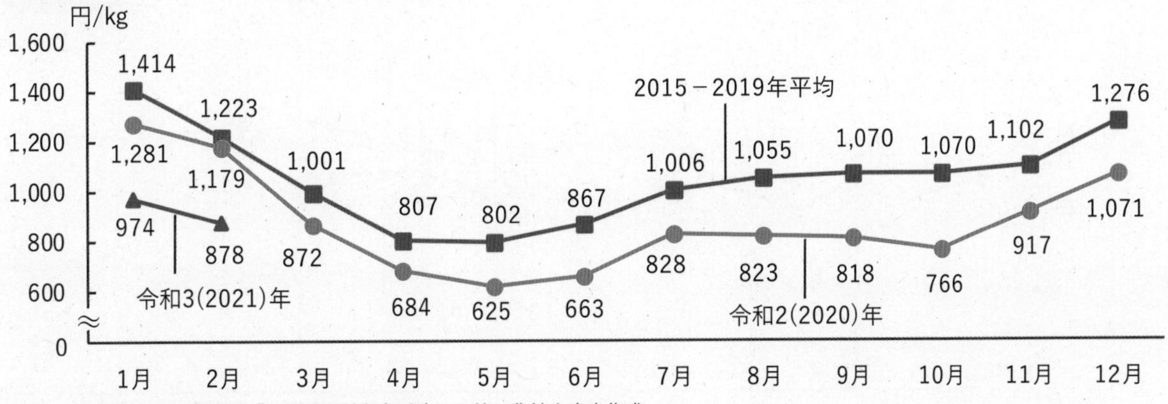

資料： 東京都中央卸売市場「市場統計情報(月報)」を基に農林水産省作成
注： 2015－2019年平均は、各年該当月の単純平均

(給食用・業務用の牛乳乳製品の需要が減少し、バター・脱脂粉乳に加工する量が増加)

学校の休校や外出自粛等に伴い、令和2(2020)年3～5月の学校給食用牛乳や生クリーム

等の業務用の需要が大幅に減少しました。また、これに伴い、長期保存できるバターや脱脂粉乳に加工する生乳の量が増加しました(**図表 特-23**)。

図表 特-23 生乳の用途別仕向量の推移

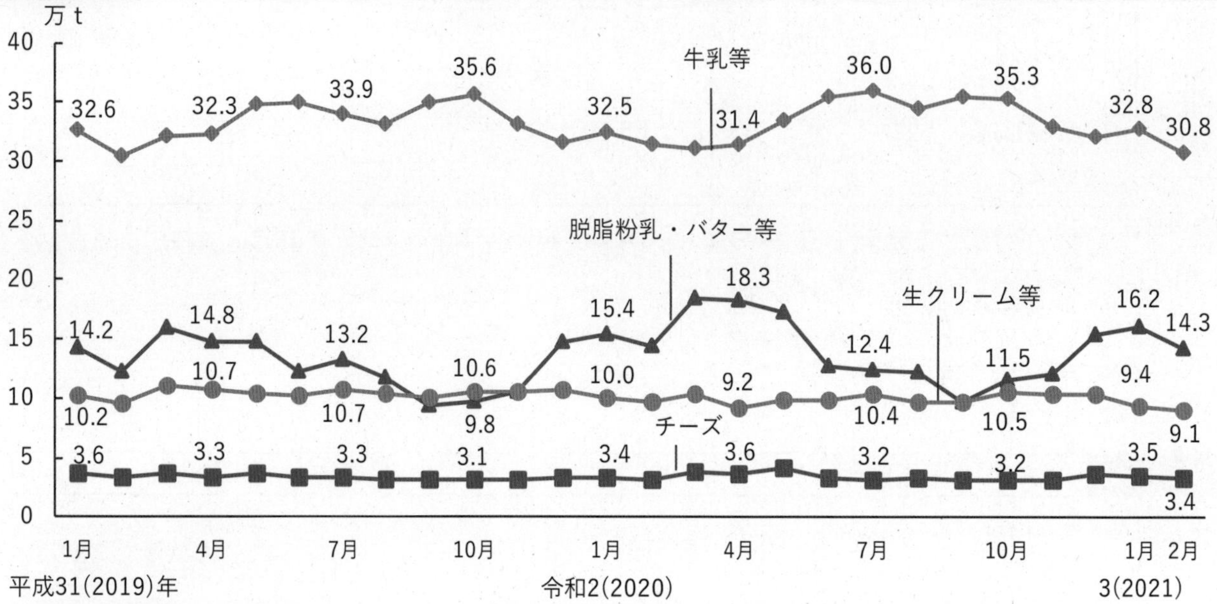

資料：農林水産省「牛乳乳製品統計」、独立行政法人農畜産業振興機構「販売生乳数量等(速報)」を基に農林水産省作成

(切り花の卸売価格は１月以降再び低下)

切り花の卸売価格については、イベントや冠婚葬祭が中止されたこと等により、令和2(2020)年 3〜5 月の卸売価格は低下し、特に同年 4 月は直近 5 年間の平均価格よりも 23%低下しました。その後、家庭用需要の増加のほか、産地の作付減や輸入の減少による入荷量の減少、イベントの再開等により、同年 6 月以降は回復基調で推移しましたが、令和3(2021)年 1 月の緊急事態宣言以降は、イベントの再自粛等により価格は再度低下しています(**図表 特-24**)。

図表 特-24 切り花の卸売価格

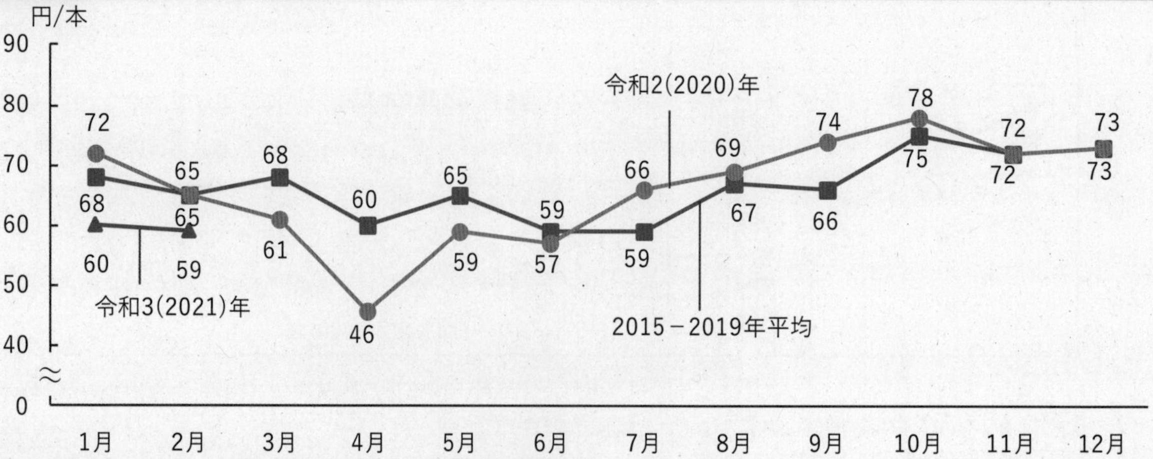

資料：東京都中央卸売市場「市場統計情報(月報)」を基に農林水産省作成
注：2015－2019 年平均は、各年該当月の単純平均値

令和2(2020)年5月に一般社団法人花の国日本協議会が行った調査によると、自宅で過ごす時間が長くなったことから、以前に比べ、花や観葉植物を飾りたいと思う回答者の割合が9割と高くなっています（**図表 特-25**）。

このような消費者のニーズにより、花の定額購入サービスが拡大しています。

株式会社ネクストワールドでは、毎月定額で、花が枯れた花瓶を持って生花店に来店すると、毎日であっても新たな花を受け取ることができる「魔法の花瓶」というサービスを企画開発し、全国の生花店へ提供しています。このサービスに参加している千葉県柏市のフラワーショップ花武《はなたけ》によると、令和2(2020)年4月の緊急事態宣言を機に利用者が増え、令和3(2021)年3月時点では約130人が利用しています。また、在宅時間が増えたことによる家庭用の需要を取り込み、来店者数は増加しました。

図表 特-25 花やグリーンへの意識の変化

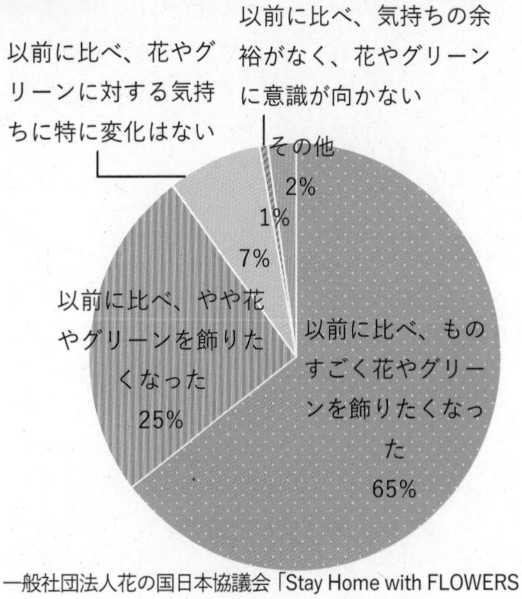

資料：一般社団法人花の国日本協議会「Stay Home with FLOWERS おうちフラワーで私を元気に！応募時アンケート調査結果」（令和 2(2020)年5月公表）

注：1）全国10代～80代の男女950人を対象としたインターネット調査
2）新型コロナウイルス感染予防のため、自宅で過ごす時間が長くなって以降、「花やグリーンを飾りたい」という心境になったかを問う質問に対する回答

（コラム）花の観賞でストレス緩和

花の観賞による癒やしの効果について、令和 2(2020)年、国立研究開発法人農業・食品産業技術総合研究機構(以下「農研機構」という。)は、花の観賞が脳の活動に影響を与え、心理的、生理的に生じたストレス反応を緩和させる効果があることを明らかにしました。

実験では、参加者に不快な画像(事故場面、ヘビ、虫等)を見せて心的なストレスを与えた後に花の画像を見せたところ、不快な画像によって生じた恐怖や嫌悪感等のネガティブな感情が減少し、ポジティブな感情に転じました。

また、上昇していた血圧が 3.4%低下し、その低下幅は花以外の画像を見せた時よりも大きくなりました。さらに、ストレスによって上昇するホルモンの値も花の画像によって21%低下することが確認できました。

花の画像を見る実験参加者

資料：農研機構

新型コロナウイルス感染症の拡大を受けた外出自粛等により、ストレスを感じる機会が増える中、花を生活に取り入れることで、日常に起こるストレス反応を上手く軽減できる可能性があります。また、毎日のように変化し、より人の目を惹《ひ》く「生花」は「花の画像」よりもストレスの低減に一層効果的であると考えられます。今後は、花の特徴によって生じる効果の違いについて、検証が進められる予定です。

(米の相対取引価格は 6 月以降、前年を下回って推移)

令和元(2019)年産の米の相対取引価格は、1〜5 月は前年産と同水準の 1 万 5,700〜1 万 5,800 円程度でしたが、6 月以降は前年を下回っており、令和 2 (2020)年産においても前年を下回って推移しています(**図表 特-26**)。

また、米の販売数量は、小売事業者向けが令和 2(2020)年 2 月以降、おおむね前年同月を上回っていますが、中食[1]・外食向けを中心とした業務用が令和 2(2020)年 3 月以降減少し、全体として停滞しています(**図表 特-27**)。

図表 特-26 米の相対取引価格

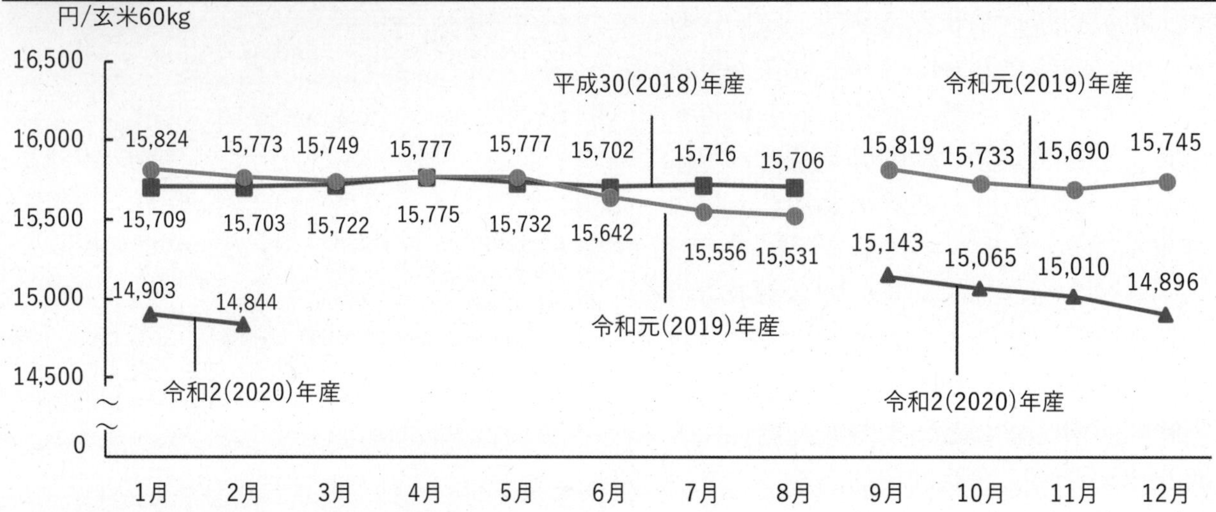

資料：農林水産省「米の相対取引価格・数量(速報)」を基に作成
注：消費税を含む価格

図表特-27 米穀販売事業者における販売数量の動向(前年同月比)

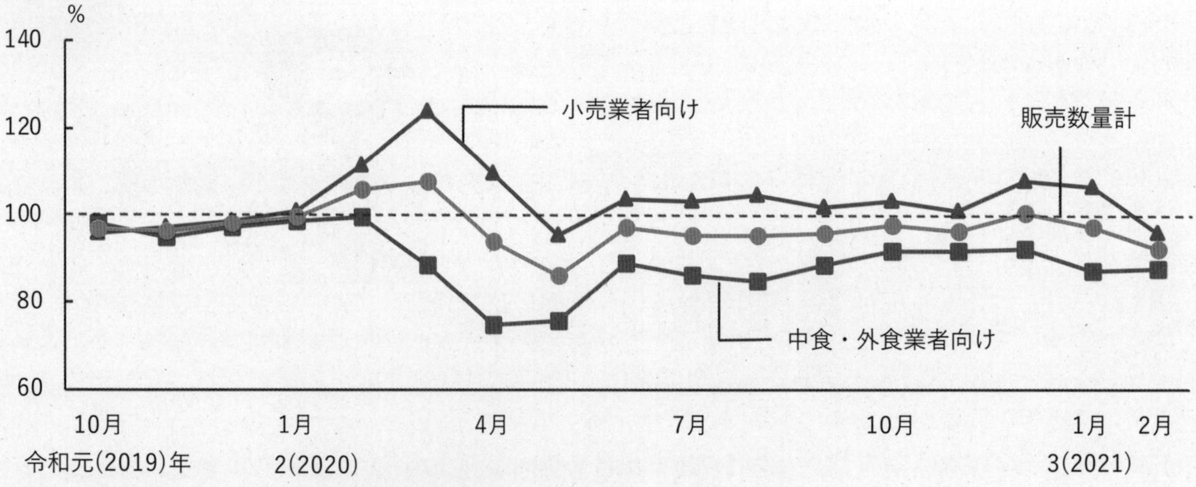

資料：農林水産省「米穀の取引に関する報告」を基に作成
注：1) 調査対象事業者は、年間玄米仕入量 5 万 t 以上の販売事業者である。
2) 調査対象者が販売している精米の全体の数量の動向を指数化したものであり、個別の取引や産地銘柄ごとの動向を表すものではない。

1 用語の解説 3(1)を参照

(豚肉、鶏肉の卸売価格は高い水準で推移)

令和 2(2020)年 5 月以降、豚肉、鶏肉の卸売価格は量販店等での販売が好調なため、おおむね近年の同月平均価格よりも高い水準で推移しています(**図表 特-28、図表 特-29**)。

図表 特-28 豚肉の卸売価格

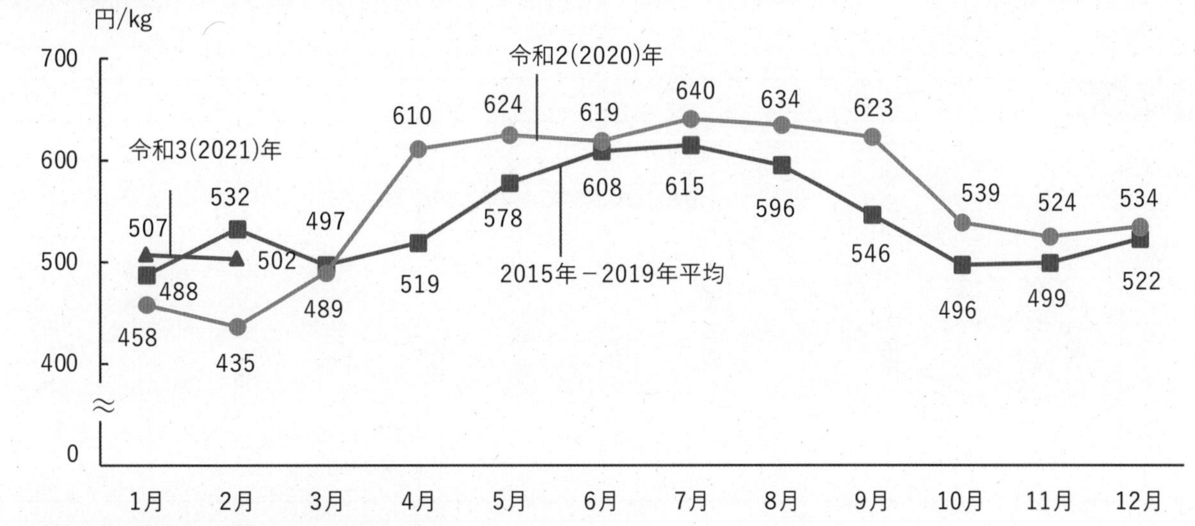

資料：農林水産省「畜産物流通統計」を基に作成

注：1) 東京及び大阪の卸売市場における「極上・上」規格の加重平均値

2) 2015－2019 年の平均は、各年該当月の加重平均値

図表 特-29 鶏肉の卸売価格

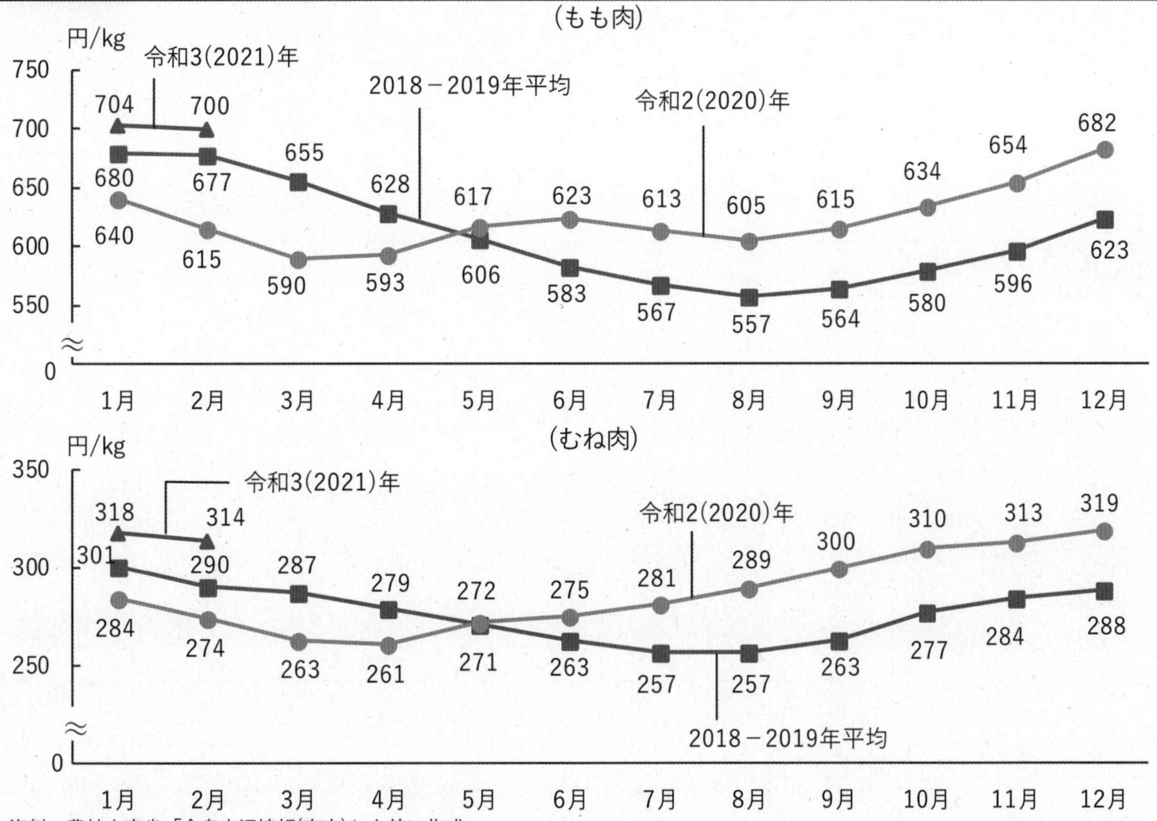

資料：農林水産省「食鳥市況情報(東京)」を基に作成

注：1) 各月の卸売価格は、日別調査結果の単純平均値

2) 2018-2019 年平均は、各年該当月の単純平均値

（キャベツの卸売価格は高い水準で推移）

野菜の中では、キャベツの卸売価格が令和 2(2020)年 4～9 月にかけて直近 5 年間の同月平均価格よりも高い水準で推移しました（**図表 特-30**）。野菜は天候によって作柄が変動しやすく、保存性も乏しいため、供給量の変動に伴い価格が大幅に変動する傾向にあります。このため、卸売価格の変動が新型コロナウイルス感染症の影響によるものとは一概に言えないものの、キャベツについては家庭で利用される数量が多いことが卸売価格の上昇につながったと考えられます。

図表 特-30　キャベツの卸売価格

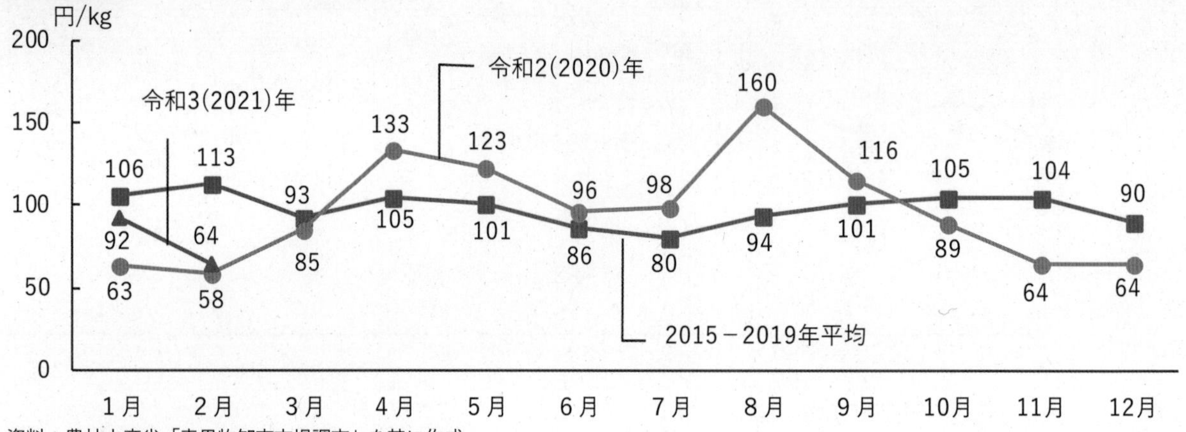

資料：農林水産省「青果物卸売市場調査」を基に作成

注：主要卸売市場の日別調査結果の加重平均値

（農業者の半数が売上高にマイナスの影響があると回答）

令和 2(2020)年 7 月に公庫が実施した調査では、農業者の半数が売上高にマイナスの影響があると回答し、令和 3(2021)年 1 月の同様の調査では、その割合は 6 割強に上昇しました（**図表 特-31**）。具体的な理由としては、単価・相場の下落が最も多く、次いで既往販路・出荷ルートの縮小・停止や直営所等の縮小・休業等となりました（**図表 特-32**）。

図表 特-31　農業者の売上高への影響

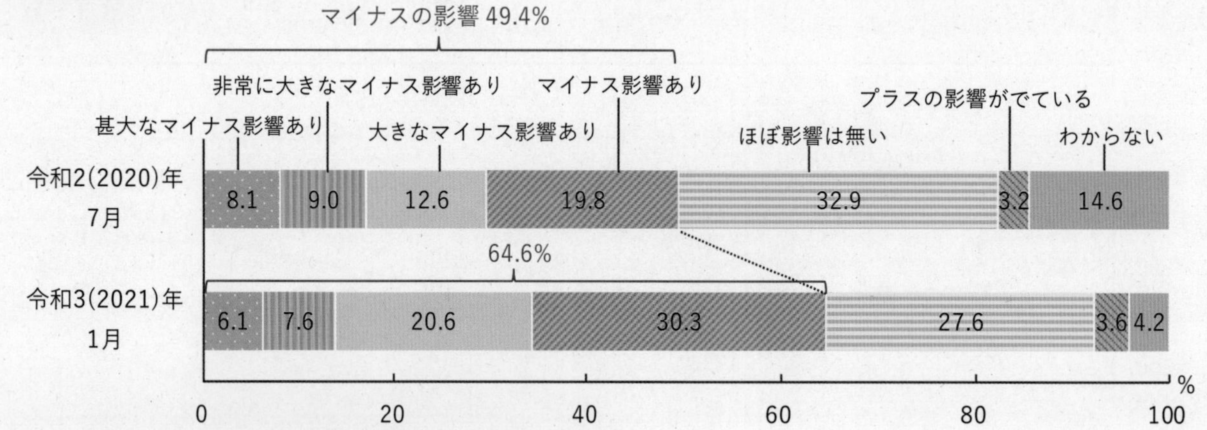

資料：株式会社日本政策金融公庫「農業景況調査」を基に農林水産省作成

注：1）スーパーL 資金又は農業改良資金の融資先である農業者を対象としたアンケート調査で、令和 2(2020)年 7 月調査における有効回答数は 5,464、令和 3(2021)年 1 月調査における有効回答数は 5,786

2）各選択肢は、例年の売上高と比較した場合を示しており、「甚大なマイナス影響」は例年の 5 割未満、「非常に大きなマイナス影響」は例年の 5~7 割未満、「大きなマイナス影響」は例年の 7~9 割未満、「マイナス影響」は例年の 9~10 割未満

図表 特-32　農業者への具体的なマイナスの影響（複数回答）

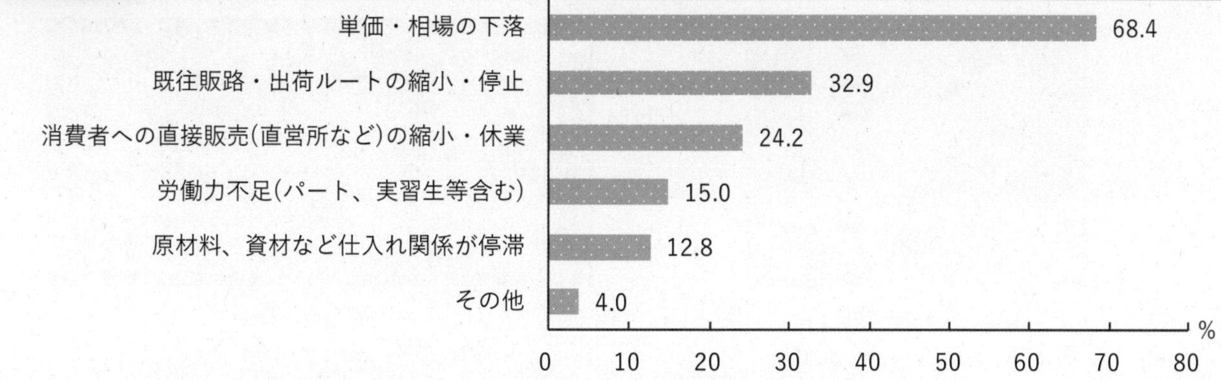

資料：株式会社日本政策金融公庫「農業景況調査」（令和 2(2020)年 9 月公表）を基に農林水産省作成
注：スーパーL 資金又は農業改良資金の融資先である農業者を対象としたアンケート調査で、有効回答数は 5,464

イ　販路の維持、拡大に向けた動き

（オンラインでの販売・PR が増加）

新型コロナウイルス感染症の拡大を受け、生産者が、新たにオンラインを通じて消費者に直接販売する動きが見られました。

長野県塩尻市《しおじりし》で葉物野菜等を生産する五味《ごみ》あやさんは、地元の小学校と中学校の学校給食用にほうれん草を卸しています。新型コロナウイルス感染症の影響で学校給食が停止し、代わりの出荷先を見つける必要が生じたため、直接販売サービスを運営する Web サイトにほうれん草を約 150kg 出品したところ、全て販売することができました。

このように、Web サイトを通じて農産物の直接販売に取り組む生産者は増加しており、農産物等の直接販売サービスを展開する「食べチョク」によると、令和 2(2020)年の登録生産者は前年比で約 4 倍に増加し、若年層以外の生産者による利用も増えています。

直接販売サービスのイメージ
資料：株式会社ビビッドガーデン

来園者が減少した観光農園では、SNS[1]等のオンラインを通じて消費者と交流することにより、販路を維持する動きが見られました。

山形県天童市《てんどうし》の「王将果樹園《おうしょうかじゅえん》」は、さくらんぼ等を栽培し、毎年約 2 万人がさくらんぼ狩りに来園する観光農園を経営しています。新型コロナウイルス感染症の拡大の影響を受け、観光農園を休業せざるを得ない状況となったため、ダイレクトメールや SNS を通じて状況を発信したところ、主に若い世代からの購入申込みが大幅に増加し、その結果、令和 2(2020)年のオンライン通販による売上げは、前年比で 2 倍以上となりました。

オンライン通販用のさくらんぼ
資料：王将果樹園

また、茨城県は、令和 2(2020)年 6 月にオンラインを通じてメロンの収穫を疑似体験できる「オンラインメロン狩り」を開催しました。参加者は、画面上でメロンを選び、そのメロンを農家が収穫し、参加者に配送しました。県外からの参加者を含め、20 組が参加し、

1　Social Networking Service の略。登録された利用者同士が交流できる Web サイトのサービス

参加者からは、「次は畑に行って触ってみたくなった。」などの感想が寄せられました。

参加者が選んだメロン
資料：茨城県

参加者の様子
資料：茨城県

（販路変更に向け、生産者、JA、行政等が取り組み）

新型コロナウイルス感染症の拡大により業務用や観光用の需要が減少したため、小売のスーパーや加工用に販路変更する動きが見られました。

愛知県豊川市《とよかわし》の東三温室園芸《とうさんおんしつえんげい》農業協同組合では、大葉やハーブ等を専門に生産し、主に外食や旅館等の業務用として販売していました。外食や旅館等の需要が大幅に減少したため、新たに小売用としてスーパーマーケット向けに少量パックなど多様な容量の商品を展開しました。

こうした取組により、令和2(2020)年4～6月の少量パック等の出荷量は、対前年比で5割増加し、全体の出荷量は2割増加となりました。同年7月以降も同程度の出荷量を維持することができました。

大葉の収穫作業
資料：東三温室園芸農業協同組合大葉部会

少量パックなど多様な商品
資料：東三温室園芸農業協同組合大葉部会

また、大阪府和泉市《いずみし》の「いずみ小川《こがわ》いちご農園」では、いちご狩りの休業が余儀なくされましたが、大阪府が府のWebサイトを通じ、府民や事業者に同農園のいちごの購入を呼びかけたところ、大阪市に本社を置く大手食品メーカーが約800kg引き取り、お菓子として発売することとなりました。同社への販売により、同農園の売上げが大きく落ち込むことはありませんでした。

収穫したいちご
資料：いずみ小川いちご農園

菓子メーカーと共同開発した商品
資料：いずみ小川いちご農園

(外食向けジビエを消費者向けに販売)

新型コロナウイルス感染症の拡大を受け、これまで主に外食事業者向けに販売されていたジビエをオンラインを通じて、消費者に販売する動きが見られました。

大分県宇佐市《うさし》にある有限会社サンセイの宇佐《うさ》ジビエファクトリーは、シカ肉やイノシシ肉等のジビエの処理加工施設を持つ、大分県ジビエ利用モデル地区のコンソーシアム[1]構成員の一つです。飲食店やホテル等で予定されていたジビエの催し物が相次ぎキャンセルされたため、令和2(2020)年8月中旬から国産農林水産物等販売促進緊急対策事業(品目横断的販売促進緊急対策事業)による送料支援を活用し、オンラインで消費者向けにジビエソーセージの販売を送料無料で開始したところ、それ以前は月当たり 20 万円以下だった売上げが、ほかのジビエ加工品も含め、同年12月には133万円と大幅に増加しました(**図表 特-33**)。

図表 特-33 オンラインにおける売上額

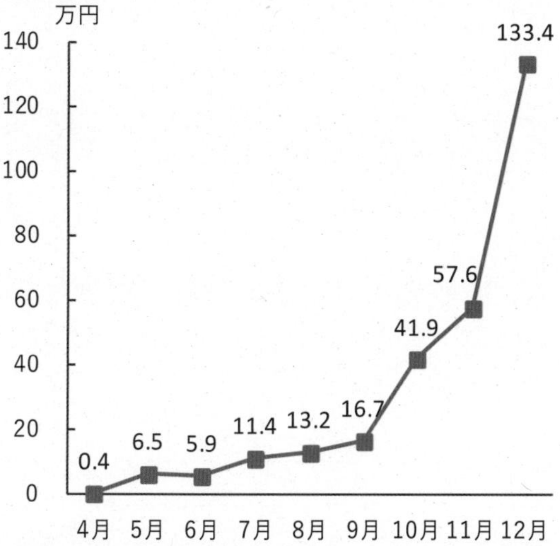

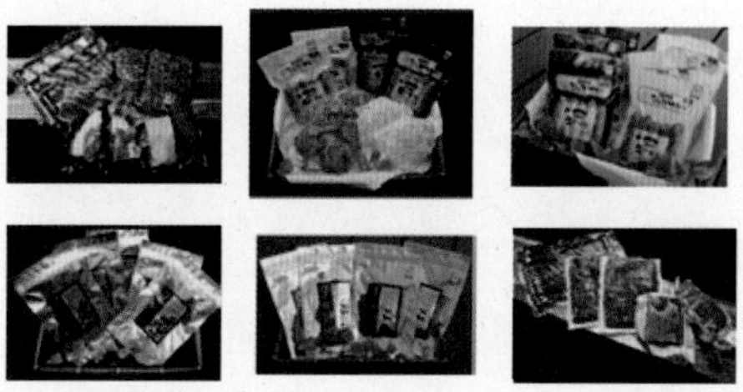

ジビエのオンラインショップ販売商品

資料：有限会社サンセイ 宇佐ジビエファクトリー

資料：有限会社サンセイ 宇佐ジビエファクトリー資料を基に農林水産省作成
注：令和2(2020)年の数値

(家庭消費向け品目の輸出額が増加)

新型コロナウイルス感染症の拡大に伴い、令和2(2020)年の農林水産物・食品の輸出額は、6月までは前年同月比で減少傾向で推移しましたが、7月以降は増加し、年間の合計額は9,217億円で、前年比で1.1%(96億円)の増加となりました(**図表 特-34**)。

また、品目別に見ると、世界各国において家庭内での消費が堅調なことから、小売向けの品目である鶏卵、ぶどう等の輸出が増加しました。

---

[1] ジビエの利活用促進を図るため、県内関係市町村、処理加工施設、農業団体、流通、小売、システム開発等が連携して立ち上げた共同事業体のこと

図表 特-34　月別の農林水産物・食品の輸出額

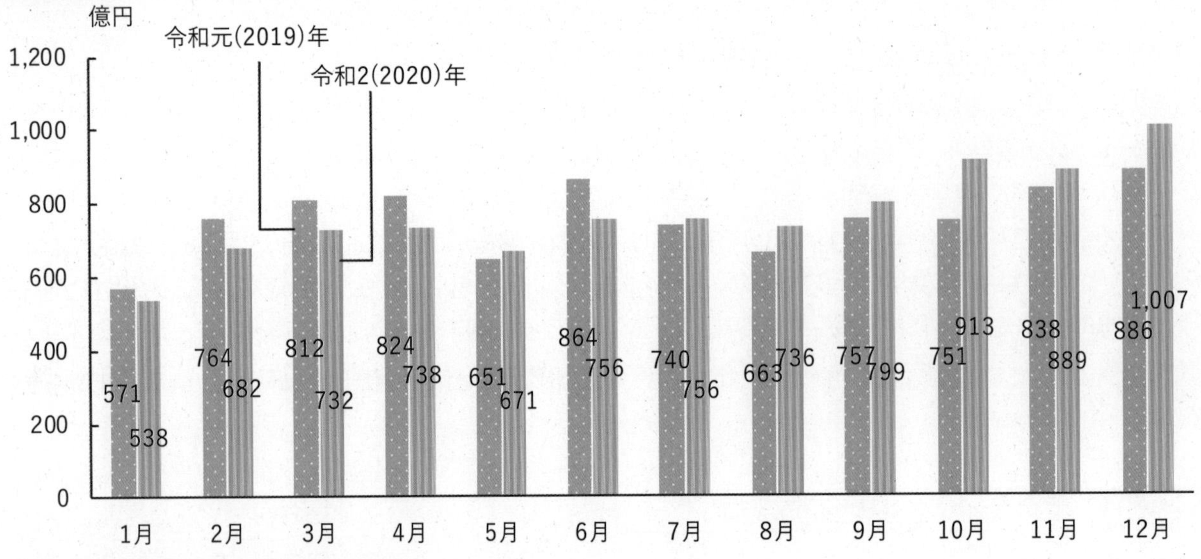

資料：財務省「貿易統計」を基に農林水産省作成

ウ　入国制限による影響

(入国制限により来日を予定していた外国人材が減少)

新型コロナウイルス感染症の拡大に伴う外国からの渡航者に対する入国制限措置により、令和2(2020)年4月から来日を予定していた外国人技能実習生等の外国人材の入国が困難となり、入国者数は大幅に減少しました(**図表 特-35**)。

図表 特-35　外国人技能実習生の入国者数(全分野合計)

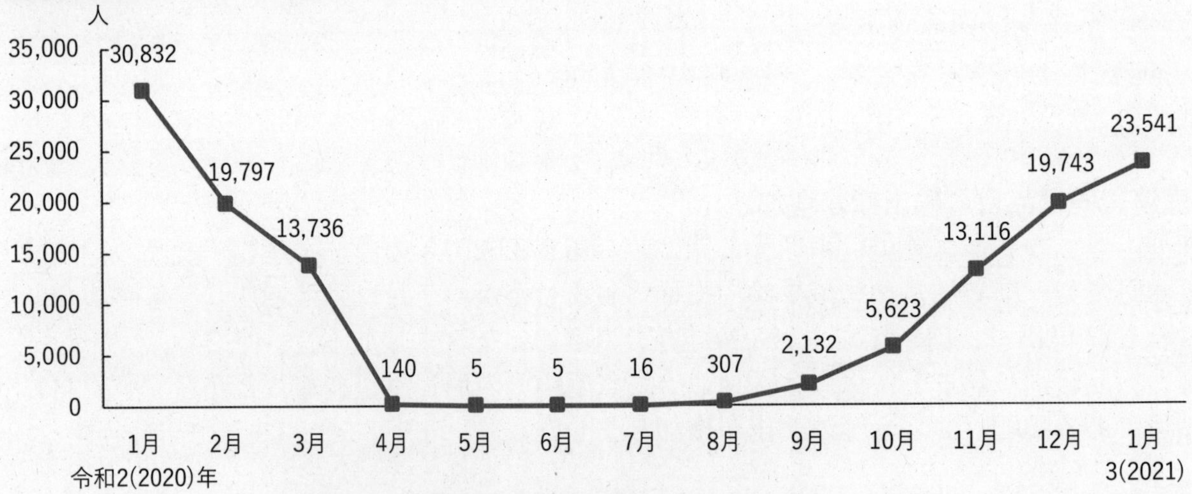

資料：出入国在留管理庁「出入国管理統計統計表(月報)」を基に農林水産省作成

令和2(2020)年10月末時点の農業分野における外国人の労働者数は、3万8,064人となっており、前年10月時点と比べ約2,600人増加しているものの、その増加率は7.2%で、前年の14.3%に比べ低下しています(**図表 特-36**)。このため、人手不足による農業分野への影響が懸念されましたが、他産業からの代替人材を含めた人材確保や日本にいる外国人に対する在留資格上の特例措置も踏まえ、対応が進められました。

図表 特-36 農業分野における外国人の労働者数

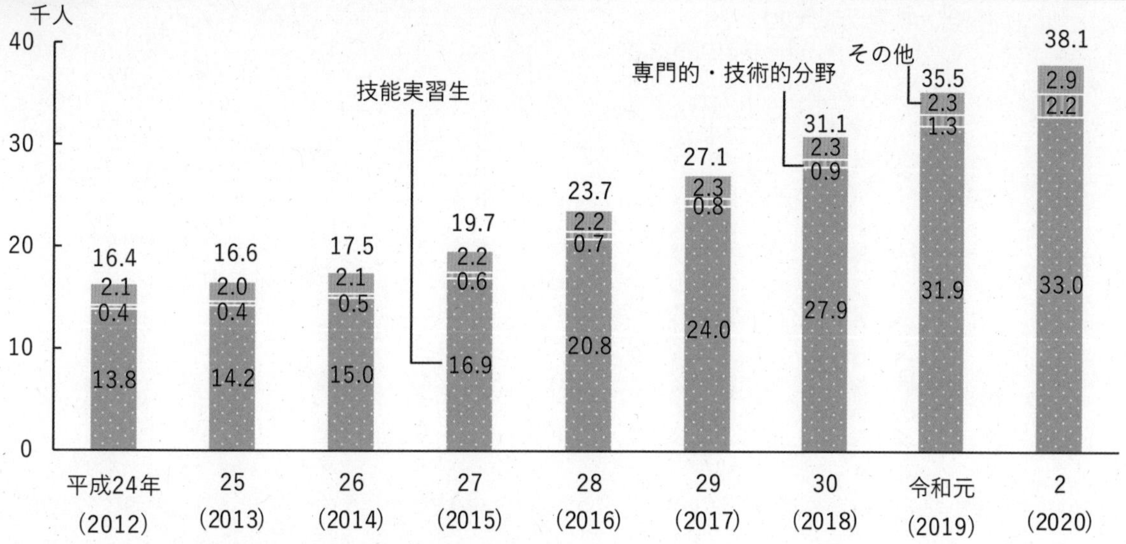

資料：厚生労働省「外国人雇用状況」の届出を基に農林水産省作成

注：1）各年10月末時点

2）専門的・技術的分野の令和元(2019)年以降の数値には、「特定技能在留外国人」の人数も含まれる。

エ　労働力確保に向けた動き

(他産業との連携により労働力を確保)

新型コロナウイルス感染症の影響により、営業自粛や客数減少等による事業活動の縮小を余儀なくされた宿泊業・飲食業等においては、多数の休業者・失業者が発生しましたが、このような中、農業経営体[1]がこれらの産業からの労働者を雇用する動きが見られました。

長野県の佐久浅間《さくあさま》農業協同組合では、地元の軽井沢《かるいざわ》旅館組合と協力し農繁期を迎えるレタス農家等の農業経営体と訪日外国人旅行者の減少や外出自粛の影響で従業員の雇用継続が困難であった宿泊施設の従業員等のマッチング支援を令和2(2020)年4月に開始しました。この取組によって、同年11月までに7人の人材が農業現場で雇用されました。

青森県弘前市《ひろさきし》では、休業を余儀なくされた旅館業や、飲食業、製造業等の休職者等と、農繁期を迎えるりんご農家等の農業経営体を、農協等と連携しマッチングを図り、雇用した農業経営体に対して、1日当たりの賃金の半額(上限3,000円)を助成する「休職者等農業マッチング緊急支援事業」を令和2(2020)年4月に開始しました。

同事業の実施により、調理師がりんご等の食材の生産に携わることができたほか、一時的な雇用から継続雇用へと進展した事例が見られるなど、副次的な効果も生じています。令和3(2021)年2月末時点での支援件数は166件、就労者数は721人となっています(**図表 特-37**)。

[1] 用語の解説1、2(1)を参照

図表 特-37　休職者等農業マッチング緊急支援事業における支援件数と就労者数(累計値)

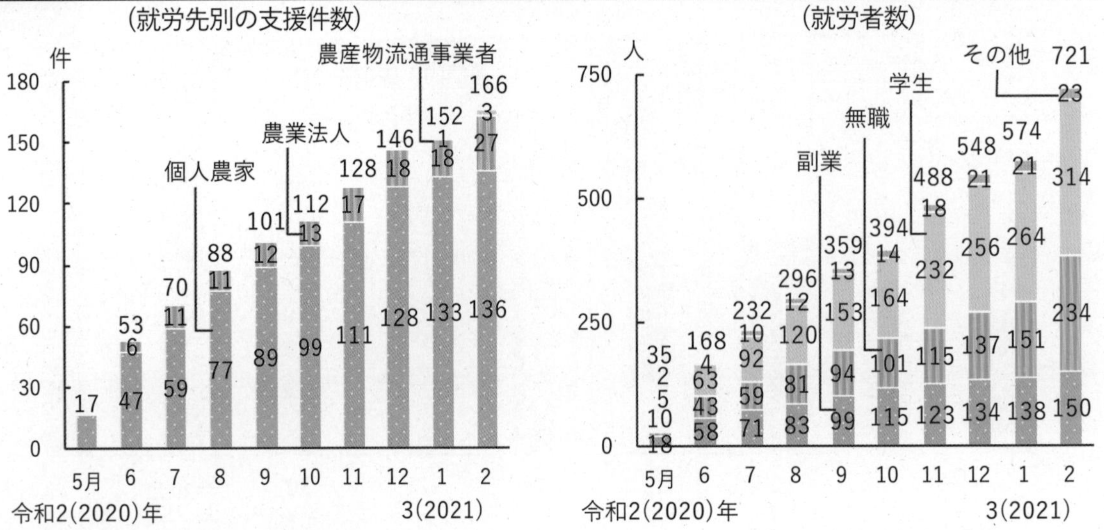

資料：青森県弘前市の資料を基に農林水産省作成
注：1) 各月末時点における事業開始以降の累計値
2) 申請の受理は５月から開始しているため、４月の実績は無い
3) 副業は本業に籍を置きながら農作業に従事した者、無職は解雇された等により求職中の者、学生は大学生・専門学校生、その他は自営業、工芸品職人、大道芸人等

また、JA 全農は旅行会社の株式会社 JTB と連携し、観光業で働く人に農業の現場で働いてもらうための「農業労働力支援事業」に取り組み始めました。JA グループが農家の労働力需要を取りまとめ、株式会社 JTB がホテルや旅館、バス会社から人材を募り、アルバイト雇用した上で、労働力を提供する取組です。

令和 2(2020)年 12 月から愛媛県内でモデルケースとして開始し、6 軒のみかん農家に 36 人の労働力を提供し、収穫作業等の作業を行いました。

JA 全農は、今後、同様の事業を全国に広げていくことを目指しており、株式会社 JTB のようなパートナー企業の発掘に取り組むとともに、県単位の JA グループで事業スキームを周知していくこととしています。

農家での収穫作業

資料：株式会社 JTB 虎ノ門第一事業部

(農福連携による障害者の賃金や就労意欲の更なる向上と農業労働力の確保)

新型コロナウイルス感染症の拡大により影響を受けた宿泊業や飲食業等に従事していた障害者が、農作業等に従事することで、賃金や就労意欲の更なる向上につながる取組も見られます。

北海道七飯町《ななえちょう》の JA 新はこだて七飯《ななえ》基幹支店は、パート職員の高齢化により、従来から繁忙期における作業員の確保が課題となっていました。一方で、障害者の就労継続支援を行う函館恵愛《けいあい》会では、新型コロナウイルス感染症の拡大により運営するホテルの売上げが減少し、ホテル内で客室清掃等に従事していた障害者の賃金確保が困難となりました。

そのため、函館恵愛会とJA新はこだて七飯基幹支店が連携し、令和2(2020)年5月から、9人の障害者が同JAの花き共選場で、カーネーションの選別作業を行うこととなりました。花き共選場では、JA職員の支援の下、障害者が作業に取り組み、ホテル内での清掃等に従事していた障害者の賃金は、令和2(2020)年には月平均で前年の約2倍に増加しました。職を失っていた障害者が、農業という新たな分野に挑戦することで、安定して職を確保できるようになったことは、就労意欲の更なる向上にもつながっています。

農福連携によるカーネーションの共選作業

コロナ対策が施された作業台

(スマート農業で人手不足に対応)

人手不足をスマート農業機械の導入によりカバーするとともに、作業効率を向上させる動きも見られます。

静岡《しずおか》県静岡市の株式会社鈴生《すずなり》は、100haを超える農地で枝豆やレタス等を生産し、販売しています。令和2(2020)年は、ブロッコリーの生産を本格的に開始するため、タイ等から技能実習生11人の受入れを予定していましたが、入国が困難となったことを契機として、同年8月に自動操舵トラクターや全自動移植機、自動収穫機等のスマート農業機械を導入しました。

スマート農業機械の導入
(ブロッコリーの自動収穫機)
資料:株式会社鈴生

導入した自動操舵トラクターにより耕起や畝立てに要する作業時間が72%削減されたほか、全自動移植機により、それまで5～8人必要だった定植作業を3人で行うことが可能になるなど、スマート農業機械の導入により、作業効率を向上させることができました。今後は、これを機に更なる機械化を進めるとともに、施肥の管理や品種改良等も積極的に行い、更なる収益の拡大を目指す予定です。

(3)地方への関心や働き方、交流に関する新たな動き

ア　地方への関心の高まり

(ワーケーションへの関心が増加)

新型コロナウイルス感染症拡大の影響により、テレワークなど場所を問わない働き方が進行するにつれ、地方への関心が増加し、温泉地・リゾート地等で余暇を楽しみつつ仕事を行う「ワーケーション」への注目が高まっています。

「働き方改革」の促進の一環としてワーケーションの全国的な普及を促進するため、令和元(2019)年 11 月、全国の地方公共団体による「ワーケーション自治体協議会」が設立されました。協議会の参加自治体は、設立当初は 65 自治体でしたが、ワーケーションへの関心の高まりを受け、令和 3(2021)年 3 月末時点で 22 道県・156 市町村(178 自治体)となり、農村地域からの参加も増えています。ワーケーション自治体協議会では、SNS による情報発信やオンラインセミナーの開催等の参加団体相互の情報交換を行っているほか、令和 2(2020)年 10 月には、一般社団法人日本経済団体連合会、公益社団法人日本観光振興協会と 3 者で覚書を締結しており、新型コロナウイルス感染症の拡大の状況を踏まえつつ、企業の担当者を対象にしたモニターツアーの開催やワーケーションを普及する上での課題の抽出等に取り組む予定です。

(農泊地域におけるワーケーションへのニーズが増加)

農山漁村の豊かな地域資源の魅力を宿泊・食事・体験を通して楽しんでもらう「農泊」に取り組んでいる地域で、ワーケーションをしたいという都市部からのニーズが高まっています。農林水産省が令和 2(2020)年 6 月に行った調査によると、全国の農泊地域において、新型コロナウイルス感染症の発生以降、一棟貸しやテレワーク等のワーケーションに関連した問い合わせが計 210 件ありました(**図表 特-38**)。

また、ワーケーションをターゲットとしたいと考えている農泊地域も 287 地域あり、今後、利用者のニーズを踏まえた宿泊施設の整備や食事・体験メニューの充実により、ワーケーション対応可能な農泊地域の拡大が期待されています。

図表 特-38　農泊地域におけるワーケーションニーズの調査

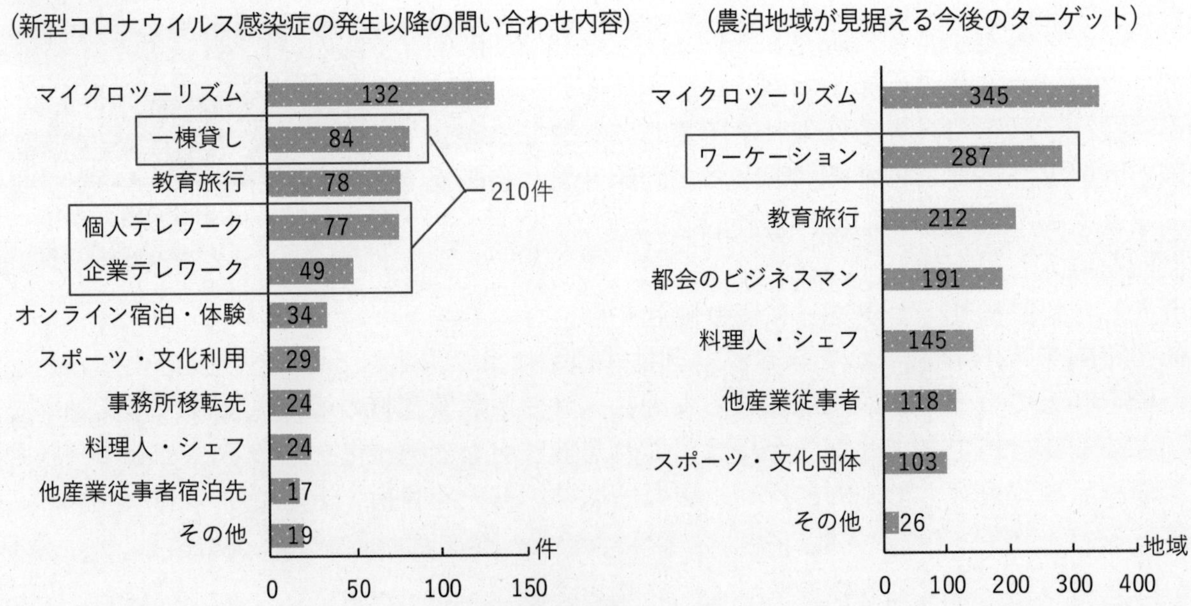

資料：農林水産省作成

注：1) 令和元(2019)年までに農泊地域として採択された 515 地域を対象に行ったアンケート調査(有効回答数 484 地区)

2) 新型コロナウイルス感染症の発生以降の問い合わせ等の内容に関する質問と、今後見据えていくべきと考えるターゲットに関する質問への回答結果(選択式)

(コラム) テレワーク実施状況と就業観の変化

新型コロナウイルス感染症の拡大に伴い、多くの企業で新たにテレワークを導入しています。

テレワークの実施状況は、全国では 2 割程度ですが、東京 23 区では 4 割以上で推移しています。

また、新型コロナウイルス感染症の拡大は、就業者の職業観にも影響を与えています。令和 2(2020)年 12 月に内閣府が行った調査によると、感染症拡大前と比較し、就業者の 2 割が「まだ具体的ではないが将来の仕事や収入について考えるようになった」と回答しています。

変化した理由については、「感染症を契機に、仕事と生活のどちらを重視したいかという意識が変化したから」との回答が 4 割程度あるほか、1 割強の就業者が「感染症を契機に、人口過密な地域を離れたいと考えたから」と回答しており、地方への関心がうかがわれます。

(テレワーク実施状況)

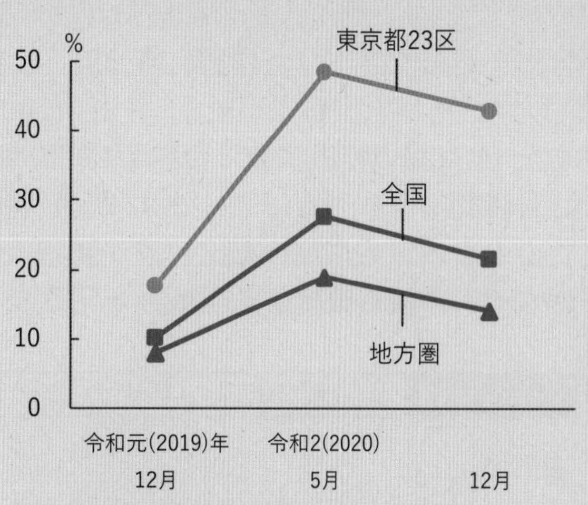

資料：内閣府「新型コロナウイルス感染症の影響下における生活意識・行動の変化に関する調査」(令和 2(2020)年 12 月公表)を基に農林水産省作成

注：1) 令和 2(2020)年 12 月に国内居住者を対象として実施したインターネットによるアンケート調査(有効回答数は 10,128)

2) 地方圏は、三大都市圏(東京都、埼玉県、千葉県、神奈川県、愛知県、三重県、岐阜県、大阪府、京都府、兵庫県、奈良県)以外の 36 道県

(就業者の職業の選択・副業等の希望の変化の理由(複数回答))

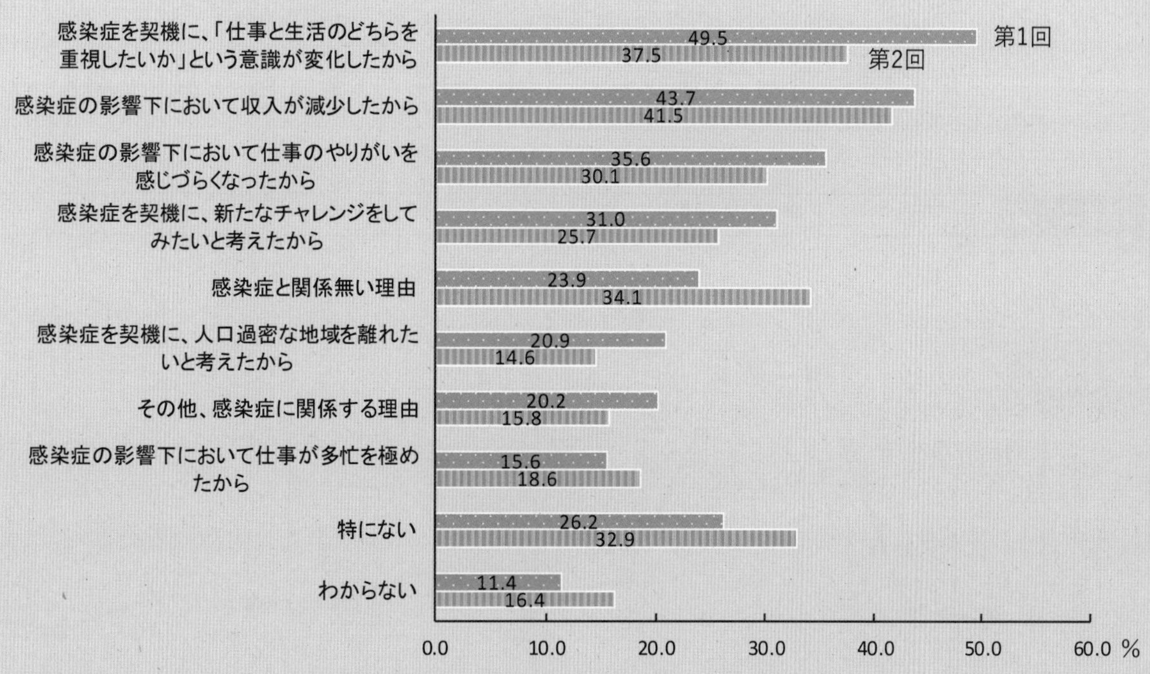

資料：内閣府「新型コロナウイルス感染症の影響下における生活意識・行動の変化に関する調査」(令和 2(2020)年 12 月公表)を基に農林水産省作成

注：1) 第 1 回は令和 2(2020)年 5～6 月、第 2 回は令和 2(2020)年 12 月に国内居住者を対象として実施したインターネットによるアンケート調査(有効回答数は 1 万 128)。本設問は、就業者のうち、職業の選択、副業等の希望が変化したと回答した者が対象

2) 第 1 回では感染症拡大前からの変化について、第 2 回では令和元(2019)年 12 月からの変化を調査

イ　移住に関する動き

(東京都の転出超過傾向が継続)

令和 2(2020)年度の東京都の転入・転出の状況を見ると、5 月に転出者数が転入者数を 1,069 人上回り、外国人を含む移動者数の集計を開始した平成 25(2013)年 7 月以降初めての転出超過となりました(**図表 特-39**)。その後、6 月は一時的に転入超過となりましたが、7 月以降は再び転出超過が続き、令和 3(2021)年 2 月は 1,838 人の転出超過となりました。

また、東京都の転出者数は令和 2(2020)年 8 月以降、前年を上回って推移し、令和 3(2021)年 2 月は約 3 万人となっています(**図表 特-40**)。

このことは、東京都の転出超過が新型コロナウイルス感染症の拡大による一時的なものではなく、今後も継続する可能性を示していると考えられます。

図表 特-39　東京都の転入・転出の状況

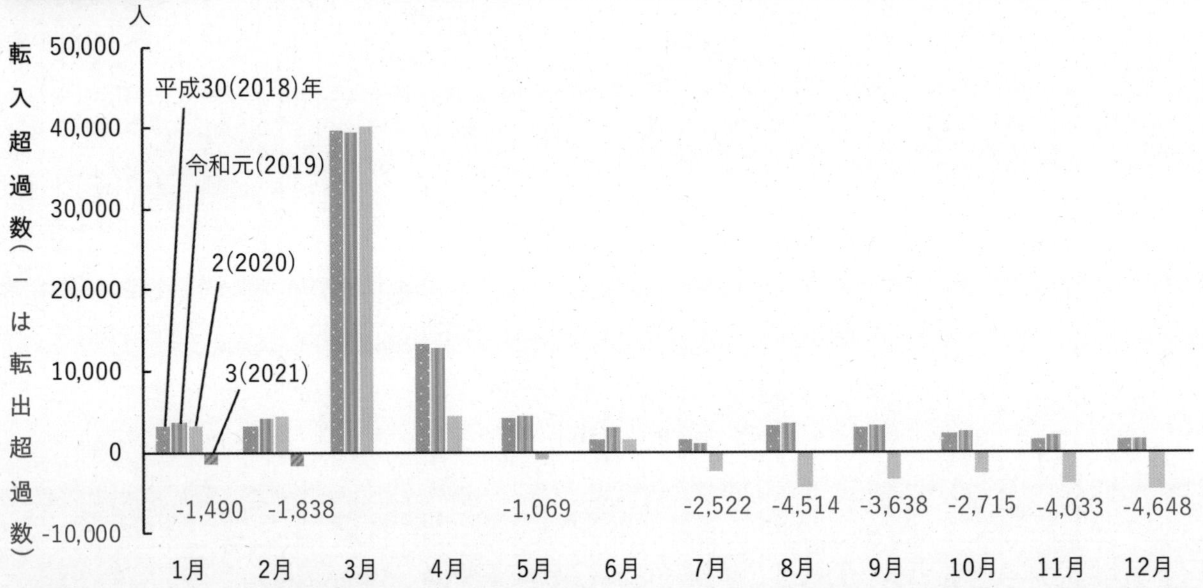

資料：総務省「住民基本台帳人口移動報告」を基に農林水産省作成

図表 特-40　東京都の転出者数の比較

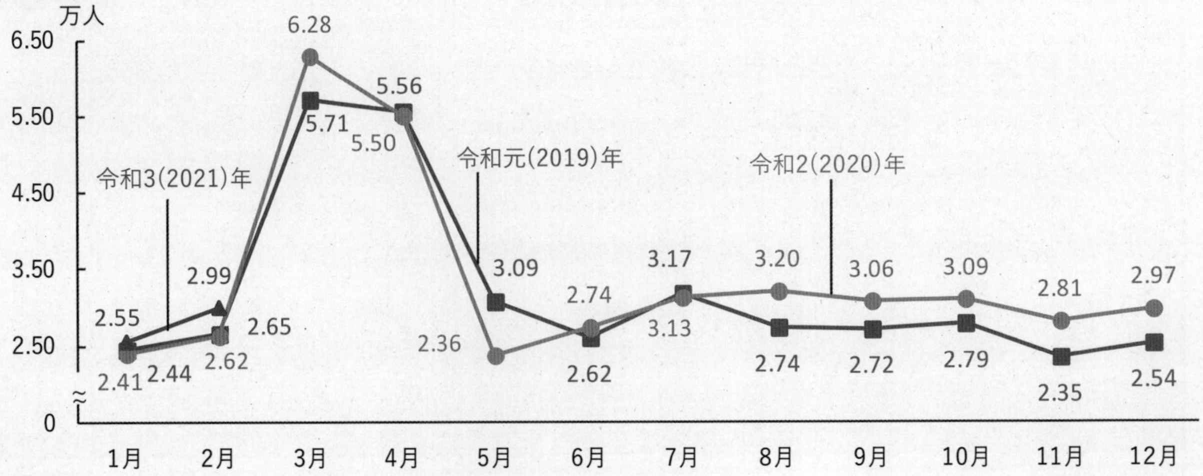

資料：総務省「住民基本台帳人口移動報告」を基に農林水産省作成

(事例) コロナをきっかけとして地方に移住(京都府)

髙山和洋《たかやまかずひろ》さんと真純《ますみ》さんは、令和2(2020)年9月に子供2人とともに一家で埼玉県から京都府綾部市《あやべし》に移住しました。かねてより地方での生活に憧れを抱いていましたが、首都圏で新型コロナウイルス感染症が拡大したことで移住を決意しました。

移住する前は20aの農地でからし菜を生産し、それを加工した和からしを販売するほか、飲食店を経営していました。

移住に際し、住宅は市の空き家バンク制度等を活用して確保しました。農地は知人から借り、からし菜の生産を再開しています。

移住前から、オンラインを中心に販売していたため、移住後も販路を変更することなく販売を継続しています。また、同年11月には狩猟免許を取得し、地域の住民と協力しながらイノシシ等の狩猟にも携わっています。髙山さんは、「移住することで新しい人たちとの出逢いと今まで経験したことのない形での農業、子供たちに生きるための術を伝えられる環境に出会うことができた。将来的には多品目栽培や農家民宿等も行っていきたい。」と話しています。

髙山さん一家

(都市住民の地方への移住意向が増加)

令和2(2020)年5～6月に内閣府が行った調査によると、新型コロナウイルス感染症の影響により、三大都市圏に住む人のうち、15.0%が地方への移住について「関心が高くなった」、「関心がやや高くなった」と回答しています。特に、20歳代では22.1%が地方移住への関心が高まったと回答しています(**図表 特-41**)。

このことから、新型コロナウイルス感染症の拡大に伴い、テレワークの実施率が高まっていること等を背景に、特に若い世代で人口過密な地域を離れて仕事をしたいという意向が高まっていると考えられます。

図表 特-41 新型コロナウイルス感染症の影響下における地方移住への関心の変化

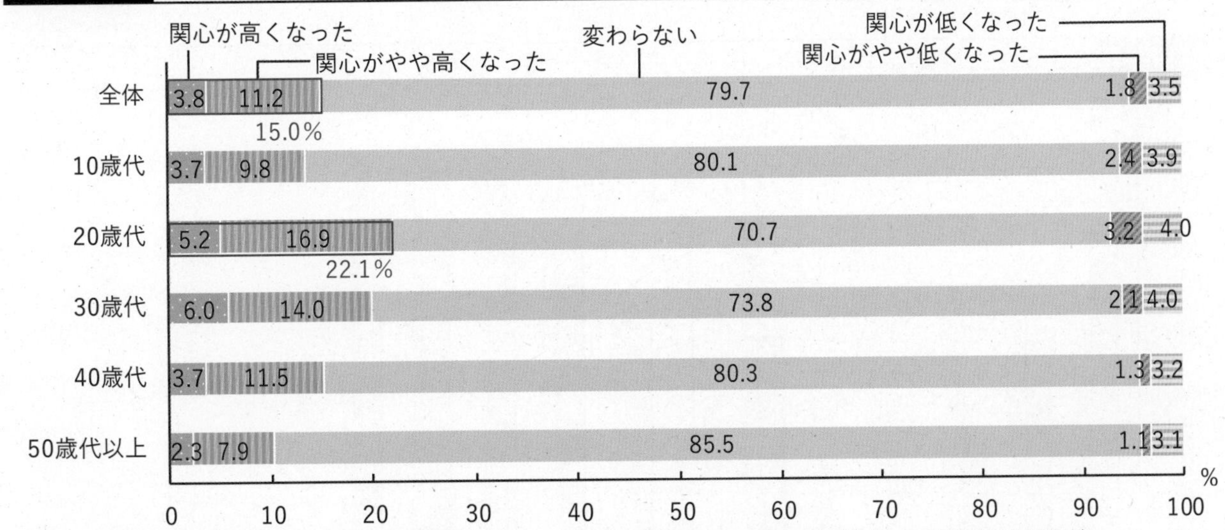

資料：内閣府「新型コロナウイルス感染症の影響下における生活意識・行動の変化に関する調査」(令和2(2020)年6月公表)

注：1) 令和2(2020)年5～6月に、三大都市圏の住民を対象として実施したインターネットによるアンケート調査(有効回答数は1万128人)

2) 新型コロナウイルス感染症の流行による地方移住への関心の変化についての質問への回答結果

3) 三大都市圏は東京圏(埼玉県、千葉県、東京都、神奈川県)、名古屋圏(岐阜県、愛知県、三重県)、大阪圏(京都府、大阪府、兵庫県、奈良県)

特定非営利活動法人ふるさと回帰支援センター(以下「ふるさと回帰支援センター」という。)では、主に東京圏の居住者で、地方暮らしやUIJターンを希望する人のための移住相談を行っています。平成22(2010)年から令和元(2019)年までの10年間で、ふるさと回帰支援センターへの相談件数(来訪者数及び問い合わせ数)は約8倍に増加しましたが、令和2(2020)年は、新型コロナウイルス感染症拡大の影響でセミナーの開催数が36.0%減少したことから、相談件数は前年度に比べ22.4%減少しました(**図表 特-42**)。

そのような中で、令和2(2020)年6月以降は電話とメールによる問い合わせ数が1か月当たり平均で約1,800件となり、前年比で37.6%増加しています(**図表 特-43**)。

その内訳を見ると、静岡県や山梨県、長野県など東京に毎日通勤することは困難な県への移住相談が多いことから、テレワークの実施に伴い、都市住民における「郊外」の概念が拡張している可能性があると考えられます。

図表 特-42　ふるさと回帰支援センターへの来訪者・問い合わせ数

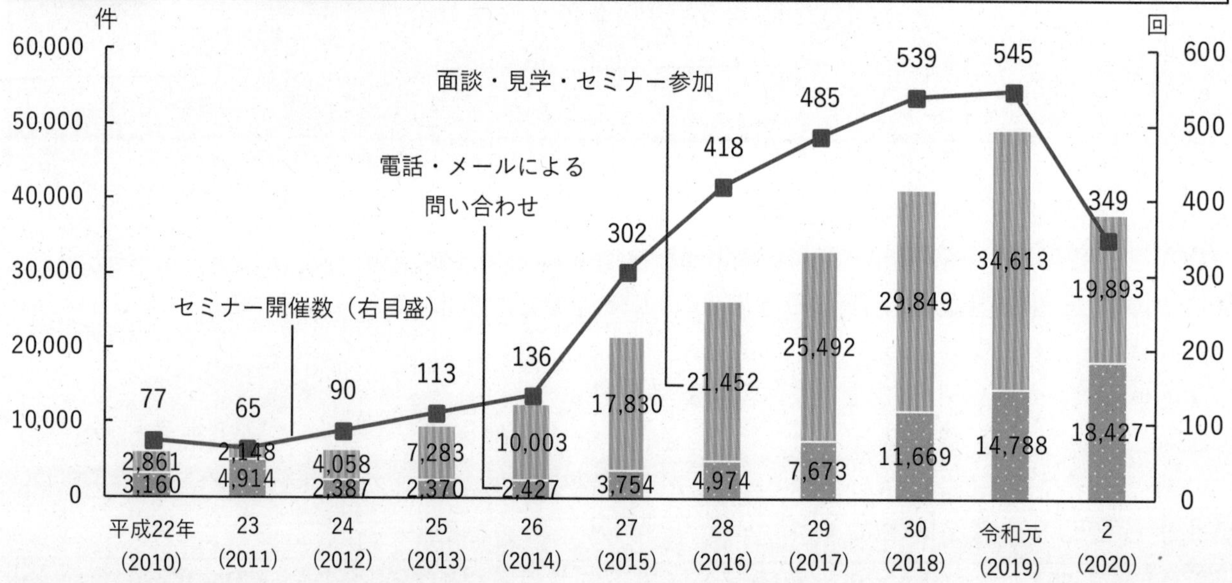

資料：ふるさと回帰支援センター資料を基に農林水産省作成

図表 特-43　ふるさと回帰支援センターへの来訪者・問い合わせ数

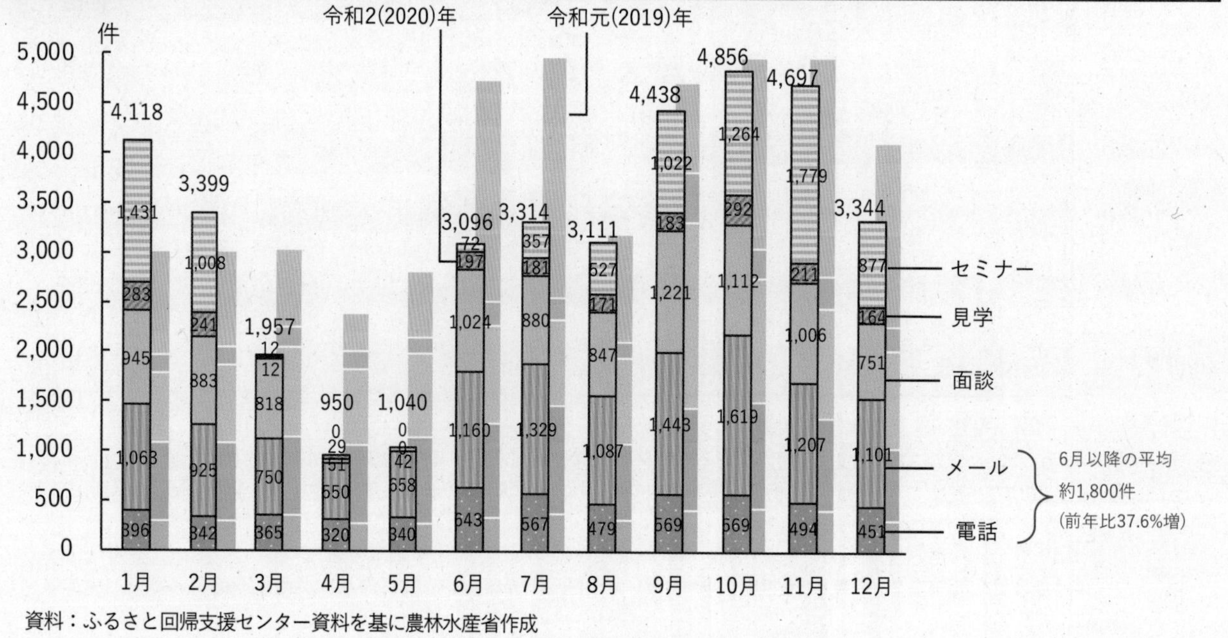

資料：ふるさと回帰支援センター資料を基に農林水産省作成

(事例) オンラインでの交流、移住相談会を実施(長野県、群馬県)

新型コロナウイルス感染症の拡大に伴い、Web会議システム等のオンラインを活用した地方と都市との交流や移住相談会が行われています。

長野県伊那市《いなし》では、令和2(2020)年8月に、保育園や小学校の見学等を予定していた移住希望者等に向けて、オンラインで伊那市内を巡るツアーを開催しました。第1回目のツアーでは、市役所の職員と小学生等が、総合学習に力を入れている小学校や、県外からの移住者を訪問し、その様子をWeb会議システムを通じてライブ中継しました。

この取組には300人以上の移住希望者が集まり、オンライン上でも活発な質疑応答が行われるなど好評だったことから、以降も定期開催し、令和2(2020)年度末時点で、計4回のオンライン体験ツアーを行い、これまでに6世帯が移住しました。

また、群馬県では以前から県庁の窓口や都内で開催する移住相談イベント等を通じて、県内への移住希望者の相談に対応してきました。令和2(2020)年度はオンラインを通じた移住相談会を19回開催しましたが、移住相談者が移住を検討する理由として、以前は田舎暮らしに憧れた事例が多かったものの、新型コロナウイルス感染症拡大後では、「安全・安心」を求めて、移住を検討する者が多くなっています。

県が把握している限りでは、令和2(2020)年度末時点で、44組85人が勤務先への通勤が可能な市部を中心に移住しています。

保育園等を紹介する
オンライン体験ツアー
資料：伊那市

オンライン移住相談会の様子
資料：群馬県

ウ　農業・農村への関心の高まりや半農半Xの動き

(都市住民の農業への関心が増加)

平成12(2000)年から農林水産省は、就農希望者と産地・農業法人等とのマッチングを促すため就農希望者向け就農相談会(「新・農業人フェア」)の開催を支援しています。令和2(2020)年度は、地方公共団体や農業大学校、農業法人等による総合的な相談会「農業EXPO」と農業法人等への就職に特化した「農業就職・転職LIVE」の2つのイベントが交互に開催されました。イベントへの来場者数は、9月から2月にかけては前年同時期比で増加しており、都市住民の農業への関心が高まっていることがうかがえます(**図表 特-44**)。

図表 特-44 新・農業人フェア来場者数

(単位：人、%)

	7月期 農業EXPO	8月期 農業就職・ 転職LIVE	9月期 農業EXPO	10月期 農業就職・ 転職LIVE	11月期 農業EXPO	12月期 農業就職・ 転職LIVE	1月期 農業EXPO	2月期 農業就職・ 転職LIVE
来場者数	740	210	1,209	311	560	219	856	305
前年比	97.6	92.5	199.2	136.4	177.8	165.9	101.7	131.5

資料：農林水産省作成
注：1) 令和2(2020)年度の来場者数
2) 前年比は東京都及び大阪府において行われたイベントの来場者数について、令和元(2019)年度を100としたときの数値

茨城県水戸市《みとし》にある日本農業実践学園《にほんのうぎょうじっせんがくえん》[1]は、就農希望者に対して必要な研修を行う専門学校です。社会人等の就農希望者を受け入れるコースの入学者は、前年は0人でしたが、令和2(2020)年には18人が入学しました。この中には、新型コロナウイルス感染症をきっかけに農業への転職を決意し、東京都や神奈川県から入学した社会人が多く含まれています。

農業研修を受ける就農希望者
資料：日本農業実践学園

(別の仕事をしながら農業をする「半農半X」の拡大に向けた取組を強化)

生産現場では、農業と宿泊業や、農業と酒造りなど、農業を営みながら他の仕事にも携わる働き方である「半農半X」の拡大に向けた取組が一部自治体で行われています。

島根県は、平成22(2010)年度から半農半Xに取り組む県外からの移住者を支援しています。県の「半農半X支援事業」では、農産物の年間販売金額50万円以上を目指すこと等の条件を満たす県外からのUターン・Iターン者を「半農半X実践者」として認定して、就農前の研修費用や営農に必要な経費等の支援を行っています。半農半Xの類型としては、「半農半農雇用(農業法人等での雇用)」、「半農半蔵人(酒造会社勤務)」、「半農半除雪(高速道路除雪等)」、「半農半サービス(道の駅勤務、新聞配達等)」、「半農半自営業(庭師、左官、写真家)」、「半農半漁(河川漁業)」といったパターンがあり、令和2(2020)年度の認定人数は、前年度比で11人増加し、85人となりました。

また、長野県では、半農半X等の、暮らしに「農」を取り入れた「農ある暮らし」を推進しており、県内に相談センターを設けているほか、毎年、「農ある暮らし入門研修」として研修を開催しています。令和2(2020)年度も、緊急事態宣言の影響で規模を縮小したものの、これらの取組を続けており、実践者の活動を紹介したブログを開設したほか、研修の申込みもほぼ満席となりました。また、相談センターには半農半Xを行っている移住者が勤めているほか、過去の研修の参加者には、半農半Xとして農業と油絵作家の活動を両立している者もおり、長野県はこのような実践者の声を活かしながら、引き続き支援を続けていく予定です。

---

[1] 正式名称は、公益社団法人日本国民高等学校協会専修学校日本農業実践学園

(事例) 半農半Xの事例

(半農半蔵人　島根県邑南町)

島根県邑南町《おおなんちょう》の沼田高志《ぬまたたかし》さんは、出身地の兵庫県の民間企業に勤務していましたが、東日本大震災をきっかけに就農を決意し、平成 24(2012)年に島根県の半農半 X 支援事業を活用する形で営農を開始しました。沼田さんは、夏期は 45a の農地で酒米と野菜を栽培し、冬季は地域の酒蔵に勤務する「半農半蔵人」を行っています。

酒蔵は雇用を人手が必要となる冬季のみとすることで人件費を抑えられているほか、酒蔵の勤務によって沼田さん自身も農閑期の収入を確保できています。沼田さんは「自分で育てた酒米で日本酒を造ることもでき、2 つの仕事を両立するスタイルにやりがいを感じる」と話しています。

半農半 X の実践者(農業と酒蔵での勤務)
資料：島根県

(半農半民宿　徳島県勝浦町)

徳島県勝浦町《かつうらちょう》の石川翔《いしかわしょう》さんと美緒《みお》さんは、東京都の民間企業に勤務していましたが、移住相談会で後継ぎのいないみかん農家の事業継承の提案を受けたことから、平成 28(2016)年に移住、40a の農地で営農を開始しました。就農直後から農業次世代人材投資資金の交付を受けていましたが、交付期間の終了後には、自宅を改修して民宿や古本屋の経営等を開始し、農業以外で約 100 万円の収入を確保しています。石川さんは「今後は、農業以外の収入を維持しつつ、経営を安定させるため農地を拡大していきたい」と話しています。

半農半 X の実践者(半農半民宿)
資料：みかん農家の宿あおとくる
(徳島県)

(市民農園や家庭菜園への関心が増加)

令和 2(2020)年 9 ～10 月に東京都が行った調査によると、新型コロナウイルス感染症の拡大に伴い、都市において公園や緑地の重要性を感じるようになったと回答した人が 6 割にのぼり、家庭菜園や市民農園で野菜を育てることに興味を持つようになったという人も 2 割を超えています(**図表 特-45**)。

図表 特-45　新型コロナウイルス感染症の拡大に伴う自然環境に関する意識の変化（複数回答）

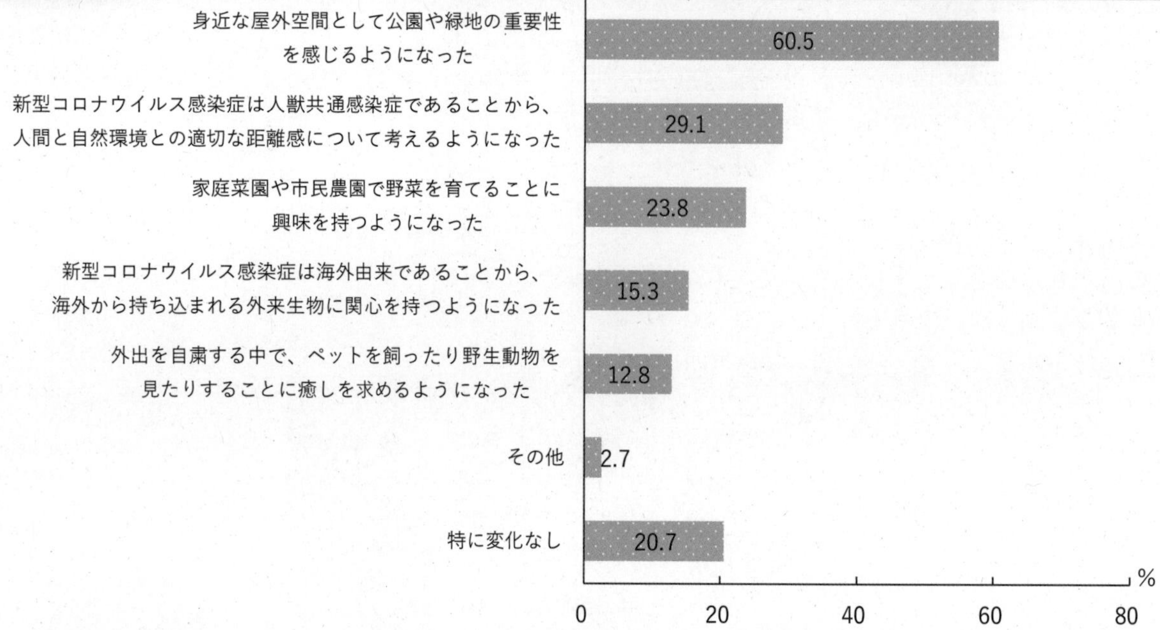

資料：東京都「令和２年度インターネット都政モニターアンケート「生物多様性について」調査結果」（令和 2(2020)年 11 月公表）を基に農林水産省作成

注：18 歳以上の都内在住者を対象として実施したインターネットによるアンケート調査(回答総数 484)

実際に、市民農園の利用は増えており、首都圏と関西の都市部で貸し農園を展開している株式会社アグリメディアによると、運営する 98 の農園全体で、令和 2(2020)年 4 月の来園者数は同年２月に比べて８割増加しました。

また、家庭菜園についても、株式会社サカタのタネによれば、家庭菜園用のキットや種子、苗等の売上げが令和 2(2020)年６月以降､前年比で１割程度増加しているなど、これまで家庭菜園に取り組んでこなかった消費者の関心が高まっていることがうかがえます。

園芸店店頭の初心者向けコーナー

資料：株式会社サカタのタネ

(4)農林水産業・食品産業関係における対応

農林水産省は、感染症の拡大の影響を受け、国民への食料の安定供給を確保する観点から、緊急経済対策等において、各般の措置を実施しました。

ア　緊急経済対策等の実施

(ア)農林漁業者等の経営継続支援

(畜産農家の経営改善等を支援)

枝肉価格の低下による畜産農家の経営悪化への懸念に対応するため、畜産農家等が行う経営の体質強化に資する取組や、コスト低減等の取組を支援し、畜産物の生産継続や安定的な供給を図りました。

また、脱脂粉乳やバターの在庫の増加により生乳の需給調整が困難となる懸念に対応するため､在庫が高水準にある脱脂粉乳やバターを需要がある分野で活用する取組を支援し、生乳の需給調整機能の維持を図りました。

（高収益作物の次期作に前向きに取り組む農業者に必要な経費を支援）

需要の減少による花き、茶、野菜、果樹等の高収益作物の価格の低下等による影響に対応するため、高収益作物の次期作に前向きに取り組む農業者に対し、種苗等の資材購入や機械レンタル等を支援するとともに、新たな品種や栽培技術の導入の取組のための支援を行いました。また、花きや茶等の高品質なものを厳選して出荷する取組のための支援を行いました。

（農林漁業者や食品関連事業者の事業継続・資金繰りを支援）

経営に深刻な影響が生じた農林漁業者や食品関連事業者の資金繰り等への不安による事業継続に向けた懸念に対応するため、農林漁業者が感染拡大防止対策を行いつつ、販路の回復・開拓や事業を継続・転換するための機械・設備の導入、人手不足解消の取組に対して支援を行いました。

また、農林漁業者の資金繰りに支障が生じないよう、農林漁業セーフティネット資金において、貸付限度額の引上げや要件緩和、償還期限の５年延長等を措置するとともに、同資金を始めとする各種制度資金の融資について、貸付当初５年間の実質無利子化や無担保化等を措置することにより、農林漁業者の更なる資金需要に対応しました（**図表 特-46**）。

このほか、厳しい経営環境に置かれている外食事業者の経営安定に必要な運転資金の円滑な融通や、食品流通事業者等が行う品質管理の高度化等の施設整備等の取組を支援するとともに、経営に大きな影響を受けている事業者に対して、事業の継続を支えるため、1か月の売上げが前年同月比 50%以上減少している事業者を対象に事業全般に広く使える、給付金等の支援を行いました。

図表 特-46 農林漁業者への資金繰り支援策

支援項目	支援の内容・対象資金等
貸付限度額の引上げ・償還期限の延長	■貸付限度額：600万円又は年間経営費等の12分の6 → 1,200万円又は年間経営費等の12分の12 ■償還期限：10年以内→15年以内 (対象資金)農林漁業セーフティネット資金
貸付利子の実質無利子化	■資金繰りや施設整備のための資金について、貸付当初５年間実質無利子化※1 (対象資金)農林漁業セーフティネット資金、スーパーL資金、経営体育成強化資金、農林漁業施設資金、農業近代化資金、農業経営負担軽減支援資金、林業者向け民間借換資金、漁業近代化資金※2、漁業経営改善支援資金、漁業経営維持安定資金 ※1　林業者向け農林漁業セーフティネット資金及び農林漁業施設資金については、貸付当初10年間無利子化 ※2　漁業近代化資金は、5号資金(種苗・育成費)に限る。
実質無担保化	■資金繰り支援のための公庫資金について、実質無担保等による貸付け (対象資金)農林漁業セーフティネット資金※、スーパーL資金、経営体育成強化資金 ※　民間金融機関からの融資を受けやすくするための劣後ローンを含む。 ■資金繰り支援のための民間資金について、農業信用基金協会等の実質無担保等による債務保証を措置 (対象資金)農業近代化資金、農業経営負担軽減支援資金、漁業近代化資金、漁業経営維持安定資金、その他民間資金に対する債務保証
保証料の免除	■民間資金の借入れについて、農業信用基金協会等による債務保証の当初5年間の保証料免除 (対象資金)農業近代化資金、農業経営負担軽減支援資金、漁業近代化資金、漁業経営維持安定資金、その他民間資金
関係金融機関への要請	■新規融資に係る円滑な融通・既往融資に係る償還猶予
危機対応業務による融資	■指定金融機関による食品製造事業者等への損害担保融資や低利融資(ツーステップローン)を措置

資料：農林水産省作成

(輸入農畜産物の国産への切替え、国産農畜産物の継続的・安定的な供給のための体制整備を支援)

安定的な輸入への不安に伴う国産ニーズの増大や、外食から家庭食へのシフト等の新たな需要が顕在化しました。これらに対応した体制を整備するため、産地や実需者等サプライチェーンの各主体の連携による輸入農畜産物から国産への切替え、国産農畜産物の継続的・安定的な供給を図るための野菜等のカット、冷凍、安定出荷等に必要な施設の整備・改修等を支援しました。

(イ)農林漁業者等の販売促進と国産農林水産物の消費拡大支援

(牛乳乳製品の消費拡大の呼びかけ(プラスワンプロジェクト))

小中学校の休校に伴う学校給食向け牛乳需要の消失や、商業施設の休業等による牛乳や乳製品の消費の減少に対応するため、消費者へ牛乳やヨーグルトを普段より1本多く消費することを推進する「プラスワンプロジェクト」を令和2(2020)年4月から開始し、協力を呼びかける動画をYouTubeに投稿しました。

このプロジェクトにより、多くの協力を得た結果、プロジェクト開始から同年6月までの間に、家庭での牛乳類の消費が増加し、行き場のない生乳を発生させることなく、牛のライフサイクル上、生乳を多く出す時期であり、全国の生乳生産が最も多くなる5月から6月の期間を乗り切ることができました。6月以降は、プラスワンプロジェクトセカンドステージとして、在庫が高水準となった脱脂粉乳を原料に使っている乳製品を中心に、アイスクリームは1日1個、ヨーグルトやチーズは普段より1個多く消費することを推進しました。

プラスワンプロジェクトのポスター

プラスワンプロジェクトの人気
YouTuber はるあんとのコラボ動画

(花の利用拡大のための支援や取組(花いっぱいプロジェクト))

卒業式の中止やイベントの自粛等の影響等による花きの需要の減少に対応するため、公共施設等における花きの利用を拡大する取組を支援するとともに、メディア・SNS等を活用した取組の横展開により、生け花等、日常生活での花きの定着を図りました。

また、令和2(2020)年3月に「花いっぱいプロジェクト」を立ち上げ、家庭や職場に春の花を飾って楽しんでもらうよう、地方公共団体や関係団体に協力を呼びかけました。

この取組の一環として、ホワイトデーに花を贈る呼びかけを行う取組や、胸ポケットに生花のコサージュを挿す取組等について、農林水産省の公式YouTubeチャンネル「BUZZ《ばず》 MAFF《まふ》」と「花いっぱいプロジェクト」がコラボした動画の公開等を通じて、花きの消費拡大に取り組みました。なお、令和 3(2021)年 1 月には、取組をリニューアルし、新たに「花いっぱいプロジェクト 2021」を開始しました。

農林水産省正面玄関前
に飾られた花々

大臣記者会見室に
飾られた花々

(国産農林水産物等(日本酒、焼酎等の加工品を含む。)の販売促進、販路の多様化の取組を支援)

訪日外国人旅行者の大幅な減少、輸出の停滞や外食需要の減少等によるインバウンド需要や外食需要への依存が大きい品目の出荷量、売上げの減少や価格の下落等の影響に対応するため、第 1 次補正予算において、特に影響が顕著な牛肉、花き、果物、林水産物等について、学校給食、こども食堂での食育活動のほか、飲食店がデリバリー等に取り組む際に使用する食材費や、インターネット販売を行う際の送料等、農林漁業団体等が行う販売促進の取組に対して幅広く支援しました。

#元気いただきますプロジェクト
のロゴマーク

この対策全体を「#(ハッシュタグ)元気いただきますプロジェクト」とし、女優の広瀬《ひろせ》すずさんを起用したテレビ CM や季節のイベントに合わせたキャンペーン等を実施し、国産農林水産物等を食べて生産者を応援することを呼びかけました。

また、第 3 次補正予算においては、対象品目の限定をすることなく、日本酒や焼酎等の加工品も含め、新型コロナウイルス感染症拡大の影響を受けた国産農林水産物等を対象とした上で、第 1 次補正予算と同等の支援を行うこととしました。

このほか、新たな販売先の開拓や新たな販売方法に取り組む食肉卸売事業者に対し、販売実績に応じて冷凍保管経費等を支援するとともに、奨励金を交付することで、和牛肉の円滑な流通を図りました。

和牛肉の販売促進の支援を活用して
提供された学校給食

(農林水産物・食品の輸出の維持・促進の取組を支援)

海外における外食需要の低迷や商談機会の喪失等による、国産農林水産物・食品の輸出が減少する等の影響に対応し、家庭食の輸出増加や新規・有望市場でのシェア獲得等、輸出の維持・促進を図るため、物流に対する支援や、食品製造設備等の整備・導入への支援を行いました。

オンラインを通じた商談(中国国際輸入博覧会)
資料：JETRO

また、海外での見本市や商談会等の開催が延期・中止となる中で、輸出に取り組む事業者と海外バイヤーのマッチングを推進するため、JETRO(独立行政法人日本貿易振興機構)によるオンライン商談会の実施やバーチャル見本市への出展等を支援しました。

さらには、戦略的輸出事業者と産地が連携して取り組む日本産コメ・コメ加工品の海外需要開拓・プロモーションを支援しました。

(フードバンクを通じた未利用食品のこども食堂等へ提供の取組を支援)

小中学校の休校等により学校給食で活用する予定であった食品･食材等が未利用となり、廃棄される懸念に対応するため、食品ロス削減の観点から、食品関連事業者において発生した未利用食品の情報を集約し、全国のフードバンク[1]に対して一斉に発信する取組を行うとともに、食品関連事業者において発生した未利用食品をフードバンクに寄附する際の輸配送費やフードバンクの受入能力の向上に必要となる一時保管用倉庫、運搬車両等の賃借料を支援しました。

これらの取組を通じて、未利用食品のフードバンクを通じたこども食堂等への提供を促進し、未利用食品の有効活用を図りました。

(飲食店の需要喚起のための支援)

インバウンド需要の大幅な減少や外出自粛等による、飲食店の売上げの減少等の甚大な影響に対応するため、観光業、運輸業、飲食業、イベント・エンターテインメント業等を対象とした官民一体型の需要喚起キャンペーン(「Go To キャンペーン」)の一環として、令和 2(2020)年 10 月から感染予防対策に取り組みながら営業している飲食店及び食材を供給する農林漁業者を支援する「Go To Eat キャンペーン」を実施し、飲食店の需要喚起を図りました。

(日本酒の原料となる酒造好適米の需要回復・拡大の取組等への支援)

日本酒については、インバウンド、輸出、国内業務用需要の減少による販売量の減少、在庫の滞留等の影響に対応するため、日本酒の需要回復・拡大の取組への支援を実施するとともに、日本酒の原料となる酒造好適米の保管経費等の支援対象期間を拡充しました。

---

1 用語の解説3(1)を参照

(コラム) Go To Eat キャンペーン

農林水産省では、感染予防対策に取り組みつつ営業を継続している飲食店の需要を喚起し、食材を供給する農林漁業者も応援するため、令和2(2020)年10月から「Go To Eat キャンペーン」を実施しました。

Go To Eat キャンペーンでは、(1)地域の飲食店で使えるプレミアム付食事券の発行や、(2)オンライン飲食予約サイト経由で、期間中に飲食店を予約・来店した消費者に対し、次回以降に飲食店で使用できるポイントの付与を実施しました。

キャンペーン実施以降、飲食業の売上げは一時的に回復傾向となりましたが、新型コロナウイルス感染症の再拡大等により再び減少傾向となっています。

また、令和3(2021)年1月に緊急事態宣言が再度発出された1都3県、大阪府、兵庫県を含む多くの都道府県においては、各地域の感染状況を踏まえ、プレミアム付食事券の販売の一時停止等を行っています。

農林水産省は、徹底した換気、客と客の間の適度な間隔、消毒液の設置等、飲食店向けガイドラインの遵守の徹底等について注意喚起しつつ、都道府県が感染状況を見極めながらキャンペーン再開の検討を進められるよう、緊密に連携し、対応しています。

Go To Eat キャンペーンの概要

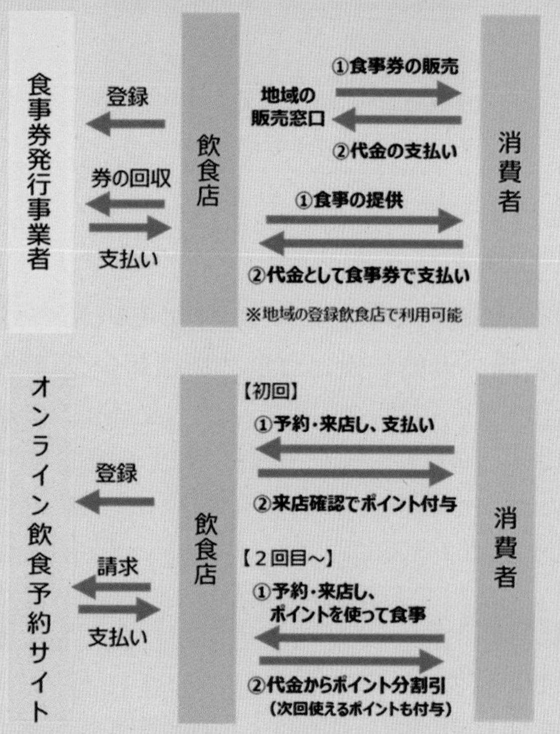

資料：農林水産省作成

Go To Eat キャンペーンのプレミアム付食事券

(ウ)農林漁業者等の労働力確保支援

(入国制限等による人手不足を解消するための労働力の確保を支援)

入国制限措置の影響で、来日を予定していた外国人材の入国の見通しが立たなくなることによる、農林水産業や食品産業の現場での人手不足の懸念に対応するため、人手不足となった農業経営体が代替人材を雇用する際の掛かり増し経費や研修を受ける際の活動費等を支援するとともに、人材の募集、情報発信、マッチングの費用等を支援し、人手不足の解消と農業生産の維持を図りました。

また、人手不足の影響を受ける品目・地域を対象に、強い生産基盤を構築するため、農業高校等と連携し、スマート農業技術の実証を実施しました。

アスパラガスの自動収穫ロボット

農薬散布ドローンの操縦講習会
に臨んだ農業高校等の学生たち

イ　感染拡大の防止や食料安定供給への対応

(食料品の供給状況についての情報発信等を実施)

農林水産省は、国民に対し、食料品の供給状況等の情報を提供するため、令和 2(2020) 年 3 月、農林水産省 Web サイトに新型コロナウイルス感染症に関する特設ページを開設したほか、MAFF アプリや、SNS、動画共有サービス等の様々なチャンネルを活用し、情報発信に努めました。

同年 3 月からは、小売業団体や食品メーカーから食料品の供給状況をヒアリングし、その内容を Web サイト上で情報発信しました。また、同月下旬に、一時的に米やパスタ、冷凍食品等の一部の食料品で欠品や品薄が発生したことを受け、国民へ落ち着いた購買行動を呼びかけるとともに、食品関連事業者に対して、食料品の円滑な供給を行うよう要請しました。

同年 4 月には、主食である米と小麦は十分な備蓄をしており、供給不足の懸念がないことや、海外からの輸入に依存している穀物等に関し、物流への影響、市場価格の動向等について商社等と情報交換を実施の上、海外からの輸入に滞りがないこと等、我が国における穀物等の輸入の現状について Web サイト上で情報発信しました。

このほか、同月からは、農林漁業者・食品関連事業者向けの新型コロナウイルス感染症に対する支援策を取りまとめ、Web サイト上で情報発信しました。さらに、同年 10 月から、感染リスクを高める「5 つの場面」や外食をする時の「感染リスクを下げながら会食を楽しむ工夫」等、感染対策の徹底を呼びかけました。

国民へメッセージを発信する農林水産大臣

会食の際に感染リスクを下げる
工夫を呼びかけるポスター

資料：農林水産省作成

（事業継続等のための基本的なガイドラインの策定や、所管団体等による業種別ガイドラインの作成を支援）

農林水産省は、国民への食料の供給を継続的に行うため、令和2(2020)年3月に、農林漁業者や食品関連事業者等に向けての「新型コロナウイルス感染者が発生した時の対応及び事業継続に関する基本的なガイドライン」を策定し、予防対策の徹底を要請するとともに、当該ガイドラインに則して、感染者が発生した場合を想定した業務継続支援体制の構築や業務マニュアルの作成等を呼びかけました。

また、同年5月に、政府対策本部において新型コロナウイルス感染症対策の基本的対処方針が改訂されたこと等を受け、各事業者及び関係団体が社会経済活動と感染拡大防止の両立に向けて、感染拡大予防ガイドライン(以下「業種別ガイドライン」という。)を策定することになり、農林水産省の所管団体等においても、自主的な感染防止の取組を進めるための業種別ガイドラインを策定しました。農林水産省は、同年3月に策定した「新型コロナウイルス感染者が発生した時の対応及び事業継続に関する基本的なガイドライン」を踏まえ、所管団体等に対して業種別ガイドラインの作成のための指導・助言を行うとともに、農林水産省ホームページで所管団体等が作成した業種別ガイドラインを紹介しています。

ウ　今後の対応に向けて

新型コロナウイルス感染症の拡大により食料・農業・農村に影響が生じたことは、食料供給に影響を及ぼすリスクが多様化していることを示しています。

食料の安定供給は、国の最も基本的な責務の一つであり、国内の農業生産の増大に向け、食料自給率[1]の向上や食料安全保障の強化への期待はますます高まっています。

このため、国は、今後も新型コロナウイルス感染症による影響の緩和に取り組むとともに、感染の発生状況等を注視し、必要な対応を行っていくこととしています。

---

1 用語の解説3(1)を参照

第1章

食料の安定供給の確保

第1節　食料自給率と食料自給力指標

令和2(2020)年3月に閣議決定した食料・農業・農村基本計画において、令和12(2030)年度を目標年度とする総合食料自給率[1]の目標が設定されるとともに、国内生産の状況を評価する食料国産率[2]の目標が設定されました。また、我が国の食料の潜在生産能力を評価する食料自給力指標[3]についても令和12(2030)年度の見通しが示されました。

本節では、これまでの食料自給率の変化の動向・要因について分析するとともに、今後の食料自給率・食料自給力の向上に向けた取組の重要性について紹介します。

(1) 食料自給率の目標と動向

(供給熱量ベースは1ポイント上昇の38%、生産額ベースは前年同の66%)

総合食料自給率の目標は、令和12(2030)年度を目標年度として、供給熱量[4]ベースで45%、生産額ベースで75%と定められました(**図表1-1-1**)。令和元(2019)年度の供給熱量ベースの総合食料自給率は、サンマ・サバ等の魚介類が不漁となり、米の消費が減少した一方で、小麦の単収が増加したこと等から、前年度に比べ1ポイント上昇し、38%となりました(**図表1-1-2**)。生産額ベースの総合食料自給率は、野菜の国産単価が増収により下落し、サンマ・サバ等の魚介類が不漁となった一方で、豚肉等の国産単価の上昇等により、前年度と同じ66%となりました。

図表1-1-1　食料自給率目標等

食料自給率目標等

【供給熱量ベース】 37% (2018実績) → **45%** (2030目標)(食料安全保障の状況を評価)
【生産額ベース】 66% (2018実績) → **75%** (2030目標)(経済活動の状況を評価)

【飼料自給率】 25% (2018実績) → 34% (2030目標)

【食料国産率】 飼料自給率を反映せず、**国内生産の状況を評価するため新たに設定**
<供給熱量ベース> 46%(2018実績) → 53%(2030目標)
<生産額ベース> 69%(2018実績) → 79%(2030目標)

食料自給力指標(食料の潜在生産能力)

農地面積に加え、**労働力も考慮**した指標を提示。また、新たに**2030年の見通し**も提示

資料:農林水産省作成

[1] 用語の解説3(1)を参照
[2] 用語の解説3(1)を参照
[3] 用語の解説3(1)を参照
[4] 用語の解説3(1)を参照

図表 1-1-2　我が国の総合食料自給率

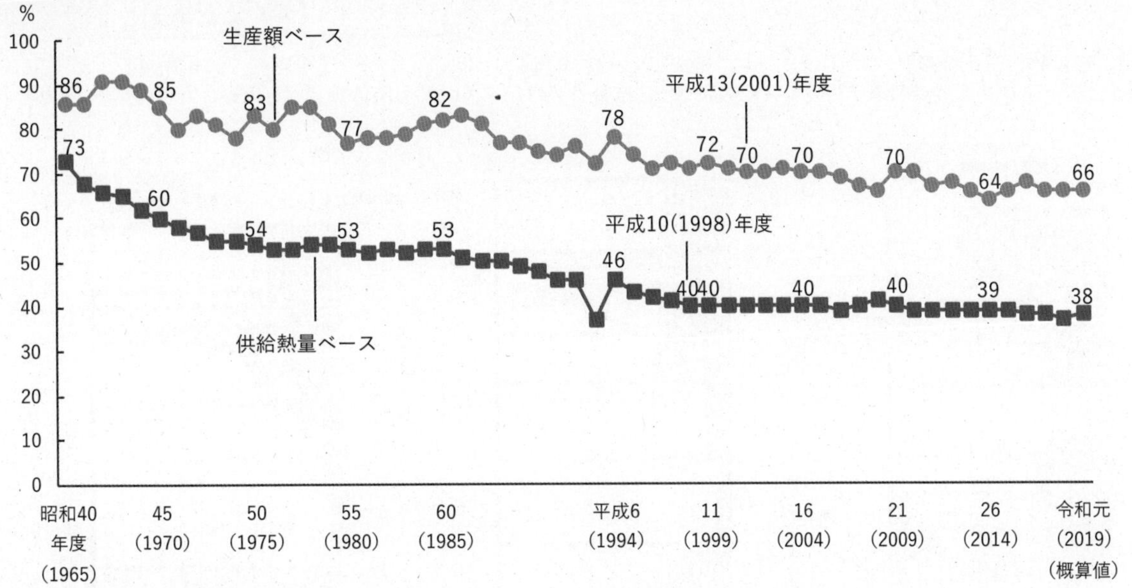

資料：農林水産省「食料需給表」

注：平成 30(2018)年度以降の食料自給率は、イン(アウト)バウンドによる食料消費増減分を補正した数値

我が国の食料自給率は、長期的には低下傾向でしたが、供給熱量ベースの総合食料自給率は平成 10(1998)年度に 40%まで低下し、以降は、おおむね 40%前後で推移しています。また、生産額ベースの総合食料自給率は平成 13(2001)年度に 70%に低下し、以降は、60%台から 70%台前半の範囲で推移しています。

長期的に食料自給率が低下してきた主な要因としては、食生活の多様化が進み、国産で需要量を満たすことのできる米の消費が減少した一方で、飼料や原料の多くを海外に頼らざるを得ない畜産物や油脂類等の消費が増加したことによるものです(**図表 1-1-3**)。

また、令和元(2019)年度の供給熱量ベースの総合食料自給率は 38%であり、平成 10(1998)年度と比較して大きな変動はありませんが、その内訳を比較すると、米や魚介類、野菜等の供給熱量が減少している一方で、国産の小麦、大豆等の供給熱量が増加しており、また、高齢化等に伴い 1 人 1 日当たりの供給熱量が減少しています。

図表1-1-3 供給熱量ベースの食料自給率の変化

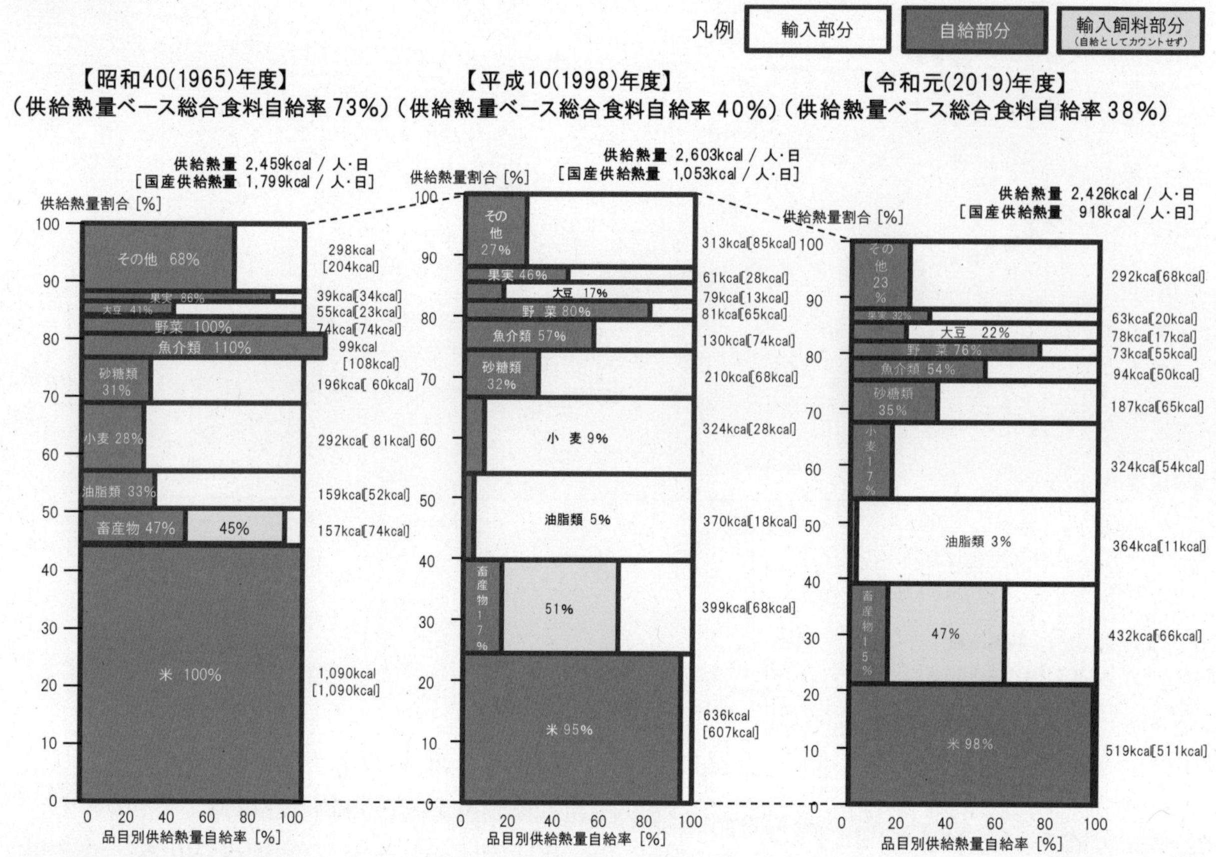

資料：農林水産省「食料需給表」

総合食料自給率のうち供給熱量ベースは、生命と健康の維持に不可欠な基礎的栄養価であるエネルギー(カロリー)に着目したものであり、消費者が自らの食料消費に当てはめてイメージを持つことができるなどの特徴があります。一方で生産額ベースは、食料の経済的価値に着目したものであり、畜産物、野菜、果実等のエネルギーが比較的少ない一方で高い付加価値を有する品目の生産活動をより適切に反映させることができます(**図表1-1-4**)。

図表 1-1-4 供給熱量ベースと生産額ベースの食料自給率

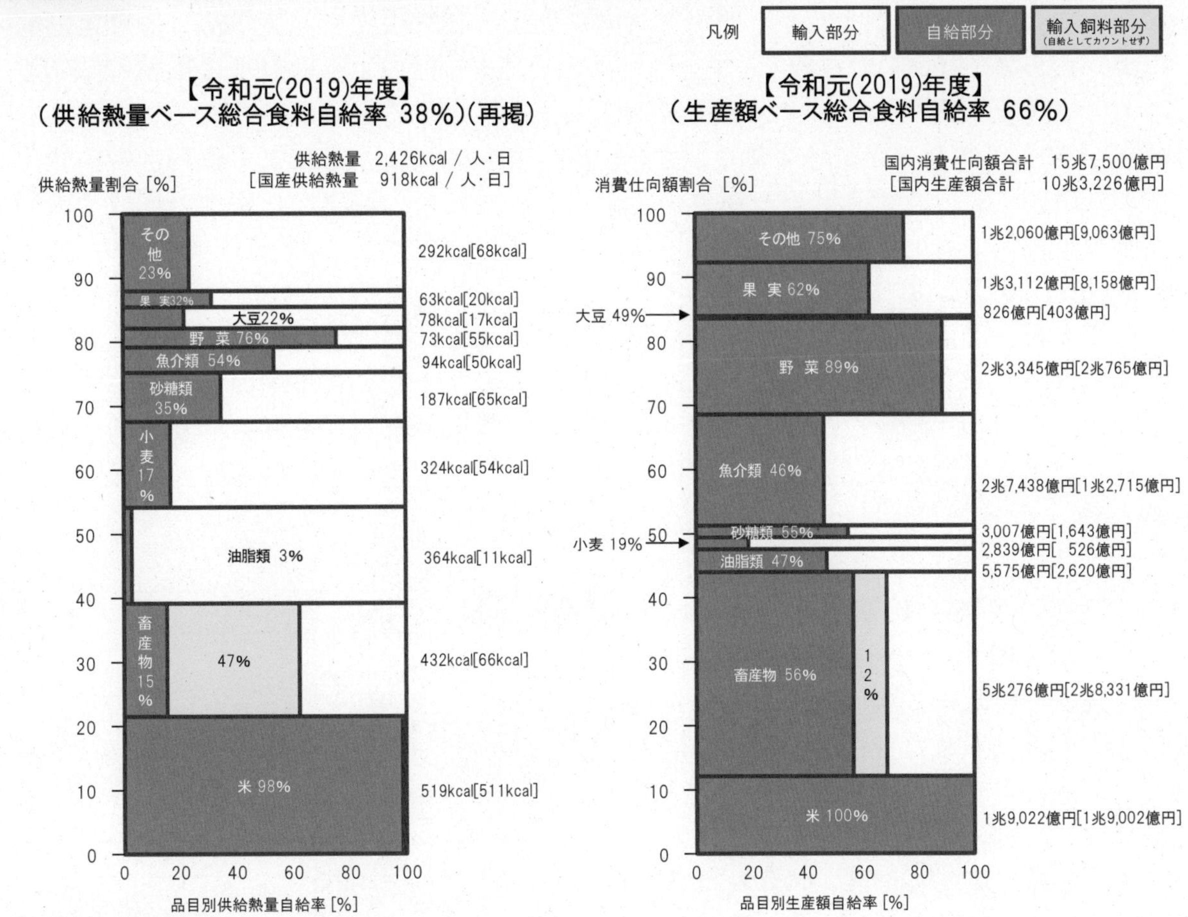

資料：農林水産省作成

供給熱量ベースよりも生産額ベースの食料自給率の方が高いということは、我が国は、畜産物、野菜、果実等、より付加価値の高い農業生産を行っていることを示しています。人口減少等により国内の食市場は縮小する一方で、世界の食市場は今後大幅に拡大することが見込まれています。このような中、我が国が得意とする品目の生産を拡大し、世界に輸出していくことは、生産者の所得向上を図るとともに、農地の保全や就業者の確保等を図っていく上でも重要となります。

(食料自給率向上に向けて生産基盤の強化と消費拡大の推進が重要)

今般の新型コロナウイルスの世界的な感染拡大等、我が国の食料供給に影響を及ぼす可能性のあるリスクは多様化しています。このような中、食料自給率の向上や食料安全保障[1]の強化への期待はますます高まっています。

総合食料自給率目標は、令和 12(2030)年度の食料消費の見通しと生産努力目標を前提として示されています。生産努力目標は、国内外の需要の変化に的確に対応できる農業生産を推進するとの方針の下、品目ごとに農業生産に関する課題が解決された場合に実現可能となる生産量として設定されています。生産努力目標達成に向けては、品目ごとに課題を克服していく必要があります。

人口減少、農業従事者[2]の高齢化、農地面積の減少等が進む中で、食料自給率を向上させ

1 用語の解説 3(1)を参照
2 用語の解説 1、2(5)を参照

るためには、国内生産基盤の強化等により我が国農業を持続可能なものとすることが重要です。このため、品目ごとのきめ細かな対策に加え、経営規模や家族・法人等経営形態の別にかかわらず、担い手の育成・確保を進めるとともに、担い手への農地の集積・集約化[1]、農地の大区画化・汎用化、スマート農業の導入等を推進する必要があります。また、食の外部化[2]等による加工・業務用需要の拡大や、健康志向の高まり等による食料消費の変化に適切に対応するとともに、旺盛な海外需要を取り込むため、輸出向け産地の形成や流通加工体制の整備等を通じて輸出を促進するなど、需要の変化に応じたマーケットイン型の取組を推進する必要があります。

このような生産面での取組に加え、消費面においても、消費者、食品関連事業者、生産者団体を含めた官民協働による新たな国民運動の展開により、我が国の食と環境を支える農業・農村への国民理解を醸成し、国産農産物の消費拡大を図ることや、安定的な取引関係の確立による農業と食品産業の連携強化等により、国産農産物の需要拡大を図ることも重要です。

(食料国産率と飼料自給率)

令和 2(2020)年 3 月に閣議決定した食料・農業・農村基本計画において、新たに目標に位置付けられた食料国産率は、飼料が国産か輸入かにかかわらず、畜産業の活動を反映し、国内生産の状況を評価するものです。需要に応じて増頭・増産を図る畜産農家の努力が反映され、また、国産畜産物を購入する消費者の実感に合うという特徴があります。

一方、飼料の自給度合いによって畜産物の自給率は大きく影響を受けるため、国産飼料基盤に立脚した畜産業を確立する観点から、今回の基本計画においても、飼料自給率の目標が設定されています。食料自給率は輸入飼料による畜産物の生産分を除いているため、食料国産率と飼料自給率の双方の向上を図りながら、食料自給率の向上を図ることが必要です(**図表 1-1-5、図表 1-1-6**)。

図表 1-1-5　食料国産率

（単位：%）

	供給熱量ベース	生産額ベース
食料国産率	47（38）	69（66）
畜産物の食料国産率	62（15）	68（56）
牛肉	42（11）	64（56）
豚肉	49（6）	57（45）
鶏卵	96（12）	98（67）
飼料自給率	25	

資料：農林水産省作成
注：1) 令和元(2019)年度の数値
2) （　）内の数値は、飼料自給率を反映した総合食料自給率の数値
3) 飼料自給率は、粗飼料及び濃厚飼料を可消化養分総量(TDN)に換算して算出

[1] 用語の解説 3(1)を参照
[2] 用語の解説 3(1)を参照

図表 1-1-6 我が国の食料国産率

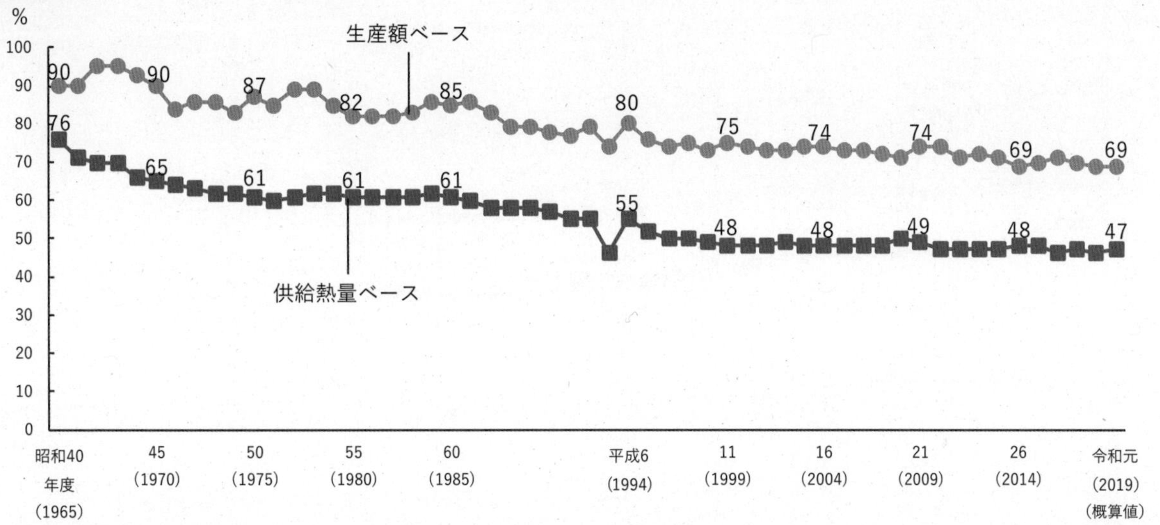

資料：農林水産省「食料需給表」

(2) 食料自給力指標の動向

(いも類中心の作付けでは推定エネルギー必要量を上回る)

食料の多くを海外に依存している我が国では、食料安全保障の観点から、国内の農地等を最大限活用することで、どの程度の食料が得られるのかという食料の潜在生産能力(食料自給力)を把握し、その維持・向上を図ることが重要です。

食料自給力指標は、我が国の食料の潜在生産能力を評価する指標であり、栄養バランスを一定程度考慮した上で、農地等を最大限活用し、熱量効率が最大化された場合の１人１日当たり供給可能熱量を、米・小麦中心の作付けといも類中心の作付けの２パターンについて試算したものです。令和 2(2020)年３月に閣議決定した食料・農業・農村基本計画では、農業労働力や省力化の農業技術も考慮することとし、また、令和 12(2030)年度の見通しも併せて示しています。

令和元(2019)年度の食料自給力指標の試算では、440 万 ha の農地面積、9 万 ha の再生利用可能な荒廃農地[1]面積、実際に投入されている臨時雇用を含む延べ労働時間等を前提として試算を行っています。令和元(2019)年度の労働力の充足状況を考慮した食料自給力指標は、「米・小麦中心の作付け」で 1,754kcal/人・日、「いも類中心の作付け」で 2,537kcal/人・日となりました(**図表 1-1-7**)。

[1] 用語の解説 3(1)を参照

図表 1-1-7　食料自給力指標の推移と見通し

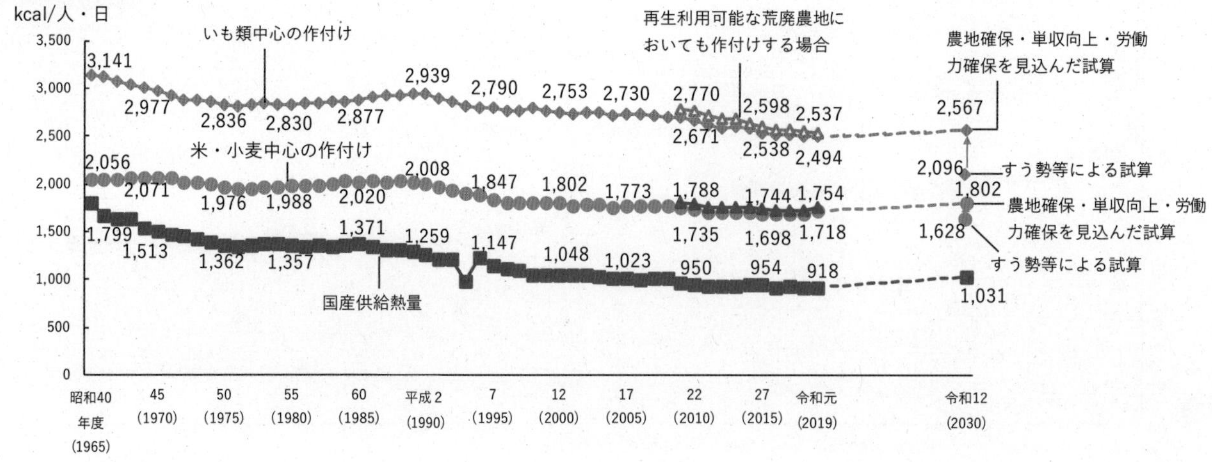

資料：農林水産省作成

注：1）労働力の充足状況を考慮した場合の最大供給可能熱量の推移。ただし、平成17(2005)年以前は統計データがそろわないため、労働力を考慮していない。

2）令和元(2019)年度と令和12(2030)年度の間の点線については、2時点を直線で結んだものであり、途中年度の試算値を示すものではない。

日本人の平均的な1人当たりの推定エネルギー必要量2,168kcal/人・日と比較すると、より私たちの食生活に近い「米・小麦中心の作付け」ではこれを下回る一方、供給熱量を重視する「いも類中心の作付け」ではこれを上回ります。なお、いも類中心の作付けにおいては、農地を最大限活用した場合の供給可能熱量では、その作付けに必要な労働力が不足するため、作付けの一部を米・小麦等の省力的な作物に置き換え、労働力も併せて最大限活用されるよう試算を行っています。

また、食料自給力指標については、長期的には、農地面積の減少等により令和元(2019)年度まで低下傾向にありますが、農地確保、単収向上、労働力確保、生産性向上を図っていくことにより、供給可能熱量を押し上げていくことが可能です。

将来における世界の食料需給に不安定要素が存在する中、需要に応じた生産や海外需要の獲得等により、平素から我が国における農業生産の振興を図ることで優良農地が確保され、食料自給力の維持・向上につながります。このため、担い手の確保や担い手への農地の集積・集約化を進めつつ、荒廃農地の発生防止と再生を図るとともに、新品種・新技術の開発・導入、輪作体系の適正化や排水対策等の基本技術の励行により単収の高位安定化を図る必要があります。

第2節　食料消費の動向

人口減少や高齢化により国内の食市場が量的に縮小すると見込まれている一方、消費者ニーズは多様化、個別化し、食の外部化[1]が進展しています。本節では、このような食料消費の中長期的な動向について紹介します[2]。

(調理食品への支出割合はいずれの世帯類型においても増加)

食料消費支出全体に占める調理食品への支出割合は、二人以上の世帯及び単身世帯のいずれの世帯類型においても増加しています。令和元(2019)年の食料消費支出の内訳について世帯類型別に見ると、支出割合が最も大きいのは二人以上の世帯では生鮮食品(28.3%)、単身世帯では外食(27.4%)となっていますが、平成21(2009)年と比較すると、いずれの世帯類型においても支出割合の増加幅が最も大きいものは調理食品です(**図表 1-2-1**)。

図表 1-2-1 世帯類型別食料消費支出の内訳の変化

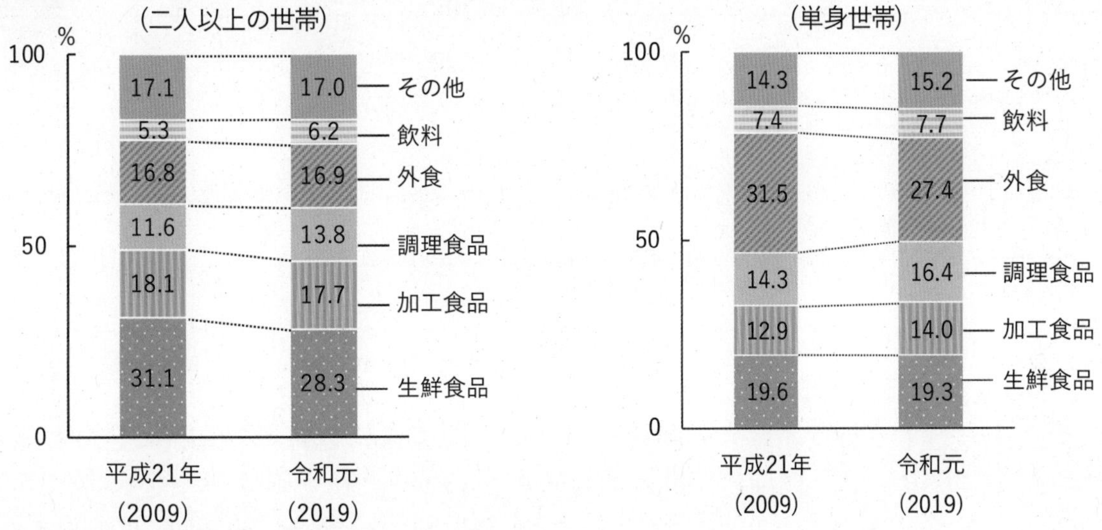

資料：総務省「家計調査」(全国・用途分類)を基に農林水産省作成

注：1) 消費者物価指数(食料：平成27(2015)年基準)を用いて物価の上昇・下落の影響を取り除いた数値

2) 生鮮食品は、米、生鮮魚介、生鮮肉、牛乳、卵、生鮮野菜、生鮮果物の合計

3) 加工食品は、パン、麺類、他の穀類、塩干魚介、魚肉練製品、他の魚介加工品、加工肉、乳製品、乾物・海藻、大豆加工品、他の野菜・海藻加工品、果物加工品の合計

4) 調理食品は、主食的調理食品と他の調理食品の合計で、他の調理食品には冷凍調理食品も含む。

5) その他は、油脂・調味料、菓子類、酒類の合計

(調理食品への支出割合はいずれの年齢階級においても増加)

食料消費支出全体に占める調理食品への支出割合は、いずれの年齢階級においても増加しています。平成21(2009)年と令和元(2019)年を比較すると、生鮮食品の支出割合はいずれの年齢階級においても減少し、加工食品及び外食への支出割合は年齢階級によって増加している場合と減少している場合に分かれている一方、調理食品への支出割合はいずれの

[1] 用語の解説3(1)を参照
[2] 新型コロナウイルス感染症による食料消費への影響については、特集を参照

年齢階級においても増加しています(**図表 1-2-2**)。

なお、年齢階級が高いほど生鮮食品及び加工食品への支出割合が高く、外食への支出割合が低いという食料消費の傾向は、10 年前と変わっていません。一方で、調理食品への支出割合については、年齢階級の違いによるそのような傾向は見られません。

図表 1-2-2　世帯主の年齢階級別食料消費支出の内訳の変化

（単位：％）

		生鮮食品		加工食品		調理食品		外食	
		平成21年 (2009)	令和元年 (2019)	平成21年 (2009)	令和元年 (2019)	平成21年 (2009)	令和元年 (2019)	平成21年 (2009)	令和元年 (2019)
二人以上の世帯	～29歳	22.5	21.2	16.2	14.5	11.4	14.7	26.9	26.6
	30歳代	24.2	22.4	16.3	15.6	11.1	12.7	25.3	25.6
	40歳代	26.8	24.2	17.0	15.9	11.7	13.2	21.9	23.2
	50歳代	31.0	26.5	18.0	16.6	12.3	14.3	16.3	19.5
	60歳代	35.0	29.7	19.1	18.5	10.9	14.1	13.0	13.8
	70歳～	36.6	33.6	19.7	20.0	11.8	14.1	10.1	10.1
単身世帯	～34歳	6.6	5.9	7.5	6.7	13.3	15.1	50.4	52.2
	35～59歳	13.3	12.7	10.9	12.0	16.1	19.2	37.5	31.1
	60歳～	30.9	28.7	17.1	18.2	13.5	15.3	17.5	15.0

資料：総務省「家計調査」（全国・用途分類）を基に農林水産省作成
注：1）消費者物価指数(食料：平成 27(2015)年基準)を用いて物価の上昇・下落の影響を取り除いた数値
2）世帯主の年齢階級により分類
3）生鮮食品は、米、生鮮魚介、生鮮肉、牛乳、卵、生鮮野菜、生鮮果物の合計
4）加工食品は、パン、麺類、他の穀類、塩干魚介、魚肉練製品、他の魚介加工品、加工肉、乳製品、乾物・海藻、大豆加工品、他の野菜・海藻加工品、果物加工品の合計
5）調理食品は、主食的調理食品と他の調理食品の合計で、他の調理食品には冷凍調理食品も含む。
6）網掛けは、平成 21(2009)年よりも割合が増加した項目を表す。

(冷凍食品の質への評価が向上)

一般社団法人日本冷凍食品協会の調査[1]によると、冷凍食品を購入する際に魅力と感じる項目は令和 2(2020)年で、「調理の手間が省ける」が 63.1%、「買い置きができる」が 57.6%、「おいしい」が 54.6%の順となっています(**図表 1-2-3**)。平成 26(2014)年と比較すると、特に「おいしい」に魅力を感じる消費者が増加しており、21.0 ポイント増加しています。このようなことも、調理食品への支出の増加につながっているものと考えられます。

1　一般社団法人日本冷凍食品協会「冷凍食品の利用状況実態調査」（令和 2(2020)年 2 月調査）

図表 1-2-3 冷凍食品の魅力(複数回答)

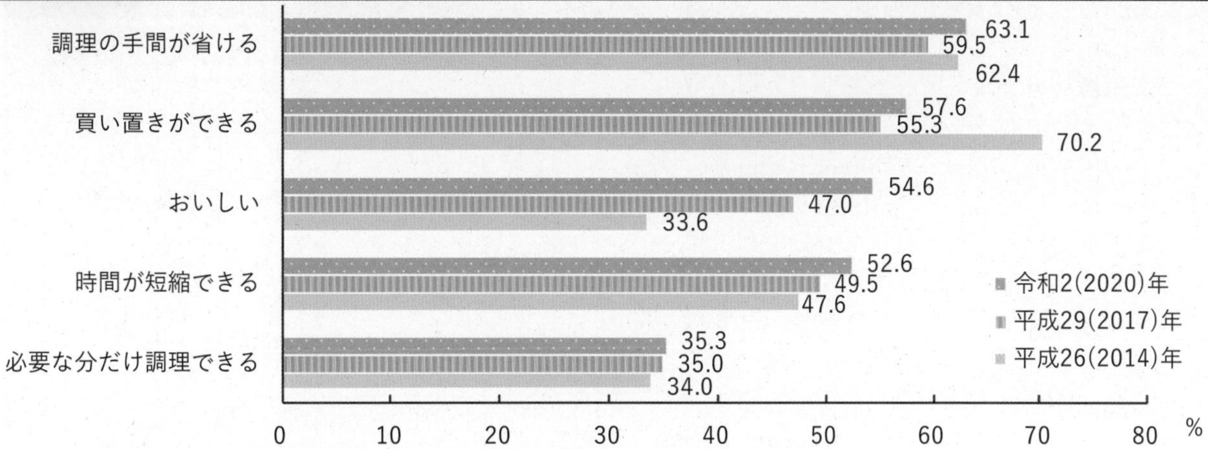

資料：一般社団法人日本冷凍食品協会「冷凍食品の利用状況実態調査」を基に農林水産省作成

注：1) 調査対象は冷凍食品を月 1 回以上利用している 25 歳以上の男女各 625 人

2) 令和 2(2020)年の調査における上位 5 項目。他の項目については、調査年により異なるものがある。

3) 平成 26(2014)年は男女別の割合のみ公表されているため、男女計の割合を算出

(食の外部化は今後も進行する見込み)

我が国の人口減少が進行している中、単身世帯や共働き世帯の増加に伴い食の外部化が一層進むと予想されています。総世帯における食料消費支出の内訳の変化を見ると、生鮮食品や外食への支出割合が減少する一方、調理食品や加工食品、飲料への支出割合は増加する見込みです(**図表 1-2-4**)。

図表 1-2-4 品目別食料支出割合の将来推計

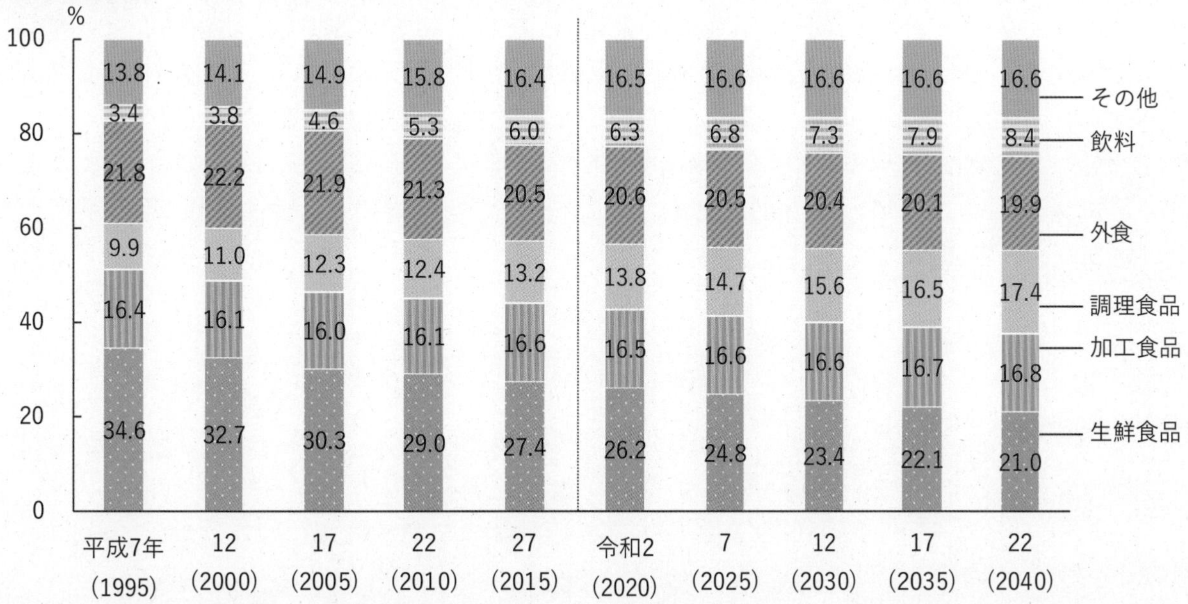

資料：農林水産政策研究所「我が国の食料消費の将来推計(2019 年版)」を基に農林水産省作成

注：1) 平成 27(2015)年までは、家計調査、全国消費実態調査等より計算した実績値で、令和 2(2020)年以降は試算。令和元(2019)年時点での試算であるため、新型コロナウイルス感染症の影響は考慮していない。

2) 平成 27(2015)年価格による実質値の割合

3) 生鮮食品は、米、生鮮魚介、生鮮肉、牛乳、卵、生鮮野菜、生鮮果物の合計

4) 加工食品は、パン、麺類、他の穀類、塩干魚介、魚肉練製品、他の魚介加工品、加工肉、乳製品、乾物・海藻、大豆加工品、他の野菜・海藻加工品、果物加工品の合計

5) 調理食品は、主食的調理食品と他の調理食品の合計で、他の調理食品には冷凍調理食品も含む。

6) その他は、油脂・調味料、菓子類、酒類の合計

（コラム）世帯類型別に見た１人１か月当たりの食料消費支出の動向

世帯類型別に１人１か月当たりの食料消費支出を見ると、外食や調理食品への支出割合が大きい単身世帯の方が、二人以上の世帯よりも多くなっています。

食料消費支出(名目値)は、二人以上の世帯では横ばい、単身世帯では減少傾向で推移していましたが、二人以上の世帯では平成25(2013)年から､単身世帯では平成24(2012)年から増加傾向にあります。

また、物価の影響を除いた食料消費支出(実質値)を見ると、二人以上の世帯では横ばい、単身世帯では減少傾向で推移しています。単身世帯における外食への支出割合の減少は、この傾向に影響していると考えられます。

世帯類型別１人１か月当たりの食料消費支出の推移

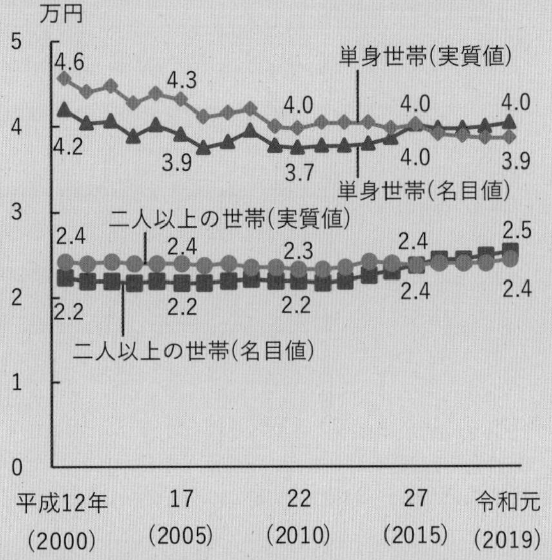

資料：総務省「家計調査」（全国・用途分類）、「単身世帯収支調査」（全国・用途分類）を基に農林水産省作成

注：1）実質値は、消費者物価指数(食料：平成27(2015)年基準)を用いて物価の上昇・下落の影響を取り除いた数値

2）二人以上の世帯は、世帯員数で除した１人当たりの数値

（食料品の販売額はスーパーマーケットが最大、ドラッグストアが大きな伸び）

主な業態別に食料品の販売額を見ると、スーパーマーケットが最も大きく、次いでコンビニエンスストア、ドラッグストア、百貨店の順となっています。また、食料品の販売額について平成26(2014)年と令和元(2019)年を比較すると､ドラッグストアでの伸び率が大きくなっています(**図表1-2-5**)。ドラッグストアで飲食料品を購入する主な理由としては、「価格が安い」､「食品以外の買い物のついでに購入できる」等があげられています[1]。このほか、ドラッグストアで購入する品目としては、牛乳や納豆等の日配品及び飲料の割合が比較的高くなっています[2]。

---

1 株式会社日本政策金融公庫「消費者動向等調査」(平成25(2013)年７月調査)

2 一般社団法人全国スーパーマーケット協会「2018年版スーパーマーケット白書」

図表 1-2-5 業態別に見た食料品販売額

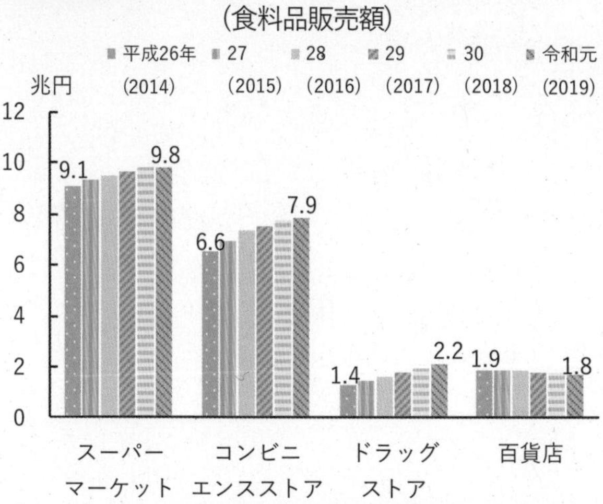

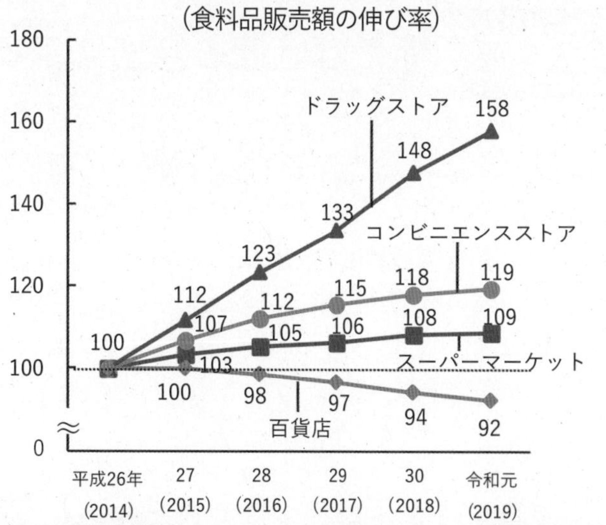

資料：経済産業省「商業動態統計調査」を基に農林水産省作成

注：1) スーパーマーケットは、商業動態統計調査において対象となっている事業所(従業者 50 人以上の小売事業所のうち、売場面積の 50% 以上についてセルフサービス方式を採用している事業所であって、かつ、売場面積が 1,500 m^2 以上の事業所。ただし、商業動態統計調査の家電大型専門店、ドラッグストア、ホームセンターの調査対象企業の傘下事業所で、調査対象となっている事業所を除く。)

2) 食料品の売上額は、コンビニエンスストアではファストフード・日配食品と加工食品の合計であり、ドラッグストアでは健康食品と食品の合計

3) 食料品販売額の伸び率は、平成 26(2014)年を 100 とした指数

（コラム）購入先別に見た食料消費支出の内訳

食料消費支出の内訳を購入先別に見ると、スーパーマーケットでは生鮮・加工食品、コンビニエンスストアでは調理食品、飲料への支出割合が多くなっています。平成 26(2014)年と令和元(2019)年を比較しても、その傾向は大きく変わっていませんが、いずれの購入先においても、調理食品への支出割合が増加しています。

購入先別に見た食料消費支出の内訳の変化

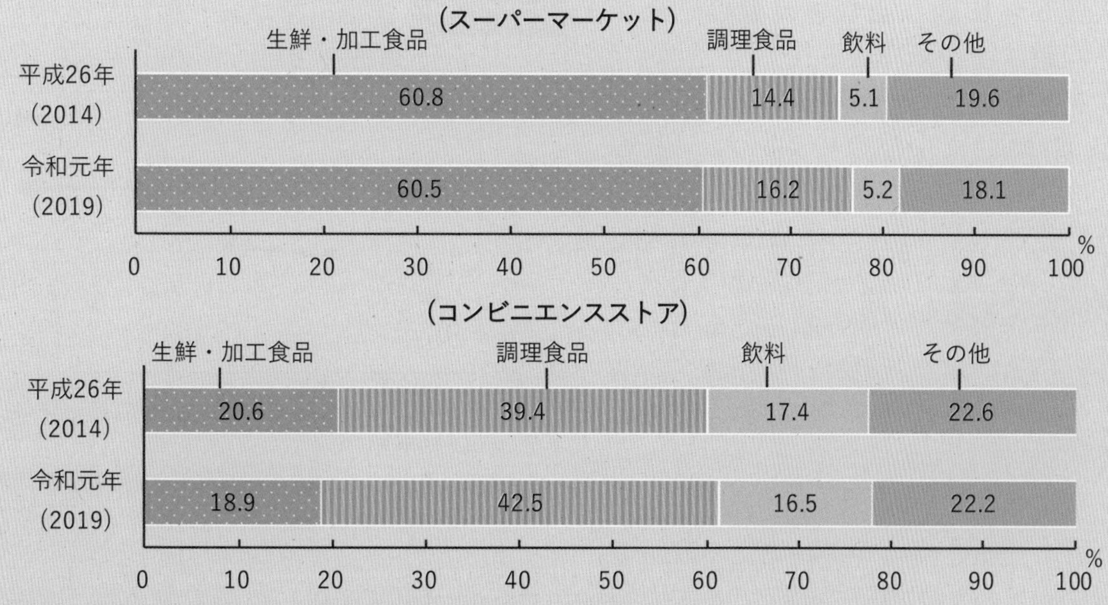

資料：総務省「全国家計構造調査」(総世帯)を基に農林水産省作成

注：1) 平成 26(2014)年は、全国消費実態調査を令和元(2019)年全国家計構造調査の集計方法により遡及集計した数値

2) 外食を除く。

3) 生鮮・加工食品は、穀類、魚介類、肉類、乳卵類、野菜・海藻、果物の合計

4) その他は、油脂・調味料、菓子類、酒類の合計

第1章

第3節　新たな価値の創出による需要の開拓

農業の成長産業化に向けて、農業生産の現場では、農産物を始めとする地域の多様な資源を有効に活用した6次産業化[1]等の取組が重要となってきています。また、食品産業においても、多様化する食の需要を背景としたフードテック[2]等の研究開発のほか、労働生産性の向上に向けた先端技術の導入や食品ロスの削減に向けた取組等が重要となっています。

本節では、これらの取組に係る動向について紹介します。

(1) 需要に応じた新たなバリューチェーンの創出

(6次産業化による農業生産関連事業の年間総販売金額は2兆773億円)

6次産業化に取り組む農業者等による加工・直売等の農業生産関連事業の年間総販売金額は、近年増加傾向で推移していましたが、令和元(2019)年度の年間総販売金額は、前年度と比べ268億円減少し、2兆773億円となりました(**図表1-3-1**)。

図表1-3-1　農業生産関連事業の年間総販売金額

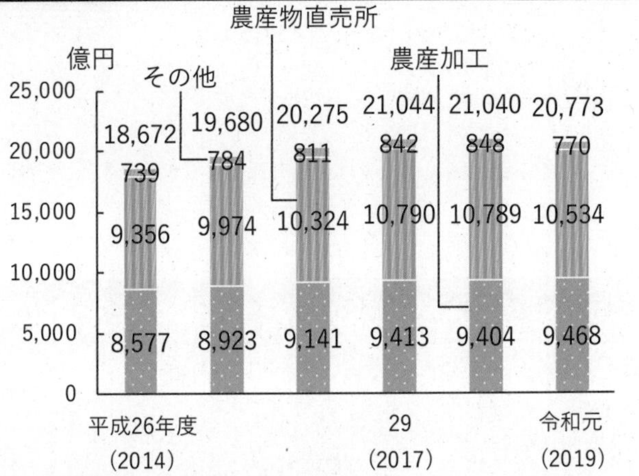

資料：農林水産省「6次産業化総合調査」
注：その他は観光農園、農家民宿、農家レストランの合計

(6次産業化に取り組む事業者の売上高平均額は増加傾向)

六次産業化・地産地消法[3]に基づく総合化事業計画[4]認定件数の累計は、令和2(2020)年度末時点で2,591件となりました。農林水産省が行った認定事業者を対象としたフォローアップ調査によると、5年間総合化事業に取り組んだ事業者の総合化事業で用いる農林水産物等と新商品の売上高平均額は、増加傾向となっています(**図表1-3-2**)。

図表1-3-2　農林水産物等と新商品の売上高平均額

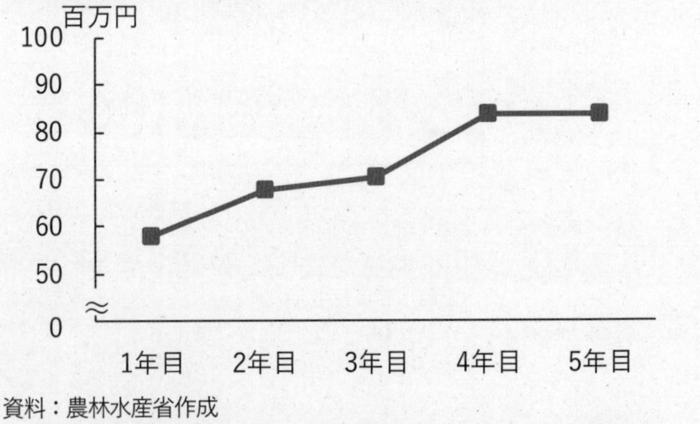

資料：農林水産省作成
注：平成26(2014)年までに総合化事業の認定を受け、5年間取り組んでいる事業者のうち、有効回答を行った251事業者の売上高平均額

6次産業化に取り組む事業者に対しては、付加価値の高い6次産業化の取組の創出に向けて、都道府県段階で6次産業化プランナーを派遣し、経営改善の取組を支援す

1 用語の解説3(1)を参照
2 フードテックについては、トピックス7を参照
3 正式名称は「地域資源を活用した農林漁業者等による新事業の創出等及び地域の農林水産物の利用促進に関する法律」
4 用語の解説3(1)を参照

るとともに、全国段階でエグゼクティブプランナーを派遣して6次産業化の事業拡大や発展に向けた支援を行っています。

（事例）地元生産物にこだわった農産加工からコト消費まで行う地域観光拠点型の6次産業化（長崎県）

長崎県大村市《おおむらし》の有限会社シュシュは、社員73人で、ぶどう、なし、いちごの生産・加工を行うとともに、約200戸の地域の生産者を抱える直売所を経営しています。また、農家レストランやアイス・パン等の工房、観光農園、食育体験施設等を敷地内に配置した地域観光拠点として「おおむら夢ファームシュシュ」を運営し、年間49万人を集客しています。

農産加工品の販売だけでなく、収穫体験や食育体験教室等の体験型のサービスプログラムを充実させるとともに、農家レストランで結婚式を実施するなど、コト消費にも積極的に取り組んでいます。

また、規格外農産物の加工も受託しており、地域の生産者は新たな設備投資を行うことなく所得を向上させることができています。

さらに、地域生産者と連携した農業体験や、定年帰農者を対象とした農業塾の開設等、地域農業の活性化に貢献しています。

有限会社シュシュのジェラート

資料：有限会社シュシュ

(2) 食品産業の競争力の強化

ア 食品産業の現状

（食品産業の国内生産額は101.5兆円）

食品産業は、農業と消費者の間に位置し、食品の生産、流通、消費の各段階において品質と安全性を保ちつつ食品を安定的に供給するとともに、消費者ニーズを生産者に伝達する役割も担っています。食品産業の国内生産額は、近年増加傾向で推移しており、令和元(2019)年は、前年と比べ1.0兆円増加し、101.5兆円となりました（**図表1-3-3**）。食品製造業ではそう菜・すし・弁当、パン類、めん類等の工場出荷額、関連流通業では小売業のマージン額[1]、外食産業では飲食店の売上高等がそれぞれ増加しました。なお、全経済活動に占める割合は前年と比べ0.1ポイント増加し、9.7%となりました。

図表 1-3-3 食品産業の国内生産額の推移

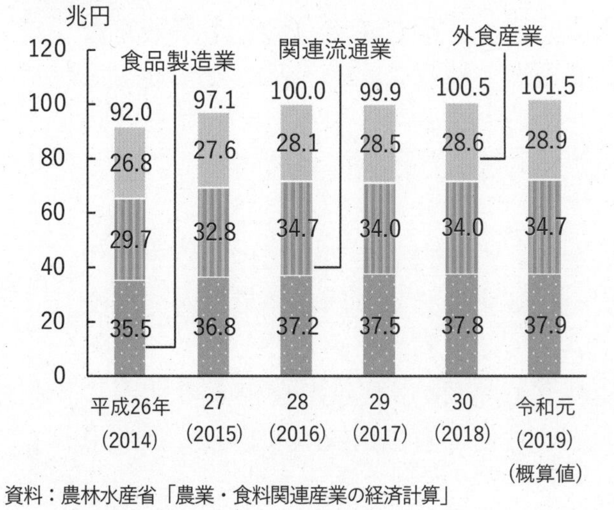

資料：農林水産省「農業・食料関連産業の経済計算」

注：食品製造業には、飲料、たばこを含む。

[1] マージン額とは、販売額から売上原価を差し引いた額

(地域の雇用において重要な役割を果たす食品製造業)

各都道府県の全製造業の従業者数に占める食品製造業の従業者数の割合を見ると、多くの都道府県で1割を超えており、特に北海道と沖縄県では4割を超えています(**図表 1-3-4**)。また、全製造業の従業者数に占める食品製造業の従業者数の割合の順位を見ると、1位が25道府県、2位が12都府県、3位が5県と、42都道府県において1位から3位に入っており、食品製造業が地域の雇用において重要な役割を果たしていることがうかがえます。

図表 1-3-4　全製造業の従業者数に占める食品製造業の従業者数の割合と順位（平成30(2018)年）

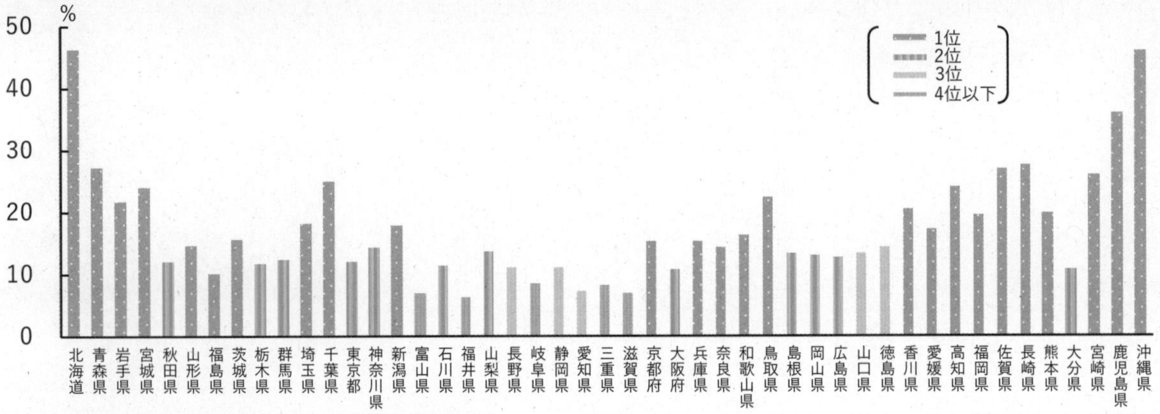

資料：経済産業省「工業統計調査」を基に農林水産省作成
注：1) 地域別統計表のうち、従業者4人以上の事業所に関する統計表
2) 食品製造業には、飲料、たばこを含まない。

(労働生産性の向上に向けて先端技術の活用等が重要)

食品製造業の労働生産性を見ると、緩やかな上昇傾向にはあるものの、依然として製造業全体に比べて低い水準にとどまっています(**図表 1-3-5**)。食品製造業は、小さく、柔らかく、形状が不安定な食品を取り扱うことや、高い安全性やそのための衛生管理が求められること等から機械の導入が困難な場合が多く、多くの人手に頼らざるを得ない面があります。しかし、労働力不足が顕在化する中、現状を打破するためには、従業員が働きやすい環境の整備に努めるとともに、近年発展著しいIoT[1]等の先端技術の活用による省力化・省人化に取り組むことが重要となっています。

図表 1-3-5　製造業全体と食品製造業における労働生産性

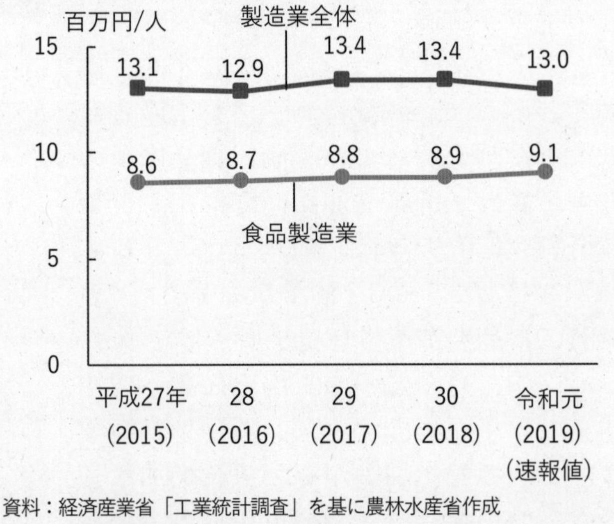

資料：経済産業省「工業統計調査」を基に農林水産省作成
注：1) 産業別統計表のうち、従業者4人以上の事業所に関する統計表
2) 労働生産性＝付加価値額÷従業者数
3) 食品製造業には、飲料、たばこを含まない。

このため、農林水産省では、令和2(2020)年度に実際の現場において自動で食品の製造や包装作業等を行うロボット、AI[2]を活用した検査装置等の先端技術の活用実

[1] 用語の解説3(2)を参照
[2] 用語の解説3(2)を参照

証を行うとともに、その成果について動画により Web サイト等で情報発信することにより、食品産業全体の生産性向上に向けた取組を支援しています。

(事例) AI を活用した生産性向上の取組

キユーピー株式会社では、ベンチャー企業等との連携により、AI を活用した食品原料検査装置を開発しました。この装置を導入し、これまで人手・目視に頼っていた原料の検査工程を効率化することで人手を削減でき、同工程の労働生産性が 25% 向上しました。

多くの人手と熟練の技を必要とする食品原料検査工程の効率化は食品製造業に共通する課題ですが、既存の海外製の異物検査装置は価格が高く、性能面でも、種類や色、形が様々な野菜の原料検査へ活用するには十分ではなかったことから、同社は食品製造事業者でありながら自ら装置の開発を行いました。

さらに同社は、当該装置についてオープンイノベーションによる検知感度の改善やコスト削減、電磁波を活用した野菜内部の虫の検出技術の研究開発にも取り組んでおり、将来的には、他の食品製造事業者に低価格で広く提供し、食の安全・安心を業界全体に広げることを目指しています。

AI を活用した食品原料検査装置
資料：キユーピー株式会社

(我が国の食品産業で雇用されている外国人は年々増加)

我が国の食品産業で雇用されている外国人の主な受入れ対象は、特定技能や技能実習、身分に基づく在留資格、資格外活動許可を受けた留学生のアルバイトです。

これらの資格により我が国の食品産業において雇用されている外国人は年々増加していますが、令和 2(2020)年 10 月末時点では、前年同月と比べ飲食料品製造業では 4,926 人増加の 13.6 万人、外食産業では 3,940 人減少の 18.0 万人となっています(**図表 1-3-6**)。

また、特定技能制度[1]により、我が国で雇用されている外国人は、令和 2 (2020)年 12 月末時点で、前年同月と比べ、飲食料品製造業分野で 5,207 人増加の 5,764 人、外食業分野では 898 人増加の 998 人となっています。

図表 1-3-6 外国人雇用状況

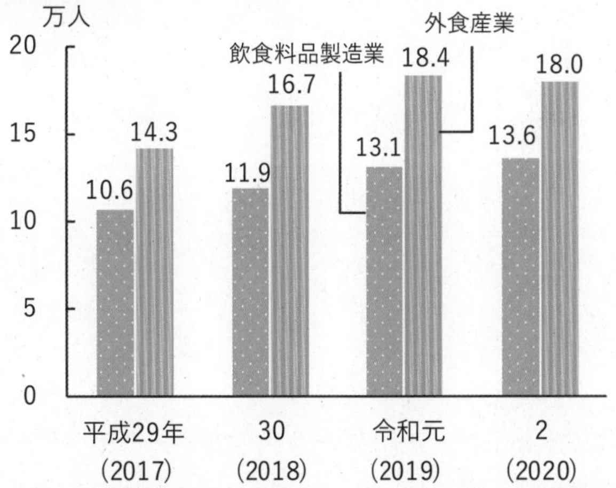

資料：厚生労働省「外国人雇用状況」の届出を基に農林水産省作成
注：各年 10 月末時点の数値

[1] 平成 31(2019)年 4 月に改正された出入国管理及び難民認定法により創設。飲食料品製造業及び外食業等の 14 の特定産業が受入れ対象分野

イ 食品流通の合理化等

(食品流通の合理化を推進)

トラックドライバーを始めとする食品流通に係る人手不足が深刻化する中で、国民生活や経済活動に必要不可欠な物流の安定を確保するには、サプライチェーン全体で合理化に取り組む必要があります。特に生鮮食品や花きの輸送は、荷物の手積み、手降ろしといった手荷役作業が多い、小ロット・多頻度での輸送が多いなどの事情から、取扱いが敬遠される事例が出てきています。このような中、農林水産省、経済産業省、国土交通省は、令和元(2019)年より食品流通合理化検討会を開催し、統一規格輸送資材(パレット等)の導入による手荷役から機械荷役への転換、集出荷拠点の集約等や共同配送による効率化、トラック輸送から船舶・鉄道へのモーダルシフト、電子タグ(RFID[1])等を活用した商品・物流情報のデータ連携等の現場実装に向けた取組を進めています。

また、卸売市場については、市場の実態に応じて、商物分離等取引ルールの設定が可能となったところであり、食品流通における卸売市場のハブ機能の強化、低温物流センターの整備等によるコールドチェーンの確保や情報通信技術等の利用による効率的な商品管理等に取り組んでいます。

(事例) コールドチェーン化により青果物の品質安定化・有利販売を図る(大分県)

大分県のJA全農おおいたは、令和元(2019)年より、広域で荷物を集荷する拠点となる「大分青果センター」を稼働しました。

大分青果センターは県内のストックポイントとしての役割を担い、同センターを中継することで、これまで課題とされてきた効率的な物流体制を構築するとともに、近年の物流業界を取り巻く厳しい環境による運賃コストの増嵩《ぞうすう》を抑え、生産者の所得向上につながることが期待されています。

また、産地から集荷した荷物は最低12時間以上予冷庫で冷やして品質を保ち、予冷庫の搬入口とトラック等を隙間なく密着させるドックシェルター方式を採用することで、青果物を外気に触れさせず、温度を一定管理した状態で卸売市場へ出荷することが可能なコールドチェーン化を実現しました。

これにより従来の2日目販売から3日目販売に移行したことで延着防止にもつながりました。加えて、青果物の鮮度を保つことで品質の安定化を図るとともに、販売先に正確な出荷情報を提供することで市場評価も向上しています。

大分青果センター

資料：JA全農おおいた

令和元(2019)年度は県内の約40か所から集荷しており、同年6月から令和2(2020)年3月までの青果物の取扱実績は11,275tとなりました。令和3(2021)年度の同センターにおける取扱量は14,300tを計画しています。

ウ 規格・認証の活用

(HACCPの制度化への対応を支援)

HACCP[2](危害要因分析及び重要管理点)は、食品の製造・加工の工程ごとに微生物汚染等の危害要因を分析し、それらを防止する観点から、特に重要なリスク管理の工程を継続的に監視・記録する衛生管理システムです。

---

[1] Radio Frequency Identificationの略。電子タグに記憶された生産・流通履歴等の情報を、無線通信によって読み取ることで、移動追跡等を可能とする情報通信技術

[2] 用語の解説3(2)を参照

HACCP を導入することで、安全性に問題のある食品の出荷が未然に防止される効果等が期待されており、世界的に HACCP 導入の制度化の動きが広がっています。

令和 2(2020)年 6 月に施行された食品衛生法等の一部を改正する法律により、令和 3(2021)年 6 月までに原則として全ての食品等事業者(食品製造、調理、販売等)に、一般衛生管理に加え、HACCP に沿った衛生管理の実施が求められることになっています。このうち食品製造事業者では、令和元(2019)年 10 月時点で、HACCP に沿った衛生管理を導入済み又は導入途中の割合は 4 割程度にとどまっています。このため、食品等事業者の大部分を占め、特に導入が遅れている中小事業者においても HACCP に沿った衛生管理の制度化に円滑に対応できるよう、農林水産省は、HACCP の知識を普及する研修や業界団体による HACCP 導入の手引書作成等に対するきめ細かな支援を行っています。

さらに令和 2 (2020)年度は、実際の製造現場に入り、手引書を使った HACCP 導入モデルの実証や、多くの事業者に学ぶ機会を広く提供できるよう、オンライン学習教材の作成等への支援を行っています。また、中小規模の食品等事業者を対象に、HACCP 等の導入や加工食品等の輸出に際しての施設整備に対する金融措置を実施しています。

(食品製造業の安全管理に関する認証規格(JFS 規格)の国内取得件数は年々増加)

JFS[1]規格は、一般財団法人食品安全《しょくひんあんぜん》マネジメント協会《きょうかい》が策定した、日本発の食品安全管理に関する認証規格です。JFS 規格の特徴は、生食や発酵食等が認証可能で、我が国の食文化に馴染む規格にあります。加えて、JFS 規格の製造セクターでは、HACCP の考え方を取り入れた衛生管理を包含する JFS-A 規格、HACCP に基づく衛生管理を包含する JFS-B 規格、国際取引にも通用する高水準の JFS-C 規格[2]が設けられており、経営規模等に応じて段階的に取り組みやすい仕組みとなっています。 JFS-A/B/C 規格の国内取得件数は、平成 28(2016)年の運用開始以降、年々増加してきており、令和 3(2021)年 3 月末時点で 1,398 件[3]となりました(**図表 1-3-7**)。今後、JFS 規格の更なる普及により、我が国の食品安全レベルの向上や食品の輸出力強化が期待されます。

図表 1-3-7 JFS-A/B/C 規格の取得件数

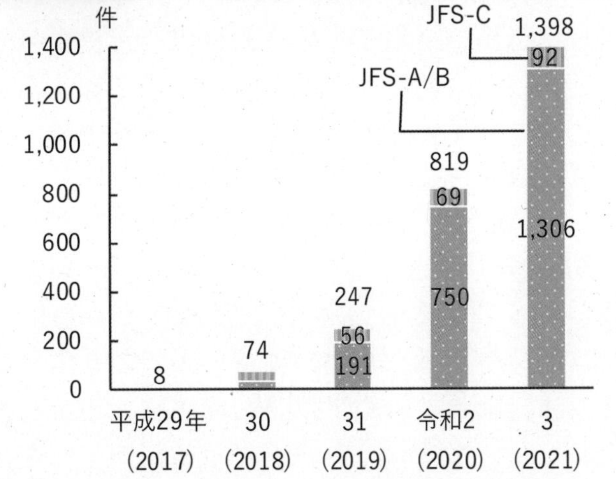

資料：一般財団法人食品安全マネジメント協会資料を基に農林水産省作成

注：1) 集計基準は適合証明書発行日

2) 各年 3 月末時点の数値

---

1 Japan Food Safety の略。用語の解説 3(2)を参照

2 平成 30(2018)年 10 月に、GFSI(世界食品安全イニシアティブ)に国際規格として承認された。GFSI については用語の解説 3(2)を参照

3 製造セクター以外の規格を含めた国内取得総件数は 1,465 件

(事例) JFS規格を取得し、輸出に取り組む(石川県)

　石川県の大野醤油醸造協業組合《おおのしょうゆじょうぞうきょうぎょうくみあい》は、県内の醤油醸造業者数社によって設立された醤油醸造工場を運営する組合であり、組合員が販売する醤油をまとめて製造しています。醤油の輸出に取り組みたいという組合員の声に応え、平成30(2018)年に、国際取引にも通用する高水準のJFS-C規格を取得しました。

熟成したもろみを圧搾する工程

　以前、出荷先から取得を求められたFSSC22000*の取扱い範囲には、醤油等一部の発酵食が含まれていなかったため、日本の食文化に配慮した食品安全管理規格であるJFS規格を取得することとしました。JFS-C規格取得に向けて取り組む中で12人の従業員の食品安全管理に対する意識も向上し、定期的に従業員同士が現場の課題等について議論を行い、積極的に改善案が提案されています。

　令和元(2019)年は、30万L以上の醤油を組合員経由で、主に北米とヨーロッパに向けて輸出しています。

*　オランダ発の食品安全管理規格で、GFSI承認規格の1つ

(多様なJASを推進)

　JAS制度は、これまで、農林水産大臣が制定した農林物資の品質に関する規格(JAS)に基づき、第三者機関が農林水産物・食品の品質を認証・保証する公的制度として、市場に出回る粗悪品の排除や商品の品質の改善に寄与してきました。

　近年、輸出の拡大や市場ニーズの多様化が進んでいることから、農林水産省では、農林水産物・食品の品質だけでなく、事業者による農林物資の取扱方法、生産方法、試験方法等について認証する新たなJAS制度を推進しており、令和2(2020)年度には、ノングルテン米粉の製造工程管理のJAS等3規格を制定しました。これらのJASによって、事業者や産地の創意工夫により生み出された多様な価値・特色を戦略的に活用でき、我が国の食品・農林水産分野の競争力の強化につながることが期待されています。

ノングルテン米粉JAS制定のポスター
資料：日本米粉協会

　また、農林水産省は、我が国産品の国際市場における付加価値向上のため、試験方法JASを基礎とした機能性成分の定量試験方法に関する規格を令和2(2020)年4月にISO(国際標準化機構)に提案し、我が国主導による国際規格の制定を目指しています。

(3) 食品ロス等をはじめとする環境問題への対応

(我が国の食品ロスの発生量は年間 600 万 t)

我が国の食品ロスの発生量は、近年、減少傾向にあり、平成 30(2018)年度においては、前年度より 12 万 t 減少し、年間 600 万 t と推計されます。

食品ロスとは、本来食べられるにもかかわらず捨てられてしまう食品のことを指しますが、食品ロスの発生量を国民 1 人当たりに換算すると年間 47kg となり、我が国の 1 人当たりの米の年間消費量 54kg に近い量です。また、1 日当たりに換算すると 130g となり、茶碗 1 杯のごはんの量に相当します。

図表 1-3-8 食品ロスの発生量と発生場所(推計)

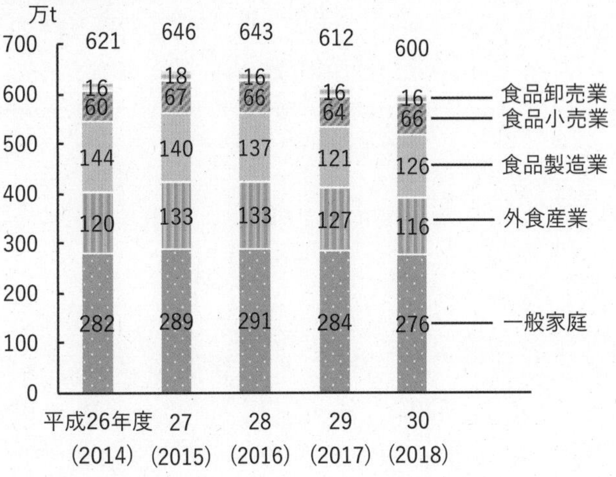

資料：農林水産省作成

平成 30(2018)年度における食品ロスの発生場所を見ると、一般家庭における発生(いわゆる「家庭系食品ロス」)が 276 万 t、食品産業における発生(いわゆる「事業系食品ロス」)が外食産業 116 万 t、食品製造業 126 万 t、食品小売業 66 万 t、食品卸売業 16 万 t となっています(**図表 1-3-8**)。

さらに食品ロスを削減するためには、食品産業における発生を抑えるとともに、一般家庭からの発生も抑えなければなりません。このためには、食品ロス削減を国民運動として取り組んでいくことが必要です。

(新型コロナウイルス感染症の影響により外食産業の約 7 割が食品ロスが減少したと回答)

令和 2(2020)年 12 月から令和 3(2021)年 1 月に食品関連事業者に対して実施したアンケート調査において、新型コロナウイルス感染症の影響を受けて令和 2(2020)年 3 月以降に食品ロス発生量に変化があったかを質問した結果、食品産業全体では、「変わらない」との回答が 56.6%と最も多く、次いで「減少した」との回答が 26.2%、「増加した」との回答が 8.7%となりました(**図表 1-3-9**)。業種別に見ると、食品製造業、食品卸売業、食品小売業それぞれにおいて、最も多くの事業者が「変わらない」と回答した一方で、外食産業については、「減少した」という回答が 65.5%と最も多い結果となりました。

図表1-3-9 新型コロナウイルス感染症の食品ロス発生量への影響

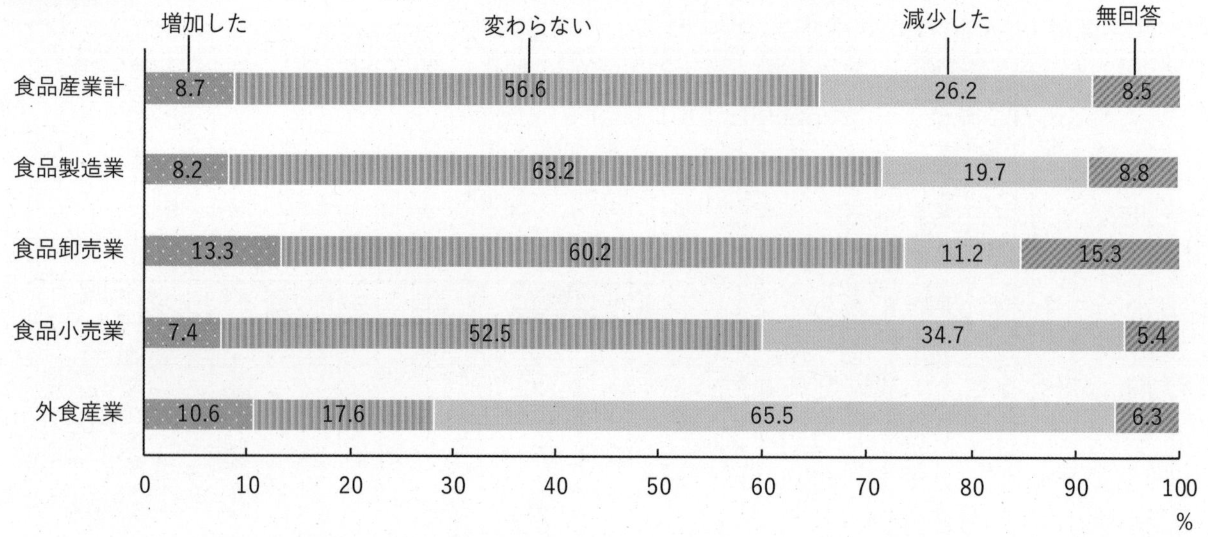

資料：農林水産省「令和２年度食品産業リサイクル状況等調査委託事業」（令和3(2021)年４月公表。食品関連事業者4,489事業者を対象として実施したアンケート調査(回収率49%))

(食品産業界全体の取組により食品ロス発生を抑制)

食品ロスの問題については、個別企業等の取組では解決が難しくフードチェーン全体で解決することが必要なことから、平成24(2012)年度から食品関連事業者、有識者等を構成員とする「食品ロス削減のための商慣習検討ワーキングチーム(以下「商慣習検討ワーキングチーム」という。)」において継続して検討が行われてきました。

その検討の中で、食品産業から発生する食品ロスの一つの要因として、食品小売業者が賞味期間の３分の１を経過した商品の納品を受け付けない、いわゆる３分の１ルールや、多くの加工食品の賞味期限が年月日表示されているといった商慣習が指摘されたことを踏まえ、農林水産省では、製造・配送・販売にまたがる商慣習の見直しの取組を推進しています。

令和元(2019)年10月に施行された「食品ロスの削減の推進に関する法律」において、10月が「食品ロス削減月間」、10月30日が「食品ロス削減の日」と定められていることを受けて、農林水産省は、令和2(2020)年10月30日を「全国一斉商慣習見直しの日」として、食品小売事業者における納品期限の３分の１ルールの緩和や食品製造事業者における賞味期限表示の大括り化(年月表示、日まとめ表示)の取組を呼びかけました。その結果、同年10月時点で納品期限の３分の１ルールの緩和に取り組む食品小売事業者は、同年３月時点と比べて34事業者増の142事業者、賞味期限表示の大括り化に取り組む食品製造事業者は36事業者増の156事業者となりました。

農林水産省としては、こうした取組を食品産業界全体に波及させ、食品ロスの発生を抑えていくことを目指しています。

（事例）賞味期限表示を大括り化することで食品ロスの発生を抑制

多くの商品の賞味期限は年月日で表示されていますが、納品しようとする商品の賞味期限が、既に納品済みの商品の賞味期限より先に来るものは納品しないという商慣習があります。

例えば、物流拠点間で在庫商品を転送しようとする場合や小売業者に追加の納品をしようとした場合に、転送しようとする商品の賞味期限が、転送先で既に納品している商品よりも1日でも先にくる場合は、賞味期間がまだ十分に残っていても転送できず、結果としてそれらが食品ロスになる場合があります。このような事態を防ぎ食品ロスを発生させないため、農林水産省では、賞味期限表示について、年月表示や日まとめ表示（年月日表示のまま、日の表示を例えば10日単位で統一）といった大括り化を推進しています。

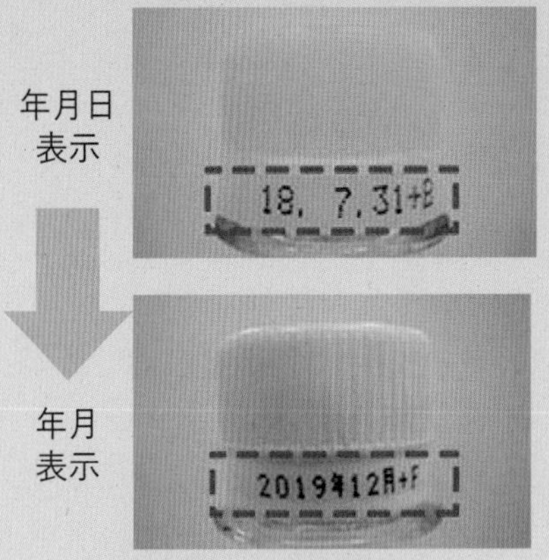

年月表示への移行イメージ
資料：アサヒ飲料株式会社

また、平成29(2017)年度に、商慣習検討ワーキングチームにおいて啓発資材の効果の検証を行ったところ、店頭への啓発資材の掲示が、消費者の共感や食品ロスに対する社員の意識向上へとつながり、実験店舗における廃棄率が改善したことが確認されました。

この検証結果を踏まえ、農林水産省は、令和2(2020)年10月の「食品ロス削減月間」において、食品小売事業者・外食事業者が店舗等で消費者に食品ロス削減の啓発を行うための各種ポスター等啓発資材を提供するとともに、これに取り組む79の事業者名を公表しました。

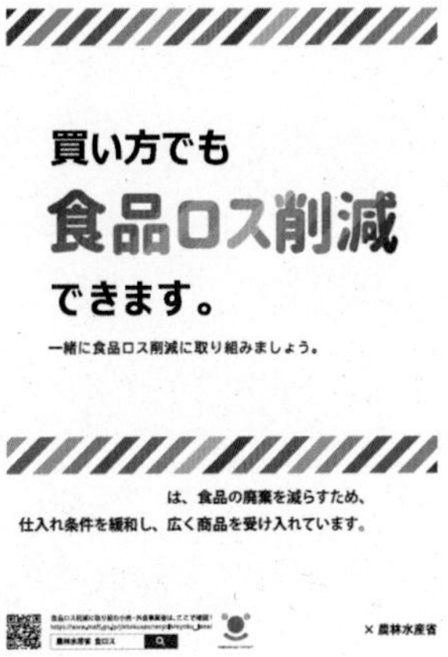

自社（店舗）の食品ロス削減の取組を紹介する啓発資材

さらに、令和2(2020)年12月から令和3(2021)年1月にかけて、年末年始の会食における飲食店等での食べ残しへの対策として、関係省庁や全国おいしい食べきり運動ネットワーク協議会と共同で、「食べきり運動」や「30（さんまる）・10（いちまる）運動[1]」を紹介するポスターの提供や、外食時のおいしく「食べきり」ガイド、飲食店等の食品ロス削減のための好事例集の周知等による啓発活動を実施しました。参加した事業者からは、初めて「30・10運動」を実施したところ、料理が残ることなく食品ロスを防ぐ効果を感じたとの声も寄せられています。

外食産業については、環境省、消費者庁、農林水産省及びドギーバッグ普及委員会は、飲食店等において、消費者が食べきれずに残した料理を持ち帰ることを身近な習慣として広める取組として、令和2(2020)年10月に「Newドギーバッグアイデアコンテスト」を開催しました。持ち帰る行為のネーミングとして「mottECO（もってこ）」を大賞として選定し、消費者や飲食店等に広く普及を図っています。

---

[1] 乾杯の後の30分間とお開き前の10分間は自分の席について料理を楽しむことを推進することで、宴会時における食べ残しを減らす運動

(プラスチックの使用削減のためプラスチック製買物袋の有料化義務化を開始)

プラスチックは、軽量で破損しにくいことや加工・着色が容易であること、水分や酸素を通しにくく食品を効果的に保護できること等から、農林水産業や食品産業において幅広く活用されています。一方で、海岸での漂着ごみやマイクロプラスチック等の海洋プラスチック問題の顕在化を受け、国内におけるプラスチックの資源循環の体制整備が必要となっています。

このため、令和元(2019)年5月に環境省、経済産業省、農林水産省を始めとする関係省庁が策定したプラスチック資源循環戦略において、使い捨てのプラスチック製容器包装・製品が不必要に使用・廃棄されることのないよう、消費者のライフスタイル変革を促すこととされ、令和2(2020)年7月には、排出抑制の手段としてプラスチック製買物袋(いわゆるレジ袋)の有料化が義務化されました。

(気候変動リスクへの対応を解説したガイダンスを策定)

平成27(2015)年12月に採択されたパリ協定を受け、気候変動が投融資先の企業の事業活動に多大な影響を与える可能性があることから、保有資産に対する気候変動の影響を評価する動きが広まっています。TCFD[1](気候関連財務情報開示タスクフォース)が平成29(2017)年に公表したTCFD提言[2]に沿った情報開示を進めるため、TCFDコンソーシアム[3]は、令和2(2020)年7月、食品産業を含む関連産業の望ましい戦略の示し方や推奨する開示のポイント・視点等を解説した「TCFDガイダンス2.0」を策定しました(**図表1-3-10**)。

図表 1-3-10　TCFDガイダンス2.0における開示のポイント例(食品関係)

開示項目	開示のポイント例
原材料調達の安定化の取組	調達リスク(原材料の収量・品質減、調達費増等)の事業運営への影響評価と対策の検討状況　等
水に関するリスクへの取組	水リスクの事業運営への影響評価と対策の検討状況　等
GHG(Greenhouse Gas)排出量削減への取組	食品ロス削減の取組　等
事業の機会の説明	気候変動に伴い生じるニーズにマッチした商品開発の取組　等

資料：TCFDコンソーシアム資料「TCFDガイダンス2.0」を基に農林水産省作成

---

1 Task Force on Climate-related Financial Disclosuresの略。G20の要請を受け、FSB(金融安定理事会)により、気候関連の情報開示及び金融機関の対応をどのように行うかを検討するため、平成27(2015)年12月に設立された組織
2 企業に求められる気候関連財務情報開示の内容について、TCFDが取りまとめた報告書
3 金融機関、食品関連事業者等が協力して、効果的な情報開示等について議論する場として、令和元(2019)年5月に設立

第4節 グローバルマーケットの戦略的な開拓

国内においては、消費者の低価格志向に加え、今後、人口減少や高齢化により、農林水産物・食品の消費の減少が見込まれます。農業・農村の持続性を確保し、農業の生産基盤を維持していくため、輸出を拡大していくことが重要です。令和 2(2020)年 3 月に閣議決定した食料・農業・農村基本計画等において、令和 7(2025)年に 2 兆円、令和 12(2030)年に 5 兆円とする農林水産物・食品の輸出額の目標が設定されました。

本節では、輸出の状況や輸出環境の整備、輸出に向けた海外への商流構築やオールジャパンのプロモーションの取組、食産業の海外展開の動向、地理的表示(GI[1])保護制度や家畜遺伝資源[2]の保護について紹介します。

(1) 農林水産物・食品の輸出促進

ア　輸出の状況

(農林水産物・食品の輸出額は 8 年連続で過去最高額を更新)

令和 2 (2020)年の農林水産物・食品の輸出額は、世界的な新型コロナウイルスの感染拡大の影響を受け、上半期は前年同期比で 8.2%減少しましたが、年間では前年に比べ 1.1%(96 億円)増加の 9,217 億円となり、8 年連続で過去最高額を更新しています。また、少額貨物等を含む輸出額は、前年に比べ 1.5%(148 億円)増加の 9,860 億円となっています(**図表 1-4-1**)。特に、鶏卵やぶどうといった家庭食向けの輸出が増加したほか、上半期は低迷した牛肉や日本酒が、販売方法の改善等により下半期は回復したことにより、農林水産物・食品の輸出が増加しました。国・地域別には、中国で日本酒や日本産ウイスキー等のアルコール飲料が人気となったほか、ベトナム向けに粉乳やかつお・まぐろ類の輸出額が増加しました。

図表 1-4-1 農林水産物・食品の輸出額

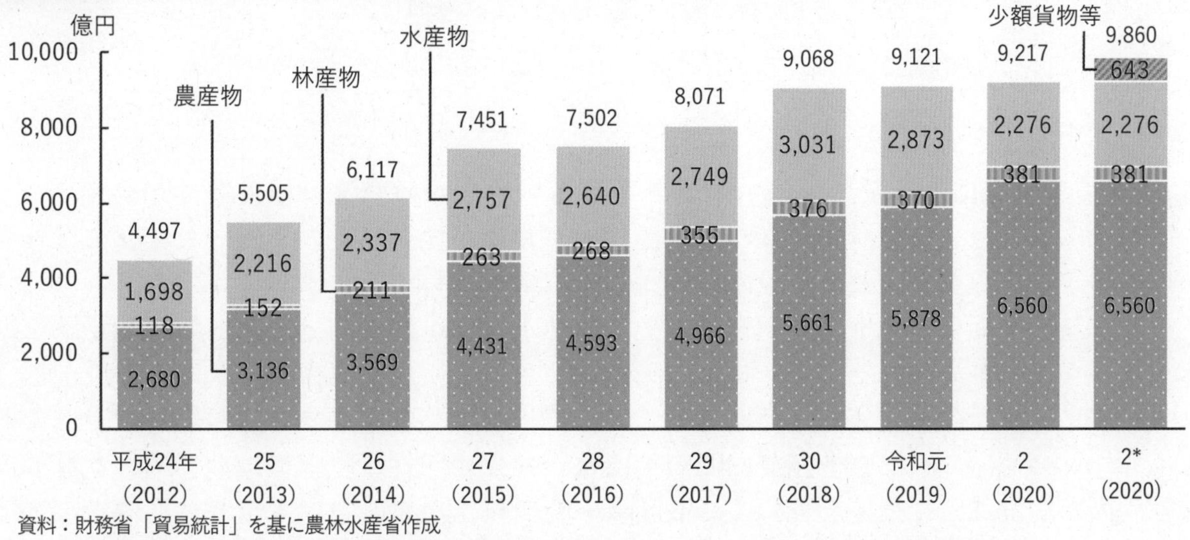

資料：財務省「貿易統計」を基に農林水産省作成

注：1) 少額貨物は、 1 品目 20 万円以下の貨物。貿易統計には計上されていないことから、別に金額の調査を実施

2) ＊は令和 2(2020)年の数値に少額貨物等を加えたもの

1 Geographical Indication の略

2 用語の解説 3(1)を参照

イ　輸出阻害要因の解消等による輸出環境の整備

(輸入規制に対して政府一体となって戦略的に取り組む体制を構築)

農林水産物・食品の輸出に関しては、これまで、輸出先国による食品安全等の規制について、担当省庁が複数にまたがることにより、輸出先国との協議や証明書発行、施設認定に時間を要し、輸出に取り組む事業者の負担となっていました。

このような課題に対応するため、令和２(2020)年４月に輸出促進を担う司令塔として、農林水産大臣が本部長を務める農林水産物・食品輸出本部が農林水産省に創設されました(**図表 1-4-2**)。同本部では、輸出を戦略的かつ効率的に促進するための基本方針や実行計画(工程表)を策定し、進捗管理を行うとともに、関係大臣等が一丸となって、輸出先国に対する輸入規制等の緩和・撤廃に向けた協議、輸出証明書発行や施設認定等の輸出を円滑化するための環境整備、輸出に取り組む事業者の支援等を実施しています。

図表 1-4-2　農林水産物・食品輸出本部の体制

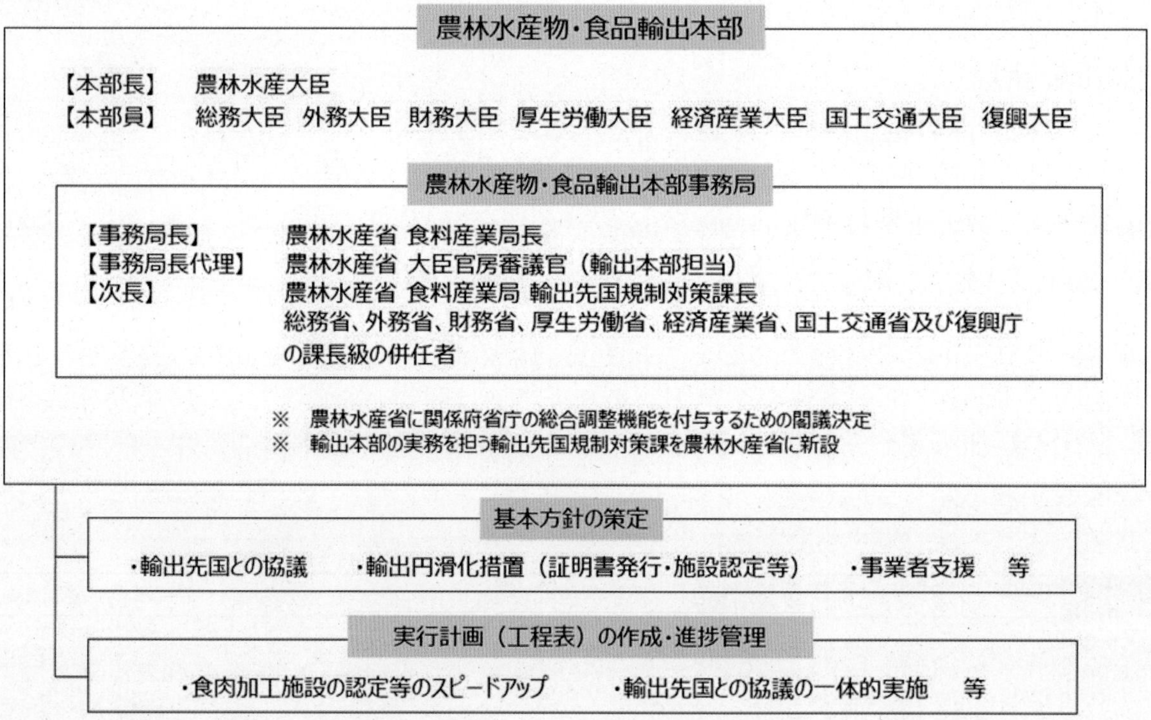

資料：農林水産省作成

(動植物検疫協議により７つの国・地域の７品目で輸出が解禁又は検疫条件が緩和)

農林水産省では、実行計画に基づき、農林水産業及び食品産業の持続的な発展に寄与する可能性が高い輸出先国及び品目から優先的に協議を進めています。

輸出解禁の取組は、産地の要望を踏まえ、農林水産省が相手国・地域への解禁要請を行うことから始まります。その後、相手国・地域において疾病や病害虫のリスク評価がなされ、さらに、検疫条件の協議が行われることで輸出解禁へと至ります(**図表 1-4-3**)。このような一連の協議の結果、令和２(2020)年度は、マカオ向けの牛肉について 30 か月齢の月齢制限が撤廃され、長期肥育による最高級牛肉の輸出が可能となるなど、７つの国・地域の７品目で輸出が解禁又は検疫条件が緩和されました(**図表 1-4-4**)。

図表 1-4-3 輸出解禁に向けた検疫協議の手続の流れ

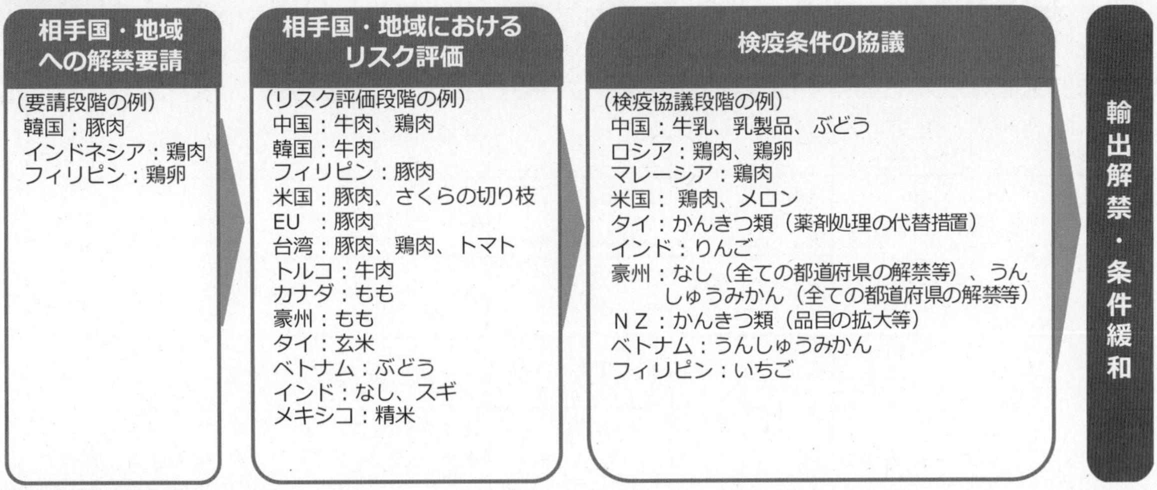

資料：農林水産省作成

図表 1-4-4 令和 2(2020)年度に輸出が解禁又は検疫条件が緩和された国・地域と品目

月	輸出先国・地域	品目	内容
4月	米国	なし	生産地域の拡大と品種制限の撤廃
	マカオ	鶏肉	輸出の解禁
5月	タイ	かんきつ類	かんきつ類の病気（SOS）の発生調査及び一部の生産地域での合同輸出検査の撤廃
6月	マカオ	牛肉	30か月齢の月齢制限の撤廃
	サウジアラビア	牛肉	輸出の解禁
8月	豪州	いちご	輸出の解禁
10月	EU	黒松盆栽（錦松盆栽を含む。）	輸出の解禁
	シンガポール	食肉製品	第三国輸入原料の使用の解禁

資料：農林水産省作成

(放射性物質による輸入規制措置の緩和・撤廃)

東京電力福島第一《とうきょうでんりょくふくしまだいいち》原子力発電所(以下「東電福島第一原発」という。)の事故に伴い、多くの国・地域において、日本産農林水産物・食品の輸入停止や放射性物質の検査証明書等の要求・検査の強化といった輸入規制措置が実施されています(**図表 1-4-5**)。

これらの輸入規制を実施している国・地域に対し、我が国が実施している安全確保のための措置やモニタリング結果等の科学的データ等の情報提供を行ってきた結果、令和 2(2020)年度において、モロッコ、エジプト、レバノン、アラブ首長国連邦、イスラエル等で輸入規制措置が緩和・撤廃されました。この結果、輸入規制措置を設けた 54 か国・地域のうち、39 か国・地域で輸入規制措置が撤廃されました。

図表 1-4-5 東電福島第一原発事故による主な輸出先国・地域の輸入停止措置の例

国・地域	輸出額（順位）	輸入停止措置対象県	輸入停止品目
香港	2,066億円（1位）	福島	野菜、果物、牛乳、乳飲料、粉乳
中国	1,645億円（2位）	宮城、福島、茨城、栃木、群馬、埼玉、千葉、東京、長野	全ての食品、飼料
		新潟	コメを除く食品、飼料
台湾	981億円（4位）	福島、茨城、栃木、群馬、千葉	全ての食品（酒類を除く。）
韓国	415億円（6位）	日本国内で出荷制限措置がとられた県	日本国内で出荷制限措置がとられた品目
		青森、岩手、宮城、福島、茨城、栃木、群馬、千葉	水産物
マカオ	24億円（26位）	福島	野菜、果物、乳製品、食肉・食肉加工品、卵、水産物・水産加工品

資料：農林水産省作成
注：1）令和3(2021)年2月5日時点。輸出額・順位は令和2(2020)年の数値
2）上記5か国・地域のほか、米国は日本での出荷制限品目を県単位で輸入停止
3）中国は10都県以外の野菜、果実、乳、茶葉等(これらの加工品を含む。)について放射性物質検査証明書の添付を求めているが、放射性物質の検査項目が合意されていないため、実質上輸入が認められていない。

(投資円滑化法改正案を国会に提出)

農林水産物等の輸出を始めとする、農林水産・食品分野での新たな取組にチャレンジする事業者にとっては、リスクに対応した十分な資本装備が必要となっています。

このため、農林水産省は、農業法人だけでなくフードバリューチェーンに携わる事業者全てを投資対象にすること等を内容とする「農業法人に対する投資の円滑化に関する特別措置法の一部を改正する法律案」を令和3(2021)年2月に国会に提出しました。これにより、農林水産・食品分野における資金調達の選択肢を増やし、民間主体からの資金供給をより得られやすい環境を整備することを目指しています。

(GFPグローバル産地計画)

海外市場のニーズや輸出先国の求める農薬規制・衛生管理等に対応した生産・加工体制を構築するため、農林水産省は、JETRO(独立行政法人日本貿易振興機構)等と協力して、農林水産物・食品輸出プロジェクトであるGFP[1]を通じ、グローバル産地づくりや、輸出に意欲的な農林漁業者や食品事業者等のサポートと連携に取り組んでいます。令和2(2020)年度には、「GFPグローバル産地」として63産地を採択しています(**図表1-4-6**)。農林水産省では、これらの産地においてGFPグローバル産地計画の達成に向けた取組等を支援しています。

[1] Global Farmers/Fishermen/Foresters /Food Manufacturers Project の略称

図表1-4-6 令和2(2020)年度に採択されたGFPグローバル産地

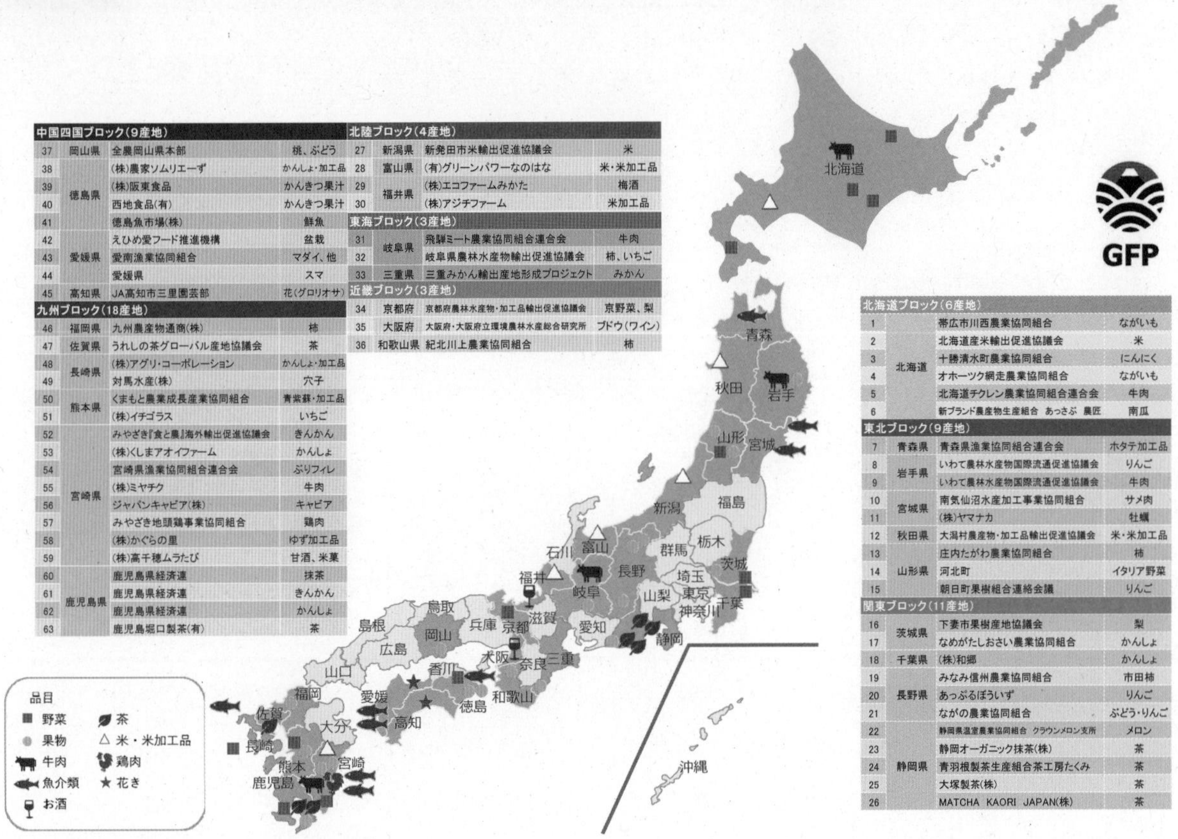

北海道ブロック(6産地)			
1	北海道	帯広市川西農業協同組合	ながいも
2		北海道産米輸出促進協議会	米
3		十勝清水町農業協同組合	にんにく
4		オホーツク網走農業協同組合	ながいも
5		北海道チクレン農業協同組合連合会	牛肉
6		新ブランド農産物生産組合 あっさぶ 農匠	南瓜

東北ブロック(9産地)			
7	青森県	青森県漁業協同組合連合会	ホタテ加工品
8	岩手県	いわて農林水産物国際流通促進協議会	りんご
9		いわて農林水産物国際流通促進協議会	牛肉
10	宮城県	南気仙沼水産加工事業協同組合	サメ肉
11		(株)ヤマナカ	牡蠣
12	秋田県	大潟村農産物・加工品輸出促進協議会	米・米加工品
13	山形県	庄内たがわ農業協同組合	柿
14		河北町	イタリア野菜
15		朝日町果樹組合連絡会議	りんご

関東ブロック(11産地)			
16	茨城県	下妻市果樹産地協議会	梨
17		なめがたしおさい農業協同組合	かんしょ
18	千葉県	(株)和郷	かんしょ
19	長野県	みなみ信州農業協同組合	市田柿
20		あっぷるぼういず	りんご
21		ながの農業協同組合	ぶどう・りんご
22	静岡県	静岡県温室農業協同組合 クラウンメロン支所	メロン
23		静岡オーガニック抹茶(株)	茶
24		青羽根製茶生産組合茶工房たくみ	茶
25		大塚製茶(株)	茶
26		MATCHA KAORI JAPAN(株)	茶

北陸ブロック(4産地)			
27	新潟県	新発田市米輸出促進協議会	米
28	富山県	(有)グリーンパワーなのはな	米・米加工品
29	福井県	(株)エコファームみかた	梅酒
30		(株)アジチファーム	米加工品

東海ブロック(3産地)			
31	岐阜県	飛騨ミート農業協同組合連合会	牛肉
32		岐阜県農林水産物輸出促進協議会	柿、いちご
33	三重県	三重みかん輸出産地形成プロジェクト	みかん

近畿ブロック(3産地)			
34	京都府	京都府農林水産物・加工品輸出促進協議会	京野菜、梨
35	大阪府	大阪府・大阪府立環境農林水産総合研究所	ブドウ(ワイン)
36	和歌山県	紀北川上農業協同組合	柿

中国四国ブロック(9産地)			
37	岡山県	全農岡山県本部	桃、ぶどう
38	徳島県	(株)農家ソムリエーず	かんしょ・加工品
39		(株)阪東食品	かんきつ果汁
40		西地食品(有)	かんきつ果汁
41		徳島魚市場(株)	鮮魚
42	愛媛県	えひめ愛フード推進機構	盆栽
43		愛南漁業協同組合	マダイ、他
44		愛媛県	スマ
45	高知県	JA高知市三里園芸部	花(グロリオサ)

九州ブロック(18産地)			
46	福岡県	九州農産物通商(株)	柿
47	佐賀県	うれしの茶グローバル産地協議会	茶
48	長崎県	(株)アグリ・コーポレーション	かんしょ・加工品
49		対馬水産(株)	穴子
50	熊本県	くまもと農業成長産業協同組合	青紫蘇・加工品
51		(株)イチゴラス	いちご
52	宮崎県	みやざき『食と農』海外輸出促進協議会	きんかん
53		(株)くしまアオイファーム	かんしょ
54		宮崎県漁業協同組合連合会	ぶりフィレ
55		(株)ミヤチク	牛肉
56		ジャパンキャビア(株)	キャビア
57		みやざき地頭鶏事業協同組合	鶏肉
58		(株)かぐらの里	ゆず加工品
59		(株)高千穂ムラたび	甘酒、米菓
60	鹿児島県	鹿児島県経済連	抹茶
61		鹿児島県経済連	きんかん
62		鹿児島県経済連	かんしょ
63		鹿児島堀口製茶(有)	茶

資料：農林水産省作成

(2) 海外への商流構築等と食産業の海外展開の促進

ア 海外への商流構築、プロモーションの促進

(GFP等を通じた輸出支援)

GFPのWebサイトを通じて登録すると、専門家による無料の輸出診断や輸出商社の紹介、登録者同士の交流イベントへの参加等のサービスを受けることができ、その登録者数は令和2(2020)年度末時点で4,572件となっています。このうち輸出診断の対象者である農林水産物・食品事業者は2,622件となっており、令和2(2020)年度においては、261件に輸出診断(うち、訪問診断76件)を行いました。また、オンラインによる交流会を開催し、海外バイヤー等から登録者に対し現地マーケット情報等を共有したほか、GFPによる農林水産物・食品事業者と商社等のマッチングを行いました。

さらに、JETROによる国内外の商談会の開催や、海外見本市への出展支援等において、輸出者への総合的な支援を行ったほか、日本食品海外プロモーションセンター(JFOODO)により、国・地域及び品目を絞り込み、売り込むべきメッセージを明確にした重点的・戦略的なプロモーションを実施しました。また、団体・民間事業者等により、輸出拡大が期待される具体的な分野・テーマについて、欧米やアジアでの花き等の海外市場の開拓・拡大に向けた取組を支援しました。

（事例）GFP で輸出診断が行われ輸出が実施された事例(鹿児島県)

鹿児島県薩摩半島《さつまはんとう》の最南端に位置する指宿市《いぶすきし》にある大吉農園《だいきちのうえん》では、キャベツを中心に生産するほか、裏作の枝豆を出荷・加工しています。輸出に関心があり、平成 30(2018)年 11 月に GFP に登録しました。

GFP のサポートのうち輸出診断を活用して、輸出商社に係る助言や輸出商社の紹介等を受けたことをきっかけに、マカオの百貨店で開催された鹿児島物産展でのフリーズドライ枝豆の出展やシンガポール、香港、タイの小売店でのキャベツの販売が決まるなど、輸出への道が急に開けました。「大吉農園のキャベツは、果物を思わせるほど甘くておいしい」との評判が現地で広まり、令和 2(2020)年には新たに台湾や香港で引き合いがありました。更に輸出を拡大するため、近隣農家と連携するなどして、キャベツの農地面積の拡大を図っています。

今後はキャベツを含めた他の産品の更なる海外販路の開拓を目指しています。

大吉枝美《おおよしえみ》さん

（日本産食材や日本食の普及）

海外における日本食レストランの数については、令和元(2019)年は約 15 万 6 千店と、平成 25(2013)年の 3 倍近くに増加しており、近年、海外での日本食・食文化への関心が高まっていることがうかがわれます。

農林水産省は、急増している海外の日本食レストラン等を日本産食材の輸出拠点として継続的に活用していくため、民間が主体となり日本産食材を積極的に使用する海外の飲食店や小売店を「日本産食材サポーター店」として認定する制度を平成 28(2016) 年度に創設しました。令和 2 (2020)年度末時点で、前年度に比べて 1,293 店増加の 6,069 店が認定されています(**図表 1-4-7**)。

また、令和 2(2020)年には、新型コロナウイルス感染症の影響を受けて、海外における日本産食材を取り扱っている飲食店等が一時閉店等の対応を強いられ、海外における日本産食材の需要が激減しました。このため、農林水産省の補助事業により、JETRO が日本産食材サポーター店等と協力して日本産食材の魅力を訴求するプロモーションを実施しました。

PR イベントの様子（上海）

PR 用特設ページ（タイ）

キャンペーン PR 用ポスター
（ベトナム）

図表 1-4-7 日本産食材や日本食にかかる認定等の実績

（単位：店、人）

	欧州	アフリカ	アジア	中東	大洋州	北米	中南米	日本	合計
日本産食材サポーター店	700	0	4,236	69	138	603	323	-	6,069
日本料理の調理技能認定取得者	173	6	1,337	7	13	137	46	-	1,719
日本食普及の親善大使	31	1	22	5	6	12	10	58	145

資料：農林水産省作成
注：令和 2(2020)年度末時点の数値

（日本食・食文化の発信の担い手を育成）

農林水産省は日本食・食文化の海外発信を強化するため、海外の外国人料理人の日本料理に関する知識･調理技能を習得度合いに応じて認定する「日本料理の調理技能認定制度」を平成 28(2016)年度に創設しました。令和 2(2020)年度末時点で、前年度に比べて 344 人増加の 1,719 人が認定されています。

また、海外の外国人料理人が日本料理の知識や調理技能、おもてなしの精神等を日本国内で学ぶ研修を支援しており、本研修では、「日本料理の調理技能認定制度」の認定も行っています。なお、本年度は新型コロナウイルス感染症の影響により、研修生を招聘《しょうへい》することが困難であったことから、海外在住の多くの料理人等を対象にオンラインによる研修を実施しました。これまでの本研修の修了生の一部は、母国で日本料理講習会や日本食イベントを開催するなど、日本食・食文化の普及に寄与しています。

さらに、日本食・食文化の魅力を広く国内外に効果的に PR するため、平成 26(2014)年度から、海外の日本食レストラン等に対してアドバイスを行う国内外の日本料理関係者を「日本食普及の親善大使」として任命しており、令和 2(2020)年度末時点で 145 人が任命されています。「日本食普及の親善大使」は、独自で行う日本食・食文化の普及活動のほか、令和 2(2020)年度はオンライン開催となった外国人による日本料理コンテストの審査員等を務めました。

（訪日外国人旅行者の日本滞在時の食に関する体験を促進）

訪日外国人旅行者の日本滞在時の食に関する体験をきっかけとした日本産食材の需要拡大・輸出促進を目的として、農林水産省は平成 30(2018)年に「食かけるプロジェクト」を立ち上げました。本プロジェクトでは、食と芸術や歴史等、異分野の活動を掛け合わせた体験を通じて、訪日外国人旅行者の日本食への関心を高めるとともに、帰国後も我が国の食を再体験できる環境の整備を推進しています。本プロジェクトの一環として、食と異分野を掛け合わせた食体験を募集・表彰する「食かけるプライズ」を実施し、令和 2(2020)年 10 月に大賞等 15 件を決定しました。表彰事例については、旅行商品 Web サイトへの掲載や体験商品としての磨き上げを支援しています。

イ　食産業の海外展開の促進

(広く海外需要を獲得し、「稼ぎ」の機会を増加)

成長著しいアジア地域等で、農林水産物・食品の輸出のみならず、食産業の戦略的な海外展開を通じて広く海外需要を獲得していくことは、国内生産者の販路や稼ぎの機会を増やしていくことにつながります。このため、農林水産省では、平成26(2014)年度に、民間企業や関係機関・団体等からなるグローバル・フードバリューチェーン(GFVC)推進官民協議会を設置し、農林水産物の生産から製造・加工、流通、消費に至る付加価値の連鎖をグローバルに構築すべく、諸課題の検討や情報の共有、ビジネスマッチング等を行っています。

令和2(2020)年度においては、11月に同協議会に中南米部会を新設し、世界最大の約210万人の日系人社会を有する同地域への日本産農産物・食品の輸出促進の加速化や、我が国の穀物等の安定的供給元であるブラジルに関し、ブラジル政府が優先的な開発地域としている北東部の生産・流通体制の構築に向けた課題等について、農林水産省、国内企業が意見交換を行いました。

国際的にもデータを活用した農業への注目が高まっていることや、スマート農業が環境対策としても期待されていることから、令和3(2021)年2月には、同協議会に分野別研究会「スマートフードチェーン」を立ち上げ、稲作や施設園芸等、我が国が強みを有する分野のスマート農業技術の海外への導入や、生産から加工、流通、消費までのデータ連携の構築等について官民で議論を行いました。日本企業が海外展開していくことを通じ、更なる技術の改善や量産化によるコスト低減等が図られれば、こうした技術の活用等を通じて国内のスマート農業の発展にも貢献するものと期待されます。同日開催されたアフリカ部会でも、令和4(2022)年開催予定の第8回アフリカ開発会議(TICAD8)を見据えて、ICT[1]技術を活用したアフリカ農業のイノベーションの具体的な進め方等について議論を行いました。

また、令和2(2020)年度には、6か国と二国間対話等を実施しており、例えば、同年8月には、大洋州のパラオ共和国との間で農業協力に関するテレビ会議を開催、同国内に日本の民間企業等の技術を活用して新鮮な野菜や果物の供給体制を構築できないかという観点から意見交換を行いました。同年10月に開催された第6回日仏農政ワーキンググループにおいては、日本企業によるフランスへの投資促進に係る一元的な相談窓口の設置や、両国の農業高校が参加するオンライン会議の開催、フランスで開催予定の魚の活け締め普及セミナーへのフランス政府関係者の招待等、今後とも農業・食品産業分野における協力を進めることで一致しました。

---

[1] 用語の解説3(2)を参照

兵庫県立農業高校とワインゼンハイム
農業高校(フランス)のオンライン会議

北海道大野農業高校の生徒
が描いたフランスの農業高校生
との交流をイメージした漫画

さらに、同年 12 月には、日ベトナム両国の農業大臣の出席の下、第 5 回日越農業協力対話ハイレベル会合及び官民フォーラムをテレビ会議方式で開催し、民間企業の投資促進を図る観点から、園芸作物産地での食品加工分野の協力や、ハノイ、ホーチミン等の大都市近郊での物流インフラ整備や農産物の規格認証に関する協力等を深化させていくことを確認しました。

「次期日越農業協力中長期ビジョン」
への署名

試験導入された日本式高度選果機
資料：JICA(独立行政法人国際協力機構)

我が国企業が合弁会社を通じて
建設した冷凍冷蔵倉庫

(3) 知的財産の保護

ア　地理的表示(GI)保護制度

(GI 保護制度の登録産品は 106 産品となり着実に増加)

地理的表示(GI)保護制度は、地域ならではの特徴的な産品の名称を知的財産として保護する仕組みです。同制度に産品を登録することで、模倣品が排除されるほか、登録生産者団体が自らの産品の価値を再認識することができるなどの効果が期待されています。

令和 2(2020)年度は、新たに 12 産品が同制度に登録され、これまでに登録された産品は、同年度末時点で、40 都道府県と 2 か国の計 106 産品となりました(**図表 1-4-8**)。

また、日 EU・EPA[1]により、日本側 GI72 産品、EU 側 GI89 産品が、令和 3(2021)年 1 月 1 日に発効した日英 EPA により日本側 GI47 産品、英国側 GI3 産品が相互に保護されています。

---

1 用語の解説 3(2)を参照

図表1-4-8　令和2(2020)年度にGI保護制度に登録された産品

物部ゆず
(高知県)

福山のくわい
(広島県)

富山干柿
(富山県)

山形ラ・フランス
(山形県)

徳地やまのいも
(山口県)

網走湖産しじみ貝
(北海道)

えらぶゆり
(鹿児島県)

西浦みかん寿太郎
(静岡県)

河北せり
(宮城県)

清水森ナンバ
(青森県)

甲子柿
(岩手県)

ルックガン ライチ
(ベトナム)

資料：農林水産省作成

イ　家畜遺伝資源保護

(和牛遺伝資源の管理・保護のための新制度が開始)

和牛は、関係者が長い年月をかけて改良してきた我が国固有の貴重な財産であることから、国内の関係団体等は「和牛遺伝資源国内活用協議会」を設立し、和牛遺伝資源の輸出自粛等の取組を行ってきました。

しかし、平成30(2018)年6月、和牛遺伝資源である家畜人工授精用精液や受精卵が輸出検査を受けずに中国に持ち出され、中国当局において輸入不可とされた輸出未遂事案が確認されたことから、我が国における和牛遺伝資源の保護を求める声が高まりました。

このような情勢を踏まえ、農林水産省は、学識経験者や関係団体等から構成する「和牛遺伝資源の流通管理に関する検討会」を開催し、流通管理の在り方や知的財産としての価値の保護の可能性について検討を進め、令和元(2019)年7月には中間とりまとめが示されました。また、同年10月には、同検討会の下に、法曹実務家、知的財産に関する専門家、オブザーバーとして関係省庁を加えた「和牛遺伝資源の知的財産的価値の保護強化に関する専門部会」が開催され、保護強化に向けた課題・対策と知的財産制度上の位置付けの可能性について検討し、令和2(2020)年1月に中間とりまとめが示されました。これらの中間とりまとめの内容を踏まえ、同年3月に改正家畜改良増殖法案と家畜遺伝資源法案[1]が国会に提出され、同年4月に可決・成立し、同年10月に施行されたことにより、和牛遺伝資源の管理・保護のための新制度が開始されました(**図表1-4-9**)。

改正家畜改良増殖法により、家畜人工授精所等以外で保存されている家畜人工授精用精液等の他人への譲渡が禁止されるなど、家畜遺伝資源の不適正な流通を防止するための関係規程が整備されました。また、家畜遺伝資源法により、和牛遺伝資源について、知的財産としての価値の保護を図るため、契約に違反した使用や譲渡等に対して差止請求や損害

[1] 正式名称は「家畜改良増殖法の一部を改正する法律案」と「家畜遺伝資源に係る不正競争の防止に関する法律案」

賠償請求を行うことが可能となるとともに、悪質な不正行為に対しては刑事罰が適用されるようになりました。

図表 1-4-9 和牛遺伝資源の管理・保護のための新制度

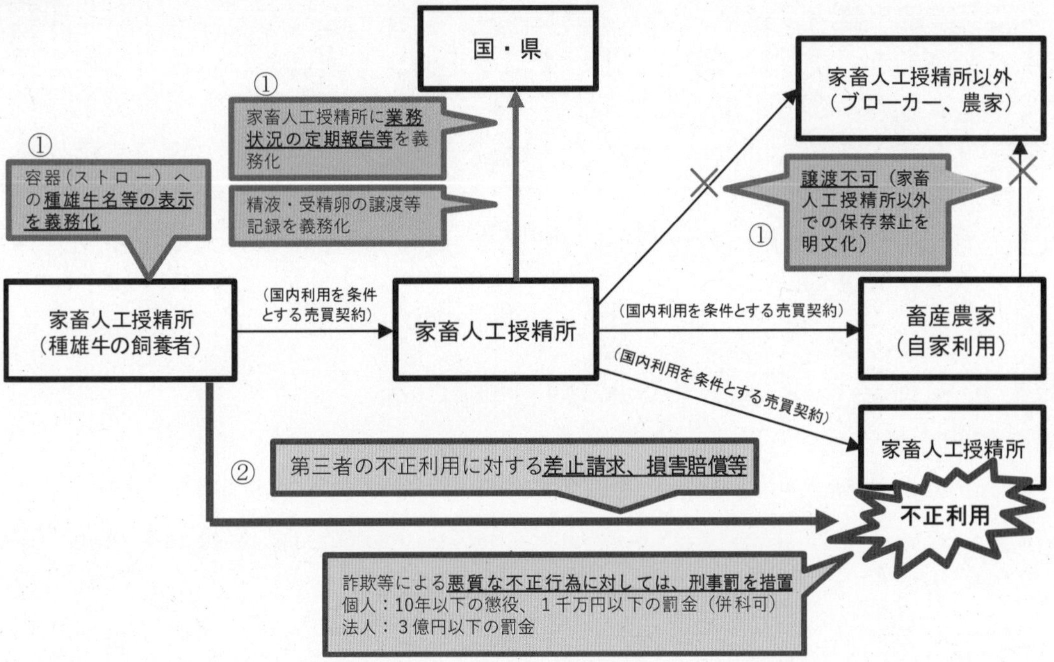

資料：農林水産省作成

注：1) 新制度のうち、特に精液や受精卵の適正な流通の確保を必要とするものとして農林水産大臣が指定する特定家畜人工授精用精液等に係る制度の概要(①は改正家畜改良増殖法、②は家畜遺伝資源法)

2) 家畜遺伝資源生産事業者とは、種雄牛等の家畜から精液・受精卵を採取・生産し、供給する家畜人工授精所等を指す。

3) 家畜人工授精所とは、家畜の精液・受精卵を生産・保管する施設であり、開設には都道府県知事の許可が必要

第5節　消費者と食・農とのつながりの深化

消費者や食品関連事業者に積極的に国産農林水産物を選択してもらえるようにするためには、消費者と農業者・食品関連事業者との交流を進め、消費者が日本の食や農を知り、触れる機会の拡大を図ることが重要です。また、平成25(2013)年の和食文化のユネスコ無形文化遺産登録を踏まえた次世代への和食文化の継承や海外での和食の評価を更に高めるための取組等も重要です。

本節では、これらの課題に対応した、消費者と食と農とのつながりの深化を図るための様々な取組を紹介します。

(1) 地産地消の推進と国産農林水産物の消費拡大

(地産地消の取組の推進)

地域で生産された農林水産物をその地域内において消費する地産地消[1]の取組を推進することは、国産農林水産物の消費拡大につながるほか、地域活性化や食品の流通経費の削減等にもつながります。

平成 23(2011)年度に策定された地産地消にかかる基本方針[2]においては、年間販売金額が1億円以上の通年営業の農産物直売所の割合を令和2(2020)年度までに50%以上にするという目標が掲げられているところ、令和元(2019)年度の割合は、前年度に比べ 1.4 ポイント上昇して 25.9%となりました(**図表 1-5-1**)。

また、令和元(2019)年度の農産物直売所の総販売金額は、前年度に比べ 2.4%減少し 1兆 534 億円となりました。内訳を見ると、運営主体が農業協同組合(以下「農協」という。)等である農産物直売所の年間販売金額が 8,780 億円と全体の 8 割を占めています。農協を始めとする年間販売金額の大きい事業体が農産物直売所の総販売金額を牽引《けんいん》していることがうかがわれます。

1　用語の解説3(1)を参照
2　農林水産省「農林漁業者等による農林漁業及び関連事業の総合化並びに地域の農林水産物の利用の促進に関する基本方針」

図表 1-5-1 農産物直売所の販売状況

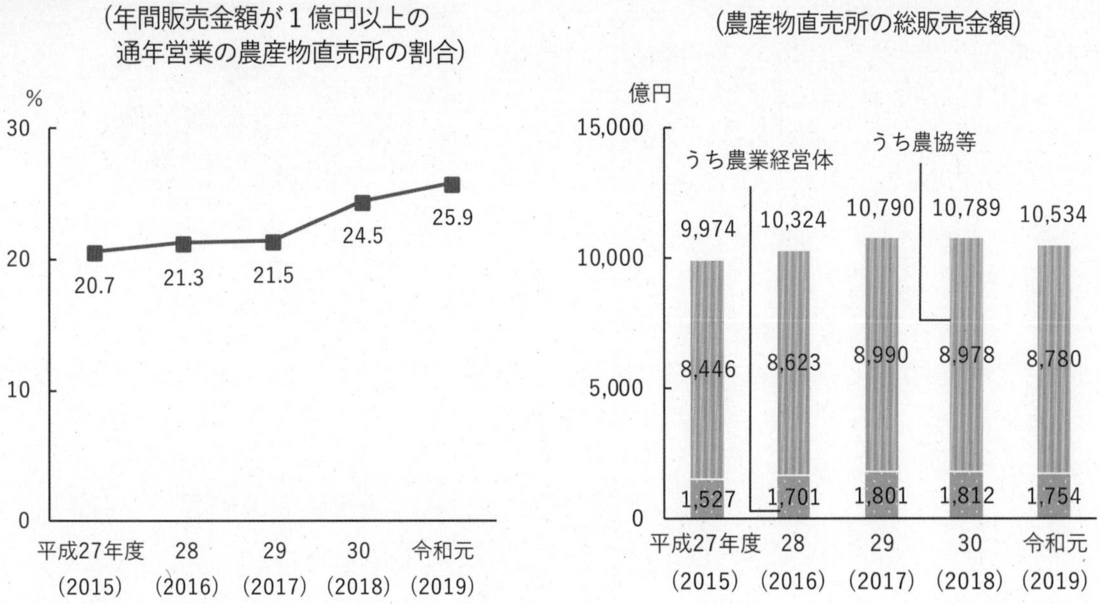

資料：農林水産省「6 次産業化総合調査」
注：1）１億円以上の割合は、通年営業で常設施設利用の農産物直売所
2）「農協等」は、農協、地方公共団体・第３セクター、生産者グループ等

学校給食については、学校給食法により、地場産の農林水産物の活用に努めることや食育を推進すること等とされています。しかし、実際には地場産の農林水産物の利用を増やそうとしても、食材費の上昇分を給食費に転嫁しにくいことや一定の規格等を満たした量を不足なく納入することが求められているなど課題も多い状況となっています。

こうした課題に対応するため、農林水産省では、学校給食の現場と生産現場の双方のニーズや課題の調整役となる「地産地消コーディネーター[1]」を学校の給食施設等に派遣するなどの事業を実施してきました。引き続き、これらの取組を更に発展させていくことで地場産の農林水産物の利用拡大を図っていきます(**図表 1-5-2**)。

図表 1-5-2 学校給食における地場産物・国産食材の利用状況

（単位：%）

	平成24年度 (2012)	29 (2017)	30 (2018)	令和元 (2019)	令和2(目標)＊ (2020)
地場産物	25.1	26.4	26.0	26.0	30.0以上
国産食材	76.8	76.7	76.0	77.1	80.0以上

資料：文部科学省「学校給食における地場産物の活用状況調査」、「学校給食栄養報告」を基に農林水産省作成
注：＊食育基本法に基づく第３次食育推進基本計画(平成 28(2016)年３月策定)における目標値

1 栄養教諭、生産者組織代表、農協、コンサルタント、企業、行政等

(国産農林水産物の消費拡大に向けた取組の推進)

フード・アクション・ニッポンアワード2020において受賞した10産品

農林水産省の国産農林水産物の消費拡大に向けた取組としては、民間企業・団体・行政等が一体となった国民運動「フード・アクション・ニッポン[1]」を進めています。

この取組の一環で、国産農林水産物の消費拡大に寄与する民間事業者の優れた産品を表彰する「フード・アクション・ニッポン アワード」を毎年開催し、令和2(2020)年度は入賞100産品、その中から受賞10産品、特別賞6産品が選定されました。受賞産品は、審査委員企業である大手百貨店、流通、外食事業者、宿泊サービス等10社の販路を通じて販売されています。

令和2(2020)年は新たな取組として、新型コロナウイルス感染症の影響を受けている料理人と産地が「ワンチーム」となって、地域の食材を活用した新たな産品、メニュー等を開発する優れた取組を表彰し、取組の全国展開を図る「味の匠応援プロジェクト」を実施しました。応募総数45グループの中から3グループが優れた取組として選定されました。

また、毎年11月を「食と農林漁業の祭典」の月間と位置付けてイベントを開催しています。この取組の一環として、我が国の農産物や観光、体験の発信に加え、その産地の食や食文化の魅力、ヒストリーを伝え、モノだけでなくコトに触れることができるイベント「ジャパンハーベスト」を、毎年、東京都丸《まる》の内《うち》において開催していましたが、令和2(2020)年は新型コロナウイルスの感染防止の観点から、オフィシャルWebサイトを開設し、オンラインによるイベントとして開催しました。また、これに併せてオフィシャルYouTube[2]チャンネルを開設し、国産農林水産物を育む農林水産省や地域の取組、国産農林水産物を利用した料理番組等、様々なコンテンツを配信しました。

(2) 和食文化の保護・継承

(和食文化の保護・継承に向けた取組)

令和2(2020)年度に実施した食育に関する意識調査[3]では、地域や家庭で受け継がれてきた伝統的な料理や作法等を受け継ぎ、伝えている国民の割合は50.4%、いわゆる郷土料理や伝統料理（自身の生まれ育った地域や現在住んでいる地域に限定せず、旅先や外食先など日本全国の郷土料理や伝統料理を含む）を食べる頻度について、「月に1回以上」と回答した人は44.6%との結果が得られています。

「和食；日本人の伝統的な食文化」[4]が平成25(2013)年12月にユネスコ無形文化遺産に登録されましたが、近年における食の多様化や家庭環境の変化等を背景に、和食や地域の伝統的な料理(郷土料理)を受け継ぎ、伝えることが困難になりつつあります。

このような背景を踏まえ、農林水産省は、全国各地で受け継がれてきた地域固有の多様な食文化を地域で保護し、次世代に継承していくことを目的として、各地域が選定する郷土料理の歴史や由来、レシピ等を取りまとめたデータベース「うちの郷土料理～次世代に

---

1 日本の食を次の世代に残し、創るために、国産農林水産物の消費拡大を目指した取組
2 インターネット上での動画共有サービスの一つ
3 農林水産省「食育に関する意識調査」（令和3(2021)年3月公表、全国の20歳以上の者5,000人を対象として実施した郵送及びインターネットによる調査、有効回収率47.9%）
4 用語の解説3(1)を参照

伝えたい大切な味〜」を令和元(2019)年度から公開しています。令和2(2020)年度は、17県の情報を追加し、27道府県の郷土料理に関する情報を発信しています。令和3(2021)年度末までに47都道府県全ての郷土料理を掲載する予定であり、家庭での調理や外食でのメニュー化等に活用されることが期待されます。

また、栄養士・保育士等を対象に、子供たちや子育て世代に対して和食文化の継承活動を行う中核的な人材を育成するための研修会等を開催しました。さらに、次世代を担う子供たちを対象に、和食や郷土料理に関するイベント(動画コンテスト、フォトコンテスト)として、「第5回全国子ども和食王選手権」を開催し、動画コンテストでは岐阜県の岐阜市立長良《ながら》小学校(5年生)が「おいしい！みんなのへぼ飯」で和食王に輝きました。また、フォトコンテストにおいても、優秀賞として10組が入賞しました。

第5回全国子ども和食王選手権の様子

このほか、味覚が形成される幼少期の子供や子育て世代に、身近・手軽に、健康的な和食を食べる機会を増やしてもらい、将来にわたって和食文化を受け継いでいくことを目指し、平成30(2018)年度から官民協働の「Let's！和ごはんプロジェクト」に年間を通じて取り組んでいます。特に「和食の日」(11月24日)を含む11月を「和ごはん月間」として、プロジェクトメンバー間の連携企画、各種イベント等を重点的に実施しました。このプロジェクトには、食品製造業者、流通業者、外食事業者等が参加しており、令和3(2021)年3月時点の総数は、175事業者となっています。

(事例) 体験を通じて「食」を学ぼう(宮崎県)

宮崎県小林市《こばやしし》では、「学校給食での地場産品の活用と地域の食文化の継承を行う」ことを目標に、学校給食による郷土料理の提供や、料理教室等で郷土料理や健康料理を学ぶ機会を創出しています。

特に小・中学生とその保護者を対象とする活動では、食生活改善推進員等が講師となり、小・中学生とその保護者に、郷土料理である「冷や汁」や「ねったぼ(さつまいももち)」の名前の由来を伝えるとともに、料理講習を行っています。

参加者からは、「楽しかった。家でも作ってみたい。」や「郷土料理を学ぶことで、地域の農林水産物や食文化を知って、小林市が恵まれた環境にあることに気づいた。」等の意見があり、郷土料理の再認識につながりました。

同市では、これからも食文化の継承のため、親子のふれあいや地元の魅力の再発見につながる取組を続けていく予定です。

夏休み親子チャレンジ講座の風景
資料：宮崎県小林市

（これからの食文化の保護・継承、新たな価値創造に向けた検討の開始）

我が国の「食文化」は世界でも関心が高まってきており、これまでも政府として「食文化」を含めた日本の魅力を世界に発信してきました。

農林水産省では、時代の変化に応じた和食文化の保護・継承策や、海外への日本の食文化の発信・普及等、新たな価値の創出の在り方について検討するため、令和 2(2020)年９月から、食料・農業・農村政策審議会企画部会の下に、食文化振興小委員会を設置し、全６回の会合における議論を経て、今後５年程度の政策の方向性を取りまとめました。

また、文化庁においても、同年９月から文化審議会文化政策部会食文化ワーキンググループを設置し、全５回会合を開催し、食文化政策の基本的考え方や文化財保護法に基づく「食文化」の保存・活用を始めとする具体的な振興方策について取りまとめました。

これらの検討を踏まえ、農林水産省は、文化庁における食の文化的価値の可視化の取組と連携し、和食が持つ文化的価値の発信を進めるほか、日本食・食文化の海外普及を日本産農林水産物・食品の一層の輸出拡大につなげることとしています。

(3) 消費者と生産者の関係強化

（国産農林水産物の魅力を消費者に届ける「BUZZ MAFF」が開始）

国産農林水産物等の魅力を発信する取組として、農林水産省の職員がYouTuberとなる省公式YouTubeチャンネル「BUZZ MAFF《ばずまふ》」が令和 2(2020)年１月から始まっています。

令和 2(2020)年度では、番組の一つ「TASOGARE」において、松岡《まつおか》さんが新型コロナウイルス感染症による緊急事態宣言を受けた国民向け大臣メッセージの動画にアフレコし、買物の際に気をつけていただきたいポイントについて、消費者の関心を高めるための工夫を盛り込みながら分かりやすく発信しました。また、GI(地理的表示保護制度)や食品ロスの削減について、ラップで歌って説明した動画を発信しています。

このほかにも、「花いっぱいプロジェクト」、「プラスワンプロジェクト」といった様々な取組とのコラボ動画を作成し、牛乳や花きの消費拡大を広く呼びかけており、生乳廃棄の回避や花きの需要創出に対して国民の関心を高めることに貢献しました。

また、Ｊリーグと共同で、地域の農林水産業への理解・関心が高まることを目指し、「BUZZ MAFF」と「シャレン！[1]」とのコラボ動画「魅せろ！ファーマジスタ[2]」の配信を開始しました。Ｊリーグクラブの選手、社員、サポーター達(ファーマジスタ)と「BUZZ MAFF」の面々とが、日本の農業、地域の農業の魅力について、語り合う番組を発信しています。

さらに、「BUZZ MAFF」YouTuberが、食料・農業・農村白書の内容から、消費者やビジネスマン、学生にとっても参考となる情報をダイジェストにして紹介する動画を令和 2(2020)年 10 月から発信しました。

総再生回数は、１年２か月で 715 万回を突破し、チャンネル登録者数も６万２千人を超えています。これからも我が国の農林水産物の良さや農山漁村の魅力等を伝える様々な動画を投稿していく予定です。

---

1 Ｊリーグ・Ｊリーグクラブが、地域の企業・地方公共団体・学校等と連携し、社会課題やまちづくり等の共通のテーマに取り組む活動

2 farmer と fantasista を合わせた造語で、サッカーと同じくらい、農業に情熱を注ぐＪリーグクラブの選手、社員、サポーターの方のこと。

第6節　食育の推進

食育基本法は、食育に関し、基本理念を定め、国、地方公共団体等の責務を明らかにするとともに、食育に関する施策の基本となる事項を定めることにより、食育に関する施策を総合的かつ計画的に推進するため、平成 17(2005)年に制定されました。

政府は、これまで 15 年にわたり、都道府県、市町村、関係機関・団体等多様な関係者とともに連携を図りながら、現在及び将来にわたる健康で文化的な国民の生活と豊かで活力ある社会の実現のため、健全な食生活を実践することができる人間を育てる食育を推進してきました。本節では、食育の推進を図るための取組について紹介します。

(第 4 次食育推進基本計画の決定)

令和 3(2021)年 3 月に、これまでの食育に関する取組の成果と課題を踏まえ、食育推進会議において「第 4 次食育推進基本計画」が決定されました。令和 3(2021)年度から令和 7(2025)年度までのおおむね 5 年間を計画期間として、食育の推進に当たっての基本的な方針や目標値を掲げるとともに、食育の総合的な促進に関する事項として取り組むべき施策等が定められました(**図表 1-6-1**)。

本計画においては、国民の健康や食を取り巻く環境の変化、社会のデジタル化等、食育をめぐる状況を踏まえ、(1)生涯を通じた心身の健康を支える食育の推進、(2)持続可能な食を支える食育の推進、(3)「新たな日常」やデジタル化に対応した食育の推進の三つに重点をおいた取組を行うことが定められており、持続可能な世界の実現を目指すため、経済、社会、環境の諸課題に統合的に取り組む SDGs[1]への関心が世界的に高まる中、食育の取組においても、SDGs の考え方を踏まえて推進する必要があるとされています。

食育の推進に当たっての新たな目標としては、「産地や生産者を意識して農林水産物・食品を選ぶ国民を増やす」ことや、「環境に配慮した農林水産物・食品を選ぶ国民を増やす」ことを新たに追加したほか、「学校給食における地場産物を活用した取組等を増やす」の目標項目において、「栄養教諭[2]による地場産物に係る食に関する指導の平均取組回数」を目標値に加えました。また、取り組むべき施策として、全ての児童生徒が、栄養教諭の専門性を活かした食に関する指導を等しく受けられるよう、栄養教諭の役割の重要性やその成果の普及啓発等を通じて、学校栄養職員[3]の栄養教諭への速やかな移行に引き続き努めるとともに、栄養教諭配置の地域による格差を解消すべく、より一層の配置[4]を促進するとされています。

「令和元年国民健康・栄養調査」では、1 日当たりの野菜類摂取量の平均値は 280.5g、果実類摂取量の平均値は 100.2g でした(**図表-1-6-2、図表 1-6-3**)。「健康日本 21(第二次)」で目標としている野菜摂取量 350g や、「毎日くだもの 200 グラム運動」で推奨している果物摂取量 200g には、まだ到達していません。また、年齢階級別にみると、野菜類、果実類ともに若い世代ほど摂取量が少なくなっています。「第 4 次食育推進基本計画」において

1　用語の解説 3(2)を参照
2　児童生徒の栄養の指導及び管理をつかさどる教諭(学校教育法第 37 条第 13 項)
3　学校給食の栄養に関する専門的事項をつかさどる職員(学校給食法第 7 条)
4　都道府県別の栄養教諭の配置状況については、以下を参照。
https://www.mext.go.jp/content/20210115-mxt_kenshoku-100003340_1.pdf

も、野菜及び果物の摂取量に関する目標値を追加しました。引き続き、摂取量増加のため、野菜や果物の安定供給とともに、消費者への普及・啓発の取組を推進していくことが重要です。

図表 1-6-1 第４次食育推進基本計画における食育の推進に当たっての目標

目標 具体的な目標値　（「第４次食育推進基本計画」で追加・見直しは黄色の目標値）	現状値 （令和２(2020)年度）	目標値 （令和７(2025)年度）
1 食育に関心を持っている国民を増やす		
①食育に関心を持っている国民の割合	83.2%	90%以上
2 朝食又は夕食を家族と一緒に食べる「共食」の回数を増やす		
②朝食又は夕食を家族と一緒に食べる「共食」の回数	週9.6回	週11回以上
3 地域等で共食したいと思う人が共食する割合を増やす		
③地域等で共食したいと思う人が共食する割合	70.7%	75%以上
4 朝食を欠食する国民を減らす		
④朝食を欠食する子供の割合	4.6%※	0%
⑤朝食を欠食する若い世代の割合	21.5%	15%以下
5 学校給食における地場産物を活用した取組等を増やす		
⑥栄養教諭による地場産物に係る食に関する指導の平均取組回数	月9.1回※	月12回以上
⑦学校給食における地場産物を使用する割合（金額ベース）を現状値（令和元（2019）年度）から維持・向上した都道府県の割合	－	90%以上
⑧学校給食における国産食材を使用する割合（金額ベース）を現状値（令和元（2019）年度）から維持・向上した都道府県の割合	－	90%以上
6 栄養バランスに配慮した食生活を実践する国民を増やす		
⑨主食・主菜・副菜を組み合わせた食事を１日２回以上ほぼ毎日食べている国民の割合	36.4%	50%以上
⑩主食・主菜・副菜を組み合わせた食事を１日２回以上ほぼ毎日食べている若い世代の割合	27.4%	40%以上
⑪１日当たりの食塩摂取量の平均値	10.1g※	8g以下
⑫１日当たりの野菜摂取量の平均値	280.5g※	350g以上
⑬１日当たりの果物摂取量100g未満の者の割合	61.6%※	30%以下

目標 具体的な目標値　（「第４次食育推進基本計画」で追加・見直しは黄色の目標値）	現状値 （令和２(2020)年度）	目標値 （令和７(2025)年度）
7 生活習慣病の予防や改善のために、ふだんから適正体重の維持や減塩等に気をつけた食生活を実践する国民を増やす		
⑭生活習慣病の予防や改善のために、ふだんから適正体重の維持や減塩等に気をつけた食生活を実践する国民の割合	64.3%	75%以上
8 ゆっくりよく噛んで食べる国民を増やす		
⑮ゆっくりよく噛んで食べる国民の割合	47.3%	55%以上
9 食育の推進に関わるボランティアの数を増やす		
⑯食育の推進に関わるボランティア団体等において活動している国民の数	36.2万人※	37万人以上
10 農林漁業体験を経験した国民を増やす		
⑰農林漁業体験を経験した国民（世帯）の割合	65.7%	70%以上
11 産地や生産者を意識して農林水産物･食品を選ぶ国民を増やす		
⑱産地や生産者を意識して農林水産物･食品を選ぶ国民の割合	73.5%	80%以上
12 環境に配慮した農林水産物･食品を選ぶ国民を増やす		
⑲環境に配慮した農林水産物･食品を選ぶ国民の割合	67.1%	75%以上
13 食品ロス削減のために何らかの行動をしている国民を増やす		
⑳食品ロス削減のために何らかの行動をしている国民の割合	76.5%※	80%以上
14 地域や家庭で受け継がれてきた伝統的な料理や作法等を継承し、伝えている国民を増やす		
㉑地域や家庭で受け継がれてきた伝統的な料理や作法等を継承し、伝えている国民の割合	50.4%	55%以上
㉒郷土料理や伝統料理を月１回以上食べている国民の割合	44.6%	50%以上
15 食品の安全性について基礎的な知識を持ち、自ら判断する国民を増やす		
㉓食品の安全性について基礎的な知識を持ち、自ら判断する国民の割合	75.2%	80%以上
16 推進計画を作成・実施している市町村を増やす		
㉔推進計画を作成・実施している市町村の割合	87.5%※	100%

注：学校給食における使用食材の割合（金額ベース、令和元（2019）年度）の全国平均は、地場産物52.7%、国産食材87%となっている。

※は令和元（2019）年度の数値

資料：農林水産省作成

図表 1-6-2 野菜類摂取量の平均値の推移

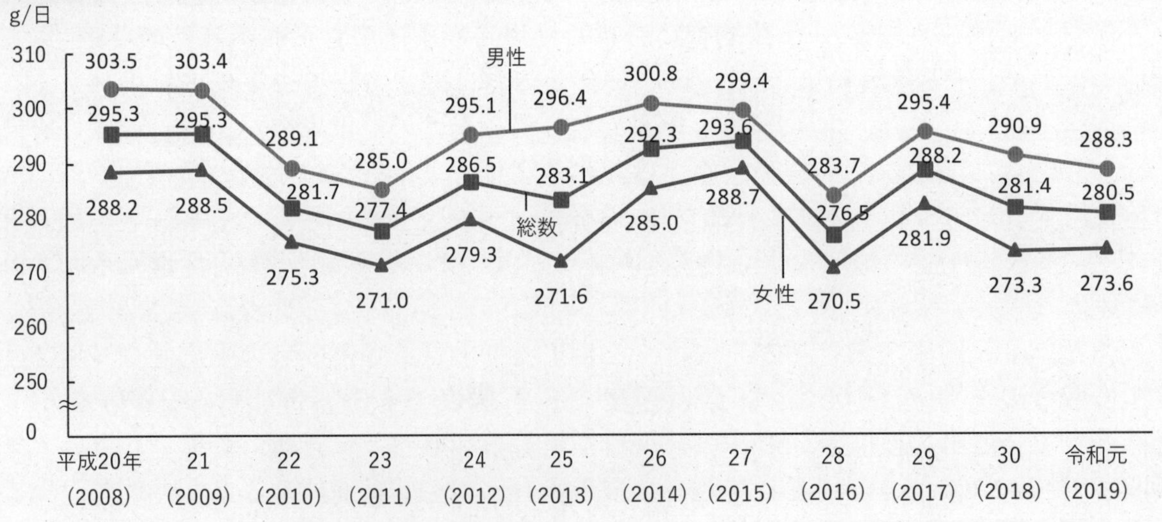

資料：厚生労働省「国民健康・栄養調査」を基に農林水産省作成

注：1）野菜類とは、緑黄色野菜、その他の野菜、野菜ジュース、漬け物

　　2）20歳以上の数値

図表1-6-3 果実類摂取量の平均値の推移

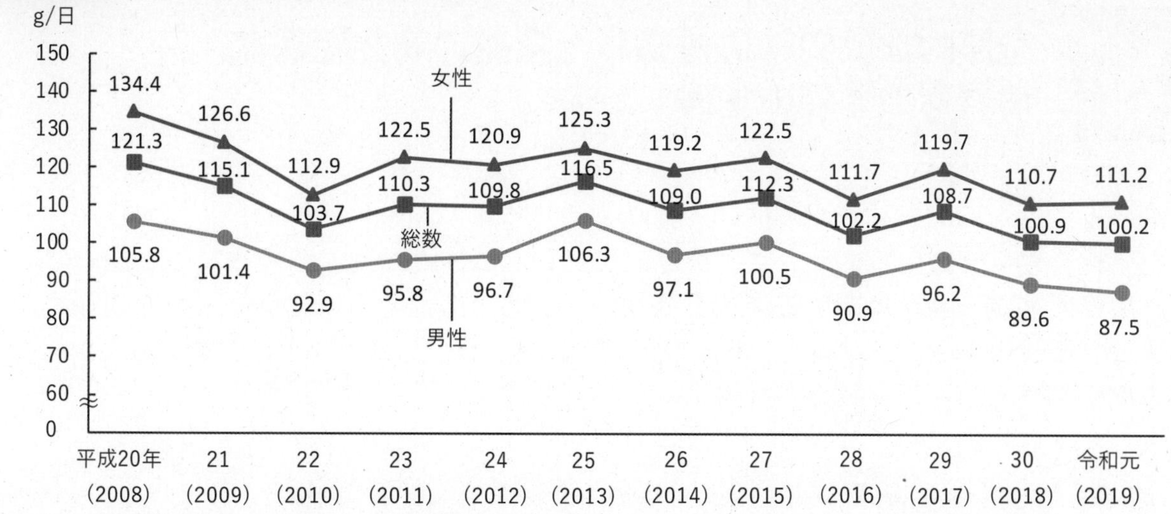

資料：厚生労働省「国民健康・栄養調査」を基に農林水産省作成
注：1）果実類とは、生果、ジャム、果汁・果汁飲料
2）20歳以上の数値

（「日本型食生活」の推進）

農林水産省では、食育の一環として、栄養バランスに優れた「日本型食生活」を推進しています。

「日本型食生活」とは、ごはんを中心に魚、肉、牛乳・乳製品、野菜、海藻、豆類、果物、お茶など多様な副食(主菜・副菜)等を組み合わせた栄養バランスに優れた食生活のことです。ごはんと組み合わせる副食等は、家庭での調理のみを前提とせず、冷凍食品やレトルト食品等も活用する形で普及を図っています。

近年、食品製造業、食品小売業、外食産業を始めとした食品関連事業者等による食育活動は、CSR(企業の社会的責任)活動の一環としてなど、様々な位置付けで取り組まれています。

具体的な取組内容としては、工場・店舗の見学、製造・調理体験、農林漁業体験、料理教室の開催のほか、店舗での食育体験教室の開催、出前授業、提供するメニューの栄養成分表示や、食生活に関する情報提供等、幅広いものとなっています。

毎年6月の食育月間には、全国の地方公共団体において、ソーシャルメディアを活用したフォトコンテストの実施等、多様な活動が行われています。農林水産省では、令和2(2020)年度に、ボランティア活動、教育活動、農林漁業、食品製造・販売等その他の事業活動を通じた食育関係者の取組を対象として、「第4回食育活動表彰」を実施し、ボランティア部門、教育関係者・事業者部門において、個人・団体を含む186件の応募があり、農林水産大臣賞7件及び消費・安全局長賞12件の表彰を行いました。受賞者の取組の内容を広く国民に周知し、食育を推進する優れた取組を全国に展開していくこととしています。

第7節　国際的な動向等に対応した食品の安全確保と消費者の信頼の確保

食品の安全性を向上させるためには、食品を通じて人の健康に悪影響を及ぼす可能性のある有害化学物質・微生物について、科学的根拠に基づいたリスク管理等に取り組むとともに、農畜水産物・食品に関する適正な情報提供を通じて消費者の食品に対する信頼確保を図ることが重要です。本節では、国際的な動向等に対応した食品の安全確保と消費者の信頼の確保のための取組を紹介します。

(1) 科学の進展等を踏まえた食品の安全確保の取組の強化

(食品の安全性の向上のため、科学的根拠に基づいたリスク管理が重要)

食品の安全を確保するため、「後始末より未然防止」の考え方を基本に、科学的根拠に基づき、生産から消費に至るまでの必要な段階で有害化学物質・微生物の汚染の防止や低減を図る措置の策定・普及に取り組むことが重要です。

農林水産省は、食品安全に関するデータや消費者・食品関連事業者等関係者の意見、国際的な動向を考慮し、有害化学物質・微生物の中から優先的にリスク管理を行うものを優先リストとして選定し、5 年ごとに改訂しています。この優先リストに基づき、5 年間に実施すべき農畜水産物・食品中の含有実態等の調査の計画(サーベイランス・モニタリング中期計画)及び毎年度の計画(サーベイランス・モニタリング年次計画)を策定し、計画的に調査を実施しています。これらの調査の結果、対応が必要な農畜水産物・食品については、生産者や食品事業者と連携し、食品の安全性を向上させるための措置の策定や現場への普及に重点的に取り組んでいます。

令和 2(2020)年度は、「農林水産省が優先的にリスク管理を行うべき有害化学物質のリスト」について、最新の知見に基づいて改訂を行いました。また、作成したリストに基づき、令和 3(2021)年度から令和 7(2025)年度におけるサーベイランス・モニタリング中期計画を新たに作成しました。

また、令和 2(2020)年度のサーベイランス・モニタリング年次計画に基づき、鉛、メチル水銀、アフラトキシン類[1]、トリコテセン類[2]、麦角《ばっかく》アルカロイド類[3]、

図表 1-7-1　食品中の有害化学物質の低減措置の例

油脂を含む食品の安全性向上のため、食品事業者団体と連携し、有害化学物質※を低減するための考え方や対策例を整理した事業者向け手引を公表（令和2(2020)年10月）

※　3-MCPD脂肪酸エステル類、グリシドール脂肪酸エステル類

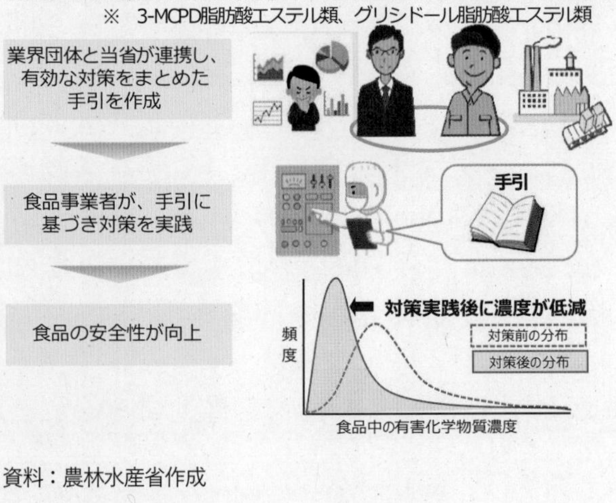

資料：農林水産省作成

---

1 アスペルギルス属の一部が産生するかび毒の総称で、ヒトの肝臓に強い発がん性を持つ。主に子実とうもろこし、落花生、ナッツ類、乾燥果実、香辛料類の汚染が知られている。

2 主に赤かび病菌の一部が産生するトリコテセン骨格という構造を持つかび毒の総称で、下痢、嘔吐、腹痛等の急性毒性のほか、体重抑制、免疫低下等の慢性毒性を持つ。主に麦類や子実とうもろこしの汚染が知られている。

3 主に麦角菌が産生するかび毒の総称。麦角菌は主にイネ科植物に感染し、穀粒に「麦角」と呼ばれる黒い角状の固まりを形成する。麦角中には麦角アルカロイド類が含まれており、麦角が穀粒に混入することで食品が汚染される。

サルモネラ[1]、ノロウイルス[2]等について、農畜水産物や食品中の含有実態調査を行いました。

さらに、食品の安全性を向上させるための措置として、野菜類の生産段階における衛生上の注意点をまとめた「栽培から出荷までの野菜の衛生管理指針」の改訂試行版(試行第2版)を公表し、生産現場からの意見を収集するとともに、現場での取組を推進しました。

このほか、食品中の 3-MCPD 脂肪酸エステル類やグリシドール脂肪酸エステル類について、国内関係団体と連携し、食品製造事業者が自主的に行う低減の取組を支援するため、低減のための考え方や対策例を整理した手引を作成しました(**図表 1-7-1**)。

なお、食品安全に関する国際基準や規範の策定に貢献するため、これらの取組により得た科学的知見やデータをコーデックス委員会[3]や関連の国際機関へ提供しています(**図表 1-7-2**)。

農林水産省は、食品安全に関する情報の発信にも積極的に取り組んでいます。令和 2(2020)年度は、新型コロナウイルス感染症の影響により新しい生活様式が求められる中、家庭で調理や食品の保存を行う際、飲食店から料理をテイクアウトする際の注意点、毒キノコ・山菜・ノロウイルス等、季節性の高い食中毒の防止について、Web サイトに掲載するとともに、SNS、動画等を活用して注意喚起を行いました。

図表 1-7-2　食品安全に関するリスク管理の流れ

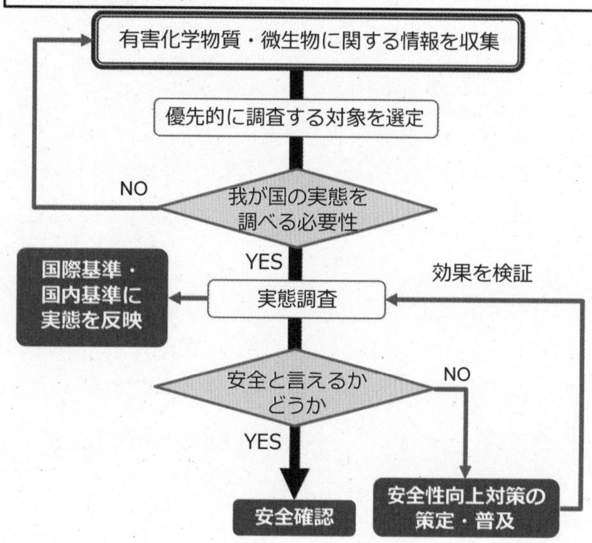

資料：農林水産省作成

(輸入食品等の安全性確保のために検査体制を強化)

食品等の輸入については、厚生労働省がその重点的、効率的かつ効果的な監視指導の実施を推進しています。輸入食品等の一層の安全性を確保することを目的として、毎年度、食品衛生法に基づき、輸入食品監視指導計画が定められています。同計画では、輸出国における生産等の段階から輸入後の国内流通の段階に至るまで、監視や検査を行うこと等が定められています。

厚生労働省の検疫所への輸入食品等の届出件数は、平成元(1989)年の 68.2 万件から大きく増加し、令和元(2019)年には 254.5 万件となっています(**図表 1-7-3**)。

輸入食品等の検査件数も近年は増加傾向にあり、令和元(2019)年には 21.7 万件となりました。このような中、近年の違反件数は 760～860 件程度となっています。

引き続き、輸入食品監視指導計画に基づき、輸入食品等の安全性の確保に取り組んでいきます。

1 食中毒の原因細菌の一つ。加熱不足の卵・肉・魚料理等が主な原因となっている。
2 食中毒の原因ウイルスの一つ。ノロウイルスによる食中毒は、食中毒事件の中で患者数が最も多く、主な原因食品は食品製造者・調理従事者を介してウイルスに汚染された食品である。そのほか、二枚貝も原因食品の一つとなっている。
3 用語の解説 3(1)を参照

図表 1-7-3　輸入届出件数と輸入食品等検査率等の推移

	平成元年(1989)	7(1995)	12(2000)	17(2005)	22(2010)	27(2015)	28(2016)	29(2017)	30(2018)	令和元(2019)
届出件数(万件)	68.2	105.2	155.1	186.4	200.1	225.5	233.9	243.0	248.3	254.5
検査件数(万件)	12.3	14.1	11.2	18.9	24.7	19.6	19.6	20.0	20.7	21.7
検査率(%)	18.1	13.4	7.2	10.2	12.3	8.7	8.4	8.2	8.3	8.5
違反件数(件)	956	948	1,037	935	1,376	858	773	821	780	763

資料：厚生労働省「輸入食品監視統計」を基に農林水産省作成
注：1) 検査件数は行政検査、登録検査機関検査、外国公的機関検査の合計から重複を除いた数値
2) 検査率は輸入届出件数に対する検査実施数の割合
3) 平成元(1989)～18(2006)年までは年次、平成19(2007)年以降は年度

(動物分野における薬剤耐性対策を推進)

抗菌剤の不適切な使用により、抗菌剤が効かない細菌(薬剤耐性菌)が増加し、家畜の治療を難しくしたり、畜産物等を介して人に伝播して健康に影響を及ぼしたりすることがないよう、農林水産省では、家畜における薬剤耐性菌の全国的な動向調査や抗菌剤の使用を真に必要な場合に限定する「慎重使用」等の薬剤耐性対策を進めてきました(**図表 1-7-4**)。さらに、平成28(2016)年4月に、関係閣僚会議において、省庁横断的に取り組むべき対策として取りまとめられた「薬剤耐性(AMR)対策アクションプラン」に基づき、農林水産省では、薬剤耐性菌の動向調査の強化、抗菌剤の飼料添加物としての指定の取消し[1]等を進めました。

令和2(2020)年度には、医療分野と連携したシンポジウムの開催や大学における講義において、獣医師、家畜の飼養者、獣医系大学生等への抗菌剤の慎重使用に関する普及啓発の実施に加え、家畜、養殖魚及び愛玩動物における薬剤耐性の全国的な動向調査等を行いました。

[1] コリスチン、リン酸タイロシン、テトラサイクリン系等9種類の抗菌剤の飼料添加物としての指定を取消し、使用を禁止

図表 1-7-4 薬剤耐性の考え方

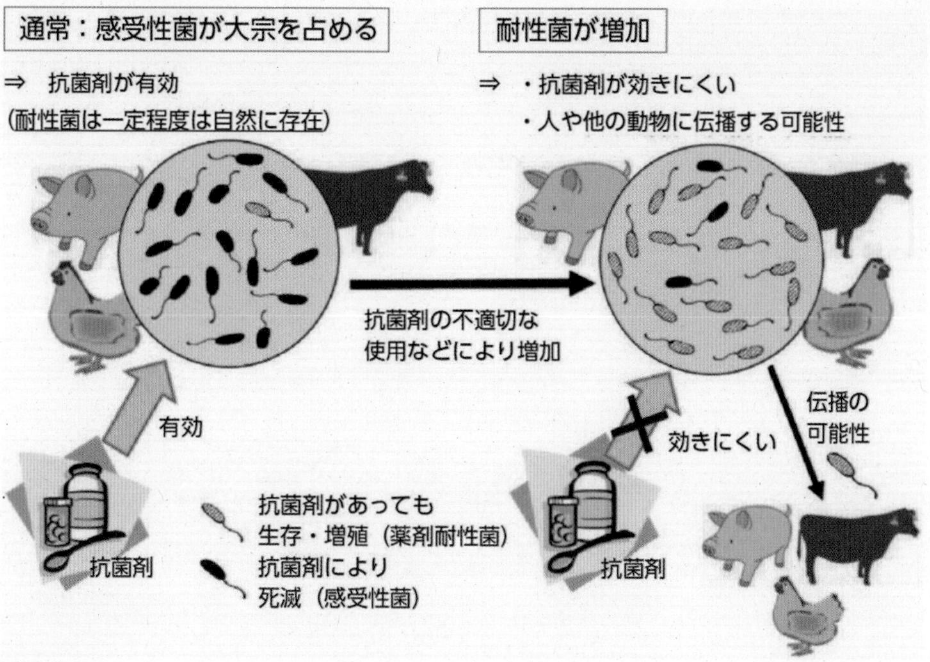

資料：農林水産省作成

(2) 食品表示情報の充実や適切な表示等を通じた食品に対する消費者の信頼の確保

(米の表示に係る食品表示基準の改正)

令和 2(2020)年 7 月に閣議決定した規制改革実施計画において、「農産物検査規格の見直し」が対象とされ、農産物検査を要件とする玄米及び精米に係る食品表示制度の見直しを行うこととされました。

これまでは、農産物検査による証明を受けている場合のみ、産地、品種及び産年の表示が可能でしたが、令和 3(2021)年 3 月、産地、品種及び産年の根拠を示す資料の保管を要件とすることにより、農産物検査による証明を受けていない場合であっても、産地、品種及び産年の表示を可能とするよう、消費者庁において食品表示基準の改正が行われました(**図表 1-7-5**)。

また、農産物検査証明によるなど表示事項の根拠を確認した方法の表示を可能とするとともに、生産者名等、消費者が食品を選択する上で適切な情報を、名称、原料玄米や内容量等を表示する一括表示枠内へ表示できるよう改正されました。

今回の食品表示基準の改正は、令和 3(2021)年 7 月に施行することとしており、それ以降に販売される玄米や精米から新たな表示が可能となります。

図表 1-7-5　食品表示基準改正後の玄米及び精米の食品表示例

＜農産物検査による証明があるもの＞

名　称	精　米		
原料玄米	産　地	品　種	産　年
	単一原料米 新潟県	コシヒカリ	2021年
内容量	○kg		

名　称	精　米		
原料玄米	産　地	品　種	産　年
	単一原料米 新潟県 農産物検査証明による（※）	コシヒカリ	2021年
内容量	○kg		

＜農産物検査による証明がないもの＞

名　称	精　米			
原料玄米	産　地	品　種	産　年	使用割合
	未検査米 国内産			10割
内容量	○kg			

名　称	精　米		
原料玄米	産　地	品　種	産　年
	単一原料米 新潟県 ○○ライス（生産者名）確認による（※）	コシヒカリ	2021年
内容量	○kg		

※　表示事項の根拠となる情報の確認方法は任意表示

資料：消費者庁資料を基に農林水産省作成

（原料原産地表示の義務化に対応するための取組を推進）

平成 29(2017)年に改正された食品表示基準により、それまで一部の加工食品のみに義務付けられていた原料原産地表示について、国内で製造された全ての加工食品を対象に、重量割合１位の原材料の原産地を原則として国別重量順で表示する新たな制度が始まっています。

令和 4(2022)年 3 月までは経過措置期間となっているため、農林水産省では、食品関連事業者が原料原産地表示制度に確実に対応できるよう、制度の概要や対応のポイントをまとめた「新しい原料原産地表示制度～事業者向け活用マニュアル～」を Web サイト上に掲載するとともに、消費者庁では消費者向けのセミナーを開催するなど、制度の周知を図っています。さらに、農林水産省では、令和 2(2020)年度には、当該マニュアルに沿って制度を解説する事業者向け動画を作成・公開し、食品関連事業者の理解促進に努めました。

第8節　動植物防疫措置の強化

食料の安定供給や農畜産業の振興を図るため、高病原性鳥インフルエンザ[1]や豚熱《ぶたねつ》[2]を始めとする家畜伝染病や植物病害虫に対し、侵入・まん延を防ぐための対応を行っています。また、近年、アフリカ豚熱[3]を始め、畜産業に甚大な影響を与える口蹄疫《こうていえき》等の越境性動物疾病が近隣のアジア諸国において継続的に発生しています。これら疾病の海外からの侵入を防ぐため、政府一丸となって取り組むことが重要です。

本節では、こうした観点から、動植物防疫措置の強化等に関わる様々な取組を紹介します。

（鳥インフルエンザの感染拡大防止対策の強化）

令和2(2020)年11月、香川県で約3年ぶりとなる高病原性鳥インフルエンザが発生し、令和3(2021)年3月末時点で18県[4]の農場において52例の発生が確認されています(**図表1-8-1**)。農林水産省は関係省庁や都道府県と連携し、迅速な防疫措置が実施されるよう、必要な人的・物的な支援を行いました。

また、令和2(2020)～3(2021)年シーズンは、世界的にも発生が相次ぎ、国内各地の野鳥の死体等からもウイルスが検出されるなど、環境中のウイルス濃度が高く、全国的に発生リスクが高いと考えられることに加えて、各発生事例について実施した疫学調査によれば、飼養衛生管理の不備によりウイルスが侵入した可能性が指摘されました。

このため、農林水産省から全国の都道府県に対して、発生状況等に応じて、飼養衛生管理基準の遵守指導の徹底等を通知するとともに、各都道府県を通じて、飼養衛生管理の全国一斉点検、全国一斉の緊急消毒、緊急的な防疫演習等の取組を実施しました。また、今シーズンの渡り鳥の飛来状況やウイルスの特徴を記載したリーフレットの作成等、分かりやすい情報の発信を行いました。

なお、我が国の現状において、家きんの肉や卵を食べることにより、ヒトが鳥インフルエンザウイルスに感染する可能性はないと考えています。

---

1 用語の解説3(1)を参照
2 用語の解説3(1)を参照
3 用語の解説3(1)を参照
4 香川県、福岡県、兵庫県、宮崎県、奈良県、広島県、大分県、和歌山県、岡山県、滋賀県、高知県、徳島県、千葉県、岐阜県、鹿児島県、富山県、茨城県及び栃木県

図表1-8-1　鳥インフルエンザの発生場所

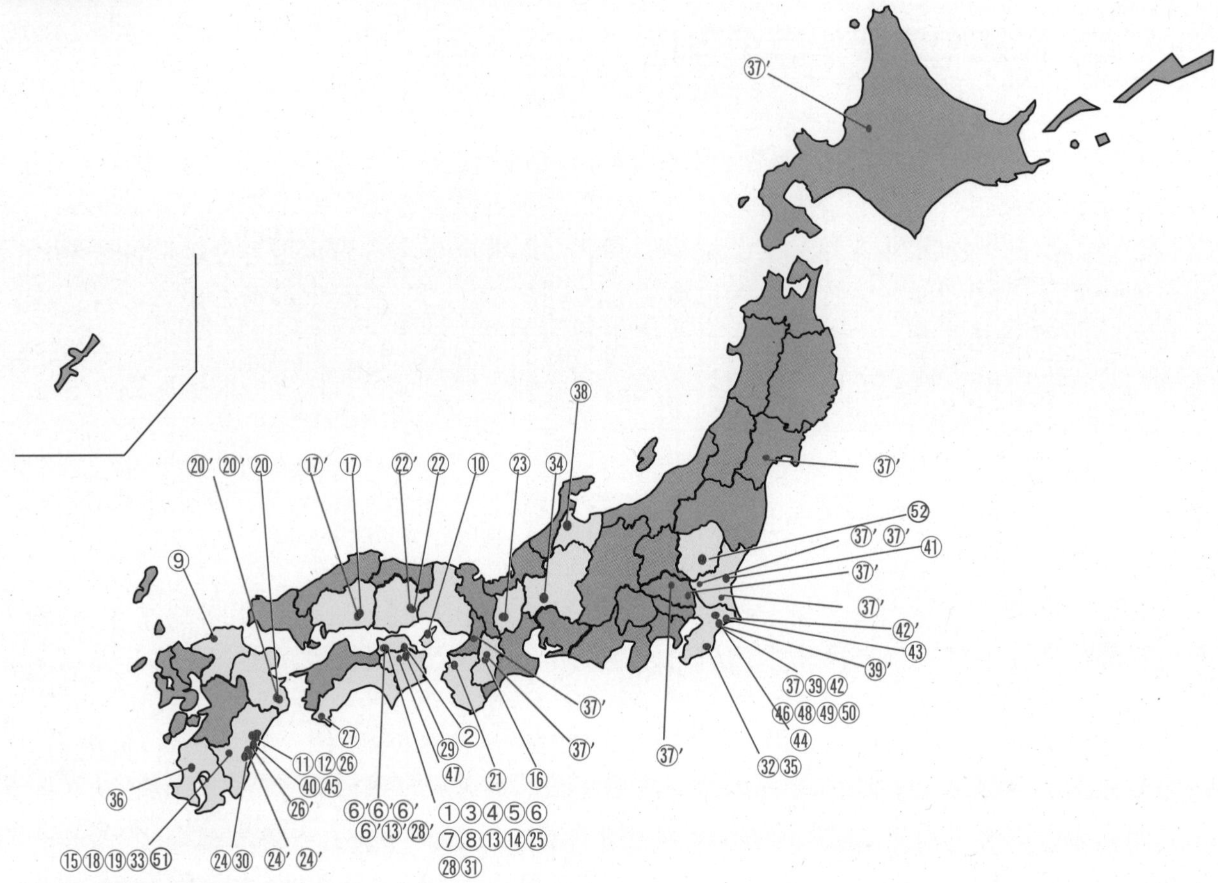

資料：農林水産省作成
注：1）令和3(2021)年3月末時点
2）数字は発生の順を示す。赤字数字は家きんでの発生農場。赤字数字と同じ数字の青字数字は発生農場からの家きんの移動等から疑似患畜と判定し殺処分を行った農場等

令和2(2020)年度の渡り鳥の飛来状況やウイルスの特徴を記載したリーフレット
資料：農林水産省作成

(豚熱の感染拡大防止対策の強化)

平成 30(2018)年 9 月、岐阜県で我が国において 26 年ぶりとなる豚熱が発生し、令和 3(2021)年 3 月末時点で、12 県[1]の豚又はイノシシ(以下「豚等」という。)の飼養農場において 63 例の発生が確認されています(**図表 1-8-2、図表 1-8-3**)。

また、野生イノシシにも豚熱ウイルスが浸潤し、令和 3(2021)年 3 月末時点で、24 都府県[2]にまで感染区域が拡大しており、豚等及び野生イノシシにおける感染拡大防止とその後の清浄化が急務となっています。

図表 1-8-2 豚熱の発生経過

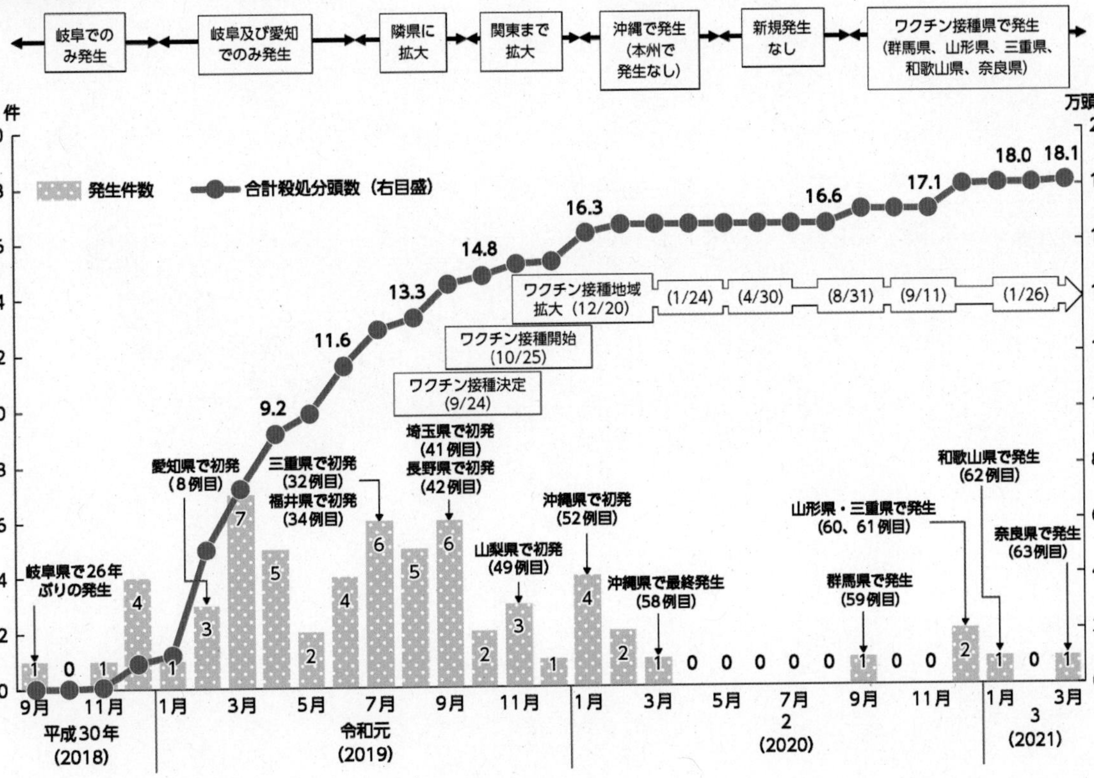

資料：農林水産省作成
注：令和 3(2021)年 3 月末時点

[1] 岐阜県、愛知県、長野県、三重県、福井県、埼玉県、山梨県、沖縄県、群馬県、山形県、和歌山県及び奈良県

[2] 岐阜県、愛知県、三重県、福井県、長野県、富山県、石川県、滋賀県、埼玉県、群馬県、静岡県、山梨県、新潟県、京都府、神奈川県、茨城県、東京都、福島県、奈良県、大阪府、和歌山県、栃木県、山形県及び兵庫県

図表 1-8-3 豚熱の発生場所

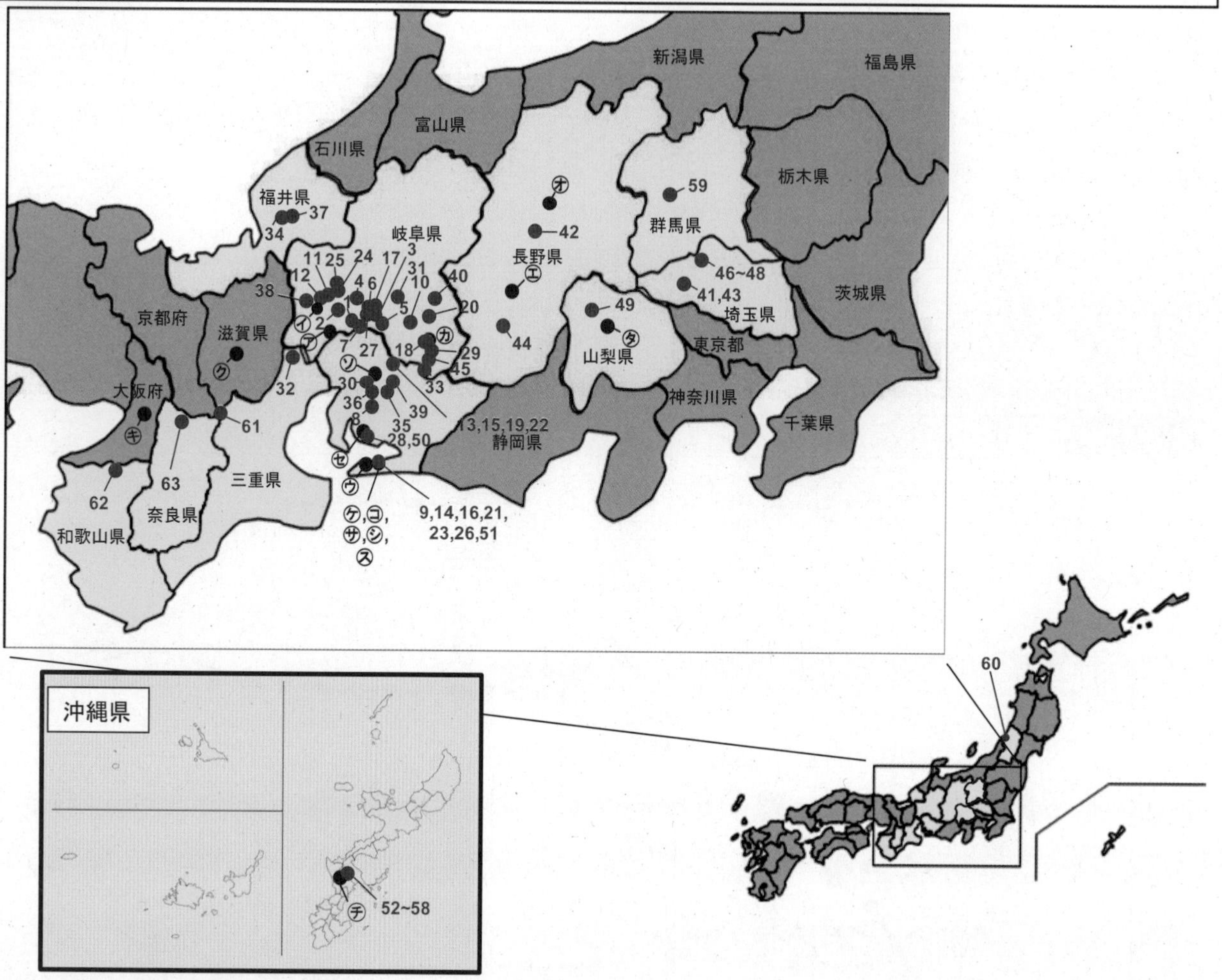

資料：農林水産省作成
注：1) 令和 3(2021)年 3 月末時点
2) 数字は発生の順を示す。数字は飼養豚での発生農場。カタカナは発生農場からの豚の移動等から疑似患畜と判定し殺処分を行った農場等

今般の豚熱の感染経路については、豚熱に感染した野生イノシシ由来のウイルスを人、車両又は野生動物が農場内に持ち込んだ事例が多いとされており、関係省庁、地方公共団体等が連携して、野生イノシシの捕獲を強化するとともに、空中散布も含めた経口ワクチンの散布等による野生イノシシ対策を推進しています。

また、農林水産省は、令和元(2019)年 10 月に、豚熱に関する特定家畜伝染病防疫指針を改訂し、同指針に基づき、12 県[1]をワクチン接種推奨地域に指定しました。その後も、野生イノシシにおける感染確認状況を踏まえ、随時、ワクチン接種推奨地域の見直しを行い、18 都府県[2]を追加し、合計 30 都府県をワクチン接種推奨地域に指定しました。ワクチン接種推奨地域については、野生イノシシにおける感染状況を踏まえつつ、定期的に見直しを行います。

さらに、豚熱の豚等への感染リスクの低減を図るためには、飼養衛生管理基準の遵守が極めて重要です。農場ごとの飼養衛生管理に係るマニュアル策定や野生動物侵入防止対策

1 岐阜県、愛知県、三重県、福井県、長野県、富山県、石川県、滋賀県、群馬県、埼玉県、山梨県及び静岡県
2 新潟県、栃木県、茨城県、千葉県、東京都、神奈川県、京都府、奈良県、沖縄県、兵庫県、大阪府、和歌山県、福島県、宮城県、山形県、秋田県、鳥取県及び岡山県

の義務付け、エコフィード[1]の加熱基準の厳格化等を内容とする飼養衛生管理基準の改正を行いました。このほか、農林水産省や地方公共団体は、豚熱が豚等の病気であってヒトに感染することはなく、仮に豚熱に感染した豚等の肉を食べても人体に影響がないことを周知しています。今後は、これまでの国内防疫を継続するとともに、国内マーカーワクチンの開発に取り組むなど、将来的な OIE[2](国際獣疫事務局)の「清浄国」ステータス[3]の再認定を目指すこととしています。

(アフリカ豚熱等の越境性動物疾病の侵入防止を強化)

近隣のアジア諸国においては、アフリカ豚熱を始め、畜産業に甚大な影響を与える口蹄疫《こうていえき》や高病原性鳥インフルエンザといった越境性動物疾病[4]が継続的に発生しています。

これら疾病の海外からの侵入を防ぐため、農林水産省では、関係省庁と連携しながら水際検疫を徹底しています。令和 2(2020)年7月には、家畜伝染病予防法の一部を改正する法律が施行され、畜産物の輸出入検疫に係る家畜防疫官の質問・検査権限や廃棄権限、罰則の強化等を図るとともに、家畜防疫官の増員、検疫探知犬の増頭により検疫体制を強化しました。

動植物検疫探知犬

旅行者へ輸入禁止品を周知するポスター
(左：英語、右：中国語)

(輸入エビの急性肝膵臓壊死症が国内で初めて発生)

令和 2(2020)年 10 月に沖縄県において、我が国で初めて急性肝膵臓壊死症[5](AHPND)の発生が、また、令和 3(2021)年3月には広島県で2例目となる発生がいずれも輸入されたバナメイエビの種苗で確認されました。本疾病は、持続的養殖生産確保法に基づく特定疾病であり、沖縄県及び広島県は同法に基づき、速やかに養殖場のバナメイエビの処分、水槽の消毒等のまん延防止措置を行いました。農林水産省は、沖縄県、広島県等関係機関と連携して本疾病の防疫措置を徹底するとともに、他の都道府県や関係者に対し輸入防疫対象疾病の発生防止について注意喚起を行いました。

---

1 用語の解説 3(1)を参照
2 用語の解説 3(2)を参照
3 OIE が、特定疾病の清浄性に係る状況を加盟国・地域の申請に応じ、専門家が評価した上で OIE 総会において採択し、清浄ステータスを公式に認定したものをいう。
4 国境を越えてまん延し、発生国の経済、貿易及び食料の安全保障に関わる重要性を持ち、その防疫には多国間の協力が必要となる疾病
5 特殊な毒素タンパク質を産生するビブリオ細菌が原因で発生する疾病で、死亡率が非常に高いことが特徴である。持続的養殖生産確保法で定める特定疾病であり、感受性種は、バナメイエビ(シロアシエビ)、ウシエビ、コウライエビ及びクルマエビ

(植物病害虫の侵入・まん延防止の取組)

農産物の生産に被害を及ぼす病害虫の侵入を効果的かつ効率的に防止するため、農林水産省では、海外での発生情報等を踏まえ、病害虫の侵入・まん延の可能性や、まん延した場合に農業生産に与える経済的被害について評価し、適切な検疫措置を検討する病害虫リスクアナリシスを行うとともに、その結果に基づいて侵入を警戒すべき病害虫の見直しや検疫措置の見直し等を実施しています。

また、病害虫の国内への侵入を防止するため、植物防疫所では、空港・港等において、量や商用・個人用を問わず、貨物、携帯品、郵便物等により輸入される全ての植物やその容器包装を対象に検疫を行っています。さらに、国内での病害虫のまん延を防ぐため、侵入警戒調査や、侵入病害虫に対する緊急防除等の取組を進めています。

国内で既に発生している病害虫についても、急激なまん延による我が国農業への被害を防止するため、病害虫の発生予測や発生予測に基づく的確な防除対策を推進しているところです。

令和2(2020)年6月以降、鹿児島県等において、かんきつ類の重要害虫であるミカンコミバエ種群の誘殺が相次ぎました。これを受けて農林水産省は県と連携し、初動防除として雄成虫を誘引して殺虫する誘殺板を設置するとともに、本虫に寄生された果実が確認された地域では、寄主植物の除去やヘリコプターによる誘殺板の散布(航空防除)を実施し、本虫の定着防止に努めています。

ミカンコミバエ(成虫)

誘殺板

第9節 食料供給のリスクを見据えた総合的な食料安全保障の確立

世界の食料需給は、人口の増加や経済発展に伴う畜産物等の需要増加が進む一方、気候変動による農作物の生産可能地域の変化、家畜の伝染性疾病・植物病害虫の発生等が食料生産に影響を及ぼす可能性があり、中長期的に逼迫《ひっぱく》も懸念されます。このような世界の食料需給を踏まえ、我が国の食料の安定供給は、国内の農業生産の増大を図ることを基本とし、これに輸入及び備蓄を適切に組み合わせることにより確保することが必要です。

本節では、こうした観点から、不測の事態に備えたリスク分析、国際的な食料需給の把握・分析、輸入穀物等の安定的な確保、国際協力の推進等、食料安全保障[1]に関わる様々な取組を紹介します。

(1) 不測時に備えた平素からの取組

(不測の事態に備えてリスク分析等を実施)

世界の人口増加等による食料需要の増大や異常気象による生産減少等、我が国の食料の安定供給に影響を及ぼす可能性のあるリスクは顕在化しており、さらに、自然災害や輸送障害、新型コロナウイルス感染症等のリスクも存在しています。

このため、農林水産省は、不測の事態に備え、平素から食料供給に係るリスクの分析等を行うとともに、我が国の食料の安定供給への影響を軽減するための対応策を検討、実施することにより、総合的な食料安全保障の確立を図ることとしています。

令和2(2020)年度は、(1)大規模自然災害や異常気象、(2)家畜の伝染性疾病、(3)新型コロナウイルスのような新たな感染症の三つの事象について、食料の安定供給に係るリスク分析・評価を実施しました。地球温暖化等の気候変動のリスクについては、現状評価で影響があり、将来については悪化すると見込まれると評価しました(**図表1-9-1**)。

また、国内における不作や輸入の大幅な減少等、食料の安定的な供給に影響を及ぼす不測の事態が生じた場合には、平成24(2012)年に策定した「緊急事態食料安全保障指針」に基づき国内での食料増産等の対策を講ずることとしています。令和3(2021)年1月には、新型コロナウイルス感染症の世界的な感染拡大を踏まえ、我が国の食料供給に影響を及ぼす緊急の要因(リスク)として、「感染症の流行」を追加するなど同指針を改正しました。

政府は、国内の生産量の減少や海外における不測の事態の発生による供給途絶等に備えるため、米にあっては政府備蓄米の適正備蓄水準[2]に基づき100万t程度を備蓄しています。食糧用小麦にあっては国全体として外国産食糧用小麦の需要量の2.3か月分を、飼料穀物にあってはとうもろこし等100万t程度をそれぞれ民間で備蓄しています。

---

1 用語の解説3(1)を参照
2 10年に1度の不作や、通常程度の不作が2年連続した事態にも国産米をもって対処し得る水準

図表 1-9-1　我が国の食料供給に関する国内外の主なリスク

（対象品目：米、小麦、大豆、飼料用とうもろこし、畜産物及び水産物）

国内におけるリスク

一時的・短期的に発生するリスク

生産面
- ○ 大規模自然災害や異常気象
- ○ 家畜・水産動物の伝染性疾病や植物病害虫
（国内における豚熱の発生）
- ○ 新型コロナウイルスのような新たな感染症
- ○ 食品の安全に関する事件・事故

流通面
- ○ 食品等のサプライチェーンの寸断
- ○ 新型コロナウイルスのような新たな感染症

既に顕在化しつつあるリスク

生産面
- ○ 地球温暖化等の気候変動

海外におけるリスク

一時的・短期的に発生するリスク

生産面
- ○ 大規模自然災害や異常気象
- ○ 家畜・水産動物の伝染性疾病や植物病害虫
（中国におけるアフリカ豚熱の発生）
- ○ 新型コロナウイルスのような新たな感染症
- ○ 食品の安全に関する事件・事故

流通面
- ○ 港湾等での輸送障害
- ○ 輸出国*等における紛争・政情不安・テロ
- ○ 輸出国における輸出規制
- ○ 輸出国-輸入国*間等の貿易上の障害の発生
- ○ 為替変動
- ○ 石油等の燃料の供給不足
- ○ 新型コロナウイルスのような新たな感染症

既に顕在化しつつあるリスク

生産面
- ○ 地球温暖化等の気候変動
- ○ 肥料（養殖用飼料）需給のひっ迫
- ○ 遺伝資源の入手困難
- ○ 水需給のひっ迫
- ○ 単収の伸び率の鈍化
- ○ 水産資源の変動

需要面
- ○ 人口増加に伴う食料需要増加
- ○ バイオ燃料向け需要の増加
- ○ 新興国との輸入の競合

資料：農林水産省作成
注：1) (*)海外におけるリスクの「輸出国」及び「輸入国」は、世界の穀物等の貿易における主要輸出国及び主要輸入国をいう。
2) 着色箇所は令和 2(2020)年度「食料の安定供給に係るリスク分析・評価」で分析対象としたリスク

(2) 国際的な食料需給の把握、分析

(2020/21 年度における穀物の生産量、消費量は前年度に比べて増加)

2020/21 年度における世界の穀物全体の生産量は、小麦、とうもろこし、米が共に増加することから、前年度に比べて 0.5 億 t(2.0%)増加の 27.3 億 t となり、３年連続で増加する見込みです(**図表 1-9-2**)。

また、消費量は、開発途上国の人口増加、所得水準の向上等に伴い、近年一貫して増加傾向で推移しており、前年度に比べて 0.7 億 t(2.5%)増加の 27.4 億 t となる見込みです。

この結果、期末在庫量は前年度から 0.1 億 t の減少となり、期末在庫率は 29.1%と前年度(30.3%)を下回る見込みです。

図表 1-9-2 世界全体の穀物生産量、消費量、期末在庫率

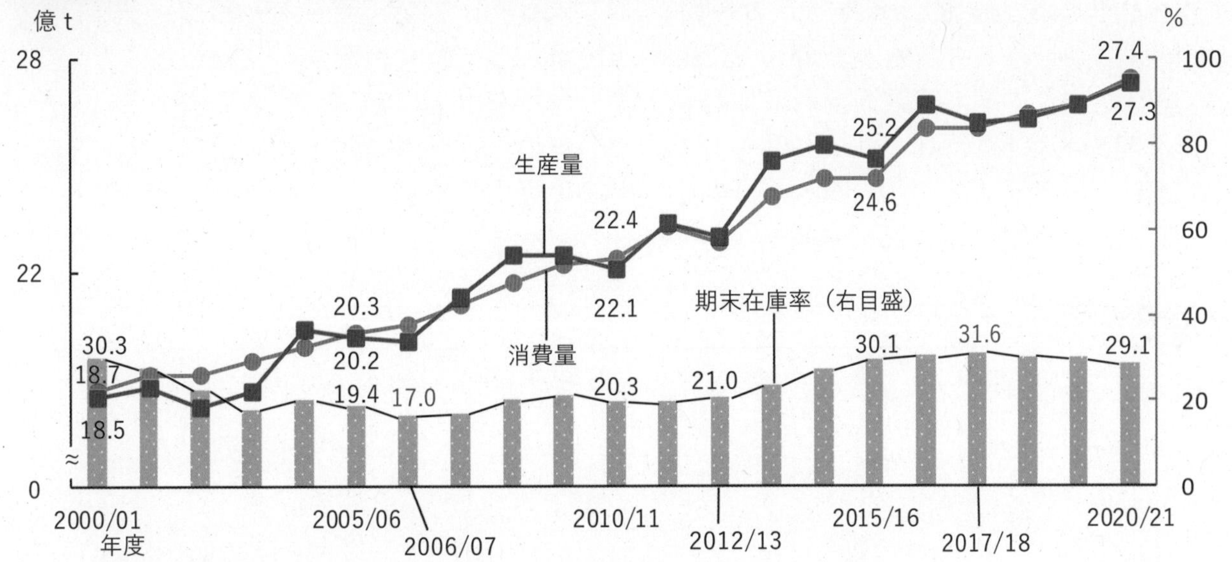

資料：米国農務省「PS&D」、「World Agricultural Supply and Demand Estimates」を基に農林水産省作成
注：1) 穀物は、小麦、粗粒穀物(とうもろこし、大麦等)、米(精米)の合計
2) 期末在庫率＝期末在庫量÷消費量×100
3) 令和 3(2021)年 3 月時点

2020/21 年度における世界の穀物等の生産量を品目別に見ると、小麦は、EU、ウクライナ等で減少するものの、豪州、ロシア等で増加することから、前年度に比べて 1.7%増加し、7.8 億 t となる見込みです(**図表 1-9-3**)。

とうもろこしは、米国、ブラジル等で増加することから、前年度に比べて 1.8%増加し、11.4 億 t となる見込みです。

米は、インド等で増加することから、前年度に比べて 1.3%増加し、5.0 億 t となる見込みです。

大豆は、米国、ブラジル等で増加することから、前年度に比べて 6.7%増加し、3.6 億 t となる見込みです。

また、小麦、とうもろこし、米、大豆の期末在庫率は、前年度に比べて低下し、それぞれ 38.8%、25.0%、35.2%、22.6%となる見込みです。

図表 1-9-3 世界全体の穀物等の生産量、消費量、期末在庫率(2020/21 年度)

（単位：百万 t ）

品目	生産量		消費量		期末在庫量		期末在庫率（%）	
		対前年度増減率（%）		対前年度増減率（%）		対前年度増減率（%）		対前年度増減差（ポイント）
小麦	776.78	1.7	775.89	3.9	301.19	0.3	38.8	-1.4
とうもろこし	1,136.31	1.8	1,151.77	1.5	287.67	-5.1	25.0	-1.7
米	504.41	1.3	504.69	1.7	177.83	-0.2	35.2	-0.7
大豆	361.82	6.7	371.31	4.1	83.74	-12.8	22.6	-4.4

資料：米国農務省「World Agricultural Supply and Demand Estimates」を基に農林水産省作成
注：令和 3(2021)年 3 月時点

穀物等の国際価格については、とうもろこし、大豆が史上最高値を記録した平成24(2012)年以降、世界的な豊作等から穀物等価格は低下しました。平成29(2017)年以降は、ほぼ横ばいで推移しましたが、令和 2(2020)年後半から、南米の天候が乾燥したことによる作柄懸念や、中国の輸入需要の増加等により、大豆を中心に上昇しています。米は、平成25(2013)年以降低下しましたが、令和2(2020)年のベトナムの輸出枠の設定等により同年３月末から上昇しました。同年４月末の輸出枠の解除等で下落しましたが、依然として高止まりしています(**図表 1-9-4**)。

図表 1-9-4　穀物等の国際価格

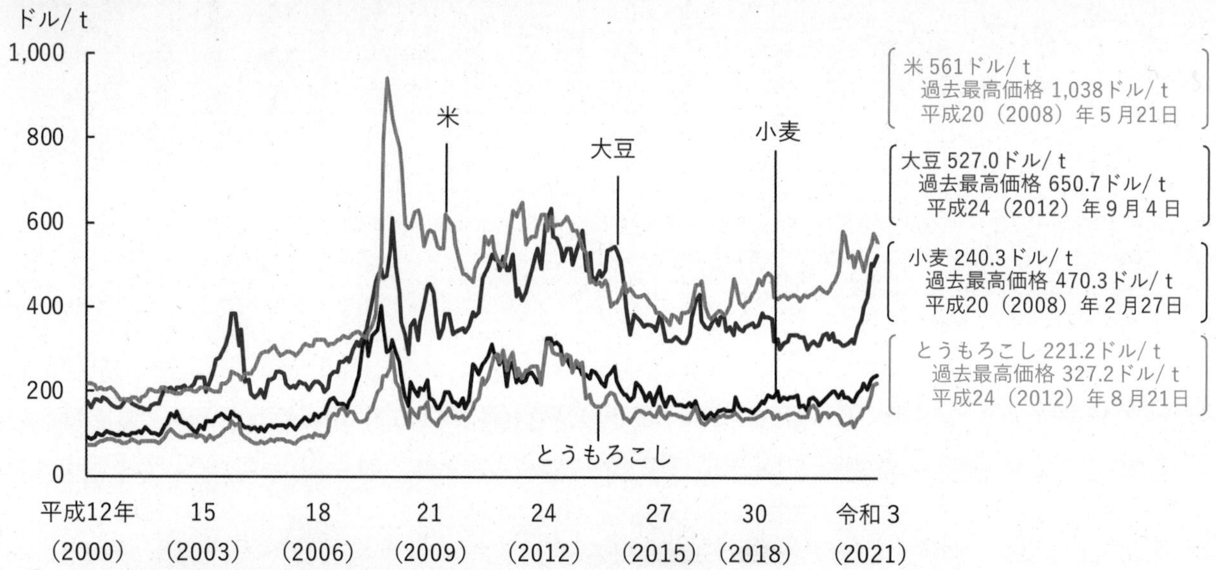

資料：シカゴ商品取引所、タイ国家貿易取引委員会のデータを基に農林水産省作成
注：1) 小麦、とうもろこし、大豆の価格は、各月ともシカゴ商品取引所の第１金曜日の期近価格
2) 米の価格は、タイ国家貿易取引委員会公表による各月第１水曜日のタイうるち精米 100% ２等の FOB 価格。FOB は FREE ON BOARD の略。国際的売買契約の約款の１つで、売主は船積港で指定の船舶に物品を積み込むまでの一切の責任と費用を持つ。
3) 令和 3(2021)年３月時点

(世界の食料需給をめぐる今後の見通し)

世界の人口は、令和 2(2020)年では 78 億人と推計されていますが、今後も開発途上国を中心に増加し、令和 32(2050)年には 97.4 億人[1]になると見通されています。

このような中、世界の穀物等の需要の伸びは、アジア・アフリカ等の総人口の継続的な増加や、緩やかな所得水準の向上等に伴う開発途上国を中心とした食用・飼料用需要の増加が続くことから、これまでの伸びに比べて緩やかではあるものの継続して増加する見込みとなっています。一方、供給面においては、主に単収の上昇によって需要の増加分を補っている状況にあります[2]。

世界の食料の需給及び貿易は、農業生産が地域や年ごとに異なる自然条件の影響を強く受け、生産量が変動しやすいことや、世界全体の生産量に比べて貿易量が少なく、輸出国の動向に影響を受けやすいこと等から、不安定な要素を有しています。

また、気候変動や大規模自然災害、豚熱《ぶたねつ》[3]等の動物疾病、新型コロナウイルス等の感染症

1 国連「World Population Prospects 2019」
2 農林水産政策研究所「2029 年における世界の食料需給見通し」(令和 2(2020)年４月公表)
3 用語の解説 3(1)を参照

の流行など、多様化するリスクを踏まえ、平素から食料の安定供給の確保に万全を期する必要があります。

(コラム) 人工衛星のデータを活用したモニタリングシステム

農林水産省では、食料の安定的輸入を確保する観点から、人工衛星による気象情報を活用し、世界の主要作物生産地域の作柄の判断に資する情報を収集・分析する取組を進めています。具体的には、作物生産に大きな影響を及ぼす気象データを Web サイト上でモニタリングするシステム(農業気象情報衛星モニタリングシステム:JASMAI)を国立研究開発法人宇宙航空研究開発機構(JAXA)と連携して構築し、世界の主要作物生産地域の気象情報の把握・活用を行っています。なお、本システムについては、令和3(2021)年1月から一般公開を行っています。

JASMAI の活用事例
<海外食料需給レポート(令和 2(2020)年 9 月)>

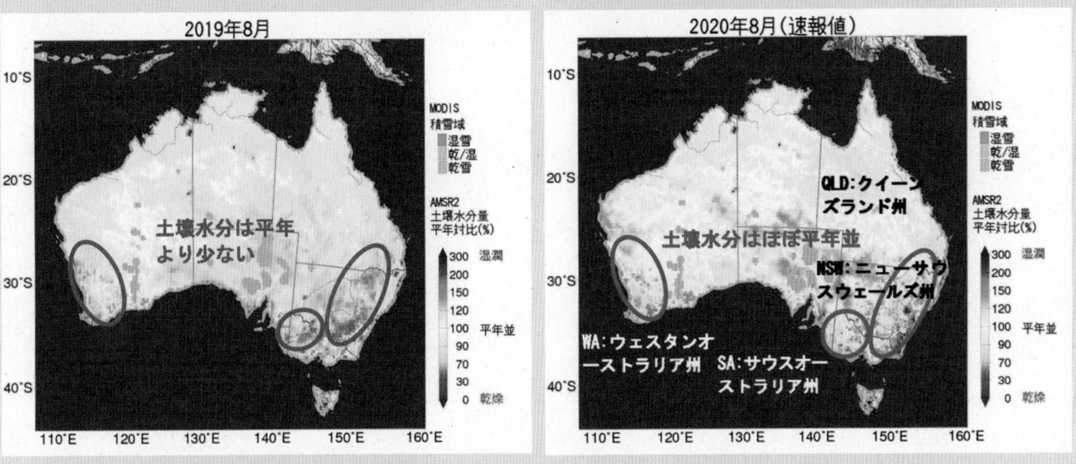

豪州の令和元(2019)年 8 月(左)と令和 2(2020)年 8 月(右)の土壌水分データ(平年対比)。○は穀物主産地

資料:農林水産省作成

(3) 輸入穀物等の安定的な確保

(我が国の主要農産物の輸入は、特定の国に依存)

令和 2(2020)年の我が国の農産物輸入額は前年比 5.8%減少の 6 兆 2,125 億円となりました。国別の輸入割合を見てみると、米国が 21.9%、次いで中国が 10.6%で、カナダ、タイ、豪州と続いています(**図表 1-9-5**)。

品目別に見ると、大豆は前年比 4.9%減少の 1,592 億円、とうもろこしは前年比 8.5%減少の 3,516 億円、牛肉は前年比 7.2%減少の 3,574 億円、豚肉は前年比 5.9%減少の 4,751 億円、鶏肉は前年比 13.6%減少の 1,173 億円、生鮮・乾燥果実はほぼ前年並の 3,469 億円となりました。一方、小麦は前年比 1.4%増加の 1,628 億円となりました。

海外からの輸入に依存している主要農産物の安定供給を確保するため、輸入相手国との良好な関係の維持・強化や関連情報の収集等を通じて、輸入の安定化や多角化を図ることが重要です。

図表 1-9-5　我が国の主要農産物の国別輸入割合

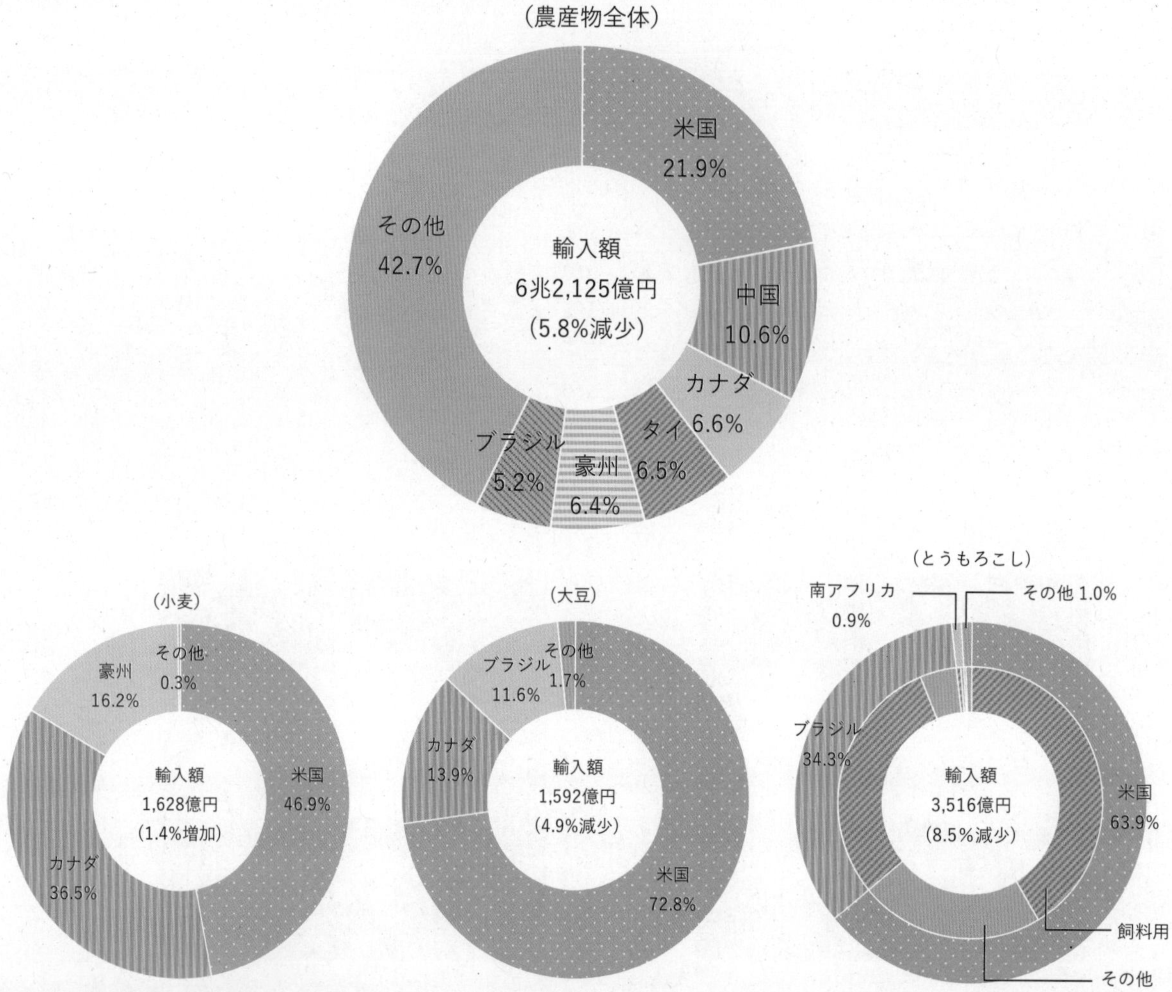

資料：財務省「貿易統計」を基に農林水産省作成
注：1）令和２(2020)年実績
　　2）円グラフ中央の(　)は前年比

図表1-9-5 我が国の主要農産物の国別輸入割合(続き)

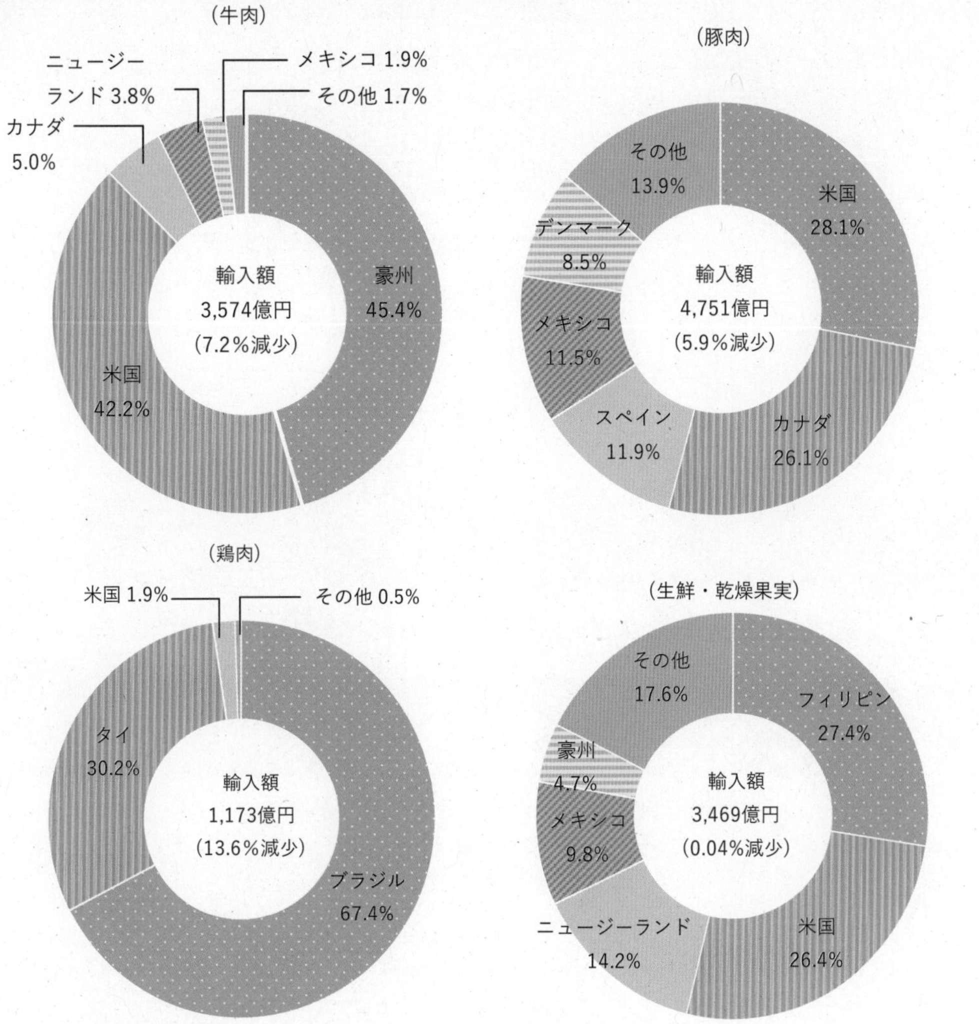

資料：財務省「貿易統計」を基に農林水産省作成
注：1) 令和2(2020)年実績
2) 円グラフ中央の( )は前年比

(4) 国際協力の推進

(世界の食料安全保障に貢献する国際協力の推進)

世界には約7億人の飢餓人口が存在する中、気候変動や令和2(2020)年以来の新型コロナウイルス感染症の拡大等のリスクが顕在化していることから、我が国は、G20等の国際的な枠組みを活用し、世界の食料安全保障に貢献すべく、国際協調を推進してきました。

令和2(2020)年9月にテレビ会議形式で開催されたG20農業・水大臣会合では、新型コロナウイルス感染症において各国が取り組むべき諸課題への対応について議論が行われました。我が国からは、新型コロナウイルス感染症の拡大により世界の課題となった、(1)食料や農業のサプライチェーンの強靭《きょうじん》化のために、「新たな日常」の中でしっかりとした農業基盤を作り上げること、(2)イノベーションやデジタル化への投資を活用して農業・食料センターの持続可能性を高めること、(3)各国が輸出規制等の措置を行わず国際的な市場の透明性と信頼性を向上させることの三つを重点事項として提案し、各国に協力を呼び掛けました。これにより、同会合では、我が国が提案した内容が反映された大臣声明も採択されました。

また、農林水産省は、FAO(国際連合食糧農業機関)を始めとする国際機関への拠出や、専門的知見を有する職員の派遣を通じ、アフリカを始めとする開発途上国における農業生産性の向上や栄養改善に取り組んでいます。令和2(2020)年度には、Africa Rice Center(アフリカ稲センター)と連携してアフリカの市場ニーズに適合した稲の品種やその栽培方法の開発を支援するとともに、Bioversity International(国際生物多様性センター)と連携して、アフリカにおいて地域農作物の栄養成分の分析を行い、地域の生活習慣や食文化に即した新たな栄養評価法の開発等に取り組みました。また、WFP(国際連合世界食糧計画)との間でも、西アフリカ地域において、小規模稲作農家の栄養に関する基礎的知識の向上と農業支援を併せて実施する事業に取り組みました。

コートジボワールの稲の試験圃場

資料：Africa Rice Center

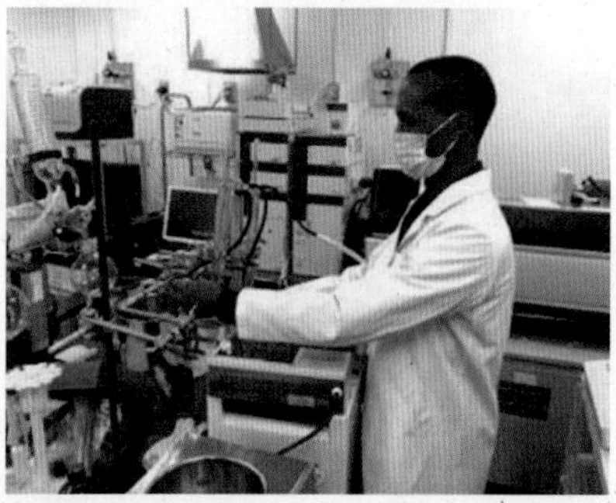

地域農作物の栄養成分や健康機能性の分析

資料：東京農業大学

さらに、東アジア地域(ASEAN[1]10か国、日本、中国及び韓国)における食料安全保障の強化と貧困の撲滅を目的とした米の備蓄制度である「ASEAN＋3緊急米備蓄」(APTERR[2])への我が国拠出事業については、令和2(2020)年6月に、新型コロナウイルス感染症の影響を受けた人々を支援対象に追加する運用の改善を行いました。これにより、新型コロナウイルス感染症が急激に拡大するミャンマーからの緊急支援要請に即応し、同年11月に30万米ドル(現地米750tに相当)の緊急米支援を実施しました。

1 用語の解説3(2)を参照

2 ASEAN Plus Three Emergency Rice Reserve の略

（コラム）食料システムを変革しSDGs達成を～国連食料システムサミット～

国連食料システムサミット2021は、SDGs[*1]を達成するための「行動の10年」の一環として、国際連合事務総長の呼びかけにより開催されることとなったものです。

7億人の栄養不足人口、20億人の肥満又は過体重、毎年10億tを超える食料ロス、温室効果ガスの排出等、世界の食料をめぐる課題が山積する中、同サミットは、食料の生産、加工、輸送及び消費に関わる一連の活動を「システム」の視点で捉えて、その持続性の確保を世界的な共通の課題として議論し、今後のあるべき姿を示そうとする各国ハイレベルによる初めての国際会議となるものです。

同サミットでは、各国が、食料をめぐる諸課題について、状況を変える突破口となるコミットメントを行うことが求められています。

我が国においても、令和2(2020)年度から、バランスの取れた食生活や農業現場の変革につながる技術への民間投資の重要性等について、幅広い国内関係者との対話を実施しているところです。

令和3(2021)年7月にはローマでプレサミットが、同年9月にはニューヨークで本サミットが開催される予定です。

これらの会合において、「みどりの食料システム戦略[*2]」を始めとする我が国の取組について積極的に情報発信し、世界の食料システムの変革に貢献していくこととしています。

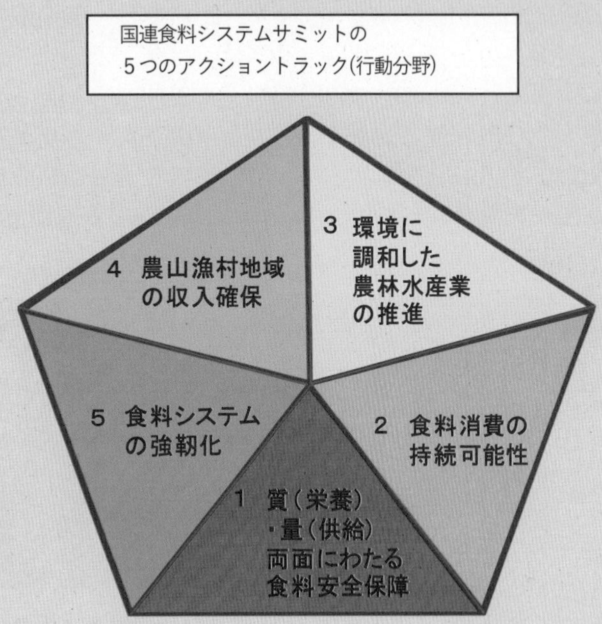

※農林水産省作成の概念図

＊1 用語の解説3(2)を参照

＊2 トピックス2を参照

(コラム) WFP(国際連合世界食糧計画)にノーベル平和賞

世界各地で飢餓の解消に向けて食料支援を実施してきた国際連合の機関「WFP(国際連合世界食糧計画)」に令和2(2020)年のノーベル平和賞が授与されました。

昭和36(1961)年に設立されたWFPは、紛争や武力衝突に加え、干ばつ、洪水、地震、ハリケーンや農作物被害等の自然災害の緊急事態が発生した際には、いち早く必要とされる場所に食料を届ける活動をしている、国際連合の人道支援機関です。毎年約80か国において、平均して8,000万人もの人々に食料を届けています。

今回の受賞は、WFPの長年にわたる取組と、令和2(2020)年以来の新型コロナウイルス感染症の拡大という厳しい情勢の中でも献身的に任務に当たってきた職員の努力が評価されたものであり、WFP関係者はもとより、世界全体の食料・農業関係者にとっても、自らの職業への誇りと今後の改善努力への勇気を与えるものになったと考えられます。

WFPは、令和12(2030)年までに世界から飢餓を一掃する目標を掲げていますが、近年、世界の飢餓人口は度重なる紛争や自然災害、新型コロナウイルス感染症に起因する社会経済的な影響で再び増加してきています。WFPは、現状のままでは飢餓を終わらせることは困難だとして、多国間連携の重要性を訴え、国際社会による人道的支援と危機解決に向けた協調を呼びかけています。

西アフリカ地域の小規模稲作農家支援を行うWFP職員

資料：WFP(国際連合世界食糧計画)

第10節　国際交渉への対応

貿易交渉においては、我が国の農林水産業が「国の基《もとい》」として発展し、将来にわたってその重要な役割を果たしていけるよう交渉を行うとともに、輸出重点品目の関税撤廃等、我が国農林水産物・食品の輸出拡大につながる交渉結果の獲得を目指していくこととしています。本節では、我が国における経済連携交渉等への対応状況について紹介します。

(EPA/FTA等の締結が進展)

特定の国・地域で貿易ルールを取り決めるEPA/FTA[1]等の締結が世界的に進み、令和3(2021)年1月時点では357件に達しています。

我が国においても、令和2(2020)年度末時点で、21のEPA/FTA等が発効済・署名済です(**図表1-10-1**)。これらの協定により、我が国は世界経済の約8割を占める巨大な市場を構築することになります。輸出先国の関税撤廃等の成果を最大限活用し、我が国の強みを活かした品目の輸出を拡大していくため、我が国農林水産業の生産基盤を強化していくとともに、新市場開拓の推進等の取組を進めることとしています。

一方、世界共通の貿易ルールづくり等が行われるWTO[2]でも、これまで数次にわたる貿易自由化交渉が行われてきました。平成13(2001)年に開始されたドーハ・ラウンド交渉においては、依然として、開発途上国と先進国の溝が埋まっていないなど、農業分野等の交渉の今後の見通しは不透明ですが、我が国としては、世界有数の食料輸入国としての立場から公平な貿易ルールの確立を目指し交渉に臨んでおり、我が国の主張が最大限反映されるよう取り組んでいます。

図表1-10-1　我が国におけるEPA／FTA等の状況

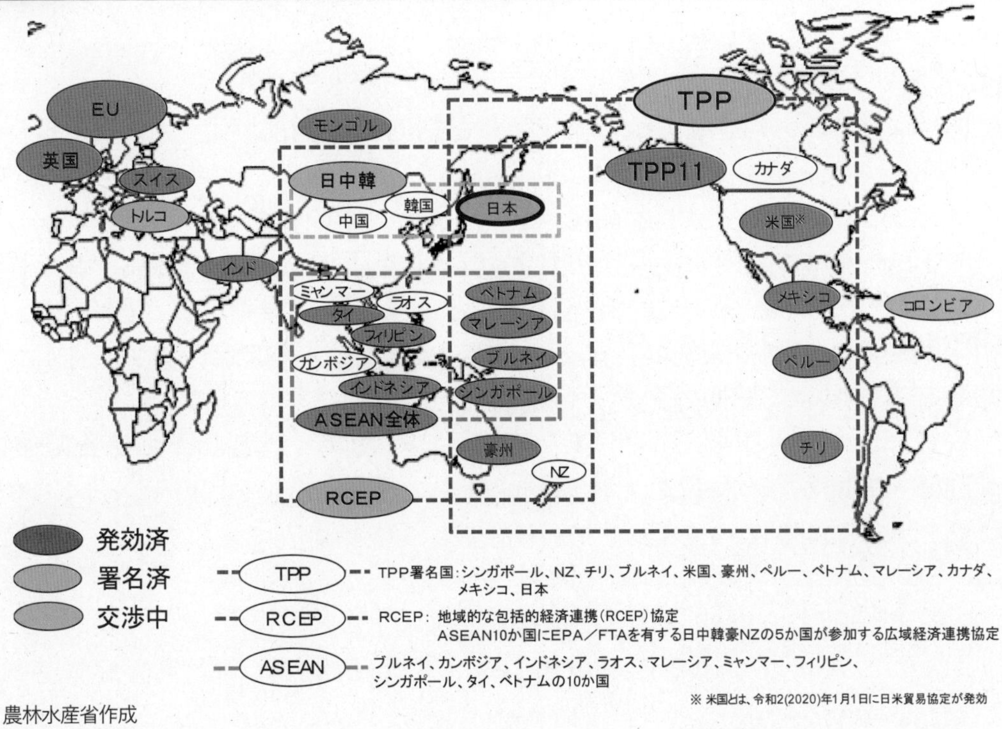

資料：農林水産省作成

---

[1] 用語の解説3(2)を参照
[2] 用語の解説3(2)を参照

(日英 EPA が発効)

我が国と英国との貿易関係については、令和 2(2020)年 1 月に英国が EU を離脱したため、移行期間が終了する令和 3(2021)年 1 月以降は日 EU・EPA が適用されなくなるという状況が生じていました。そこで、令和 2(2020)年 6 月に日英間で交渉を開始し、同年 10 月の署名及びその後の両国の国内手続を経て、令和 3(2021)年 1 月 1 日に日英包括的経済連携協定(以下「日英 EPA」という。)が発効しました。

日本側の関税については、日 EU・EPA で関税割当枠が設定されている品目について新たな英国枠を設けない[1]、日 EU・EPA でセーフガードが設定されている品目について同内容のセーフガードを措置する[2]、その他の農林水産品についても日 EU・EPA の内容を維持する[3]など、日 EU・EPA の範囲内で合意しました。また、英国側の関税についても、牛肉、茶、水産物等、主要な輸出関心品目について関税撤廃を獲得した日 EU・EPA の内容を維持しました[4]。

日英 EPA の署名式

資料：外務省

(RCEP 協定に署名)

平成 25(2013)年から交渉が開始された地域的な包括的経済連携協定(以下「RCEP 協定」という。)が、約 8 年の交渉の末、令和 2(2020)年 11 月 15 日の首脳会合において署名されました。我が国と ASEAN[5](東南アジア諸国連合)、豪州、中国、韓国、ニュージーランドの 15 か国が参加し、世界の国内総生産(GDP[6])、貿易総額及び人口の約 3 割、我が国の貿易総額のうち約 5 割を占める地域の経済連携協定となります。また、我が国にとっては、最大の貿易相手国である中国や 3 位の韓国との間での初の経済連携協定です。各国は今後、国内での承認手続等を進め、早期の発効を目指すことになります。

日本側の関税については、重要 5 品目(米、麦、牛肉・豚肉、乳製品、甘味資源作物)について関税の削減・撤廃から全て除外し、農林水産品の関税撤廃率は TPP、日 EU・EPA よりも大幅に低い水準に抑制しました。一方、各国の関税については、中国からは、ほた

[1] ソフト系チーズや一部の調製品について、日 EU・EPA で設定された関税割当の利用残が生じた場合に限り、当該利用残の範囲内で、事後的に日 EU・EPA の関税割当と同じ税率を適用
[2] 数量セーフガードについては、英国と EU からの合計輸入数量が、日 EU・EPA と同じ発動基準数量に達した場合に、英国に対して発動
[3] 協定発効時から日英双方が、相手国に対して日 EU・EPA と同じ税率を適用
[4] 協定発効時から日英双方が、相手国に対して日 EU・EPA と同じ税率を適用
[5] 用語の解説 3(2)を参照
[6] 国内において一定期間(通常 1 年間)に生産された財貨・サービスの付加価値額の総計のことで、国内の経済活動の水準を表す指標となる。GDP は、Gross Domestic Product の略

て貝等、韓国からはキャンディー、板チョコレート等、インドネシアからは牛肉等の関税の撤廃を得ることができました。ルール分野では、税関手続や衛生植物検疫(SPS)措置、知的財産権等に関し、農林水産物・食品の輸出促進に資する環境を整備しました。

RCEP 協定の署名式
資料：内閣広報室

(国際ルール形成への対応)

近年の貿易自由化の進展や、環境問題等への世界的関心の高まりの中で、引き続き、政府が必要な農業施策を実施するとともに、民間企業が輸出や海外進出に円滑に取り組む環境を確保するためには、EPA/FTA、WTO 等の貿易交渉はもとより、国際会議や国際機関での政策的議論に積極的に参画し、宣言文や行動規範(ガイドライン)等の国際ルールの形成に我が国の考え方を的確に反映させていくことが重要です。

このような中、我が国は、令和 2(2020)年度には、G20 農業・水大臣会合の副議長国やベルリン農業大臣会合の分科会議長国を務め、宣言文の取りまとめ等に貢献するなど、食料・農業分野での国際ルール形成に積極的に関与しました。また、令和 2(2020)年 11 月には農林水産省職員がアジアから初めて OECD(経済協力開発機構)の農業委員会の議長に選出されており、令和 3(2021)年 1 月からその職務を開始しました。

第2章

農業の持続的な発展

第1節　農業総産出額と生産農業所得等の動向

我が国の農業総産出額[1]と生産農業所得[2]は長期的に減少していましたが、近年はおおむね横ばいで推移しています。農業総産出額の内訳を見ると、畜産の割合が最も高く、次いで野菜、米となっています。本節では、農業総産出額や都道府県別の農業産出額、農業所得[3]等の動向について紹介します。

(農業総産出額は 8.9 兆円)

農業総産出額は、ピークであった昭和 59(1984)年から長期的に減少傾向が続いていましたが、近年、米、野菜、肉用牛等における需要に応じた生産の取組等により、平成 27(2015)年以降は増加傾向で推移しました。令和元(2019)年は、野菜、鶏卵等において、生産量の増加に伴い、価格が低下したこと等により、前年に比べ 1.8%減少の 8 兆 8,938 億円となりました（**図表 2-1-1**）。内訳を見ると、畜産の割合が最も高く 36.1%、次いで野菜が 24.2%、米が 19.6%となっています。

図表 2-1-1　農業総産出額

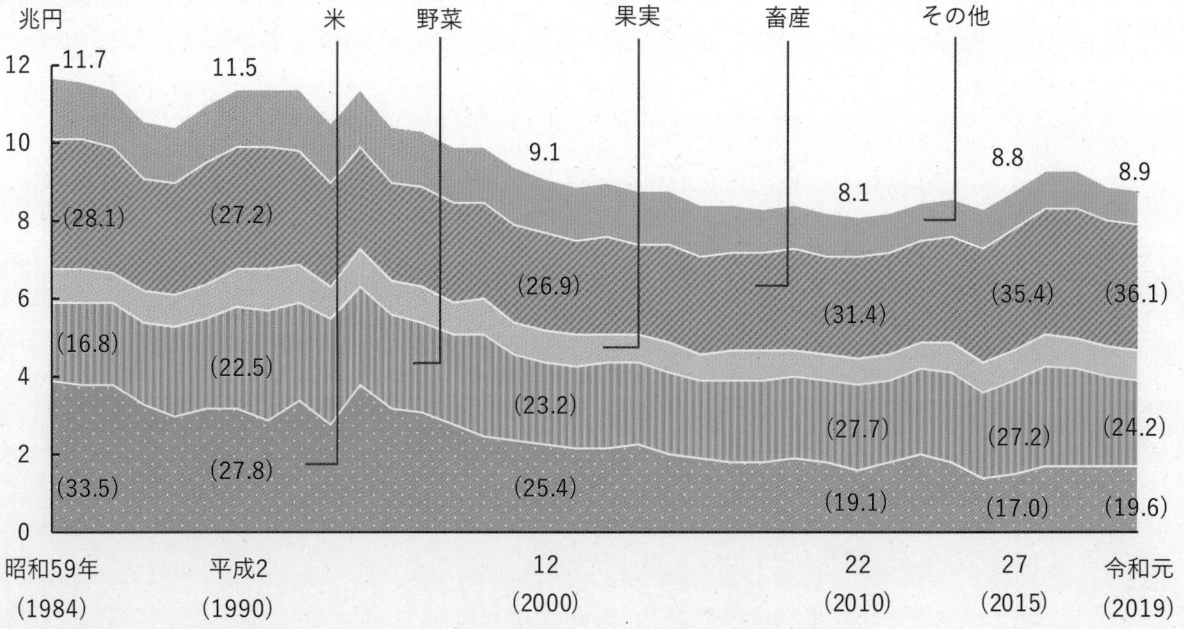

資料：農林水産省「生産農業所得統計」
注：1) その他は、麦類、雑穀、豆類、いも類、花き、工芸農作物、その他作物、加工農産物の合計
2) (　)内は、産出額に占める割合(%)

令和元(2019)年の部門別の産出額を見ると、米の産出額は、前年に比べ 0.1%増加の 1 兆 7,426 億円となり、5 年連続の増加となりました。この要因は、一部の地域で大雨や病

1 用語の解説 1 を参照
2 用語の解説 1 を参照
3 用語の解説 2(4)を参照

害虫等の影響により作柄が悪化し、全国の生産量が減少したこと等から、相対取引価格が前年に比べ上昇したこと等が寄与したものと考えられます。

野菜の産出額は、前年に比べ 7.3%減少の 2 兆 1,515 億円となりました。この要因としては、北海道でトマト、たまねぎ、にんじん等については生産量が増加し、価格が低下したことや、ねぎ、キャベツ、だいこん等の葉茎菜類や根菜類については生育が良好で低価格で推移したこと等が影響したものと考えられます。

果実の産出額は、前年に比べ 0.1%減少の 8,399 億円となりました。この要因としては、ぶどうにおいて優良品種の生産が拡大したことや、りんごにおいて生産量が減少し価格が上昇した一方で、日本なしについては自然災害等の影響で生産量が減少したこと、みかんについては天候不順等により品質が低下し価格が低く推移したこと等が影響したものと考えられます。

畜産の産出額は、前年に比べ 0.1%減少の 3 兆 2,107 億円となりました。この要因としては、生乳については牛乳・乳製品の消費が堅調に推移する中、牛乳等向け生乳の取引価格の引上げや生乳生産量が上昇したこと、肉用牛については、生産基盤の強化に伴い和牛の生産頭数が増加したことや、交雑牛において堅調な需要を背景に価格が上昇したこと等から産出額が増加した一方、鶏卵については需給緩和により価格が低水準で推移した影響から産出額が減少したこと等が影響したものと考えられます。

(都道府県別の農業産出額上位の主力部門は、畜産と野菜)

都道府県別の農業産出額を見ると、北海道が 1 兆 2,558 億円で 1 位となっており、2 位は鹿児島県で 4,890 億円、3 位は茨城県で 4,302 億円、4 位は千葉県で 3,859 億円、5 位は宮崎県で 3,396 億円となっています(**図表 2-1-2**)。

農業産出額上位 5 位の道県内で産出額が 1 位の部門を見ると、北海道、宮崎県、鹿児島県で畜産、茨城県と千葉県で野菜となっています。

図表 2-1-2 都道府県別の農業産出額

（単位：億円）

	農業産出額	順位	1位部門		2位部門		3位部門	
北海道	12,558	1 (1)	畜産	7,350	野菜	1,951	米	1,254
青森県	3,138	7 (7)	果実	914	畜産	885	野菜	642
岩手県	2,676	10 (10)	畜産	1,569	米	603	野菜	259
宮城県	1,932	18 (18)	米	839	畜産	736	野菜	265
秋田県	1,931	19 (19)	米	1,126	畜産	362	野菜	281
山形県	2,557	11 (12)	米	898	果実	719	野菜	460
福島県	2,086	15 (17)	米	814	野菜	438	畜産	435
茨城県	4,302	3 (3)	野菜	1,575	畜産	1,243	米	809
栃木県	2,859	9 (9)	畜産	1,156	野菜	784	米	671
群馬県	2,361	14 (14)	畜産	1,058	野菜	912	米	156
埼玉県	1,678	20 (20)	野菜	796	米	354	畜産	249
千葉県	3,859	4 (4)	野菜	1,305	畜産	1,248	米	689
東京都	234	47 (47)	野菜	121	花き	43	果実	35
神奈川県	655	38 (38)	野菜	333	畜産	148	果実	71
新潟県	2,494	13 (13)	米	1,501	畜産	474	野菜	317
富山県	654	39 (40)	米	452	畜産	84	野菜	56
石川県	551	43 (43)	米	299	野菜	97	畜産	91
福井県	468	44 (44)	米	309	野菜	81	畜産	44
山梨県	914	34 (34)	果実	595	野菜	110	畜産	78
長野県	2,556	12 (11)	野菜	818	果実	743	米	473
岐阜県	1,066	31 (31)	畜産	372	野菜	323	米	229
静岡県	1,979	17 (16)	野菜	607	畜産	461	果実	234
愛知県	2,949	8 (8)	野菜	1,010	畜産	813	花き	545
三重県	1,106	30 (30)	畜産	442	米	285	野菜	139
滋賀県	647	40 (41)	米	378	畜産	107	野菜	106
京都府	666	37 (37)	野菜	248	米	174	畜産	125
大阪府	320	46 (46)	野菜	136	米	72	果実	67
兵庫県	1,509	22 (21)	畜産	569	米	480	野菜	348
奈良県	403	45 (45)	米	110	野菜	104	果実	77
和歌山県	1,109	29 (29)	果実	740	野菜	144	米	76
鳥取県	761	36 (36)	畜産	286	野菜	213	米	151
島根県	612	42 (42)	畜産	252	米	193	野菜	94
岡山県	1,417	23 (23)	畜産	581	米	324	果実	249
広島県	1,168	26 (27)	畜産	467	米	247	野菜	236
山口県	629	41 (39)	米	204	畜産	178	野菜	148
徳島県	961	33 (33)	野菜	349	畜産	263	米	133
香川県	803	35 (35)	畜産	320	野菜	242	米	120
愛媛県	1,207	24 (26)	果実	527	畜産	249	野菜	190
高知県	1,117	28 (28)	野菜	715	米	112	果実	104
福岡県	2,027	16 (15)	野菜	702	畜産	389	米	376
佐賀県	1,135	27 (24)	畜産	340	野菜	335	果実	193
長崎県	1,513	21 (22)	畜産	558	野菜	453	果実	146
熊本県	3,364	6 (6)	野菜	1,220	畜産	1,148	米	368
大分県	1,195	25 (25)	畜産	444	野菜	309	米	210
宮崎県	3,396	5 (5)	畜産	2,209	野菜	661	米	172
鹿児島県	4,890	2 (2)	畜産	3,227	野菜	532	工芸農作物	299
沖縄県	977	32 (32)	畜産	459	工芸農作物	192	野菜	146

資料：農林水産省「生産農業所得統計」

注：1）令和元(2019)年の数値。(　)内は、平成30(2018)年の順位

2）農業産出額には、自都道府県で生産され農業へ再投入した中間生産物(種苗、子豚等)は含まない。

(生産農業所得は 3.3 兆円)

生産農業所得は、農業総産出額の減少や資材価格の上昇により、長期的に減少傾向が続いてきましたが、平成 27(2015)年以降は、農業総産出額の増加等により増加傾向で推移しました(**図表 2-1-3**)。

令和元(2019)年は、農業総産出額の減少等により、前年に比べ 4.8%減少の 3 兆 3,215 億円となりました。

図表 2-1-3 生産農業所得

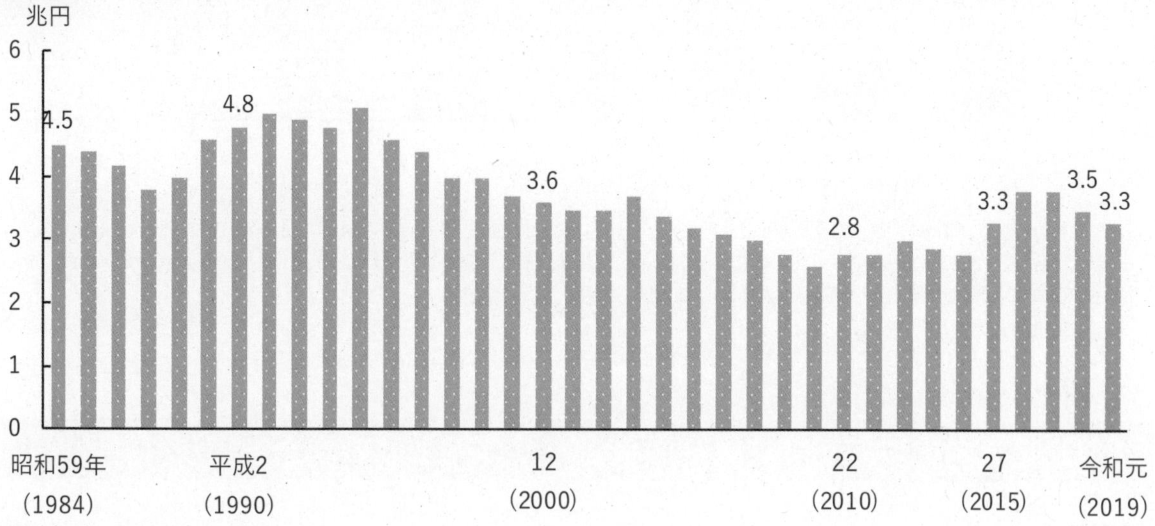

資料：農林水産省「生産農業所得統計」

(1 経営体当たりの農業所得は 194 万円)

1 経営体当たりの農業粗収益は、平成 29(2017)年以降横ばいで推移しており、令和元(2019)年の農業粗収益は前年に比べ 0.9%増加の 892 万円となりました(**図表 2-1-4**)。農業経営費は前年に比べ 1.7%増加の 697 万 9 千円となり、農業所得は、農業経営費が増加したことから、前年に比べ 1.7%減少の 194 万 1 千円となっています。

図表 2-1-4 1農業経営体当たりの農業経営収支

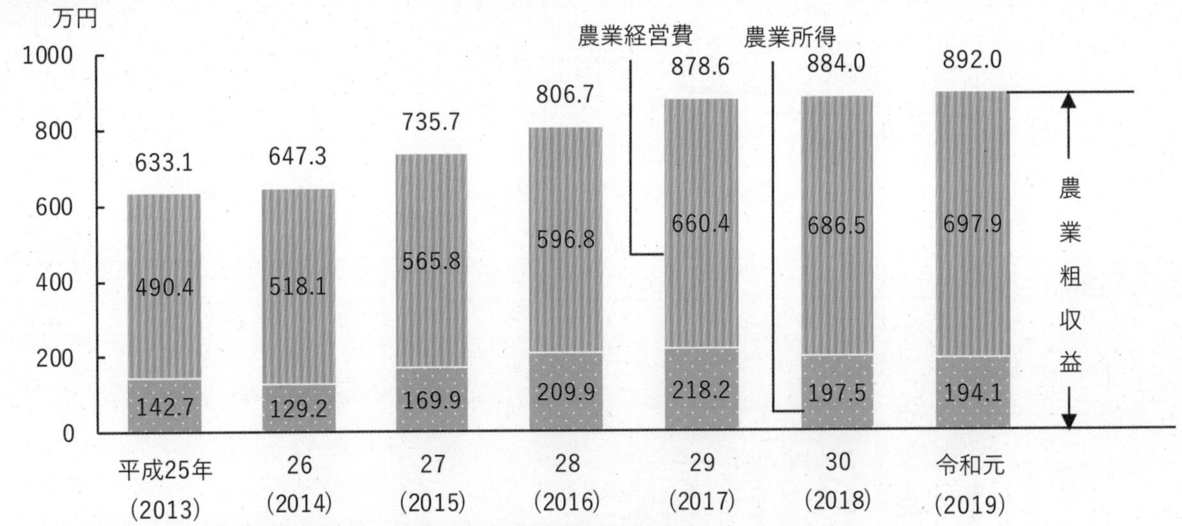

資料：農林水産省「農業経営統計調査　令和元年農業経営体の経営収支(概数値)」(令和 3(2021)年 2 月公表)

注：1) 平成 25(2013)年から平成 30(2018)年までの数値は、「農業経営統計調査　経営形態別経営統計(個別経営)」及び「農業経営統計調査　経営形態別経営統計(組織法人経営)」の集計結果から推計した数値

2) 令和元(2019)年の数値は、「農業経営統計調査　令和元年農業経営体の経営収支(概数値)」の営農類型別経営統計(全農業経営体)の数値を基に、1)と同一基準で試算した結果(旧基準)

(事例) 品質向上の取組等により面積当たりの売上げの向上を実現（静岡県）

静岡県の遠州夢咲《えんしゅうゆめさき》農業協同組合のいちご委員会は、近年、高齢化等の影響により徐々に生産者数・面積共に減少しており、令和元(2019)年度は、生産者数が平成 20(2008)年度から 20.4%減少の 144 人、面積が同 29.9%減少の 3,414a となっています。

一方で、担い手が不足し産地が維持できなくなるとの危機感から、出荷作業を集中して行うパッケージセンターの開設や高設栽培技術の導入等により、品質の向上、農作業負担の軽減、出荷時期の分散等に取り組んでいます。

このような取組により、令和元(2019)年度の 1 パック当たりのいちごの単価は平成 20(2008)年度から 29.1%増加し、いちご委員会全体の面積当たりの売上金額も平成 20(2008)年度から 52.6%増加しました。また、いちご委員会全体の生産者数が減少する一方で、新たにいちごの栽培を開始する農家は増加しており、令和元(2019)年度の全生産者 144 人のうち 42 人が平成 20(2008)年度以降の新規栽培者となっています。

高設栽培による栽培風景

資料：遠州夢咲農業協同組合

遠州夢咲農業協同組合のいちご委員会の面積当たりの売上金額

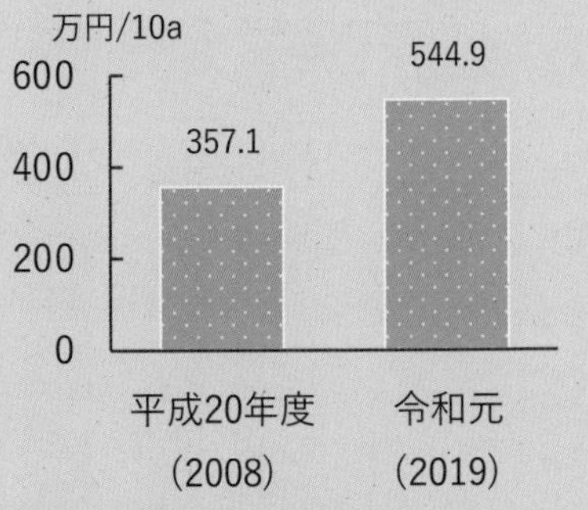

資料：遠州夢咲農業協同組合資料を基に農林水産省作成

第2節 力強く持続可能な農業構造の実現に向けた担い手の育成・確保

我が国農業が成長産業として持続的に発展していくためには、効率的かつ安定的な農業経営を目指す経営体等の担い手の育成・確保が重要です。本節では、認定農業者[1]制度、法人化、新規就農者[2]、女性農業者等の状況について紹介します。

(1) 認定農業者制度や法人化等を通じた経営発展の後押し

(農業経営体のうち法人経営体数は増加傾向)

令和2(2020)年における農業経営体[3]数は、107万6千経営体となり、5年前の137万7千経営体と比べて21.9%減少しています。このうち法人経営体[4]数については、3万1千経営体で5年前の2万7千経営体と比べて13.3%増加し、農業経営の法人化は着実に進展しています(図表2-2-1、図表2-2-2)。

農業経営の法人化に関しては、経営管理の高度化、安定的な雇用の確保等の利点があることから、都道府県に設置した農業経営相談所において専門家派遣等による相談対応が実施されています。

図表2-2-1 農業経営体数

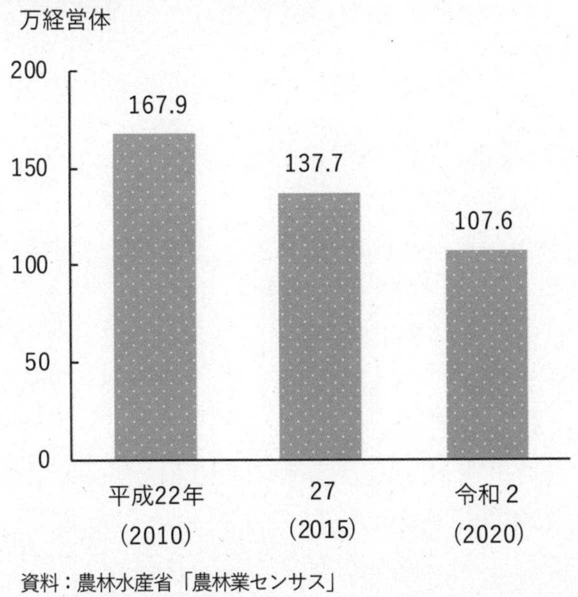

資料：農林水産省「農林業センサス」
注：各年2月1日時点

図表2-2-2 法人経営体数

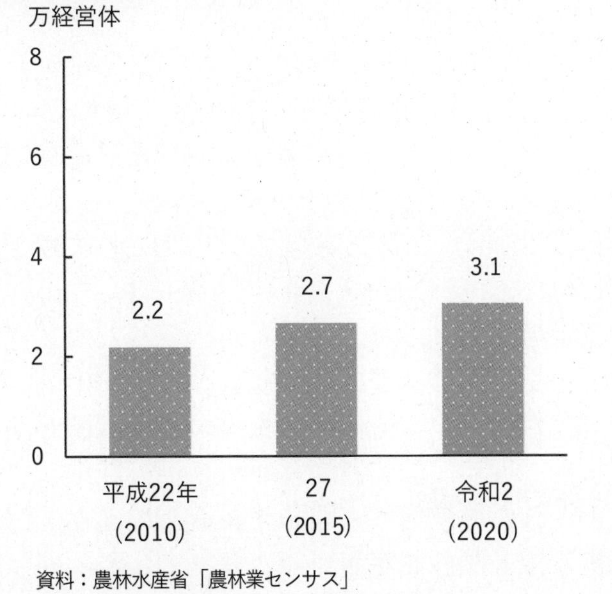

資料：農林水産省「農林業センサス」
注：各年2月1日時点

1 用語の解説3(1)を参照
2 用語の解説2(6)を参照
3 用語の解説1、2(1)を参照
4 農業経営体のうち、法人化して事業を行う者(一戸一法人及びサービス事業体を含む。)

(個人経営体の基幹的農業従事者の高齢化、減少が進行)

基幹的農業従事者[1]の平均年齢は令和2(2020)年に67.8歳となり、10年前の66.2歳から約2歳高齢化が進んでいます。また、令和 2(2020) 年の基幹的農業従事者数は136万3千人と10年前に比べ33.6%減少し、年齢層別に10年前と比べると49歳以下の青年層で 30.7%減少、59 歳以下の層では47.3%減少しています(**図表 2-2-3**)。

図表 2-2-3　基幹的農業従事者数と平均年齢

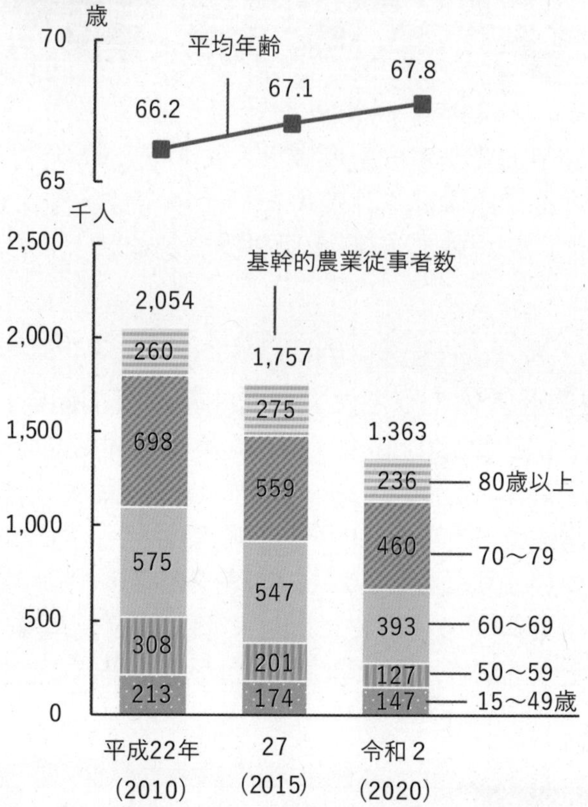

資料：農林水産省「2020年農林業センサス」、「2015 農林業センサス」(組替集計)、「2010 年世界農林業センサス」(組替集計)
注：各年２月１日時点

(法人の農業経営改善計画の認定数は増加傾向)

農業者が作成した経営発展に向けた計画(農業経営改善計画)の認定数は、令和 2(2020) 年３月末時点では23万４千経営体となっており、このうち法人のものは一貫して増加し、令和2(2020)年３月末時点で５年前に比べ37.1%増加の２万６千経営体となりました(**図表 2-2-4**)。

認定農業者制度は、農業者が作成した農業経営改善計画を市町村等が認定するもので、認定を受けた農業者(認定農業者)には、計画の実現に向け、農地の集積・集約化[2]や経営所得安定対策、出資や低利融資等の支援措置が講じられています。

また、近年、農業者の営農活動が広域化していることを踏まえ、令和２(2020)年４月に改正された農業経営基盤強化促進法により、都道府県の区域や市町村の区域を越えた農業経営改善計画の認定が可能となりました。同年度には、５道県 20 市町村と広域にわたる同計画の認定も出てきており、認定農業者の創意工夫を発揮した経営の展開が期待されています。

---

1 用語の解説１、2(5)を参照
2 用語の解説3(1)を参照

図表 2-2-4　農業経営改善計画の認定数

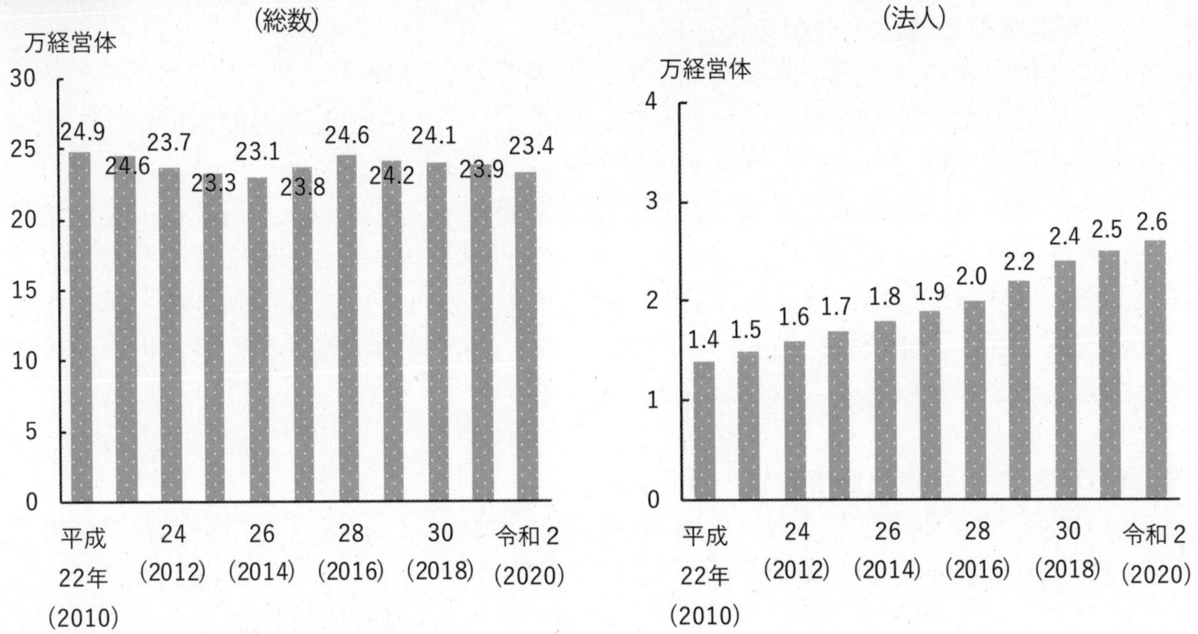

資料：農林水産省「農業経営改善計画の認定状況」
注：各年３月末時点

（集落営農組織の法人化が進行）

集落営農[1]組織は、農業機械の共同利用や生産・販売の共同化によって農業経営の効率化を目指す個人の担い手が少ない地域において、地域の農業生産を担ってきました。近年では、米、麦、大豆以外の高収益作物等の生産や農産加工品の製造・販売等により収益の向上に取り組む組織が増加しています。また、農産物のブランド化や後継者確保の観点から法人化が進展しており、令和２(2020)年２月時点では5,458法人と５年前の3,622法人から50.7%増加しています(**図表 2-2-5**)。

また、労働力の確保や農業機械の効率的な利用の観点から、複数の集落営農組織が連携して法人を設立する取組や集落営農組織同士が合併する取組も進められています。

図表 2-2-5　集落営農組織数

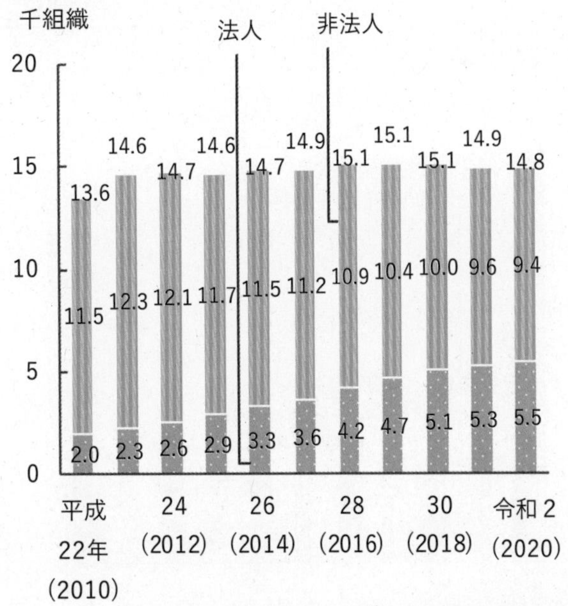

資料：農林水産省「集落営農実態調査」
注：1）平成 24(2012)年以降は、東日本大震災の影響で営農活動を休止している宮城県と福島県の集落営農については調査結果に含まない。
2）各年２月１日時点

1 用語の解説 3(1)を参照

(2) 経営継承や新規就農、人材育成・確保等

(担い手の着実な経営継承の取組を促進)

基幹的農業従事者の高齢化、減少が進む中、地域農業を持続的に発展させていくためには、農地や機械・設備等の有形資産とともに、技術・ノウハウ・人脈等の無形資産を次世代の経営者に引き継いでいく経営継承が重要です。

このため、農林水産省は都道府県に設置した農業経営相談所において税理士や中小企業診断士等の専門家による相談対応を進めるとともに、経営を継承した後継者の経営発展を支援し、担い手の着実な経営継承を促進しています。このほか、農地の贈与税・相続税に関する納税猶予等の各種税制特例や、農業用ハウス、畜舎等の補修等を行い、担い手等に資産を引き継ぐための取組の支援等を実施しています。

(平成30(2018)年の新規就農者数は5.6万人)

平成30(2018)年の新規就農者は5万6千人となっています。このうち、自営農業に就農する新規自営農業就農者[1]が全体の76.6%を占め4万3千人となり、農業法人等に雇われる形で就農する新規雇用就農者[2]は9,820人となっています(**図表2-2-6**)。

将来の担い手として期待される49歳以下の新規就農者は、近年2万人前後で推移し、平成30(2018)年は1万9千人となっています。

また、土地や資金を独自に調達(相続・贈与等により親の農地を譲り受けた場合を除く。)し、新たに農業経営を始めた49歳以下の新規参入者[3]の経営部門を見ると、平成30(2018)年は、露地野菜作が33.9%、施設野菜作が25.0%、果樹作が15.3%と、この3部門で全体の7割以上を占めています(**図表2-2-7**)。

図表 2-2-6 新規就農者数

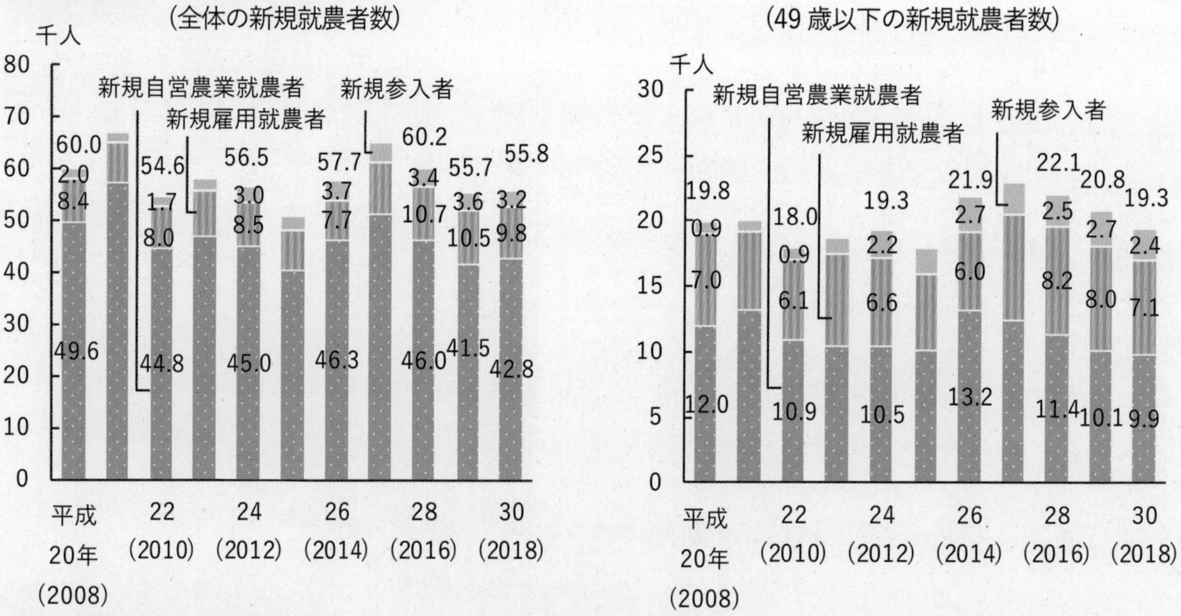

資料：農林水産省「新規就農者調査」

注：1) 平成26(2014)年調査より、新規参入者については、従来の「経営の責任者」に加え、新たに「共同経営者」が含まれる。
　　2) 各年2月1日時点

---

1 用語の解説2(6)を参照
2 用語の解説2(6)を参照
3 用語の解説2(6)を参照

図表 2-2-7 新規参入者の部門別の割合

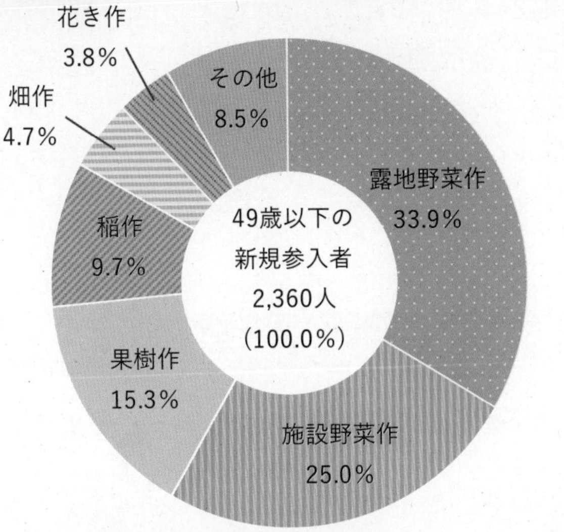

資料：農林水産省「平成 30 年新規就農者調査」
注：「その他」には、その他の作物、酪農、肉用牛、養豚、養鶏、養蚕、その他の畜産が含まれる。

（青年の新規就農を支援）

青年層の新規就農を促進し、世代間バランスのとれた農業労働力の構造を実現していくことにより地域農業を維持していくため、農林水産省では、平成 24(2012)年度から就農準備段階や、経営開始時の支援を行う資金を交付しています。令和元(2019)年度の交付実績は、準備段階の支援が 1,756 人、経営開始時の支援が 1 万 753 人となりました。令和元(2019)年度からは、交付要件を原則 44 歳以下から 49 歳以下に拡大しています。

なお、平成 29(2017)年度に農業次世代人材投資事業(経営開始型)の交付を終了した者のうち、翌年度末の営農を継続している者の割合は 94.8%となっています。

また、平成 20(2008)年度から、青年の雇用就農を促進するため、49 歳以下[1]の新規就農者への実践研修、新たな法人設立に向けた研修の実施や多様な人材の確保等を支援する「農の雇用事業」を実施しています。令和元(2019)年度に本事業を活用して研修を実施した青年就農者は、5,319 人となりました。

そのほかにも、認定新規就農者[2]には、農業経営の開始に必要な機械や施設を取得する際の資金を無利子で借入れできる青年等就農資金等の支援策を用意しています。

（「農業をはじめる.JP」をスタート）

市町村や農協、農地バンク等地域の関係機関が連携して、就農相談や短期農業体験、実践研修、農地や住宅のあっせん、就農後の農業技術向上や販路確保等に対しての支援を行うことにより、新規就農者の経営発展や地域への定着が進んでいます。

農林水産省は、地域の新規就農者の受入体制を調査・分析し、受入体制の構築を進めるとともに、受入体制等の新規就農に係る情報を一元的に提供するWebサイト等の充実を行っています。

令和 2(2020)年 12 月から本格スタートしたポータルサイト「農業をはじめる.JP」は、

---

1 農の雇用事業における研修生の対象年齢は、平成20(2008)～23(2011)年度は制限なし、平成24(2012)～30(2018)年度は44歳以下、令和元(2019)年度以降は49歳以下となっている。

2 新たに農業経営を営もうとする青年等で、市町村から青年等就農計画の認定を受けた者農林水産省や新規就農相談センターからの情報だけでなく、関係省庁や地方公共団体、農協等が行っている支援サービス等も紹介するとともに、都道府県・市町村や民間企業、団体等から提供された農業体験や農業研修、就農相談会等に関する情報も掲載しています。

就農に向けた検討段階に応じて必要な情報が見つけられるように、「農業を知る」、「体験する」、「相談する」等、情報を分類ごとに配置しているほか、都道府県・市町村の就農支援策や、全国の新規就農相談センターが収集した求人情報も検索できる機能も設けています。

（事例）地方公共団体・農協・地域農業者等が連携して新規就農者を受入れ（北海道）

北海道最大のトマト産地である平取町《びらとりちょう》では、平取町農業支援センターが平成 10(1998)年より、新規に農業参入を希望する研修生を受け入れており、令和 2(2020)年までに 27 人が就農しています。

同センターでは、2 年間の農業研修プログラムを設置しています。1 年目は地域内の農家の下でトマト栽培技術を学び、2 年目は町が所有する研修ハウスで、生産から販売までの全工程を研修生自身が行うなど、実践的なプログラムを通じて生産技術と農業経営のノウハウを習得しています。また、経営開始時にはびらとり農業協同組合が整備したハウスを貸し出すとともに、平取町から施設整備、機械導入の補助を受けることにより、新規就農者の負担低減が図られています。

このほか、びらとり農業協同組合、日高《ひだか》農業改良普及センター等の関係機関に加え、地域農業者による支援グループがあり、農業技術から農村生活全般まで幅広くアドバイスするなど、新規就農者がスムーズに地域に定着できるよう、地域のサポート体制も充実しています。

農業研修プログラムの様子
資料：平取町農業支援センター

（農業高校では GAP 認証取得の取組が増加）

農業高校は全国に 370 校あります。農業高校の生徒は、農業技術や農業経営等について学ぶとともに、農業に関する研究等を生徒が主体的に行う「農業クラブ活動」等、意欲的かつ実践的な学習を行っています。

実践的な学習に関する取組の一つとしては、農業生産工程管理(GAP[1])の認証取得が挙げられます。GAP 認証を取得している農業高校は増加しており、「GAP 普及大賞」や「ディスカバー農山漁村《むら》の宝[2]」等においても、農業高校生の GAP への取組が評価されています。

また、平成 28(2016)年度からは、農業高校生の国際的な視野を広げる取組として、日本とフランスの農業高校間の交流を進めています。新型コロナウイルス感染症により往来による交流が困難なため、令和 2(2020)年度に、合同オンライン交流を開催し、両国から計 16 校が参加しました。

1　用語の解説 3(2)を参照
2　「強い農林水産業」、「美しく活力ある農山漁村」の実現のため、農山漁村の有するポテンシャルを引き出し、地域の活性化、所得向上に取り組んでいる優良事例を選定し、全国に発信するもの。詳細は第 3 章第 6 節を参照

(事例) 岐阜県立岐阜農林高等学校がGAP認証の取組を支援(岐阜県)

岐阜県立岐阜農林《ぎふのうりん》高等学校は、GLOBALG.A.P.及び JGAP の認証を取得し、地元農家のGAP認証の取得支援として、地域農家にGAP認証のノウハウの公開を行っています。

このほか、2020年東京オリンピック競技大会・東京パラリンピック競技大会*(以下「東京2020大会」という。)のホストタウンとして、GAP食材を利用したおもてなしの企画等にも取り組んでいます。

これらの取組が評価され、第7回「ディスカバー農山漁村《むら》の宝」において、グランプリを受賞しました。

グランプリの選定を行う有識者懇談会で委員からは、「若い世代、特に高校生の活躍がこのような賞で評価されるということは待ち望んでいたこと。小中高校生の頃から地域の課題を学ばせて解決させていくような教育が必要だと思う。」といったコメントがありました。

岐阜県立岐阜農林高等学校
流通科学科の生徒

資料：岐阜県立岐阜農林高等学校

＊ 令和2(2020)年3月に、大会開催を令和3(2021)年に延期することが決定

(農業大学校卒業生の雇用就農割合が増加)

道府県立農業大学校は42道府県に設置されています。令和元(2019)年度の卒業生1,709人のうち、卒業後、就農した者は931人で、卒業生全体の54.5%となっております。

農業大学校卒業生の就農形態を見ると、雇用就農の割合が増加傾向にあります(**図表2-2-8**)。また、出身別では、農家出身でない学生の就農割合が増加傾向にあります（**図表2-2-9**)。

このように、農業大学校は、親元への就農を前提として農家子弟が学ぶ場から、雇用就農希望者や農家出身でない者も学び、雇用就農も含めた就農を目指す場へと、その役割の幅を広げてきています。

また、就職氷河期世代等を含む幅広い世代の就農希望者が、農業大学校において農業技術や農業経営に関する教育を受けられるよう、農林水産省としても、カリキュラムを強化させるための支援を進めています。

図表2-2-8 農業大学校卒業生数と形態別就農率

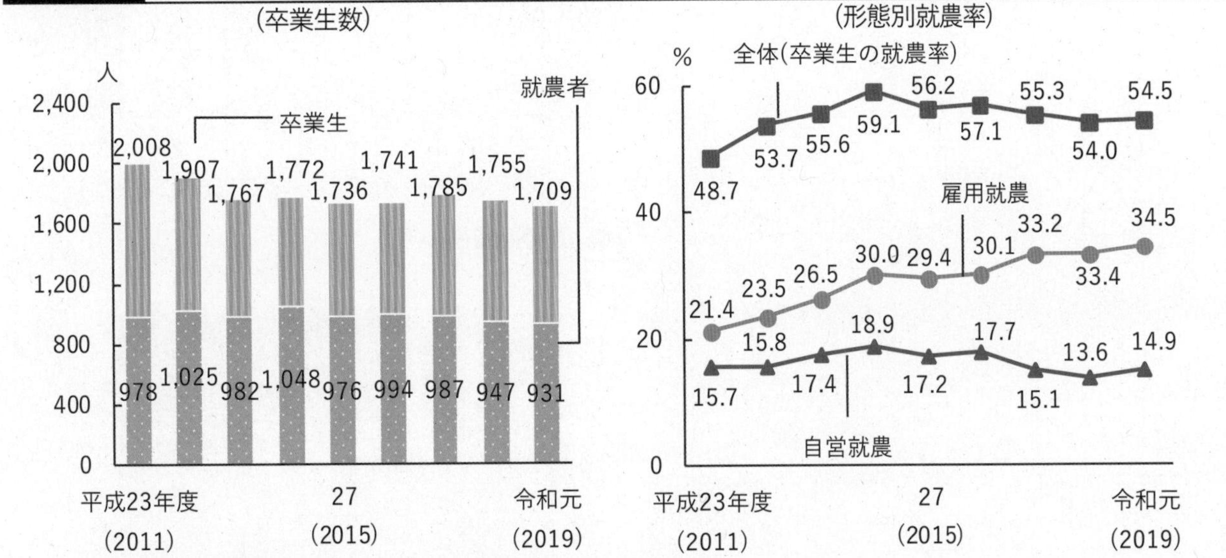

資料：全国農業大学校協議会資料を基に農林水産省作成
注：就農者には、一度、他の仕事に就いた後に就農した者は含まない。

第2章

図表 2-2-9　農業大学校の出身別就農率

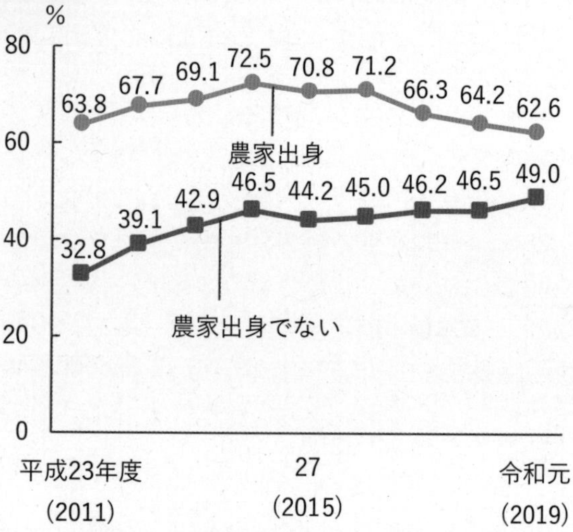

資料：全国農業大学校協議会資料を基に農林水産省作成
注：農家出身者のうち就農した者、農家出身でない者のうち就農した者のそれぞれの割合

(一般法人による農業への参入が増加傾向)

農地を利用して農業経営を行う一般法人数は平成30(2018)年時点で3,286法人となっており、農地のリース方式による参入が自由化された平成 21(2009)年以前と比較して、１年当たりの平均参入数は５倍のペースとなっています(**図表 2-2-10**)。参入した一般法人の業務形態別の割合を見ると、農業・畜産業が27%、食品関連産業が20%、建設業が 10%、特定非営利活動が８%、製造業が４%となっています。

図表 2-2-10　農地を利用して農業経営を行う一般法人数

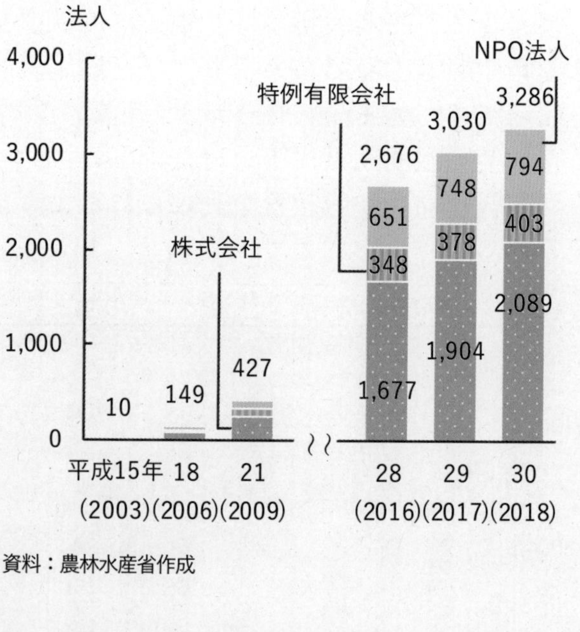

資料：農林水産省作成

(3) 女性が能力を発揮できる環境整備

(女性の認定農業者は増加傾向)

女性の認定農業者数は平成 27(2015)年から令和 2(2020)年の5年間で 8.6%増加の1万 1,738 人、全体の認定農業者数に占める女性の割合は 0.5 ポイント増加の 5.0%となりました(**図表 2-2-11**)。夫婦での共同申請が増加していることが一因と考えられます。

図表 2-2-11 女性の認定農業者の割合

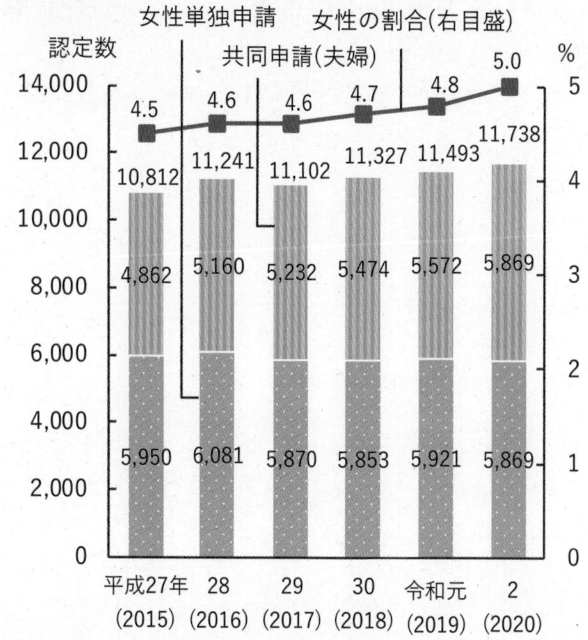

資料：農林水産省「農業経営改善計画の営農類型別等の認定状況」
注：各年3月末時点

(女性の基幹的農業従事者は減少)

女性の基幹的農業従事者数は、平成 27(2015)年から令和 2 (2020)年の5年間で、21 万人(28.0%)減少し、54 万1千人となりました。全ての年齢階層で減少しており、60〜69 歳で7万2千人と最も多く減少し、次いで 70〜79 歳で6万7千人減少しました(**図表 2-2-12**)。また、令和 2(2020)年の女性の基幹的農業従事者の平均年齢は 68.4 歳で、5年前に比べて 0.7 歳高くなっています。

図表 2-2-12 女性の基幹的農業従事者数と平均年齢

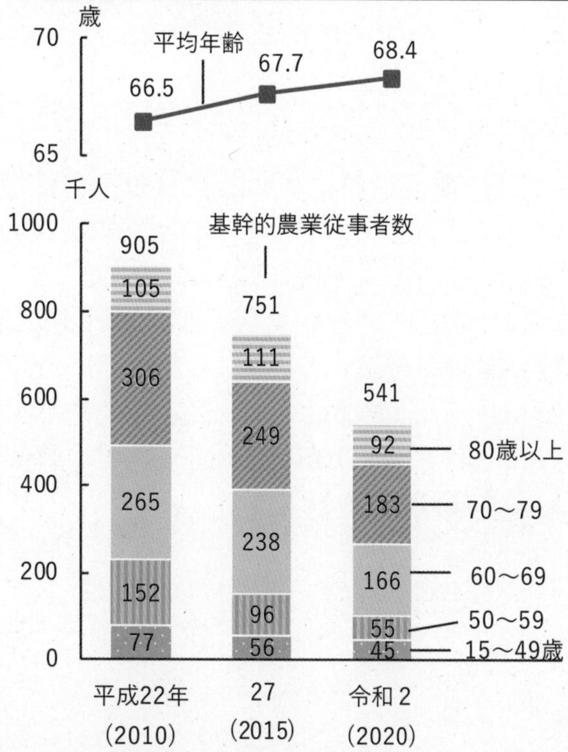

資料：農林水産省「2020 年農林業センサス」、「2015 年農林業センサス」(組替集計)、「2010 年世界農林業センサス」(組替集計)
注： 各年2月1日時点

(女性の新規就農者数は 1.3 万人)

平成 30(2018)年における女性の新規就農者数は、1 万 3,420 人(新規自営農業就農者 9,660 人、新規雇用就農者 3,200 人、新規参入者 560 人)、そのうち 49 歳以下は 4,980 人となっています。

また、新規就農者に占める女性の割合は、平成 26(2014)年以降、25%前後で推移しており、平成 30(2018)年は 24.0%となっています(**図表 2-2-13**)。新規雇用就農において女性の割合は 30%前後で推移しており、平成 30(2018)年は 32.6%と新規自営農業就農者と比較して女性の割合が高くなっています。

図表 2-2-13　女性の新規就農者数と女性の割合

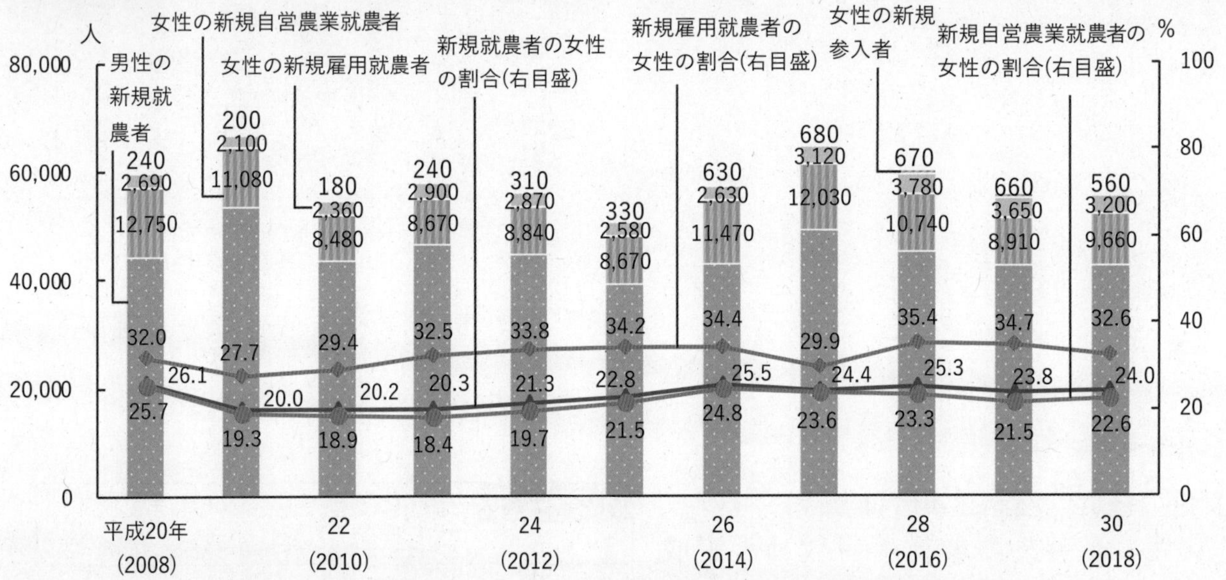

資料：農林水産省「新規就農者調査」を基に作成
注：各年２月１日時点

(農業委員、農協役員に占める女性の割合は増加)

平成 28(2016)年４月に施行された改正後の農業委員会等に関する法律及び農業協同組合法では、農業委員や農協役員について、年齢や性別に著しい偏りが生じないように配慮しなければならない旨の規定が設けられました。農林水産省では、農業委員や農協役員への女性の参画を推進するため、研修会等を実施しています。

農業委員や農協役員に占める女性の割合は、令和２(2020)年では、それぞれ 12.3%と 9.1%となっており、10 年前と比べ農業委員は 7.4 ポイント、農協役員は 5.2 ポイント増加しています(**図表 2-2-14**)。

図表 2-2-14 農業委員及び農協役員に占める女性の割合

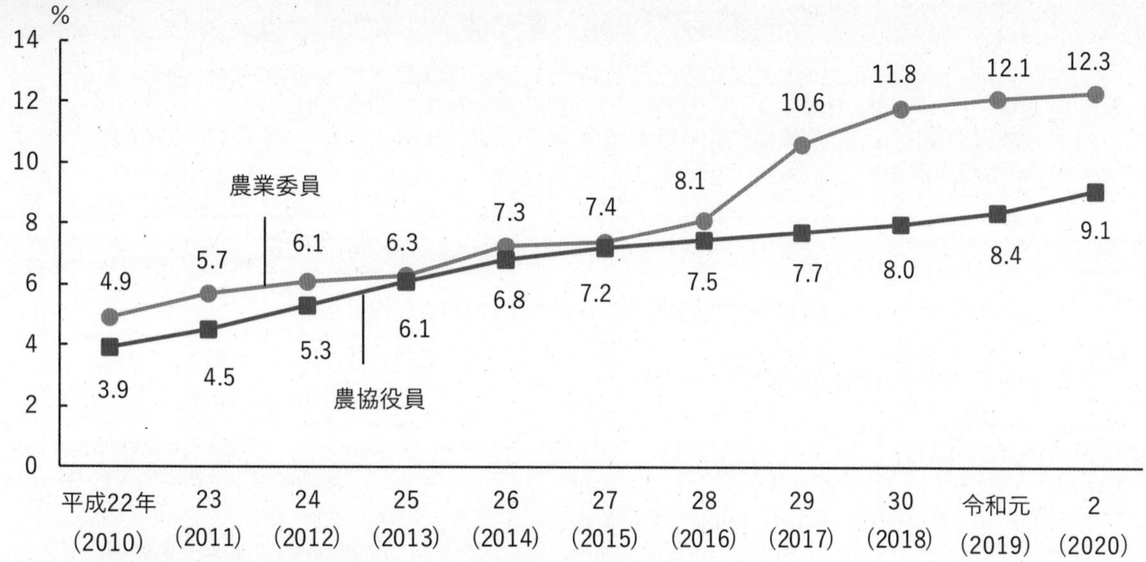

資料：農林水産省「農業委員への女性の参画状況」、「総合農協統計表」を基に作成
注：1) 農業委員は各年 10 月 1 日時点
2) 農協役員は各事業年度末
3) 令和 2 (2020) 年度の数値は、全国農業協同組合中央会調べ

(女性の活躍推進に向け農村における意識改革の必要性等を提言)

農林水産省は、女性農業者が活躍できる環境を整えるための具体的方策を検討するため、令和２(2020)年７月に、学識経験者、女性農業者、ジャーナリスト等から構成する「女性の農業における活躍推進に向けた検討会」を立ち上げ、同年12月に本検討会において報告書が取りまとめられました。

報告書では、農村における意識改革、女性農業者の学び合い・女性グループ活動の活性化、地域をリードする女性農業者の育成や地域農業の方針策定への女性の参画等の実現に向けて、女性農業者向けの会合等における託児サービスの提供、女性農業者向けの一元的な相談窓口の設置、地域での話合いにおける女性参画目標の設定等が具体的対策として提言されました(**図表 2-2-15**)。

図表 2-2-15 女性農業者が輝く農業創造のための提言概要

農村における意識改革

- 研修・会合の案内の**宛先への夫婦両方の名前や子の名前を記載**、女性農業者向け会合等における**託児サービスの提供**、介護サービスを利用しやすくするための**早期の案内発出**
- **家族経営協定**について、**農業高校生や経営継承者等への周知**、ライフステージに応じた**協定内容の見直し**等の推進

女性農業者の学び合い・女性グループ活動の活性化

- 都道府県や市町村における**女性農業者向けの一元的相談窓口**の設置
- 女性グループの活動の発掘、グループをつなぐ**横断的ネットワークづくり**の推進
- **子育て、介護支援に係る情報発信**

地域をリードする女性農業者育成・地域農業の方針策定への女性の参画

- 女性リーダー育成研修、女性の横断的交流の推進
- 農業委員やJA役員への女性の登用についての継続的な目標設定、**都道府県・市町村における具体的な目標**の設定
- 女性登用と組織の収益向上に係る**客観的調査**の実施
- 市町村・農業委員会で、**地域での話合いにおける女性参画目標**を設定

女性農業者に係るプラットフォーム機能の強化

- **農林水産省女性活躍推進室がプラットフォーム**として、他省庁、都道府県、市町村、 JA 、農業委員会、全国農業会議所等と**連携強化**
- 10年を目安に**レビューを実施**

資料：農林水産省作成

（女性の活躍推進に向け「第５次男女共同参画基本計画」に成果目標を設定）

令和２(2020)年 12 月に閣議決定した「第５次男女共同参画基本計画～すべての女性が輝く令和の社会へ～」では、第４次男女共同参画基本計画に引き続き、農業委員や農協役員に占める女性の割合、家族経営協定[1]の締結数について、それぞれ、令和 7(2025)年度までに 30%、15%、７万件にする成果目標が設定されました。また、女性の農業経営への主体的な関与をより一層推進するため、新たに「認定農業者に占める女性の割合」について、令和 7(2025)年度までに 5.5%にする成果目標が設定されました。

さらに、土地改良区[2]についても、新たに「土地改良区（土地改良区連合を含む。）の理事に占める女性の割合」について、令和 7(2025)年度までに 10%にする成果目標が設定されました。なお、令和元(2019)年 12 月に「全国水土里《みどり》ネット女性の会」が発足し、女性役職員の知識・スキルの向上や、女性が土地改良事業の中核を担える環境づくり等の取組が進んでいます。

（女性が輝く農業創造に向けて）

農林水産省としては、「女性農業者が輝く農業創造のための提言」を踏まえ、第５次男女共同参画基本計画に基づき、女性が農業・農村で働きやすい環境の整備を進めるとと

1　用語の解説 3(1)を参照
2　農業水利施設等の整備・管理を行う土地改良事業を実施することを目的として、地域の関係農業者により組織された団体。土地改良区地区数は 4,403 地区(令和２(2020)年３月末時点)

もに、地域をリードする女性農業者を育成し、男女共同参画基本計画の農業委員等の女性割合に係る成果目標達成に向けて、地方公共団体や関係団体と連携して取り組んでいきます。

（事例）地域の女性グループ同士の連携強化へ（しまね農業女子×Happy Farming いいっちゃない福岡）（島根県、福岡県）

地域をリードする女性農業者を育成するためには、農村において学びの場となるグループを作り、グループ同士のネットワークをつなげることが有効です。

リモート座談会の開催の様子

資料：農業女子プロジェクトWebサイト

これを踏まえ、農林水産省が事務局を務める農業女子プロジェクト*1では、地域版グループ*2活動の取組強化及びグループ同士の連携強化を推進しており、現在、7つの地域版グループにおいて、企業や農業大学校等との意見交換や連携活動の実施、勉強会やマルシェを開催するなど、積極的な活動を行っています。

このうち、島根県の「しまね農業女子」は、県内企業、農業大学校との意見交換会や勉強会等を開催しています。また、福岡県の「Happy Farming いいっちゃない福岡」は「農業の魅力を発信」、「農業者どうしの交流」、「農業以外とのコラボ」を軸に、6次化商品の試食会やマルシェの開催、学校と連携した座談会、圃場《ほじょう》見学会等を実施しています。農業委員を務めるメンバーが、若い世代のメンバーに自らの経験を踏まえたアドバイスや情報提供を行い、グループ内で世代間交流を図っています。

令和2(2020)年10月、お互いに情報交換し、連携することを目的に、「しまね農業女子」と「Happy Farming いいっちゃない福岡」がリモート座談会を開催しました。座談会では活発な意見交換が行われ、今後は、お互いの取組や地域活性化の成功例の視察、お互いの産地作物を組み合わせたキッチン会の開催、ノウハウを活かし合った共同商品開発等の連携強化に向けた企画の実現を目指す予定です。

＊1　女性農業者の知恵を様々な企業の技術・ノウハウ・アイデア等と結び付け、新たな商品やサービス、情報を創造し、社会に広く発信していくためのプロジェクト

＊2　メンバーの半数以上を農業女子プロジェクトメンバーが占めることを要件とする農業女子プロジェクト事務局公認のグループ

第3節　農業現場を支える多様な人材や主体の活躍

地域の農業生産等を確保し、持続可能なものとしていくためには、中小・家族経営等多様な人材や主体の活躍を促進することも重要です。

本節では、個人経営体[1]、家族経営協定[2]、農業の働き方改革等の取組状況について紹介します。

(家族経営協定の締結農家数は増加)

生産現場では、中小・家族経営等多様な経営体が産地単位で連携・協働して、農業生産や共同販売を行い、地域社会の維持に重要な役割を果たしています。また、全農業経営体[3]の大半が個人(世帯)で農業を行う個人経営体となっています(**図表 2-3-1**)。

このような中で、中小・家族経営等の世帯員が意欲とやりがいを持って農業経営に参画するためには、労働時間の管理、休日・休憩の確保、仕事や家事の役割分担について、家族で話し合い、家族経営協定を締結し、ワーク・ライフ・バランスを実現できる環境を整えることが重要です。

令和元(2019)年度末時点の家族経営協定の締結農家数は、前年度に比べ617戸増加の5万9千戸となりました(**図表 2-3-2**)。これは、主業経営体[4]全体の25.5%を占めています。

図表 2-3-1　全農業経営体数に占める個人経営体数の割合

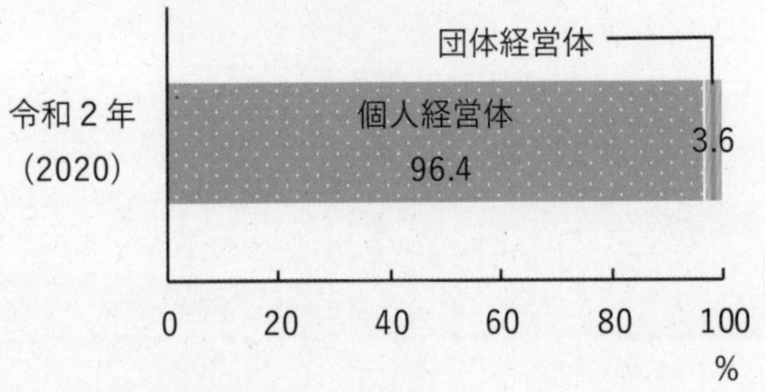

資料：農林水産省「2020年農林業センサス」を基に作成
注：1) 令和2(2020)年2月1日時点
2) 団体経営体とは、用語の解説1、2(1)を参照

図表 2-3-2　家族経営協定締結農家数

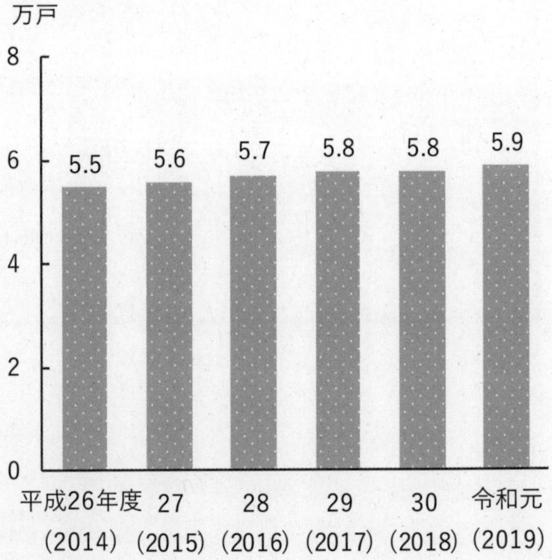

資料：農林水産省「家族経営協定に関する実態調査」
注：各年度末時点

---

1 用語の解説1、2(1)を参照
2 用語の解説3(1)を参照
3 用語の解説1、2(1)を参照
4 用語の解説1、2(1)を参照

締結した協定の内容を見ると、平成 27(2015)年度以降、農業経営の方針決定、労働時間・休日については約 9 割、農業面の役割分担(作業分担・簿記記帳等)については約 8 割の農家で取決めを行っています(**図表 2-3-3**)。

図表 2-3-3 家族経営協定の取決め内容(複数回答)

(単位：%)

取決め内容	平成27年度(2015)	28(2016)	29(2017)	30(2018)	令和元(2019)
農業経営の方針決定	88.6	93.3	93.3	92.8	94.1
労働時間・休日	86.2	90.1	92.4	92.7	85.6
農業面の役割分担(作業分担、簿記記帳等)	80.0	82.6	84.5	81.2	83.7
労働報酬(日給・月給)	71.2	72.3	73.4	74.9	71.7

資料：農林水産省「家族経営協定に関する実態調査」
注：各年度中に締結した協定の取決め内容

第2章

(農業の働き方改革に向けた取組が進展)

人材獲得競争が激化する中で、農業を魅力ある職場にすることを通じて現場に必要な人材を確保するため、農林水産省は、農業現場における働きやすい環境づくりに取り組んでいます。

平成 29(2017)年度に働き方改革を具体的に進めるためのガイドブックを作成したほか、平成 30(2018)年度に女性が働きやすい職場づくりのためのテキスト教材を作成し、令和元(2019)年度にはポータルサイト「Step WAP　農業の働き方改革－男女共同参画による経営発展－」を開設するなど様々な支援を行っています。また、令和元(2019)年度から、農業の働き方改革と人手不足解消に取り組む産地を支援する「農業の新しい働き方確立支援」を実施しており、令和 2(2020)年度は 20 地区において、働く環境を整える対策を実施しつつ行う複数産地で連携した労働力確保の取組や、労務管理や労働環境等を学ぶセミナーの実施等を支援しました。

(外国人技能実習制度による外国人材の受入れ)

外国人技能実習制度は、外国人技能実習生への技能等の移転を図り、その国の経済発展を担う人材育成を目的とした制度であり、我が国の国際協力・国際貢献の重要な一翼を担っています。農業分野においても全国の農業生産現場で多くの外国人技能実習生が受け入れられています。

令和 2(2020)年 10 月末時点での外国人の雇用状況は、農業分野で総数が 3 万 8,064 人となっています。このうち、外国人技能実習生が 3 万 3,004 人で、前年に比べ 1,116 人(3.5%)増加しています[1]。

[1] 特集（図表 特-36）参照

（特定技能制度による外国人材の受入れ）

深刻化する人手不足に対応するため、平成31(2019)年4月に改正された出入国管理及び難民認定法により、新たな外国人材の受入れのための在留資格である特定技能制度が創設され、農業を含む14の特定産業分野が受入れ対象となり、一定の専門性・技能を有し即戦力となる外国人を受け入れています。

令和2(2020)年12月末時点で、農業分野では2,387人の外国人材がこの制度により働いています。

農林水産省では制度の適切な運営を図るため、受入機関、業界団体、関係省庁で構成する農業特定技能協議会及び運営委員会を設置し、本制度の状況や課題の共有、その解決に向けた意見交換等を行っています。

また、外国人材の受入環境を整備するために、国内外での技能試験の実施や優良事例の収集・周知、制度に関する説明会の開催等を行っています。令和2(2020)年は、6月から順次国内外での農業技能測定試験を実施するとともに、12月に制度に関するオンラインセミナーを開催しました。

第4節　担い手等への農地集積・集約化と農地の確保

これから 10 年程度の間に農業者の減少が急速に進むことが見込まれる中で、我が国の農業の生産基盤を維持する観点から、農地の引受け手となる経営体の役割が一層重要となっています。本節では、このような中で進んでいる担い手への農地の集積・集約化[1]の動きや「人・農地プラン」の実質化に向けた取組等の動きについて紹介します。

(農地面積は緩やかに減少、荒廃農地面積は横ばい)

令和 2(2020)年における我が国の農地面積は、荒廃農地[2]からの再生等による増加があったものの、耕地の荒廃、宅地等への転用、自然災害等による減少を受け、前年に比べて 2.5 万 ha 減少の 437 万 ha となりました(**図表 2-4-1**)。作付(栽培)延べ面積も減少傾向が続いており、この結果、令和元(2019)年の耕地利用率は 91.4%となっています。

図表 2-4-1　農地面積、作付(栽培)延べ面積、耕地利用率

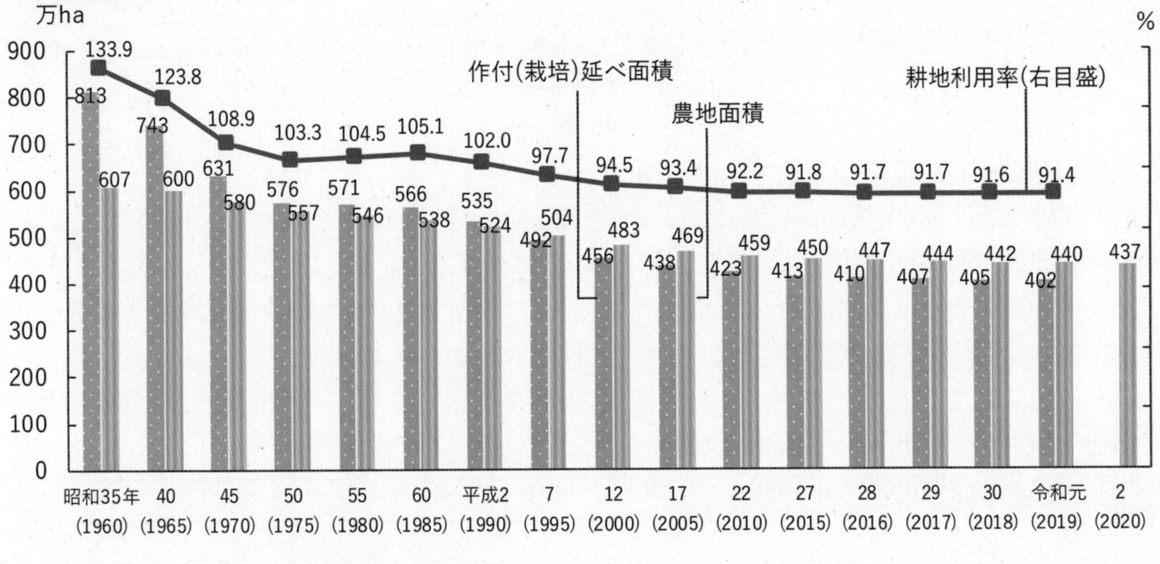

資料：農林水産省「耕地及び作付面積統計」を基に作成
注：耕地利用率(%)＝作付(栽培)延べ面積÷耕地面積×100

1　用語の解説 3(1)を参照
2　用語の解説 3(1)を参照

また、令和元(2019)年の荒廃農地の面積は、前年と同水準の28.4万haとなりました。このうち、再生利用が可能なもの(遊休農地[1])は9.1万ha、再生利用が困難と見込まれるものは19.2万haとなっています(**図表2-4-2**)。農業従事者[2]の高齢化や農業者が減少する中、多面的機能支払交付金や中山間地域等直接支払交付金等により荒廃農地の発生を防止しつつ、農地中間管理機構(以下「農地バンク」という。)による担い手への農地の集積・集約化や農業委員会による所有者等への利用の働きかけ等により、8千haの農地の再生に努めました。引き続き国内の農業生産に必要な農地を確保するため、地域における積極的な話合いを通じた、担い手への農地の集積・集約化等で荒廃農地の発生を未然に防ぐこと等が重要です。

図表2-4-2　荒廃農地面積

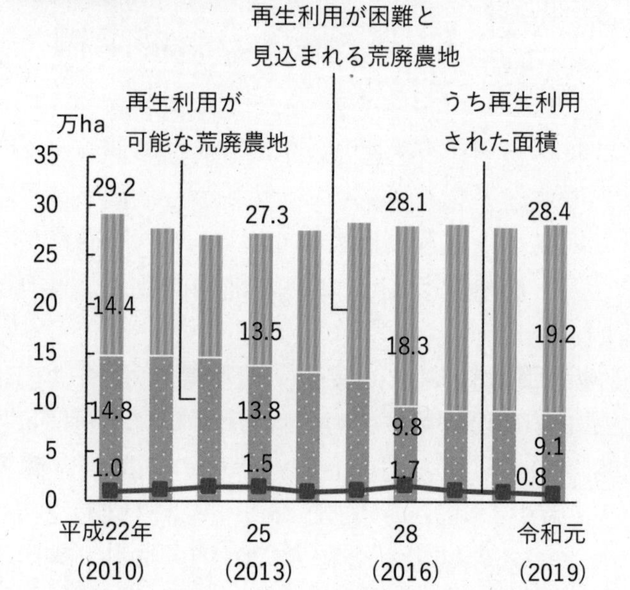

資料：農林水産省「荒廃農地の発生・解消状況に関する調査」を基に作成
注：「再生利用が困難と見込まれる荒廃農地」とは、森林の様相を呈しているなど農地に復元するための物理的な条件整備が著しく困難なもの、又は周囲の状況から見て、その土地を農地として復元しても継続して利用することができないと見込まれるものに相当する荒廃農地

(1農業経営体当たりの経営耕地面積は増加)

1農業経営体当たりの経営耕地面積は、令和2(2020)年に3.1haとなり、5年前の2.5haから20.4%増加しています。また、北海道と都府県別に見ると、北海道は26.5haから30.2haと13.9%の増加、都府県は1.8haから2.2haと18.4%の増加となっています(**図表2-4-3**)。個人経営体[3]数や基幹的農業従事者[4]数は5年前と比べて20%程度減少していますが、農地の集積が進んだことで、農業経営体[5]の総経営耕地面積については、令和2(2020)年は323万haと5年前の345万haから6.3%の減少にとどまっています。

図表2-4-3　1農業経営体当たり経営耕地面積

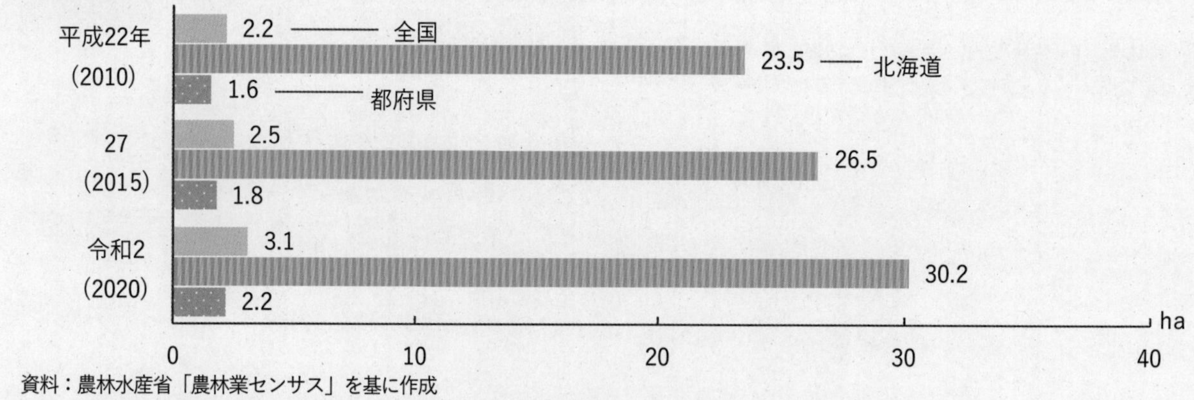

資料：農林水産省「農林業センサス」を基に作成
注：経営耕地面積を経営耕地面積のある農業経営体数で除したもの

[1] 用語の解説3(1)を参照
[2] 用語の解説1、2(5)を参照
[3] 用語の解説1、2(1)を参照
[4] 用語の解説1、2(5)を参照
[5] 用語の解説1、2(1)を参照

(担い手への農地集積率は年々上昇)

効率的な農業経営を進めていくためには、担い手への農地の集積・集約化を進める必要があります。

このため、平成26(2014)年に発足した農地バンクにおいて、地域内に分散・錯綜《さくそう》する農地を借り受け、まとまった形で担い手へ再配分し、農地の集積・集約化を実現する農地中間管理事業を行っています。

この結果、農地の大区画化が図られ、担い手の労働時間が大幅に短縮された地区や、新規就農モデル団地を設定し、新規就農を促進した地区、集落の農地を一括して農地バンクに預けて担い手に集約した地区等、全国で様々な優良な事例が見られるようになっています(**図表 2-4-4**)。

図表2-4-4 農地バンクを活用して分散錯圃を解消している事例

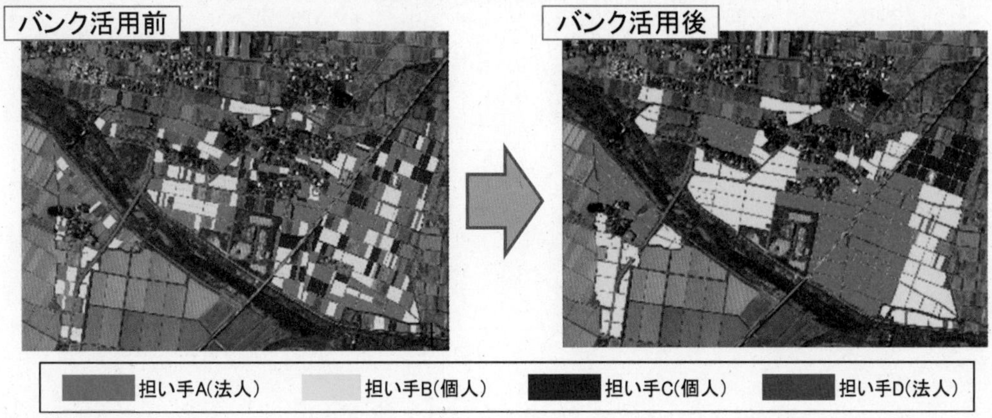

資料：農林水産省作成
注：新潟県妙高市広島地区の事例

農地バンクによる取組もあり、近年、担い手への農地集積率は上昇しており、令和元(2019)年度末時点で57.1%になりました(**図表 2-4-5**)。これを地域別に見ると、農業経営体の多くが担い手である北海道では集積率が9割を超えるほか、水田が多く、基盤整備が進んでおり、集落営農[1]の取組が盛んである東北、北陸では集積率が高い傾向にあります。一方で、大都市圏を抱える地域(関東、東海、近畿)や中山間地を多く抱える地域(近畿、中国四国)の集積率は低い傾向にあります(**図表 2-4-6**)。

1 用語の解説3(1)を参照

図表 2-4-5　担い手への農地集積率

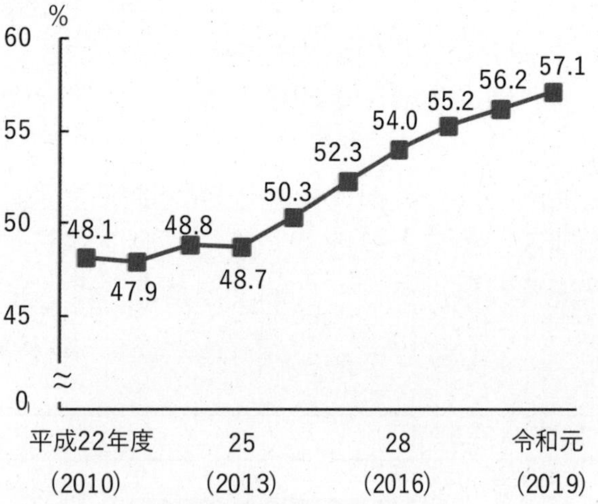

資料：農林水産省作成
注：1）農地バンク以外によるものを含む。
2）各年度末時点の数値
3）担い手とは、認定農業者、認定新規就農者、基本構想水準到達者、集落営農経営を指す。

図表 2-4-6　地域別の担い手への農地集積率

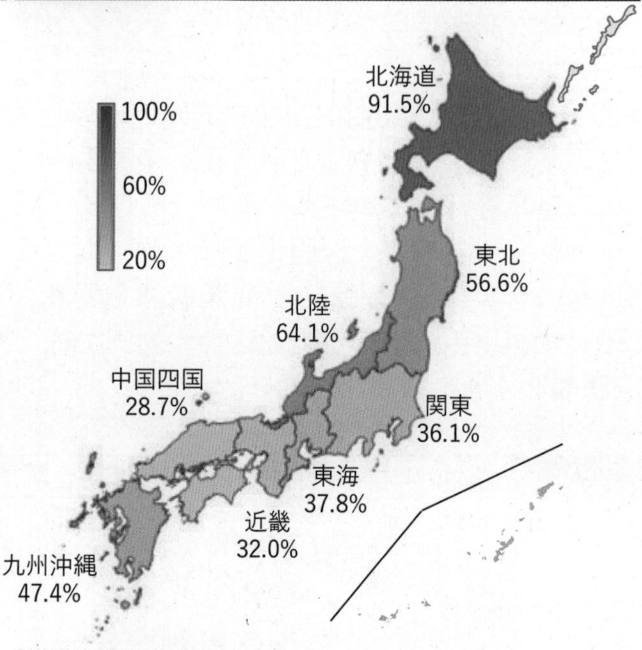

© 2021 Mapbox © OpenStreetMap
資料：農林水産省作成
注：1）令和元(2019)年度末時点
2）担い手とは、認定農業者、認定新規就農者、基本構想水準到達者、集落営農経営を指す。

（「人・農地プラン」の実質化に向けた取組が全国で進行）

担い手への農地の集積率については、令和5(2023)年度までに8割に引き上げる目標が設定されています。このような中で、目標の達成に向けては、「人・農地プラン」の実質化[1]、農地中間管理事業の手続の簡素化と農地の集積・集約化の支援体制の一体化を内容とする改正農地バンク法[2]に基づき、今後は実質化された「人・農地プラン」を核に担い手への農地の集積・集約化を一層加速化させていくこととしています。

これまで、農業者の話合いに基づき、地域農業における中心経営体、地域における農業の将来の在り方等を明確化する地域農業の将来の設計図として「人・農地プラン」の作成を推進してきましたが、この中には地域の徹底した話合いに基づいて作成されているものがある一方、地域の話合いに基づくとは言い難いものもありました。

このため、農林水産省では担い手への農地の集積・集約化を加速させる観点から、真に地域の話合いに基づく「人・農地プラン」の実質化の取組を、令和 2(2020)年度に全国で集中的に推進することとしました。「人・農地プラン」の実質化に際しては、5年後から10年後の農地利用についてアンケート調査を行い、農業者の年齢、後継者の有無等を地図により「見える化」し、中心経営体への農地の集約化に関する将来方針を作成することとしています(**図表 2-4-7**)。

1　農業者の年齢階層別の就農や後継者の確保の状況を「見える化」した地図を用いて、地域を支える農業者が話し合い、当該地域の将来の農地利用を担う経営体の在り方を決めていく取組
2　正式名称は「農地中間管理事業の推進に関する法律等の一部を改正する法律」

図表 2-4-7　「人・農地プラン」の実質化の取組における地図の「見える化」の例

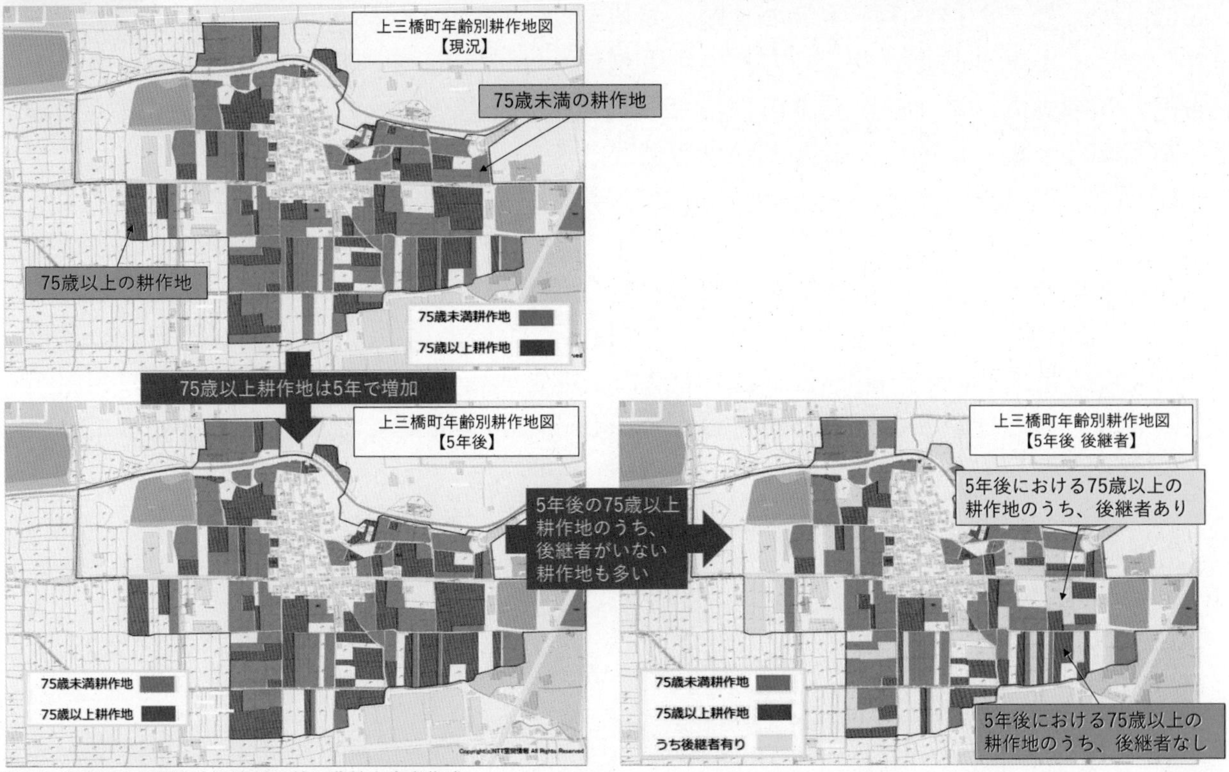

資料：奈良県大和郡山市の資料を基に農林水産省作成
注：奈良県大和郡山市の事例

令和元(2019)年度では、既に「人・農地プラン」が実質化されている地区が1万8,826地区、実質化に取り組んでいる地区が4万8,790地区となりました。今後は、実質化されたプランを核に担い手への農地の集積・集約化の具体化を進めていくこととしています。

(事例) 「人・農地プラン」を契機とした担い手への農地の集約(滋賀県)

滋賀県米原市《まいばらし》大野木《おおのぎ》地区は、水稲作が中心の地域です。

従来は、農業委員会を通じた農地所有者と耕作者間の個別の貸借契約等により農地の集積を進めていましたが、農地が分散し、作業性に課題を抱えていました。

「人・農地プラン」の取組として、地区内の農地所有者に対してアンケートを実施し、農地の集約化についての意向を確認した上で、集落外からの入作者を含む耕作者が話合いを重ね、耕作者ごとに農地の集約を希望するエリアを定めた地図を作成しました。

この地図に基づいた農地の集約を図るため、さらに地区内の農地の賃料の統一も実施しました。これにより借受農地の交換が円滑に進み、地区内の9割の農地について農地中間管理事業を活用し、4人の担い手に集約することができました。

取組の成果

	取組前	取組後
団地数	39	20
1団地当たりの平均面積(ha)	1.1	2.3

資料：滋賀県米原市
注：団地数は、2筆以上隣接している農地を計上

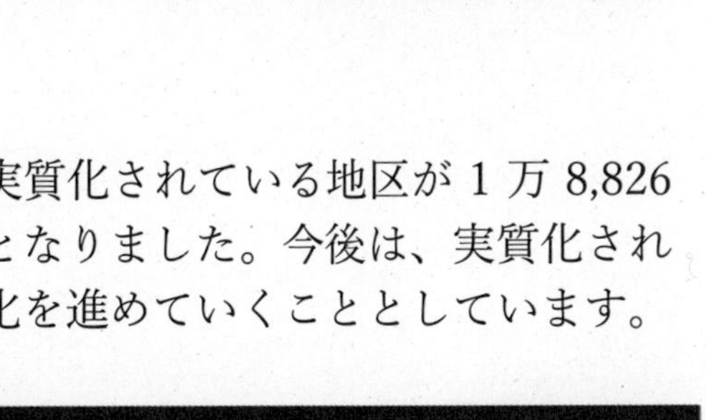

農地中間管理事業による集約化

資料：滋賀県米原市

(農地として維持困難な土地を抱える地域での持続的な土地利用の実現に向けた検討)

人口減少や農業の担い手不足等の課題に対処しつつ、食料の安定供給を脅かすリスクを軽減していくことが必要である一方、中山間地域を中心として、担い手への農地の集積・集約化、新規就農、スマート農業の普及等の政策努力を払ってもなお農地として維持することが困難な土地が増加することが懸念されます。

このため、農林水産省は、令和2(2020)年5月に「長期的な土地利用の在り方に関する検討会」を立ち上げました。同検討会では、中山間地域を中心とした地域において、地域の話合いを通じて、食料供給基盤としての機能は極力維持しつつ、地域の特性に応じた持続可能な土地利用への転換を図るため、(1)放牧等、農地の粗放的な利用、(2)鳥獣緩衝帯等、非常時に農業生産を再開することが容易な土地としての利用、(3)森林としての利用への転換等のための仕組みについて検討し、令和3(2021)年6月までに取りまとめることとしています。

第5節　農業経営の安定化に向けた取組の推進

自然災害や価格低下等の様々なリスクに対応し、農業経営の安定化を図るためには、収入の減少を補償する収入保険や、諸外国との生産条件の格差から生ずる不利を補正するための対策等の推進が重要となっています。本節では、これらの取組の推進状況について紹介します。

(1) 収入保険の普及促進・利用拡大

(収入保険への加入者は対前年で約 1.3 万経営体増加)

収入保険は、農業者の自由な経営判断に基づき収益性の高い作物の導入や新たな販路の開拓にチャレンジする取組等に対する総合的なセーフティネットとして、平成 31(2019)年１月から始まりました。収入保険は、青色申告を行っている農業者を対象として、保険期間の農産物の販売収入が過去５年間の平均収入等を考慮して設定される基準収入の９割の水準を下回った場合に、下回った額の９割を補填する仕組みです。農業者は収入保険に加入することにより、品目の枠にとらわれず、自然災害だけでなく価格低下等の様々なリスクによる収入の減少が補償されることとなっています(**図表 2-5-1**)。

図表 2-5-1　収入保険の概要

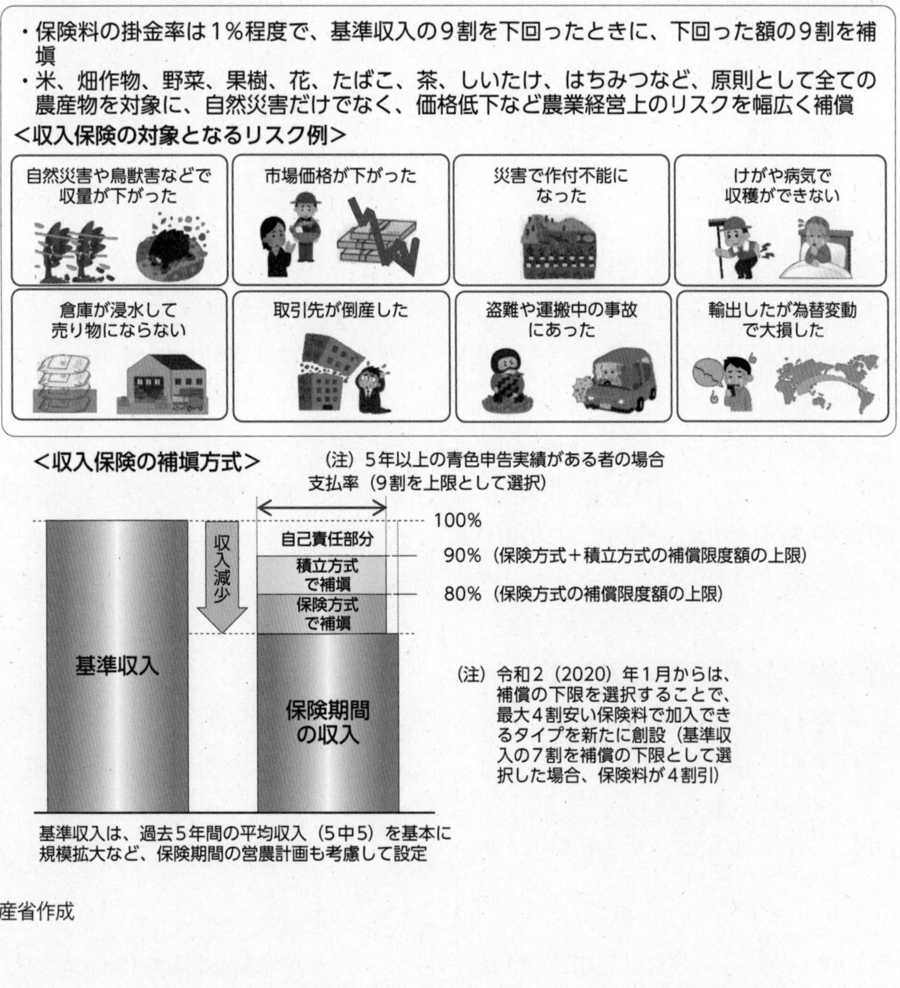

資料：農林水産省作成

令和2(2020)年の収入保険の加入実績は、前年に比べ約1.3万経営体増加し、3万6,142経営体となりました。青色申告を行っている農業経営体(35.3万人)の10.2%が加入していることになります(**図表2-5-2**)。

自然災害による損害を補償する農業共済と合わせた農業保険全体で見た場合、令和元(2019)年産の水稲の作付面積の83%、大豆等の畑作物の作付面積の75%が加入していることになります。

また、収入保険の保険金等の支払は、保険期間の翌年の確定申告後に、加入者から農業収入実績の申告を受けて行われますが、初年である令和元(2019)年の支払実績は、令和3(2021)年1月時点で、6,833件、166億円となりました。

なお、収入保険の保険金等の支払を受けられるようになるまでの間において、保険期間中に大きな損害が発生し、資金が必要な場合は、全国農業共済組合連合会が無利子のつなぎ融資を実施することとしています。令和3(2021)年1月時点で、累計で2,231件、101億円(令和元(2019)年実施分は794件、38億円、令和2(2020)年実施分は1,437件、63億円)の貸付けが行われています。

また、このうち新型コロナウイルス感染症を要因とするつなぎ融資は、累計で、605件、34億円となっています。

図表 2-5-2　収入保険の加入経営体数と加入割合

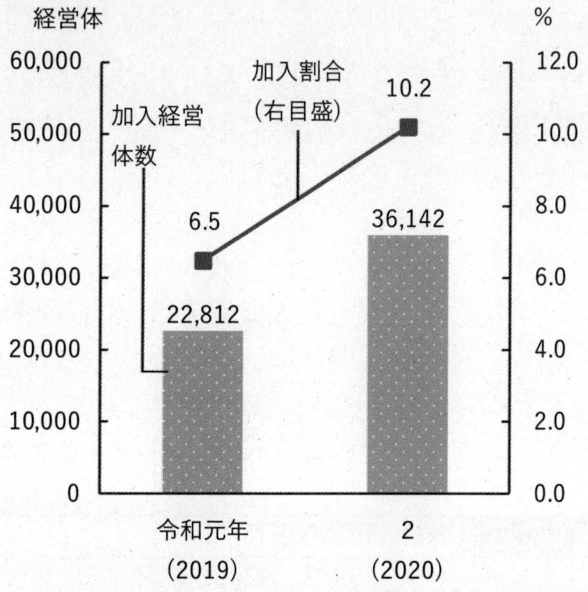

資料：農林水産省作成

注：加入割合は2020年農林業センサス(概数値)における青色申告を行っている農業経営体(35.3万経営体(現金主義を除く。))に対する割合

(収入保険の普及促進に向けた取組)

収入保険については、掛金の負担感等から様子見の農業者も多く、また、公庫によるアンケート調査[1]でも収入保険に加入しない理由として「収入保険制度をよく知らない」(26.2%)との意見も見られました。

このため、農林水産省は、農業者の声を踏まえ制度改善できるものを随時実施し、令和2(2020)年1月から、補償の下限を選択することにより、保険料を最大4割安くできるタイプを新たに設けるとともに、令和2(2020)年度から、農業共済組合、農協、集荷業者、農業会議、法人協会等の関係機関から成る推進協議会が取り組む加入促進活動へ支援を行いました。

また、野菜価格安定制度から収入保険へ移行するための手続が煩雑で事務負担が重いといった事情等を考慮し、令和3(2021)年1月から当分の間の特例として、野菜価格安定制度の利用者が初めて収入保険に加入する場合、収入保険と野菜価格安定制度を同時利用(1年間)できるように変更しました。

さらに、新型コロナウイルス感染症の影響により、令和2(2020)年の収入が減少した場

[1] 株式会社日本政策金融公庫「農業景況調査(令和2(2020)年1月調査)」(スーパーL資金又は農業改良資金の融資先1万9,085を対象として実施したアンケート調査(回収率35.0%))

合であっても、翌年の基準収入(過去5年間の平均が基本)に影響しない特例を設け、農業者が安心して収入保険に加入できるようにしました。

今後も農業者の声を聞きながら、制度改善できるものは随時実施し、収入保険の利用拡大を図っていくこととしています。

(2) 経営所得安定対策の着実な実施

(担い手に対する経営所得安定対策を実施)

経営所得安定対策は、米、麦、大豆等を生産する農業の担い手(認定農業者[1]、集落営農[2]、認定新規就農者)に対し、経営の安定に資するよう、諸外国との生産条件の格差から生ずる不利を補正するための畑作物の直接支払交付金(以下「ゲタ対策」という。)や農業収入の減少が経営に及ぼす影響を緩和するための米・畑作物の収入減少影響緩和交付金(以下「ナラシ対策」という。)を交付するものです(**図表 2-5-3**)。

令和 2(2020)年度の加入申請状況を見ると、ゲタ対策は離農等により加入申請件数が前年度に比べ1千件減少の4万2千件となった一方、ゲタ対策の対象とならない作物からの転換等により、作付計画面積は前年度に比べ6千 ha 増加の 50 万 ha となりました。また、ナラシ対策は収入保険への移行等により、加入申請件数が前年度に比べ1万件減少の7万8千件、申請面積は前年度に比べ5万4千 ha 減少の 82 万8千 ha となりました。

図表 2-5-3 経営所得安定対策の仕組み

(ゲタ対策)

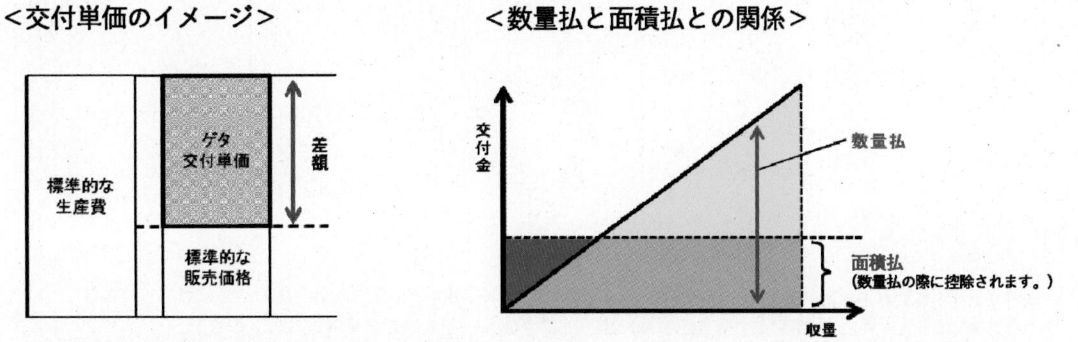

支払は生産量と品質に応じて交付する「数量払」を基本とし、当年産の作付面積に応じて交付する「面積払」は数量払の先払として支払われる。

(ナラシ対策)

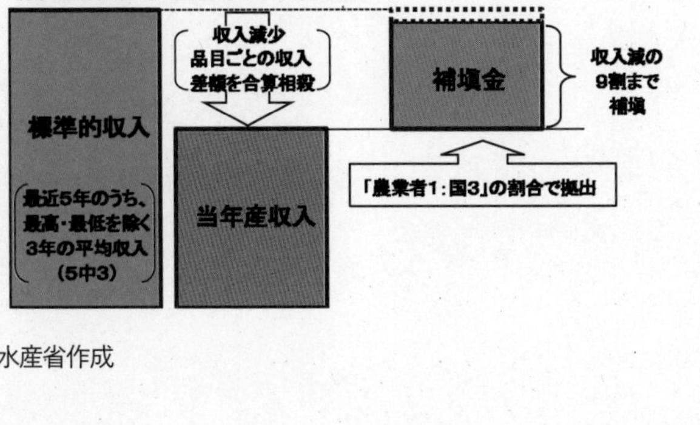

資料:農林水産省作成

---

1 用語の解説3(1)を参照
2 用語の解説3(1)を参照

(3) 農業金融

(農業向けの新規貸付は着実に伸長)

農業は、天候等により減収や品質低下の影響を受けやすい、収益性が低く投資回収までの期間が長い、融資を受ける際に供する物的担保が農地等の特殊なものにならざるを得ないなど、他産業には見られない特性があります。このため、農業向けの融資においては、農協、信用農業協同組合連合会、農林中央金庫(以下「農協系統金融機関」という。)と地方銀行等の一般金融機関が短期の運転資金や中期の設備資金を中心に、公庫がこれらを補完する形で長期・大型の設備資金を中心に、農業者への資金供給の役割を担っています。

農業向けの新規貸付額の伸びを見ると、一般金融機関は5年間で1.2倍、農協系統金融機関は4年間[1]で1.5倍、公庫は5年間で1.4倍に増加しています(**図表2-5-4**)。

また、金融システムの安定に係る国際的な基準に対応するため、令和3(2021)年3月に、「農水産業協同組合貯金保険法の一部を改正する法律案」を国会へ提出しました。

図表2-5-4 農業向けの新規貸付額

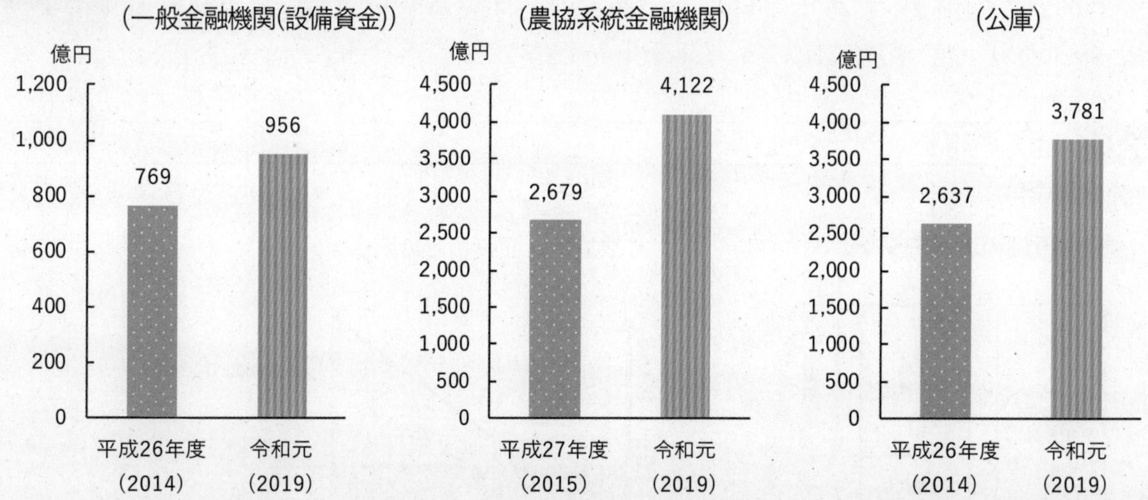

資料:日本銀行「貸出先別貸出金」、農林中央金庫調べ、株式会社日本政策金融公庫「業務統計年報」を基に農林水産省作成

注:1) 一般金融機関(設備資金)は国内銀行(3勘定合算)と信用金庫の農業・林業向けの新規設備資金の合計

2) 農協系統金融機関は、新規貸付額のうち長期の貸付のみを計上したもの

---

1 農協系統金融機関においては、農業向けの新規貸付額を平成27(2015)年度から調査している。

第6節　農業の成長産業化や国土強靱化に資する農業生産基盤整備

我が国の農業の競争力を強化し成長産業とするためには、農地を大区画化するなど、農業生産基盤を整備し、良好な営農条件を整えるとともに、大規模災害時にも機能不全に陥ることのないよう、国土強靱《きょうじん》化の観点から、農業水利施設[1]の長寿命化やため池の適正な管理・保全・改廃を含む農村の防災・減災対策を効果的に行うことが重要です。

本節では、新たな土地改良長期計画のほか、水田の大区画化・汎用化等の整備状況や、農業水利施設の保全管理、流域治水の取組等による農業・農村の防災・減災対策の実施状況等について紹介します。

(1) 新たな土地改良長期計画の策定

(新たな土地改良長期計画の策定)

土地改良事業は、農業者の発意・申請に基づき、実施地域内の農業者の3分の2以上の同意をもって実施することが原則となっています。事業の申請、同意、実施に至る過程においては、農業者を中心とした多様な関係者が、地域における農業・農村の将来像を見通し、世代を超えて事業の効果が発揮されるよう合意形成を図りながら実施されています。土地改良法では、土地改良事業の計画的な実施に資するため、事業の実施目標や事業量を定める土地改良長期計画を5年を一期として策定しています。令和3(2021)年3月に、政府は、令和3(2021)年度から令和7(2025)年度までを対象年度とする、新たな土地改良長期計画を策定しました。

この新たな計画では、「生産基盤の強化による農業の成長産業化」、「多様な人が住み続けられる農村の振興」、「農業・農村の強靱化」といった3つの政策課題に対応した5つの政策目標を掲げ、「スマート農業の実装を可能とする基盤整備を行う地区の割合：約8割以上」、「防災重点農業用ため池における防災対策着手の割合：約8割以上」、「田んぼダムに取り組む水田の面積：約3倍以上」等を重要業績指標(KPI)として設定し、取組を進めることとしています(**図表 2-6-1、図表 2-6-2**)。

1 用語の解説3(1)を参照

図表 2-6-1　新たな土地改良長期計画の概要

新たな土地改良長期計画の概要
～政策目標の達成に向けた施策の集中的な実施～

政策課題1：生産基盤の強化による農業の成長産業化
産業政策の視点

担い手への農地の集積・集約化、スマート農業の推進による生産コスト削減を通じた農業競争力の強化【政策目標1】
・担い手への農地の集積・集約化や生産コストの削減を図る農地の大区画化等の基盤整備の推進
・水田の大区画化、畑地・樹園地の区画整理や緩傾斜化等、自動走行農機・水需要の多様化に対応可能なICT（情報通信技術）水管理等によるスマート農業の推進

高収益作物への転換、産地形成を通じた産地収益力の強化【政策目標2】
・水田の汎用化や畑地化を推進し、野菜や果樹などの高収益作物に転換するとともに、関連施策と連携した輸出の促進

政策課題2：多様な人が住み続けられる農村の振興
地域政策の視点

所得と雇用機会の確保、農村に人が住み続けるための条件整備、農村を支える新たな動きや活力の創出【政策目標3】
・中山間地域等の地域の特色を活かした基盤整備と生産・販売施設等の整備との一体的推進、施設等の整備を通じた省力化により多様な働き方を実現する農村の働き方改革の推進
・農業集落排水施設の省エネルギー化、集落道の強靱化、情報通信環境の整備等、農村の生活インフラを確保することにより、リモートワークや農泊などによる田園回帰や関係人口の創出・拡大の促進
・農業・農村を支える土地改良区等の多様な人材の参画による組織運営体制の強化

農村協働力※

政策課題3：農業・農村の強靱化
両政策を支える視点

頻発化・激甚化する災害に対応した排水施設整備・ため池対策や流域治水の取組等による農業・農村の強靱化
・防災重点農業用ため池に係る劣化状況評価、地震・豪雨耐性評価、防災工事の集中的かつ計画的な推進　【政策目標4】
・農業水利施設の耐震対策、排水機場の整備・改修及び既存ダムの洪水調節機能強化、水田の活用（田んぼダム）による流域治水の推進

ICTなどの新技術を活用した農業水利施設の戦略的保全管理と柔軟な水管理の推進【政策目標5】
・ロボットやICT等も活用した施設の計画的かつ効率的な補修・更新等による戦略的な保全管理の徹底、柔軟な水管理を可能とする整備等の推進

※農村に住む多様な人々による農業用水の利用・管理等を通じ形成され、農村の潜在力を高めるもの

資料：農林水産省作成

図表 2-6-2　新たな土地改良長期計画の重要業績指標(KPI)

政策課題1：生産基盤の強化による農業の成長産業化

【政策目標1】
・基盤整備完了地区(水田)における担い手の米生産コストの労働費が一定程度まで低減している地区の割合：約8割以上
・基盤整備着手地区において、スマート農業の実装を可能とする基盤整備を行う地区の割合：約8割以上

【政策目標2】
・基盤整備完了地区において、事業実施前後で高収益作物の生産額が一定程度増加している地区の割合：約8割以上

政策課題2：多様な人が住み続けられる農村の振興

【政策目標3】
・土地改良施設の使用電力量に対する農業水利施設を活用した小水力等再生可能エネルギーによる発電電力量の割合：約4割以上
・地域による農地・農業用水等の保全管理が実施される農地のうち、持続的な広域体制の下で保全管理される割合：約6割以上

政策課題3：農業・農村の強靱化

【政策目標4】
・防災重点農業用ため池における防災対策着手の割合：約8割以上
・田んぼダムに取り組む水田の面積：約3倍以上

【政策目標5】
・更新が早期に必要と判明している基幹的農業水利施設における対策着手の割合： 10 割
・更新事業（機能向上を伴う事業地区を除く）の着手地区においてストックの適正化等により維持管理費を節減する地区の割合： 10 割

資料：農林水産省作成

(2) 農業の成長産業化に向けた農業生産基盤整備

(大区画整備済みの水田は11%、畑地かんがい施設整備済みの畑は24%)

我が国の農業の競争力を強化するため、農林水産省では、水田の大区画化や汎用化・畑地化、畑地かんがい施設の整備等の農業生産基盤整備を実施し、担い手への農地の集積・集約化[1]や農業の高付加価値化等に取り組んでいます。

大区画化された農地

水田の整備状況について、令和元(2019)年における30a程度以上の区画整備済み面積は159万haであり、水田面積全体(239万ha)の66%となりました。その中でも、担い手への農地の集積・集約化や生産コストの削減に資する50a程度以上の大区画整備済み面積は26万haであり、その割合は11%となりました。

また、暗渠《あんきょ》排水の設置等による汎用化が行われた水田面積は110万haで、その割合は46%となりました。水田の汎用化[2]により、野菜等の高収益作物への転換が進んでいます(**図表2-6-3**)。

一方、畑では、令和元(2019)年における畑地かんがい施設の整備済み面積は49万haであり、畑面積全体(200万ha)の24%となりました。また、区画整備済み面積は、128万haであり、その割合は64%となりました(**図表2-6-4**)。

図表2-6-3 水田の大区画化・汎用化の状況

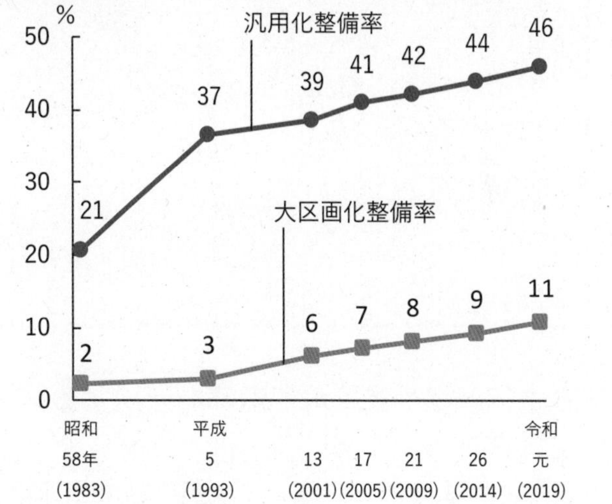

資料:農林水産省「耕地及び作付面積統計」、「農業基盤情報基礎調査」を基に作成

注:1) 大区画整備率とは、50a程度以上に区画整備された田の割合

2) 汎用化整備率とは、暗渠排水の設置等が行われ、地下水位が70cm以深かつ湛水排除時間が4時間以下の田の割合

図表2-6-4 水田及び畑の整備状況

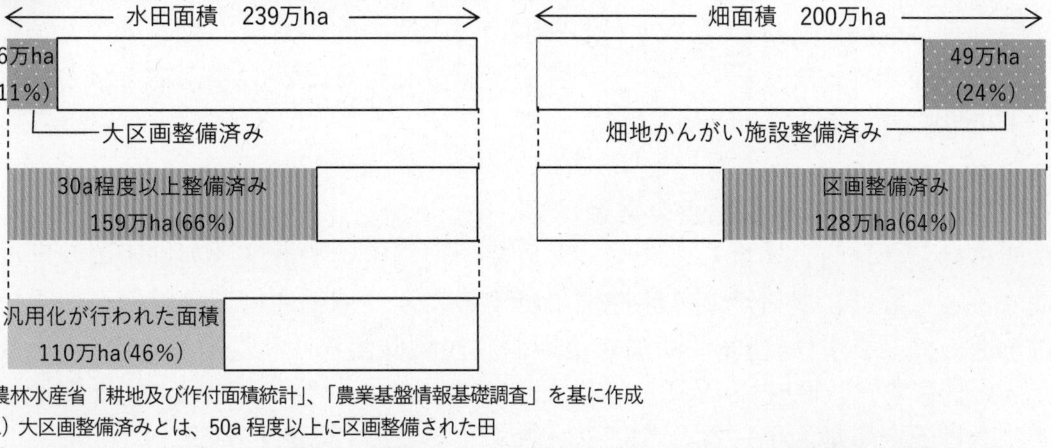

資料:農林水産省「耕地及び作付面積統計」、「農業基盤情報基礎調査」を基に作成

注:1) 大区画整備済みとは、50a程度以上に区画整備された田

2) 汎用化が行われた面積とは、暗渠排水の設置等が行われ、地下水位が70cm以深かつ湛水排除時間が4時間以下の田

3) 水田面積、畑面積は令和元(2019)年7月15日時点の田、畑の耕地面積の数値、それ以外の面積は平成30(2018)年度末時点の数値

[1] 用語の解説3(1)を参照

[2] 用語の解説3(1)を参照

(事例) 水田の大区画化、汎用化を通じた経営の多角化を実現(島根県)

島根県安来市《やすぎし》能義第二《のぎだいに》地区は、水田の基盤整備(大区画化、汎用化)により生産コストの低減や水管理の省力化を行うとともに、担い手への農地集積による経営規模の拡大に取り組んでいます。

基盤整備を実施する前の平成25(2013)年には、売上高の98.1%が水稲、1.4%が大豆、麦、なたねでしたが、区画整理や用排水路の整備を行うことにより大型農業機械の導入が可能となり、生産コストが低減されるとともに、水田の汎用化により、キャベツ等の作付けが可能となり、経営の多角化が実現しました。

この結果、能義第二地区での大豆、麦、なたねの売上高は平成 25(2013)年から平成 30(2018)年の 5 年で 4 倍に増加しました。また、新たに導入したキャベツ、トマトの売上高も平成 28(2016)年から平成 30(2018)年の 2 年で 10 倍になりました。

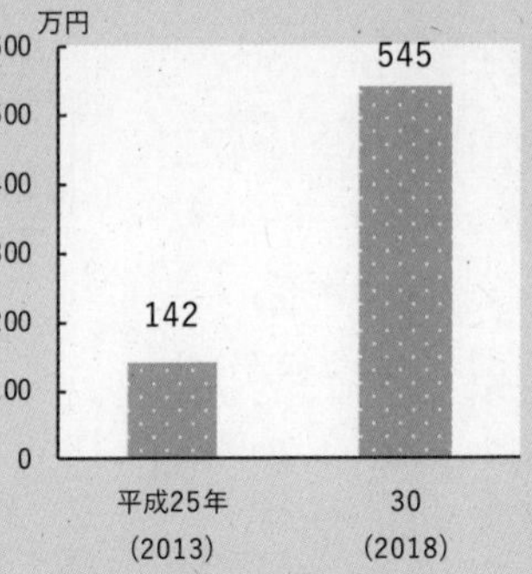

大豆、麦、なたねの売上高
資料：農林水産省作成

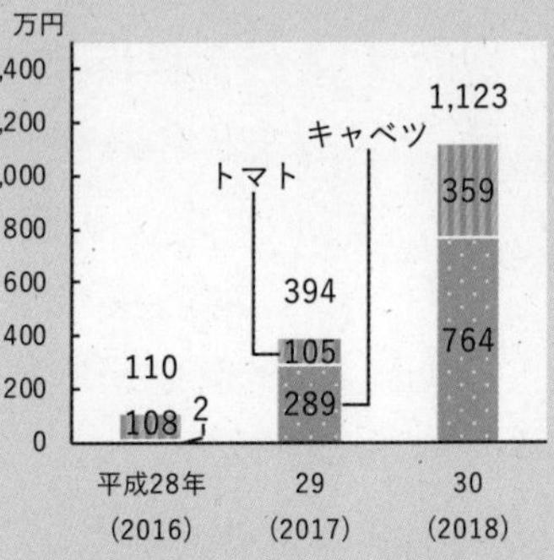

キャベツ、トマトの売上高
資料：農林水産省作成

(自動走行農機やICT水管理等を活用するスマート農業が実装可能となる農業生産基盤整備を推進)

農業生産基盤については、令和 2(2020)年 2 月に農林水産省が「自動走行農機等に対応した農地整備の手引き」を策定し、国、県、土地改良区等により自動走行農機やICT[1]水管理等を活用するスマート農業が実装可能となる整備が進められています。

令和 2(2020)年度では、水田について、用水需要の変化に応じて水田内の水位をセンサーにより把握し、遠隔で開閉操作を行う給水システムや大区画化された水田において地下水位を自動で制御するシステムの整備と併せて、自動走行農機がその性能を発揮しやすい大きさや形状の圃場《ほじょう》への整備が行われています。

また、自動走行農機による作業の効率化や圃場と農道の間の安全な行き来のために農道の両側に緩やかなスロープを設けたターン農道の設置を行うほか、障害物を減らすために水路を地下に埋設するなどの整備が実施されています。

(農村における情報通信環境の整備を推進)

農林水産省は、総務省と連携し、スマート農業の現場実装や農業水利施設の管理の省力化を推進するとともに、農村地域の活性化に資するよう、情報通信環境整備への支援について検討を進めています(総務省北海道総合通信局が開催する「北海道農業 ICT/IoT 懇談会」が行った試算では、平成 29(2017)年度末時点で、光ファイバが利用可能な農地の面積は北海道における全農地面積に対し 51.7%となっています(**図表 2-6-5**)。)。

1　用語の解説3(2)を参照

令和 2(2020)年度においては、スマート農業実証プロジェクトと総務省が行う「地域課題解決型ローカル 5G 等の実現に向けた開発実証[1]」の連携により、ロボットトラクタやロボット摘採機の無人自動走行等の実証を、北海道岩見沢市《いわみざわし》、山梨県山梨《やまなし》市《し》、鹿児島県志布志市《しぶしし》で行いました。また、ICT を活用したため池や農業用用排水路の監視・遠隔操作等の実証を、静岡県袋井市《ふくろいし》、兵庫県神戸市《こうべし》で行いました。

令和 3(2021)年度においては、各実証を継続するとともに、地方公共団体等による情報通信環境の整備やそのために必要な調査・計画策定を支援するための新たな事業制度を創設することとしています。

図表 2-6-5 北海道における光ファイバ利用可能農地面積率

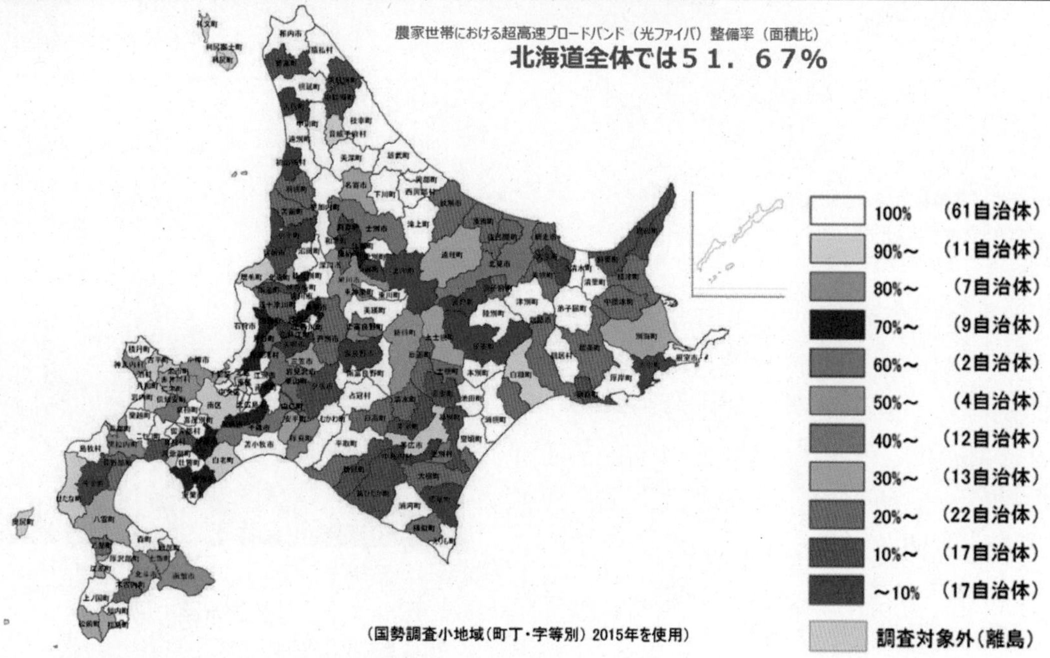

資料：総務省「北海道農業 ICT/IoT 懇談会」報告書(平成 31(2019)年 3 月 13 日)
注：平成 29(2017)年度末時点

(3) 農業水利施設の戦略的な保全管理

(老朽化が進む農業水利施設を計画的、効率的に補修・更新)

基幹的水路[2]や基幹的施設[3](ダム、取水堰《しゅすいせき》等)等の基幹的農業水利施設の整備状況は、平成 30(2018)年度末時点で、基幹的水路が 5 万 1,454km、基幹的施設が 7,632 か所となっており、これら施設は土地改良区等が管理しています。

基幹的農業水利施設の相当数は、戦後から高度成長期に整備されてきたことから、老朽化が進行しています。令和元(2019)年度における、経年劣化やその他の原因による農業水利施設[4](基幹的農業水利施設以外も含む。)の漏水等の突発事故は、依然として高い水準となっています。標準耐用年数を経過している基幹的農業水利施設は、再建設費ベースで 5.2 兆円であり、全体の 27%を占めています。さらに、今後 10 年のうちに標準耐用年数を超過する施設を加えると 8 兆円であり、全体の 41%を占めています(**図表 2-6-6**)。

---

1 令和 3(2021)年度以降は「課題解決型ローカル 5G 等の実現に向けた開発実証」に名称を変更
2 農業用用排水のための利用に供される末端支配面積が 100ha 以上の水路
3 農業用用排水のための利用に供される水路以外の施設であって、受益面積が 100ha 以上のもの
4 用語の解説 3(1)を参照

図表 2-6-6　基幹的農業水利施設の老朽化状況

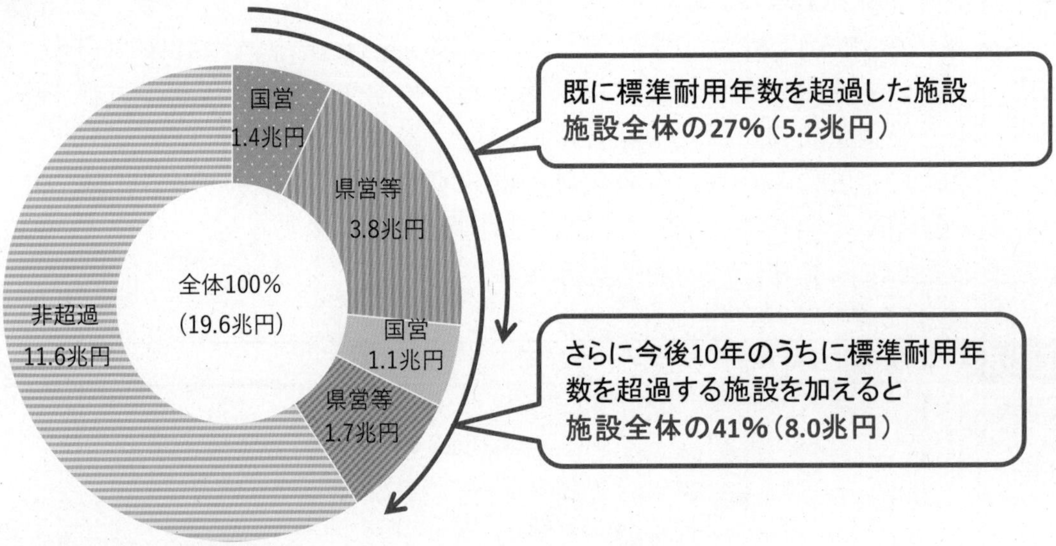

資料：農林水産省「農業基盤情報基礎調査」
注：1）基幹的農業水利施設(受益面積 100ha 以上の農業水利施設)の資産価値(再建設費ベース)
2）平成 30(2018)年度末時点

このような状況の中、農林水産省は、点検や機能診断、監視等により、農業水利施設の老朽化によるリスクを評価し、その結果に基づき、予防保全も含めた補修・更新等の様々な対策工法を比較検討した上で、適切な対策を計画的かつ効率的に実施するストックマネジメント[1]を推進することにより、施設の長寿命化とライフサイクルコスト[2]の低減を図っています。

点検・診断　　補修後

基幹的水路の補修

資料：農林水産省作成

(4) 農業・農村の強靭化に向けた防災・減災対策

(国土強靭化基本計画等を踏まえたハード、ソフト面の対策を実施)

頻発する豪雨、地震等の災害に対応し、安定した農業経営や農村の安全・安心な暮らしを実現するため、農林水産省は、平成 26(2014)年に閣議決定した「国土強靭化基本計画」(平成 30(2018)年改定)を踏まえ、農業水利施設の長寿命化や統廃合を含むため池の総合的な対策の推進等のハード面での対策と、ハザードマップの作成や地域住民への啓発活動等のソフト面での対策を組み合わせた防災・減災対策を推進しています。

耐震対策が必要な農業用ダムや頭首工《とうしゅこう》の国営造成施設の耐震化計画の策定割合は令和2(2020)年度に 100%を目標としていたところ、平成 30(2018)年度末時点で、72%となっています(**図表 2-6-7**)。また、令和元(2019)年度までにハザードマップを作成した防災重点ため池は約 1 万 3 千か所となっています。

1 施設の機能がどのように低下していくのか、どのタイミングで、どの対策を取れば効率的に長寿命化できるのかを検討し、施設の機能保全を効率的に実施することを通じて、施設の有効活用や長寿命化を図り、ライフサイクルコストを低減する取組
2 施設の建設に要する経費、供用期間中の維持保全コストや、廃棄にかかる経費に至るまでの全ての経費の総額

令和 2(2020)年 12 月に「防災・減災、国土強靱化のための 5 か年加速化対策[1]」を閣議決定し、令和 3(2021)年度から令和 7(2025)年度までの 5 か年を対象に、必要な事業規模を定め、集中的に対策を講じることとなりました。農業・農村分野では、「流域治水対策(農業水利施設の整備、水田の貯留機能向上)」、「防災重点農業用ため池[2]の防災・減災対策」及び「農業水利施設等の老朽化、豪雨・地震対策」等に取り組むこととしています。

図表 2-6-7 国営造成施設の耐震化計画の策定割合

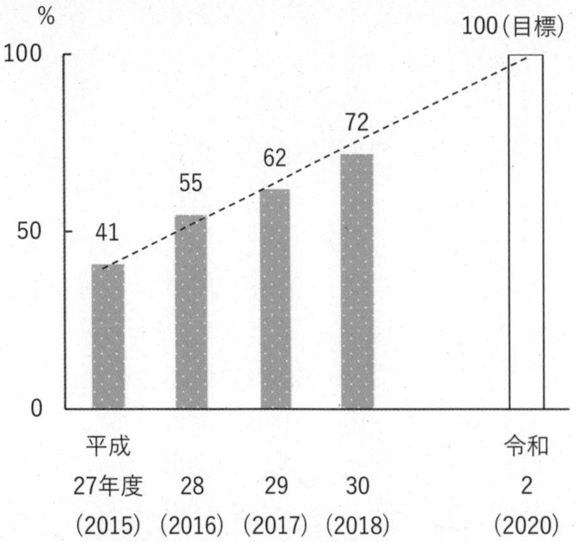

資料:国土強靱化推進本部「国土強靱化年次計画 2020」

(事例) 排水機能の確保により、農地等への被害を未然に防止(愛知県)

愛知県の尾張西部《おわりせいぶ》地区は、名古屋市《なごやし》、一宮市《いちのみやし》、津島市《つしまし》、江南市《こうなんし》、稲沢市《いなざわし》、愛西市《あいさいし》、清須市《きよすし》、弥富市《やとみし》、あま市《し》、大治町《おおはるちょう》、蟹江町《かにえちょう》、飛島村《とびしまむら》にまたがる1万1,608ha の農地を有する地帯です。豊かな木曽川《きそがわ》の水を活かして、水稲を中心に小麦、大豆、野菜等を組み合わせた農業経営が行われています。

*尾張西部地区は名古屋市、一宮市、津島市、江南市、稲沢市、愛西市、清須市、弥富市、あま市、大治町、蟹江町、飛島村

尾張西部地区は、地区の大半が海面以下と標高が低いため、昭和 34(1959)年の伊勢湾台風や昭和 49(1974)年、昭和 51(1976)年の豪雨により合わせて9,320ha の農地が甚大な被害を受けました。そのため、昭和 60(1985)年から平成 8(1996)年にかけて国営かんがい排水事業により日光川《にっこうがわ》河口排水機場や尾西《びさい》排水機場を整備し、排水を改良しましたが、施設の経年的な劣化により、ポンプ設備の故障、ポンプ建屋のひび割れ等の機能低下が生じ、排水機能の維持、施設の維持管理に多大な費用を要することが懸念されていました。

このため、平成 30(2018)年度から令和 2(2020)年度にかけて排水施設の機能維持や長寿命化を図るため、「防災・減災、国土強靱化のための 3 か年緊急対策」に基づき、排水施設の機能保全、耐震化のための整備を行いました。

これにより、令和 2(2020)年 7 月の豪雨では排水機場が稼働し、農地、宅地等の湛水《たんすい》被害を未然に防ぐことができました。

対策後の排水機場全景

(ため池工事特措法を施行)

平成 30 年 7 月豪雨では 32 か所のため池が決壊し、甚大な被害が発生しましたが、その

1 第 4 章第 4 節を参照
2 防災重点ため池と同義。令和 2(2020)年 10 月に施行された防災重点農業用ため池に係る防災工事等の推進に関する特別措置法第 2 条に規定

多くが防災重点ため池に選定されていないものでした。このため、平成30(2018)年に国が防災重点ため池の新たな選定基準として「決壊した場合の浸水区域に家屋や公共施設等が存在し、人的被害を与えるおそれのあるため池」を定め、都道府県が同基準に基づき再選定を行った結果、防災重点ため池の数は約1万1千か所から令和元(2019)年5月末時点で約6万4千か所へと大幅に増加しました。

防災重点ため池が増加する中で、都道府県知事や市町村長から「地方公共団体の財政やマンパワーには限界があり、計画的に防災工事を推進するためには、財政支援や技術支援が必要」との声が数多く寄せられたことから、令和2(2020)年6月、「防災重点農業用ため池に係る防災工事等の推進に関する特別措置法」(以下「ため池工事特措法」という。)が議員立法により成立、同年10月に施行されました。

ため池工事特措法では、集中的かつ計画的に防災工事等を推進するため、都道府県が推進計画を策定し、国は必要な財政上の措置、地方債について特別の配慮を講ずることとされています。加えて、都道府県は、防災工事等の確実かつ効果的な実施に関して必要な技術的指導、助言その他の援助に努めることとされており、必要に応じて土地改良事業団体連合会の協力を求めることができる旨が規定されました。ため池整備に対する知見、能力を有する土地改良事業団体連合会が、ため池の点検調査、現地パトロール、劣化状況評価等の活動を「ため池サポートセンター」として行う先進的な事例もあり、農林水産省ではこれらの事例を全国的に広めていくこととし、ため池サポートセンターの設置や活動等を支援しています。

さらに、ため池工事特措法に基づき、ため池の貯水量、住宅等の数及び公共施設の重要度を踏まえて、優先度の高いものから防災工事等に取り組むとともに、防災工事等が実施されるまでの間についても、ハザードマップの作成や監視・管理体制の強化等を行うなど、これらの対策を適切に組み合わせて、ため池の防災・減災対策を推進することとしています。

(流域治水の取組を推進)

農林水産省では、関係省庁と連携して流域治水の取組を推進することとしています。

河川の流域には、水田、農業用ダム、排水機場、ため池が存在しており、流域全体で治水対策を進めていく中で、これらの農地・農業水利施設が持つ洪水調節機能の活用に取り組んでいます。このため、農林水産省では、関係省庁や地方公共団体、農業関係者等と連携しながら、大雨により水害が予測される際に、(1)事前に農業用ダムの水位を下げて雨水を貯留する「事前放流」、(2)水田に雨水を一時的に貯留させる「田んぼダム」、(3)ため池への雨水の一時的な貯留、(4)農作物への被害のみならず、市街地や集落の湛水《たんすい》被害も防止・軽減させる排水施設の整備等、流域治水の取組を通じた防災・減災対策を強化しています(**図表 2-6-8**)。

令和元(2019)年 12 月に策定した「既存ダムの洪水調節機能の強化に向けた基本方針」においては、1級水系の利水ダムについて、令和2(2020)年5月までに河川管理者、ダム管理者及び関係利水者との間で治水協定を締結し、事前放流や時期ごとの貯水位運用により、ダムの有効貯水容量を洪水調節に活用する新たな運用を図ることとされました。これを踏まえて、特に農業用ダムについては、1級水系に存在している265基全てのダムで治水協定を締結し、洪水調節機能を強化した新たな運用が開始され、2 級水系においても、順次、治水協定の締結が進められています。

図表 2-6-8 農地・農業水利施設を活用した流域の防災・減災の推進(「流域治水」の取組)

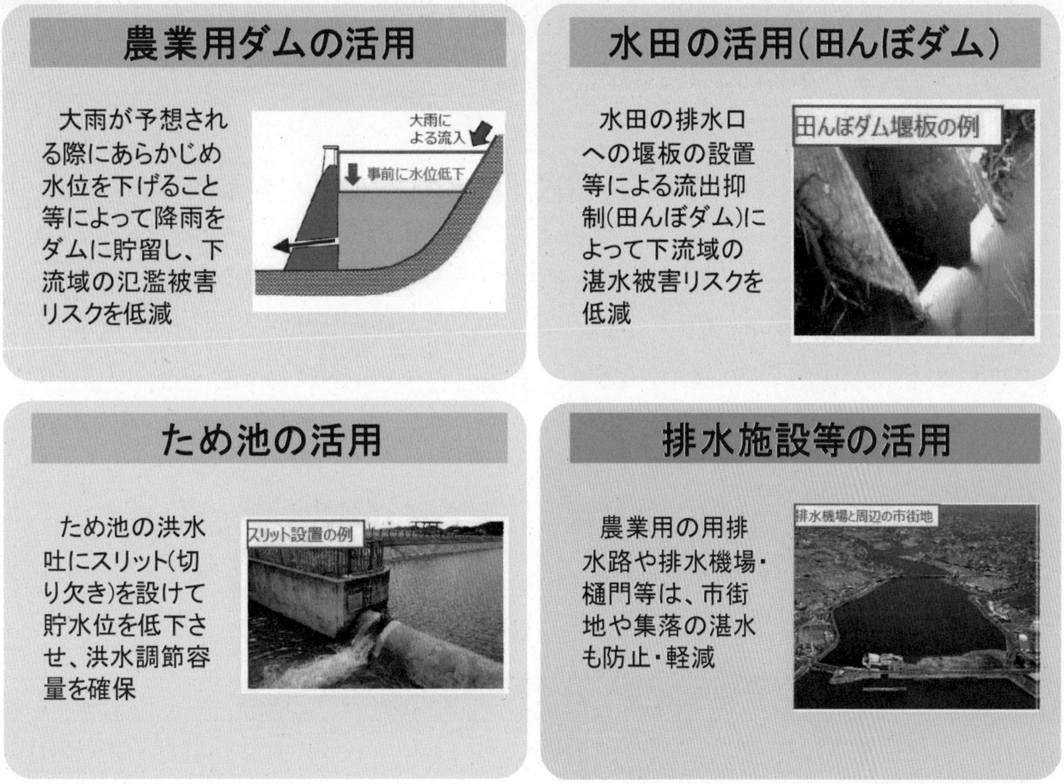

資料：農林水産省作成

(低平地や干拓地の排水機場、海岸堤防の整備により周辺の農地、農作物を保全)

低平地や干拓地の排水機場の多くは、ダム、取水堰等の農業水利施設と同様に老朽化が進行しており、ポンプ設備が故障した場合、農地、農業用施設のみならず、地域に居住する住民の生命や財産に対して、甚大な被害が発生するおそれがあります。このため、農林水産省は、国営事業や補助事業等を活用し、予防保全も含めたポンプ設備の補修・更新等を推進しています。

老朽化した干拓地のポンプ設備

また、農地周辺の海岸堤防は、津波、高潮、波浪等から周辺の農地、農作物等を守るものです。大規模地震が想定されている地域等で、耐震対策等を必要とする農地周辺の海岸堤防は約 150km に及び、大規模地震が発生した際、周辺の農地が被災するおそれがあります。

このため、令和 2(2020)年度において、農林水産省は、大規模地震が想定され津波や高潮による浸水被害及び内水氾濫のおそれがある地域で、水門、排水機場等の大規模改修を計画的、集中的に行う補助事業を創設しました。これにより、農林水産省が 3 地区、また、19 道県が創設した補助事業や農山漁村地域整備交付金等を活用して、農地周辺の海岸堤防、離岸堤《りがんてい》、消波ブロックの整備、地盤の改良等を行いました。

第7節　需要構造等の変化に対応した生産基盤の強化と流通・加工構造の合理化

我が国では、各地域の気候や土壌等の条件に応じて、様々な農畜産物が生産されています。消費者ニーズや海外市場、加工・業務用等の新たな需要に対応し、国内外の市場を獲得していくためには、各品目の生産基盤の強化が重要です。さらに、そのためには、労働安全性の向上や生産資材の低コスト化等も重要です。本節では、これらに係る取組等の動向について紹介します。

(1) 畜産・酪農の生産基盤強化等の競争力強化

(飼養戸数が減少する中、大規模化が進展)

飼養戸数が全ての畜種で減少する中で、1戸当たりの飼養頭羽数は、いずれの畜種でも増加傾向となっています(**図表 2-7-1**)。

図表 2-7-1　畜種別に見る飼養戸数と1戸当たり飼養頭羽数の推移

(肉用牛の飼養戸数)

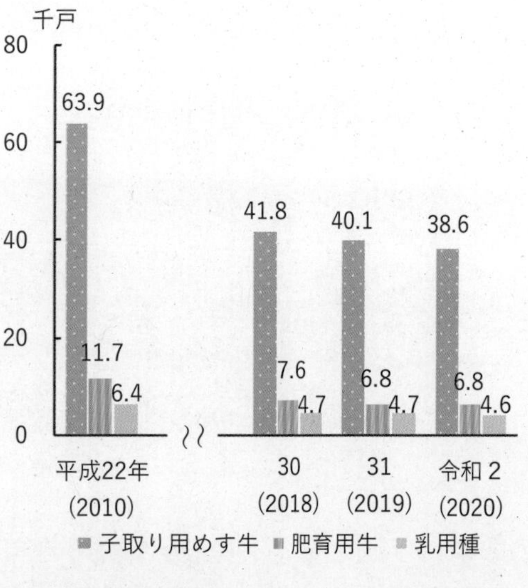

(肉用牛の1戸当たり飼養頭数)

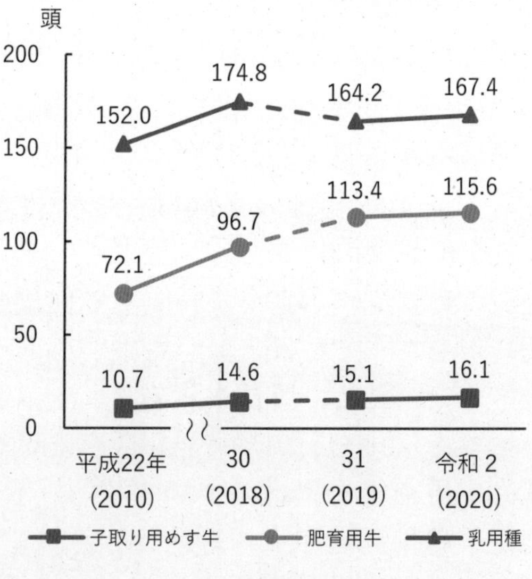

資料：農林水産省「畜産統計」

注：1) 各年2月1日時点

2) 飼養者が複数の飼養地(畜舎)を持ち、個々に要員を配置して飼養を行っている場合は、それぞれの飼養地(畜舎)を1飼養者とした。なお、飼養者とは、家畜を飼養する全ての者(個人又は法人)のことで、学校、試験場等の非営利的な飼養者を含む。

3) 平成31(2019)年及び令和2(2020)年の肉用牛の数値は、牛個体識別全国データベース等の行政記録情報等により集計した数値

4) 肉用牛の1戸当たり飼養頭数の子取り用めす牛、肥育用牛、乳用種については、平成30(2018)年以前と平成31(2019)年以降では、算出方法が異なるため平成30(2018)年と平成31(2019)年を点線でつなげている。

5) 肉用牛のうち乳用種については、交雑種を含む。

図表 2-7-1 畜種別に見る飼養戸数と１戸当たり飼養頭羽数の推移(続き)

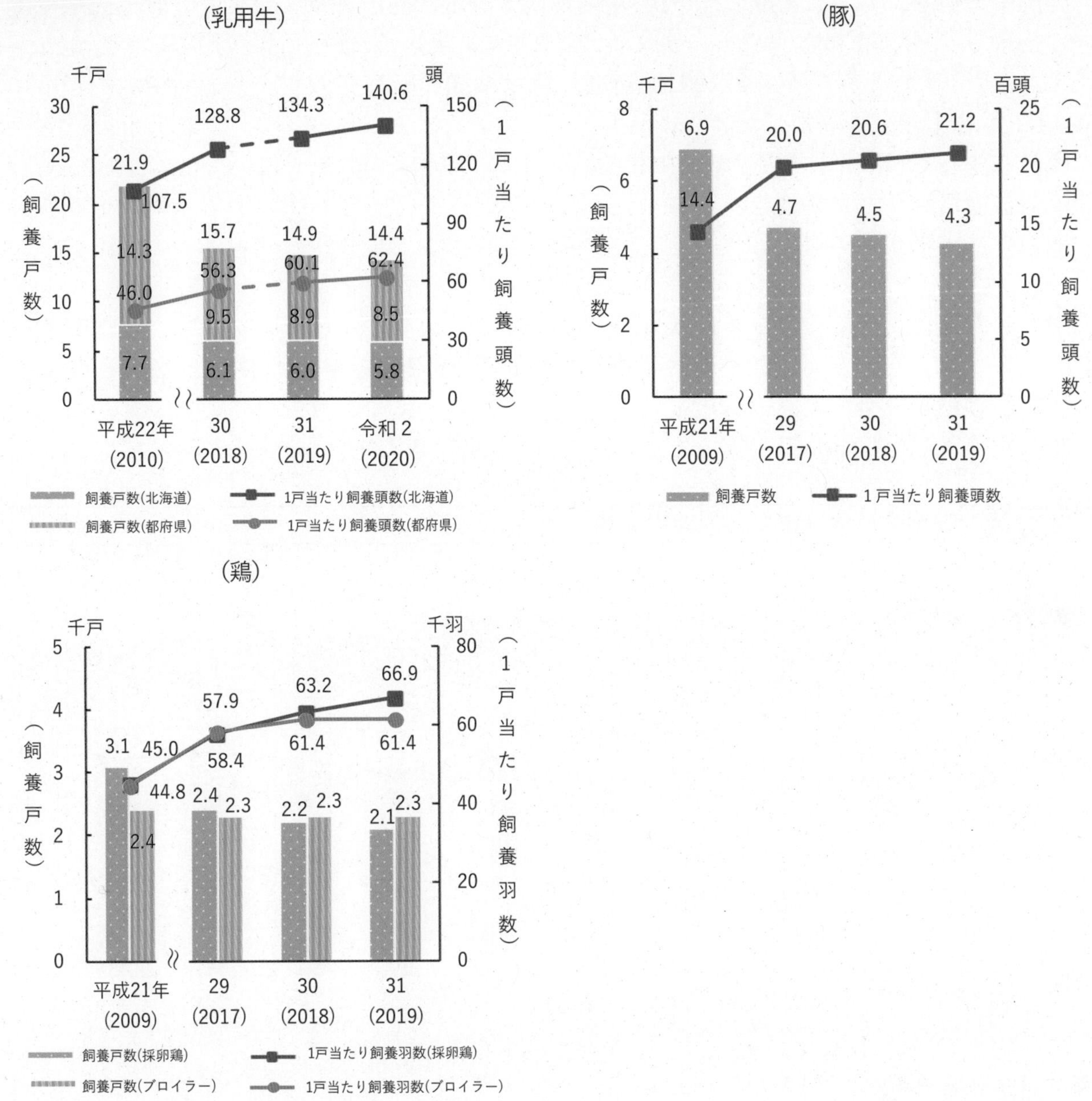

資料：農林水産省「畜産統計」、「畜産物流通統計」

注：1) 各年２月１日時点

2) 採卵鶏の飼養戸数、飼養羽数は、成鶏めす 1,000 羽以上の飼養者の数値

3) ブロイラーの平成 21(2009)年の数値は全飼養者の数値、平成 29(2017)年以降の数値は、年間出荷羽数 3,000 羽以上の飼養者の数値

4) 飼養者が複数の飼養地(畜舎)を持ち、個々に要員を配置して飼養を行っている場合は、それぞれの飼養地(畜舎)を１飼養者とした。なお、飼養者とは、家畜を飼養する全ての者(個人又は法人)のことで、学校、試験場等の非営利的な飼養者を含む。

5) 平成 31(2019)年及び令和 2(2020)年の乳用牛数値は、牛個体識別全国データベース等の行政記録情報等により集計した数値

6) 乳用牛の１戸当たり飼養頭数については、平成 30(2018)年以前と平成 31(2019)年以降では、算出方法が異なるため平成 30(2018)年と平成 31(2019)年を点線でつなげている。

（肉用牛の生産基盤の維持・強化を推進）

肉用牛の飼養頭数は、平成22(2010)年度以降、減少傾向にありましたが、繁殖雌牛は農家の規模拡大や、キャトルブリーディングステーション(CBS)[1]、キャトルステーション(CS)[2]の活用等により、平成27(2015)年度以降は増加に転じており、令和元(2019)年度には、62万2千頭となりました。

農林水産省は、肉用牛の生産基盤強化を図るための取組として、CBS、CSの活用や、ICT[3]等の新技術を活用した発情発見装置や分べん監視装置等の機械装置の導入やコントラクター等の外部支援組織の機能強化等を支援することにより、生産性の向上と省力化を推進しています。

牛肉生産量は、従来からの事業に加え、平成27(2015)年度から畜産クラスター事業を推進し生産基盤の強化が図られたこと等により、平成29(2017)年度と平成30(2018)年度は増加しましたが、令和元(2019)年度は、乳用種去勢、交雑種が減少していることから、前年度に比べ1.1%減少の47万1千tとなりました(**図表2-7-2**)。

図表2-7-2　肉用牛の飼養頭数と牛肉生産量

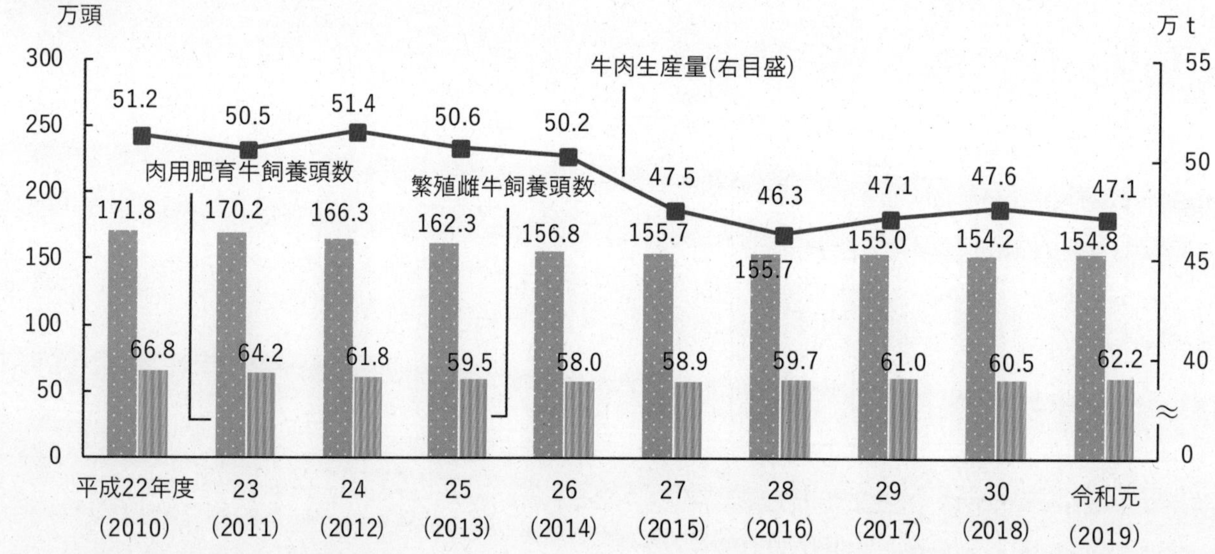

資料：農林水産省「畜産統計」、「食料需給表」

注：1) 飼養頭数は、各年度2月1日時点

2) 肉用肥育牛の飼養頭数は、肉用種の肥育用牛と乳用種の合計

3) 牛肉生産量は枝肉ベース

4) 令和元(2019)年度の牛肉生産量は概算値

5) 平成30(2018)年度及び令和元(2019)年度の肉用肥育牛飼養頭数と繁殖雌牛飼養頭数は、牛個体識別全国データベース等の行政記録情報等により集計した数値

我が国の牛肉の消費量は近年増加しており、輸入量も増加傾向にありますが、アジア地域の経済成長に伴う需要拡大や、アフリカ豚熱[4]の発生により中国の食肉輸入量が増加し続けていることにより、世界的な牛肉の需給バランスに変化が生じています。

一方で、和牛の海外での認知度向上等を背景に、我が国の牛肉輸出は年々増加していま

[1] 繁殖経営で多くの時間を費やす、繁殖雌牛の分べん・種付けや子牛の哺育を集約的に行う組織

[2] 繁殖経営で生産された子牛の哺育・育成を集約的に行う組織であり、繁殖雌牛の預託を行う場合がある。

[3] 用語の解説3(2)を参照

[4] 用語の解説3(1)を参照

す。令和 2 (2020)年の輸出量は前年に比べ 11.6%増加の 4,845 t となり、輸出額は前年に比べ 2.7%減少の 289 億円となりました(**図表 2-7-3**)。令和 2(2020)年 4 月に設置された農林水産大臣を本部長とする農林水産物・食品輸出本部の下、令和 12(2030)年までに輸出額を 3,600 億円とすることを目標としています。

図表 2-7-3 我が国の牛肉の輸出量と輸出額

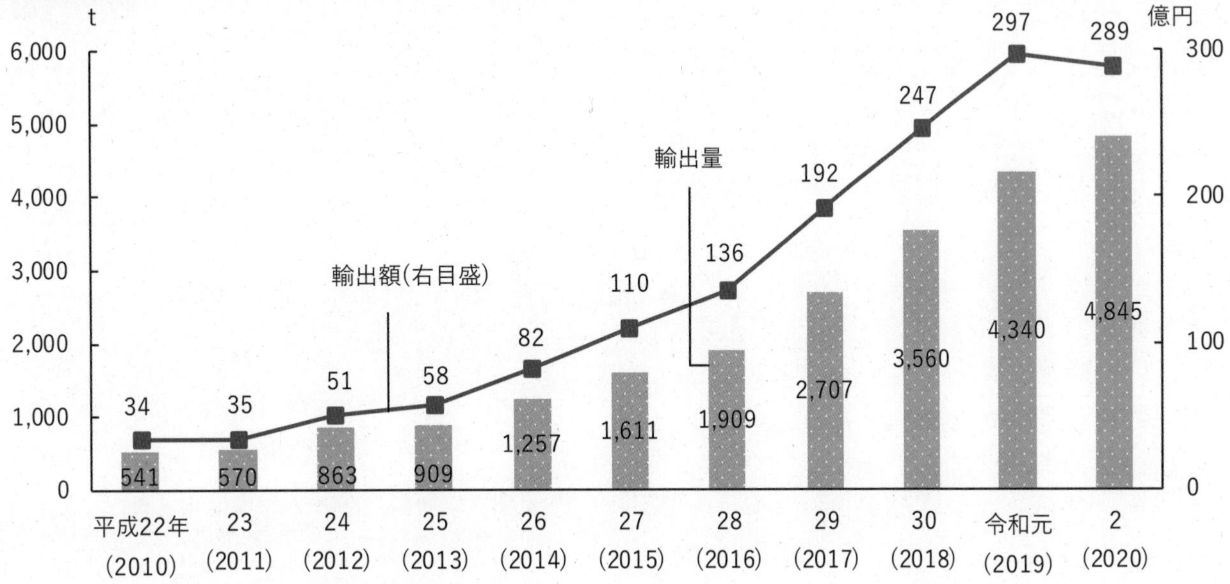

資料：財務省「貿易統計」を基に農林水産省作成

将来にわたり国民に安定的に牛肉を供給するとともに、新たな市場獲得を図るためには、国内の生産基盤を強化し、国産牛肉の生産量を増加させる必要があります。一方、流通面では、生産者の顔が見える商品を求める消費者ニーズが高まる中、生産者と消費者の結節点として、高品質な食肉を安定的に供給していくことが重要となっています。

このため、農林水産省では、平成 27(2015)年度から、地域ぐるみで高収益型の畜産を実現するための畜産クラスター事業により経営の体質強化等を進めています。また、輸出の拡大に向けて和牛の増頭・増産を大幅に進めるため、繁殖雌牛の増頭奨励金の交付等による生産基盤の強化を推進しています。

さらに、増頭に伴う子牛の取引の円滑化に向けて、家畜市場の再編整備等の流通改革を推進しています。

（酪農の生産基盤の維持・強化を推進）

乳用牛の飼養頭数は平成 14(2002)年以降減少を続けていましたが、子牛の出生頭数が増加したことから、平成 30(2018)年以降増加に転じ、令和 2 (2020)年は前年に比べ1万3千頭増加し135万頭となりました(**図表 2-7-4**)。また、1戸当たりの飼養頭数は増加傾向で推移しており、大規模化が進展しています。

さらに、令和元(2019)年度の生乳生産量は、都府県では飼養戸数の減少に伴い飼養頭数が減少し、依然として減少傾向が続く一方、北海道では飼養頭数の増加に伴い、初めて400万tの大台を上回った結果、全国での生産量は736万2千tと4年ぶりに増加に転じました(**図表 2-7-5**)。

このような規模拡大や生産量増加の背景には、乳用牛の生産基盤強化を図るための取組として、雌牛生産用の性判別精液の活用等による乳用後継牛の確保や預託等を通じた雌子牛の着実な育成等を推進していることが挙げられます。

このほか、生乳生産量が減少している都府県での増頭に向けた奨励金の交付や、中小・家族経営の環境整備等を推進し、搾乳ロボットの導入支援、酪農ヘルパーやTMR センター等の外部支援組織の強化を促進しています。

一方、生乳の需要は、牛乳等については減少傾向で推移してきましたが、近年は、健康志向の高まりにより横ばいで推移しています。また、乳製品については、食生活の洋風化等に伴い、チーズ、生クリーム等の需要が拡大しており、特に、需要が伸びているチーズは国内生産が横ばいで推移していることから輸入量が増加傾向にあります。今後は、輸入で補っている乳製品の需要を国産に置き換えていくことが重要であり、国内需要に応じた生乳の生産を確保していくことが必要です。

図表 2-7-4 乳用牛の飼養頭数

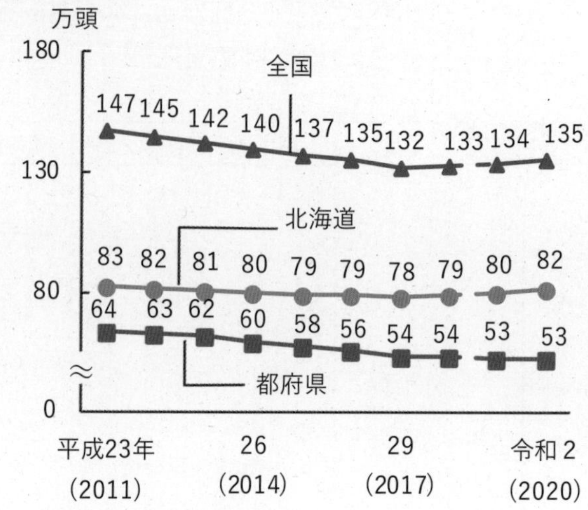

資料：農林水産省「畜産統計」
注：1) 各年2月1日時点
2) 平成 31(2019)年及び令和 2(2020)年の数値は、牛個体識別全国データベース等の行政記録情報等により集計した数値
3) 平成 30(2018)年以前と平成 31(2019)年以降では、算出方法が異なるため平成 30(2018)年と平成 31(2019)年を点線でつなげている。

図表 2-7-5 生乳生産量

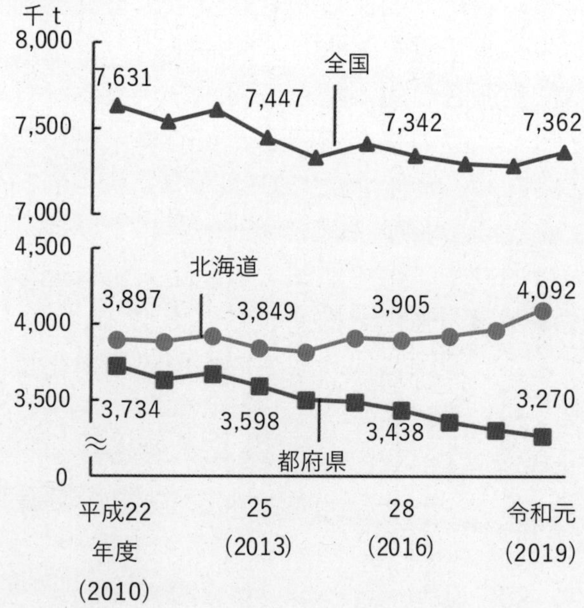

資料：農林水産省「牛乳乳製品統計」

(畜舎等の建築等及び利用の特例に関する法律案を国会に提出)

畜舎等の建築基準については、これまでも国土交通省と連携して基準緩和に取り組んできましたが、近年の建築コストの高騰を背景に畜産農家等から基準緩和を求める声が高まりました。

このような情勢を踏まえ、令和元(2019)年6月に閣議決定した「規制改革実施計画」を受けて、畜産農家、建築関係者等から成る「新たな畜舎建築基準等のあり方に関する検討委員会」を設置し、畜舎等を建築基準法の適用から除外する特別法について検討を行い、令和2(2020)年5月に中間取りまとめが示されました。

その後、同年7月に閣議決定した「規制改革実施計画」を受け、令和3(2021)年3月に、畜舎等の建築等に関する計画の認定制度を創設し、その計画に基づき建築等が行われる畜舎等に関する建築基準法の特例を定めることを内容とする「畜舎等の建築等及び利用の特例に関する法律案」を国会に提出しました。

(豚肉、鶏肉、鶏卵の生産量は微増)

豚肉の生産量は、平成26(2014)年度には前年度の猛暑、豚流行性下痢(PED)発生の影響等により減少しましたが、平成27(2015)年度以降は、畜産クラスター事業の取組により、回復傾向で推移し、令和元(2019)年度は前年度に比べ 0.6%増加の129万tとなりました(**図表 2-7-6**)。

鶏肉は、消費者の健康志向等の高まりを受け、価格が堅調に推移していること等から生産量が増加傾向にあり、令和元(2019)年度は前年度に比べ 2.1%増加の 163 万 3 千tとなりました。

鶏卵は、平成25(2013)年度以降の堅調な価格を背景に生産が拡大傾向で推移し、令和元(2019)年度の生産量は前年度に比べ0.4%増加の264万tとなりました。

図表 2-7-6 豚肉、鶏肉、鶏卵の生産量

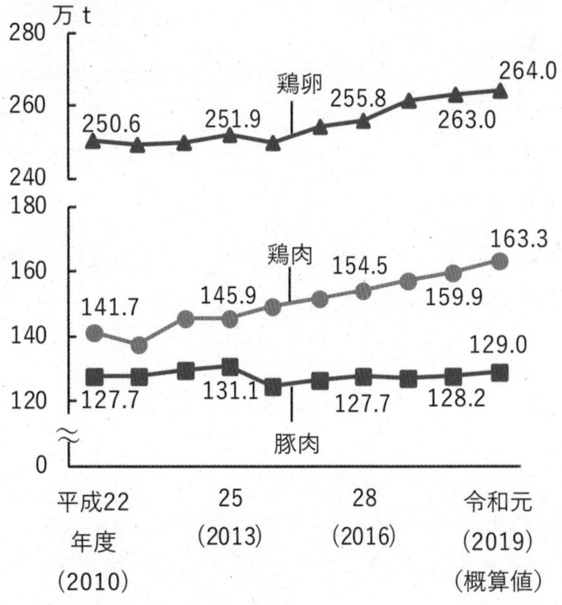

資料：農林水産省「食料需給表」

(国産飼料作物、エコフィードの生産・利用の推進)

令和2(2020)年産の飼料作物の作付面積は、牧草等の減少により、前年に比べ5,900ha(0.6%)減少の95万6千haとなりました。また、令和元(2019)年産の飼料作物のTDN[1]ベースの収穫量は、青刈りとうもろこしの収穫量の増加等により、前年に比べ1.0%増加の370万TDNtとなりました(**図表 2-7-7**)。粗飼料については8割を自給していますが、これを全て国産にするため、農林水産省では、青刈りとうもろこしの生産や放牧等を推進しています。

1 Total Digestible Nutrients の略で、家畜が消化できる養分の総量

図表 2-7-7 飼料作物の作付面積と収穫量

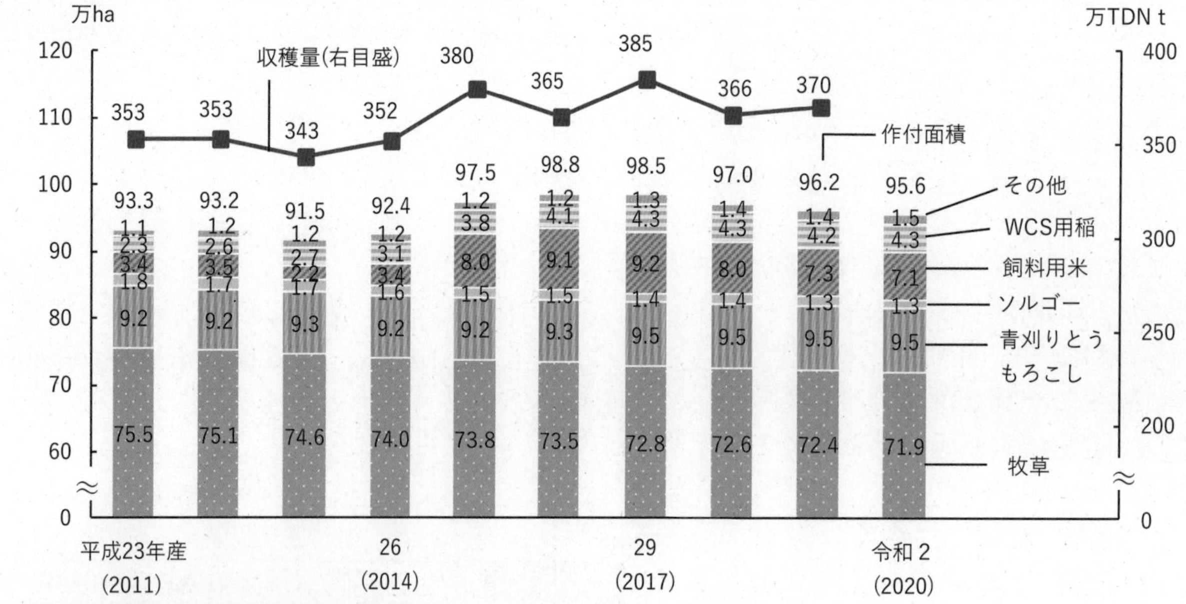

資料：農林水産省「耕地及び作付面積統計」

注：1) 収穫量は農林水産省「作物統計」等を基に農林水産省で推計

2) 飼料用米及びWCS用稲の作付面積は、農林水産省「新規需要米の取組計画認定状況」

3) 令和2(2020)年産は概数値

なお、放牧については、乳用牛、肉用牛の繁殖雌牛の飼養頭数に占める放牧頭数の割合は、乳用牛、肉用牛共にほぼ横ばい傾向にあり、令和元(2019)年の割合は乳用牛では20.4%、肉用牛では17.4%となりました(**図表 2-7-8**)。

エコフィード[1](食品残さ等を利用した飼料)の製造数量は、近年ほぼ横ばいで推移しており、令和元(2019)年度は119万TDNtとなっています。これは濃厚飼料全体の約6%に当たります(**図表 2-7-9**)。

畜産農家の経営費に占める飼料費の割合は、肥育牛で3割、養鶏で6割となる中で、濃厚飼料については主原料のとうもろこし等のほとんどを輸入に依存しており、国際相場や為替レート等の影響を受けるため、国産の飼料用米や子実用とうもろこし等の国内の飼料資源に置き換えるとともに、エコフィードの生産利用推進を図っていくことが、我が国の畜産

図表 2-7-8 飼養頭数に占める放牧頭数の割合

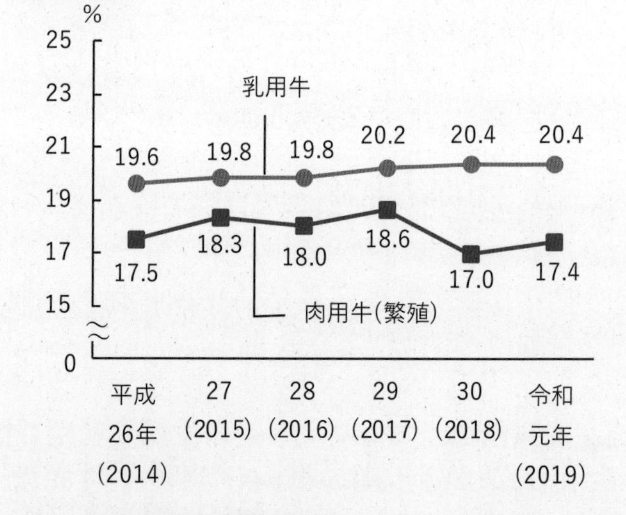

資料：一般社団法人日本草地畜産種子協会調べ、農林水産省「畜産統計」を基に農林水産省で作成

注：1) 肉用牛は繁殖雌牛（1歳未満を含む。）の数値

2) 放牧頭数は、経営内放牧と公共牧場に委託して放牧されている頭数の計であり、重複している場合を含む。

3) 放牧頭数について、集計方法に変更があり、令和元(2019)年度以前の食料・農業・農村白書において記載している数値と一致しない。

[1] 用語の解説3(1)を参照

業の生産基盤を強化する上で重要となっています。

このため、農林水産省では、飼料化事業者の持続的な原料確保の促進、地域の未利用資源を新たに飼料として活用するための取組等によりエコフィードの生産と利用を推進しています。

図表2-7-9 エコフィードの製造数量と濃厚飼料に占める割合

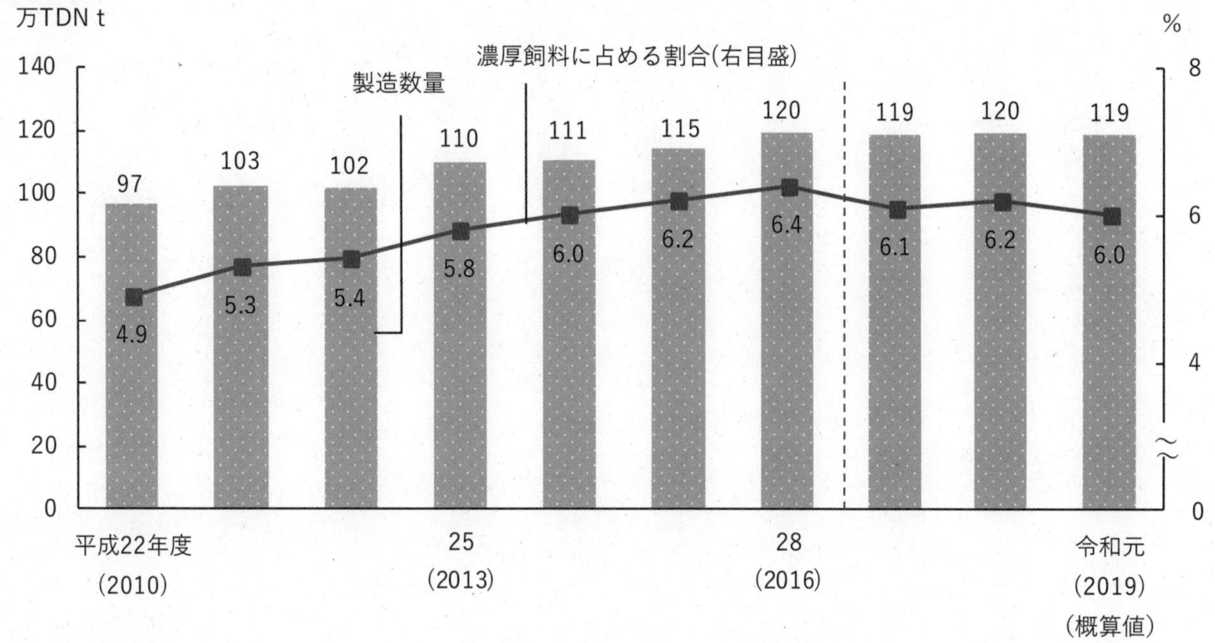

資料：農林水産省作成

注：1) 平成29(2017)年度の集計から対象品目が減少したため、平成28(2016)年度以前とは連続しない。

2) 赤点線は、平成28(2016)年度以前と平成29(2017)年度以降で連続性がないことを示す。

(2) 新たな需要に応える園芸作物等の生産体制の強化

ア 野菜

(野菜の生産量は前年産より増加)

野菜の作付面積は、生産者の減少や高齢化の進行により近年緩やかに減少しており、令和元(2019)年産も前年産に比べ4,100 ha減少の38万4千haとなりました。生産量は、近年、天候の影響を受けて増減しているものの、おおむね横ばいで推移しています。令和元(2019)年産の生産量は、生育が平年並であったことから天候不順の影響で減少した前年産に比べ1.7%増加の1,166万tとなりました(**図表2-7-10**)。

図表 2-7-10　野菜の作付面積と生産量

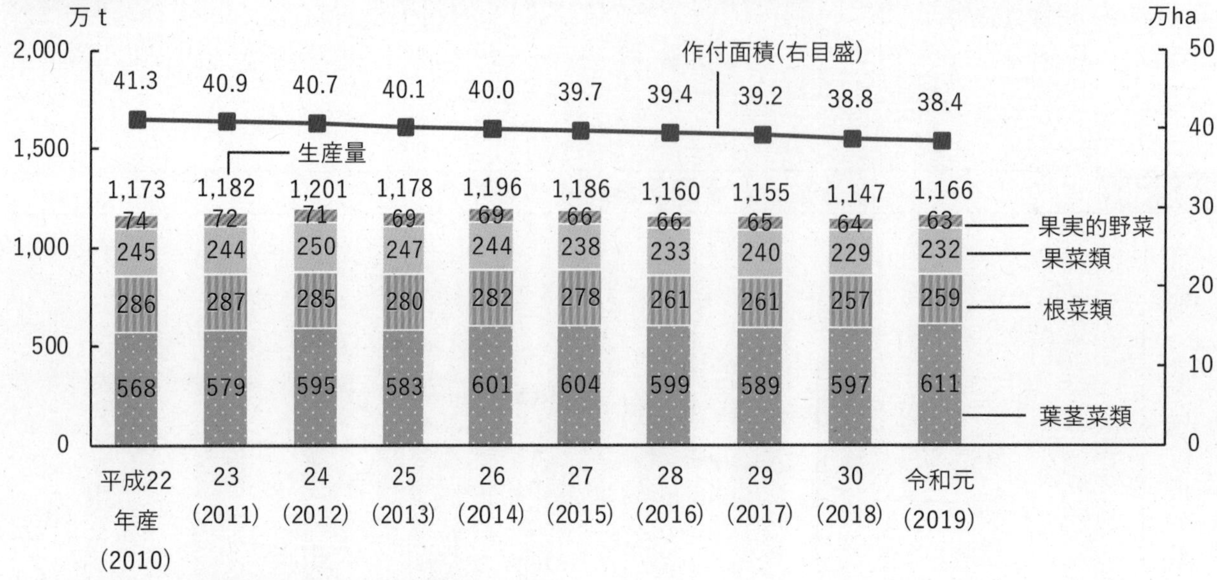

資料：農林水産省「野菜生産出荷統計」、「食料需給表」
注：1）作付面積は、「野菜生産出荷統計」のうち、ばれいしょを除いたもの
2）生産量は年度の数値。令和元(2019)年度は概算値
3）根菜類は、根部及び地下茎を食用に供するもので、だいこん、かぶ、にんじん、ごぼう、れんこん、さといも、やまのいも等
4）葉茎菜類は、葉茎を食用に供するもので、はくさい、キャベツ、ほうれんそう、ねぎ、たまねぎ等
5）果菜類は、果実を食用に供するもので、なす、トマト、きゅうり、かぼちゃ、ピーマン等
6）果実的野菜は、果菜類のうち、市場等で果実として扱われているいちご、すいか、メロン等

(野菜需要の6割は加工・業務用向け)

近年、野菜需要の6割は加工・業務用向けが占めています。加工・業務用野菜は、かぼちゃ等実需者等から国産需要が高いものの、国産が出回らない時期がある品目や、たまねぎ等皮むき等の一次加工をしてから輸入される品目では、一定量の輸入が定着しています。

また、ほうれんそう、ブロッコリー等の冷凍野菜は、長期保存が可能で調理の利便性が高いこと等を背景に、国内消費量が増加傾向にあり、令和元(2019)年の国内流通量は116万1千tとなりました(**図表2-7-11**)。国内での生産は、平成26(2014)年の10万t以後緩やかに減少し、近年では7万t台で推移しています。一方、冷凍野菜の輸入量は、令和元(2019)年では108万9千tとなり、国内流通量の9割以上が輸入冷凍野菜となっています。

図表 2-7-11 冷凍野菜の国内流通量

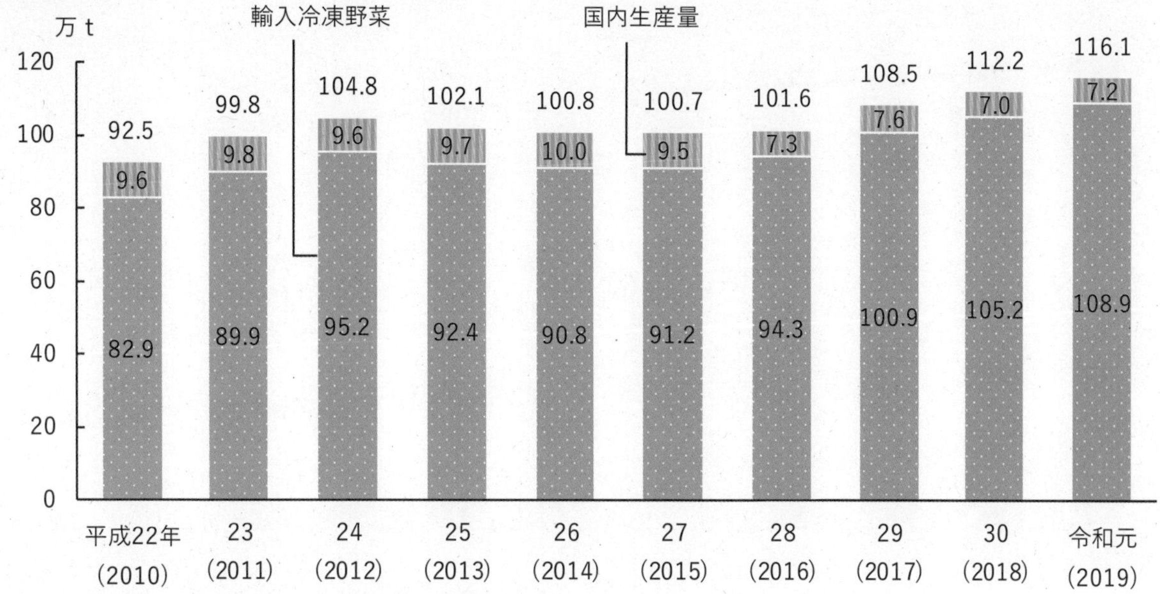

資料：一般社団法人日本冷凍食品協会「冷凍食品の生産・消費について」を基に農林水産省作成
注：冷凍野菜の国内流通量は輸入冷凍野菜と国内生産量を合計した数値

(野菜の生産体制強化を推進)

令和元(2019)年 12 月に策定された農業生産基盤強化プログラムでは、加工・業務用野菜等の新たな需要に応える園芸作物の生産体制を一層強化することとされています。

このため、農林水産省では、複数産地と連携して実需者への安定供給を果たす農業法人、農協関連法人等の拠点事業者の育成、水田を活用した新たな野菜産地の形成、端境期における野菜の生産拡大や労働生産性の向上に必要となる機械化一貫体系の導入等の施策を推進しています。

イ　果実

(果樹の生産量は前年産より減少)

果樹の栽培面積は、生産者の減少や高齢化の進行により近年緩やかに減少しており、令和元(2019)年産も前年産に比べ 3,500ha 減少の 20 万 9 千 ha となりました。また、令和元(2019)年産の生産量は、天候不順等の影響により前年産に比べ、4.9%減少の 270 万 1 千 t となりました(**図表 2-7-12**)。特にりんごは、夏期の高温少雨等の影響により着色不良や成熟の遅延が生じた産地があったことに加え、台風による落果被害等を受けた産地もあったこと等から、前年産に比べ 7.1%減少しました。その他の果樹では、うめは主産地である和歌山県等において、平成 30(2018)年の台風第 21 号の影響により着果量が少なかったことに加え、少雨の影響により果実肥大が進まなかったこと等から、作柄が良好であった前年産に比べ 21.6%減少しました。

図表 2-7-12　主要果樹の栽培面積と生産量

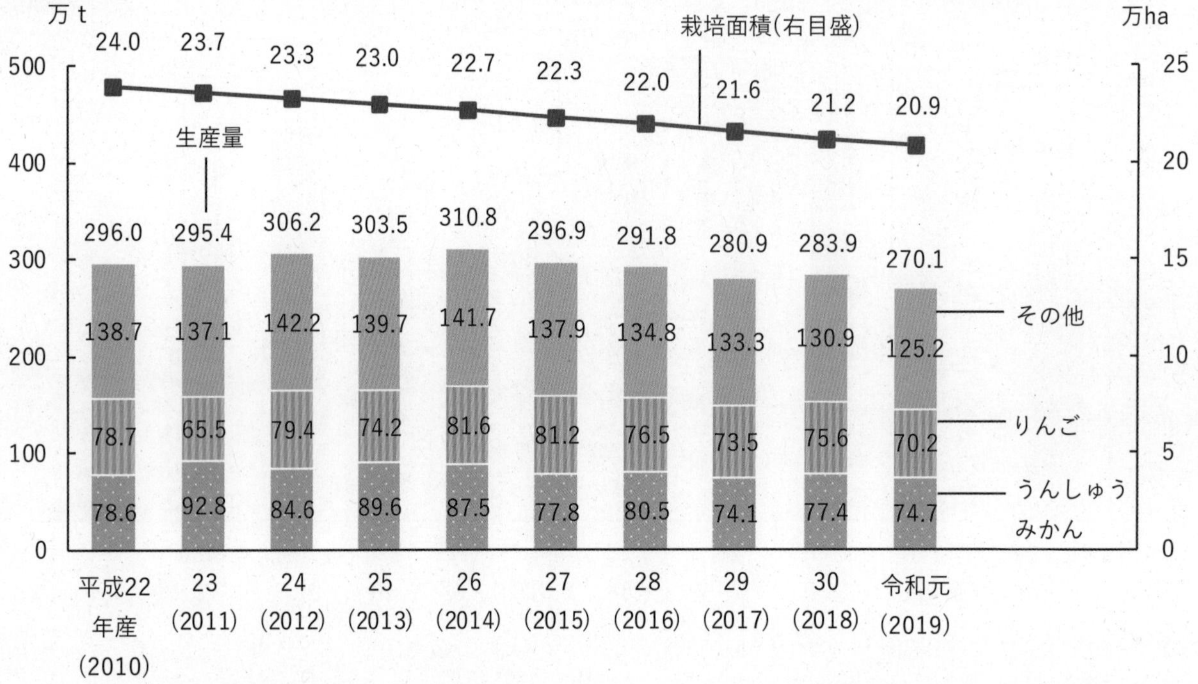

資料：農林水産省「耕地及び作付面積統計」、「食料需給表」
注：生産量は年度の数値。令和元(2019)年度の生産量は概算値

(生産抑制的な施策から生産基盤を強化する施策へ転換)

我が国の果実は、消費者の簡便化志向や健康志向等を踏まえた優良品目・品種への転換等により、種なしで皮ごと食べられるシャインマスカット等の高品質な果実の生産が行われていることで、国内外で高く評価されており、その国内産出額及び輸出額は増加傾向にあります。

その一方、生産者の減少や高齢化の進行等により栽培面積の減少が続くなど生産基盤が脆弱《ぜいじゃく》化する中、他の作物と比較して10a当たりの労働時間が長く、労働時間のピークが収穫時期等の短期間に集中する構造もあいまって、園地の集積・集約化、大規模化が進んでいない状況にあります。さらに、近年頻発している大規模自然災害や気候変動による栽培環境の変化、鳥獣・病害虫等の様々なリスクを抱えています。

こうした状況を踏まえ、農林水産省では、令和2(2020)年4月に新たな「果樹農業振興基本方針」を策定し、供給過剰基調に対応した生産抑制的な施策から、低下した供給力を回復し、生産基盤を強化するための施策に転換することとし、省力樹形の導入等による労働生産性の抜本的な向上、新技術・新品種の開発・普及、輸出拡大に対応できる生産量の増大や環境整備等に取り組んでいます。また、食の外部化[1]・簡便化に伴う消費者ニーズの多様化・高度化に対応した、より付加価値の高い果実及び果実加工品の供給拡大や、流通段階での人手不足に対応した、出荷規格の見直し等の省力・効率的な果実流通への転換等を推進しています。

1　用語の解説3(1)を参照

ウ　花き

(令和２(2020)年４月に新たな基本方針を策定)

平成30(2018)年産の花きは、生産者の減少等により前年に比べ作付面積が1.9%(521ha)減少の２万6,307haとなり、産出額は3.3%(120億円)減少の3,567億円となりました(**図表2-7-13**)。

我が国の花き産業は、花きの販売農家[1]数が減少傾向にありますが、45歳未満の農業者の割合は15%と稲作等の他品目より高く、若い世代が活躍しています。また、産出額は農業産出額の４%を占め、農地や農業の担い手の確保を図る上で重要な地位を占めています。

国内の生産技術は高く、令和元(2019)年に開催された国際園芸博覧会(中国・北京市《ペキンし》)において大賞を受賞するなど、国際的にも高い評価を得ており、近年、アジアや欧州、米国向けを中心に輸出額が増加傾向にあります。令和元(2019)年の輸出額は104億円で、10年前と比べ２倍に増加しており、輸出の拡大に向けた取組が進展しています。一方、近年の国内市場における消費の伸び悩み、大量生産された安価な切り花の輸入の増加、燃油価格の高騰等の課題があります。

このような中、農林水産省では、令和2(2020)年４月に策定した新たな「花き産業及び花きの文化の振興に関する基本方針」において、令和12(2030)年までに産出額を4,500億円、輸出額を200億円にすることを目標とし、ロボット、AI[2]、IoT[3]を活用したスマート農業技術の導入、流通販路の合理化、国際園芸博覧会への政府出展等を活用した海外需要の創出等を推進していくこととしています。

図表2-7-13 花きの作付面積と産出額

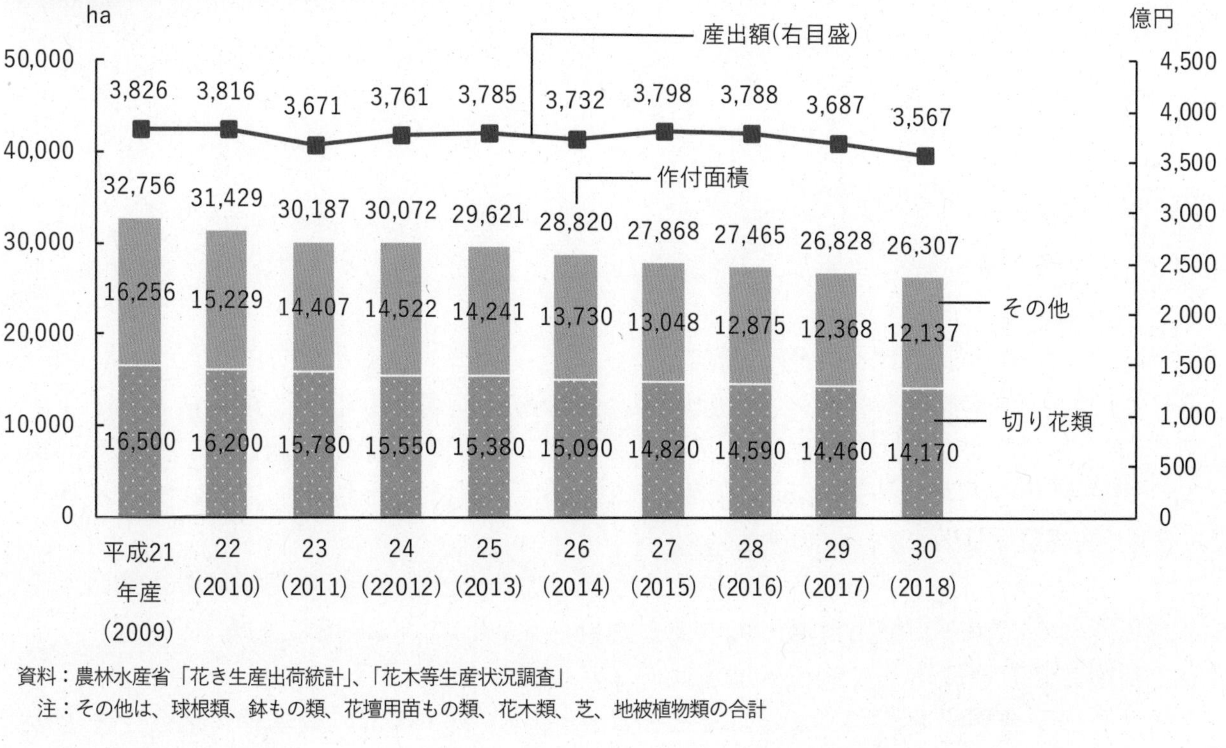

資料：農林水産省「花き生産出荷統計」、「花木等生産状況調査」
注：その他は、球根類、鉢もの類、花壇用苗もの類、花木類、芝、地被植物類の合計

1 用語の解説2(3)を参照
2 用語の解説3(2)を参照
3 用語の解説3(2)を参照

エ　茶、甘味資源作物等の地域特産物

(ア) 茶

(荒茶の生産量は前年産より減少)

令和2(2020)年産の茶は、生産者の高齢化に伴う労働力不足による廃園等により、栽培面積は前年産に比べて1,500ha減少の3万9千haとなりました。また、生産量は新型コロナウイルス感染症の影響によるイベント等の中止による需要の減少等から、前年産に比べて14.6%減少し、7万tとなりました(**図表2-7-14**)。

図表2-7-14　茶の栽培面積と荒茶生産量

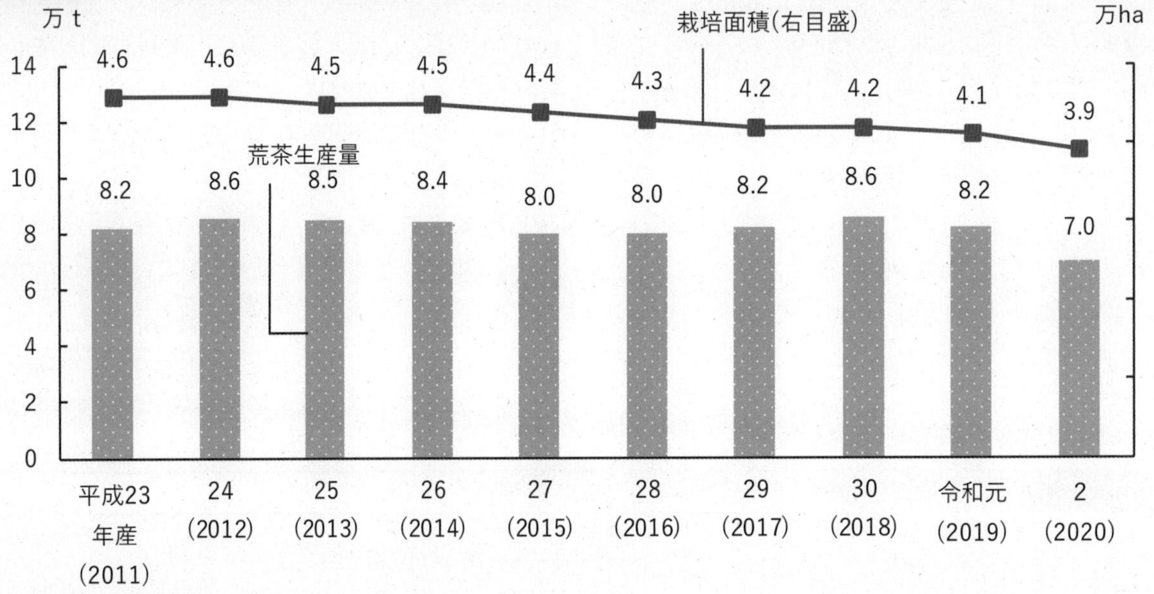

資料：農林水産省「作物統計」
注：1) 荒茶生産量の平成25(2013)年産、平成27(2015)～令和元(2019)年産の数値は、主産県の調査結果から推計した数値
2) 平成23(2011)年産と平成24(2012)年産の荒茶生産量は主産県の合計値
3) 令和2(2020)年産の荒茶生産量は概数値

(茶の輸出額は10年前に比べ4倍に増加)

茶の輸出は、海外の日本食ブームや健康志向の高まりにより近年増加傾向にあります。令和2(2020)年については、輸出量は前年に比べ3.2%増の5,274t、輸出額は同11.0%増の162億円となっており、10年前の平成22(2010)年と比べると輸出額は約4倍に増加しています(**図表2-7-15**)。

また、有機栽培による茶は海外でのニーズも高く、輸出先国の残留農薬基準に適合することも可能なことから、輸出に適していると評価され、EUや米国等との有機同等性[1]の仕組みを利用した有機栽培茶の輸出も増加傾向にあります(**図表2-7-16**)。

今後、更に茶の輸出を拡大していくためには、輸出先国の残留農薬基準に適合する必要があります。このため、輸出先国において我が国で使用されている主要な農薬の残留農薬基準を設定するため、必要なデータの収集や相手国への申請を進めるとともに、国内においては、病害虫防除マニュアルの作成や各地での防除体系の確立を推進しています。

[1] 他国・地域の有機認証を自国・地域の有機認証と同等のものとして取り扱うこと

図表 2-7-15 緑茶の輸出量と輸出額

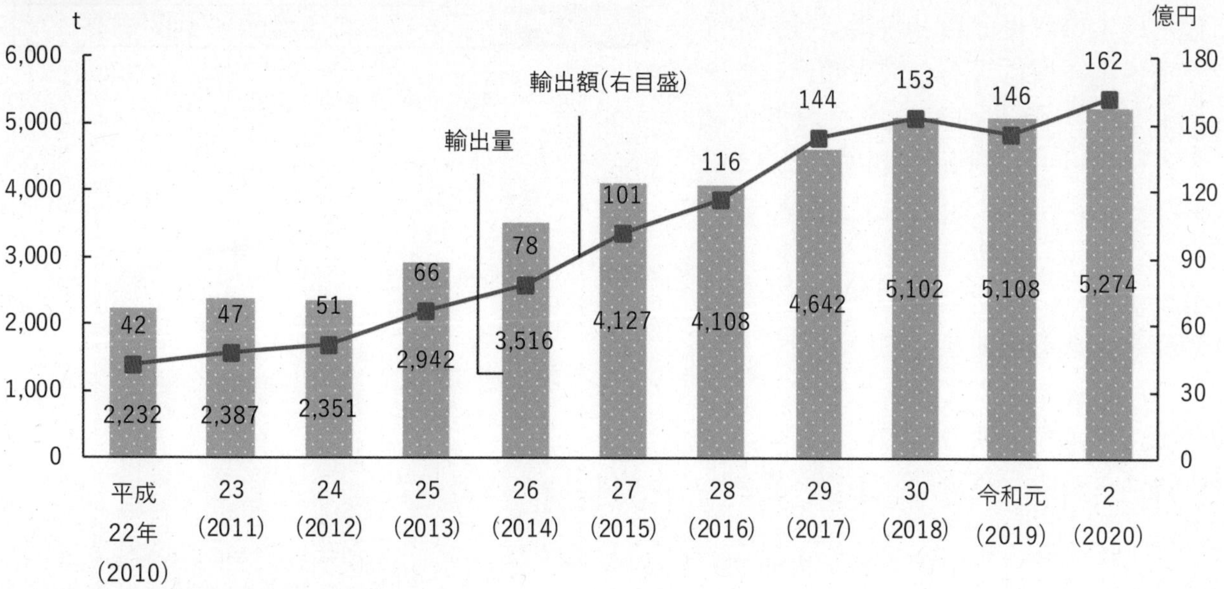

資料：財務省「貿易統計」を基に農林水産省作成

図表 2-7-16 有機同等性の仕組みを利用した有機栽培茶の輸出量

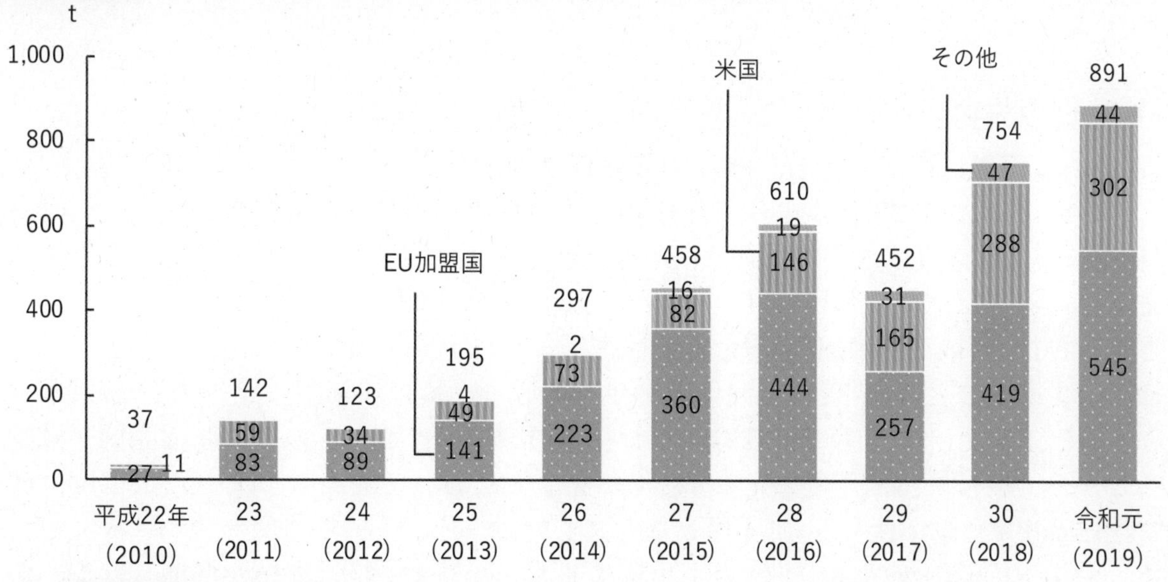

資料：農林水産省作成

注：1) 米国向けの輸出量は、平成25(2013)年までは、レコグニションアグリーメントに基づき、農林水産省から認定された認証機関が取りまとめた輸出実績のみを集計

2) その他は、カナダとスイスの合計

(イ) 葉たばこ

(収穫面積、収穫量共に減少)

葉たばこの収穫面積と収穫量は、生産者の高齢化の進行等から減少傾向にあり、令和元(2019)年も前年に比べ収穫面積は8.2%減少の6,500ha、収穫量は1.2%減少の1万7千tとなりました(**図表 2-7-17**)。

葉たばこは、東北地方や九州地方で地域経済を支える重要な作物の一つですが、健康志向の高まりによる喫煙率の低下や加熱式たばこの需要の拡大等に伴い、紙巻きたばこの販売数量は減少傾向にあります。

農林水産省では、廃作に対する他品目への転換の支援等の措置を行ってきました。日本たばこ産業株式会社においても生産性向上に向けた支援を行っています。

図表 2-7-17　葉たばこの収穫面積と収穫量

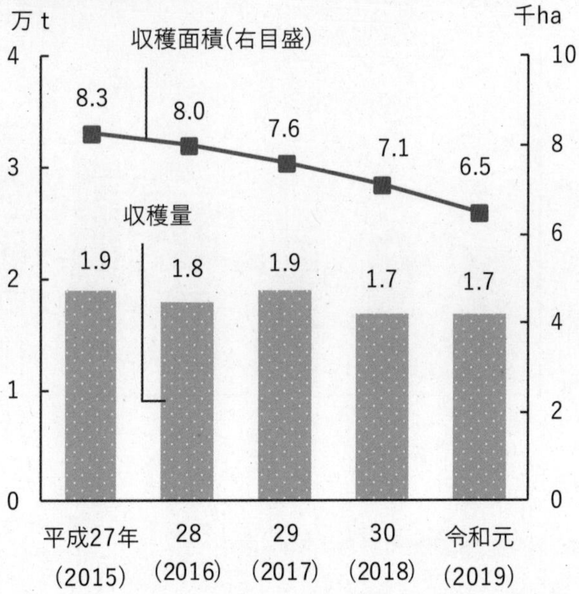

資料：日本たばこ産業株式会社「買入実績」を基に農林水産省作成

(ウ) 甘味資源作物

(てんさいの収穫量は微減、さとうきびの収穫量は増加)

てんさいの令和2(2020)年産の作付面積は、前年産並の5万7千haとなりました(**図表 2-7-18**)。一方、収穫量は、特に作柄の良かった前年産に比べ1.9%減少の391万2千tになりました。糖度は前年産に比べ0.4ポイント低下し16.4度となりました。

さとうきびは、平成30(2018)年の台風の被害により株出し予定であった圃場《ほじょう》等を夏植えの新植に変更したこと等から、令和元(2019)年産の収穫面積は前年産に比べ2.2%減少し2万2千haとなりました(**図表 2-7-19**)。おおむね順調に生育したものの、収穫面積が減少したことから、収穫量は前年産に比べ1.8%減少し117万4千tとなりました。糖度は前年産に比べ0.8ポイント上昇し14.4度となりました。

また、令和2(2020)年産は、春作業が順調に進み、春植え、株出面積が増加したことから収穫面積は前年産に比べ2.1%増加の2万3千haを見込んでいます(**図表 2-7-19**)。一部の島で台風の被害があったものの、全体としては順調に生育していることから収穫量は前年産に比べ11.7%増加の131万1千tを見込んでいます。

図表 2-7-18 てんさいの作付面積、収穫量、糖度

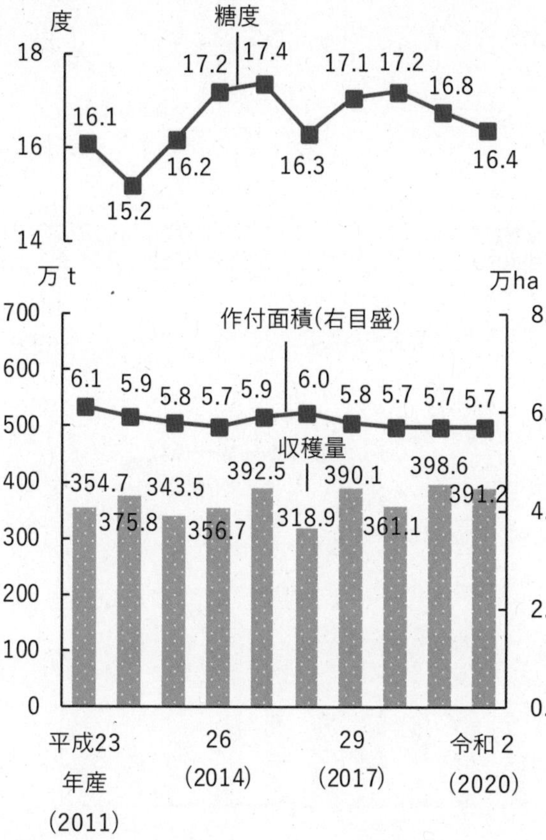

資料：農林水産省「作物統計」、北海道「てん菜生産実績」を基に農林水産省作成

図表 2-7-19 さとうきびの収穫面積、収穫量、糖度

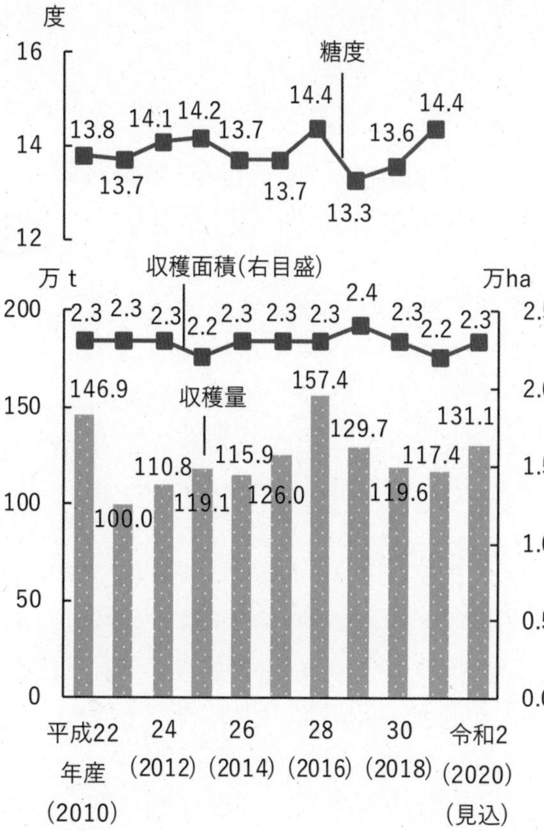

資料：農林水産省「作物統計」、「令和2砂糖年度における砂糖及び異性化糖の需給見通し(第3回)」、鹿児島県、沖縄県「さとうきび及び甘しゃ糖生産実績」を基に農林水産省作成

(てんさいは風害軽減対策、さとうきびはスマート農業等を推進)

てんさいは、北海道の畑作地帯において輪作体系に組み込まれる重要な作物であり、さとうきびは、台風等の自然災害に強く、沖縄県や鹿児島県南西諸島《なんせいしょとう》における基幹作物です。

てんさいは、労働時間縮減に向け、直播《ちょくはん》栽培や作業の共同化の取組が進展していますが、直播栽培は春先の風害に弱い傾向があることから、農林水産省では、盛土による風害軽減対策の普及を進めています。

さとうきびは、高齢化の進行や人手不足から、機械化や省力的な株出《かぶだし》栽培[1]の拡大等が進んでいます。農林水産省では、機械収穫や株出栽培に適した新品種の「はるのおうぎ」の栽培実証や更なる省力化に向けたスマート農業の導入を進めています。

(砂糖の需要拡大に向け「ありが糖運動」を展開)

砂糖は脳とからだのエネルギー源となる重要な品目です。農林水産省では、砂糖の需要拡大を応援する取組として、平成30(2018)年から、砂糖に関する総合的な情報サイトを開設し、砂糖の正しい情報を提供し、砂糖関連業界による取組と連携しながら、砂糖の需要、

1 さとうきび収穫後に萌芽する茎を肥培管理し、1年後のさとうきび収穫時期に再度収穫する栽培方法

消費の拡大を図る「ありが糖運動」を展開してきました。

令和２(2020)年４月に「ありが糖運動」のロゴマークを決定するとともに、「ありが糖運動」SNSを開設しました。これらの取組を通じ、今後も砂糖の需要、消費の拡大を図っていくこととしています。

(エ) いも類

(ばれいしょ・かんしょ共に収穫量は減少)

令和元(2019)年産のばれいしょの作付面積は、主に北海道において小麦や小豆に転換した面積が多かったことから前年産に比べ 2.7%減少の７万４千 ha となりました。収穫量は天候に恵まれ作柄が良かったことから、前年産に比べ 6.2%増加し、239 万９千 t となりました(**図表 2-7-20**)。

図表 2-7-20　ばれいしょの作付面積と収穫量

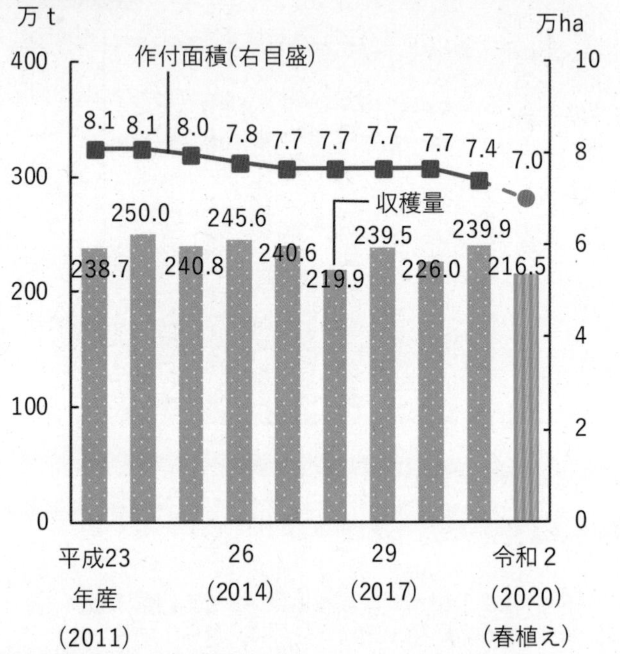

資料：農林水産省「野菜生産出荷統計」、「令和２年産春植えばれいしょの作付面積、収穫量及び出荷量」(令和3(2021)年２月公表)

注：1）春植えばれいしょの主たる収穫期間は、都府県(令和 2(2020)年４月～8月)、北海道(令和2(2020)年９月～10月)

2）令和2(2020)年産の春植えばれいしょは概数値

令和２(2020)年産春植えばれいしょは、主に北海道において小豆やいんげんへの転換により、作付面積は７万 ha と前年に比べ 3.3%減少したことや、６月後半の低温、日照不足等の影響により、着いも数が少なく単収が前年に比べ 4.9%減少したことから、収穫量は前年産に比べ 8.1%減少の 216 万５千 t となりました[1]。国産ばれいしょの生産量が減少傾向で推移する中で、ポテトチップやサラダ用等の加工用ばれいしょについては、メーカーからの国産原料の供給要望が強く、増産が課題となっています。しかし、植付けや収穫に係る労働時間が長いこと等から労働力・人員の確保が難しくなってきており、より省力的・効率的な作業体系を導入することが重要となってきています。そのため、省力機械化体系導入の取組や収穫時の機上選別を倉庫前集中選別に移行する取組を推進しています。

かんしょは、南九州の基幹作物であり、かんしょでん粉工場と共に地域経済を支える重要な存在であるため、安定的に生産することが重要です。平成 30(2018)年秋に宮崎県及び鹿児島県において、かんしょのつるが枯れ、いもが腐る「サツマイモ基腐病《もとぐされびょう》」が確認され、令和元(2019)年産、令和２(2020)年産においても、これらの県を中心に被害が拡大しました。このため、苗の消毒、排水対策、土壌消毒等の病害対策の実施を促すとともに、単収の向上に向けて新たな多収性品種「こないしん」の導入や生分解性マルチの導入等を推進しています。

1　農林水産省「令和２年産春植えばれいしょの作付面積、収穫量及び出荷量」(令和3(2021)年２月公表(概数値))

令和２(2020)年産のかんしょは、高齢化の進行による労働力不足に伴う作付中止や他作物への転換等があったことから、作付面積が前年に比べ 3.5%減少したこと、サツマイモ基腐病の拡大等により単収が 4.6%減少したことから、収穫量は前年産に比べ 8.2%減少の 68 万 8 千 t となりました(**図表 2-7-21**)。

かんしょの海外輸出については、甘みが強く粘質性がある特性や、焼き芋による食べ方が注目され、香港、シンガポール、タイ等のアジア諸国向けを中心に好調で、令和２(2020)年の輸出量と輸出額はそれぞれ 5,268t(対前年 21.2%増)、20.6 億円(対前年 21.7%増)となりました(**図表 2-7-22**)。

サツマイモ基腐病により
収穫皆無の圃場

資料：農研究機構

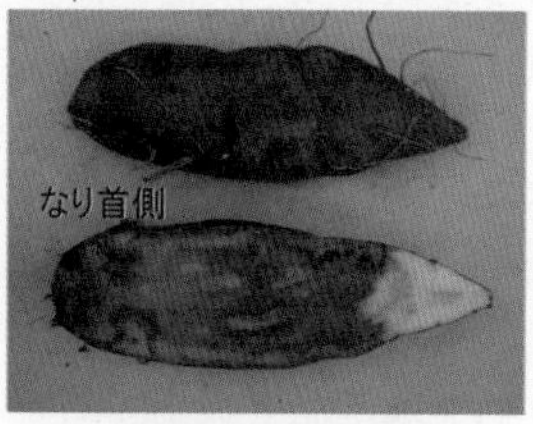

腐敗した塊根

資料：農研機構

図表 2-7-21　かんしょの作付面積と収穫量

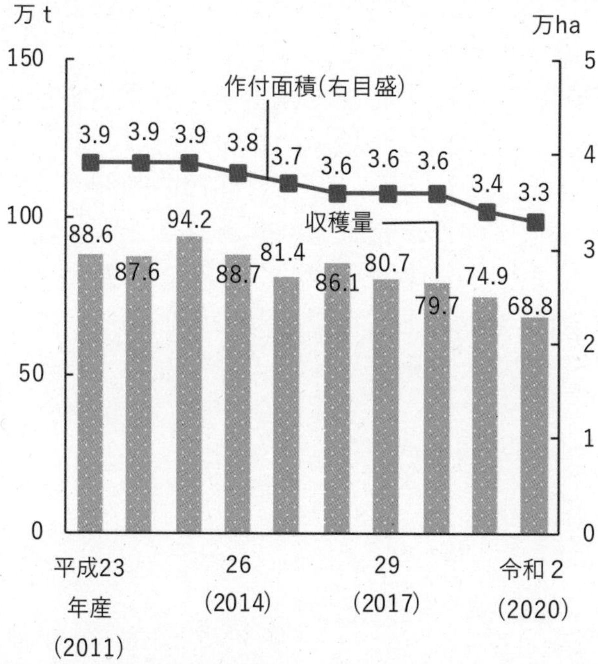

資料：農林水産省「作物統計」
注：令和 2(2020)年産は概数値

図表 2-7-22　かんしょの輸出量と輸出額

資料：財務省「貿易統計」を基に農林水産省作成

(3) 米政策改革の着実な推進

(需要に応じた生産・販売を推進)

米[1]の 1 人当たりの年間消費量は、昭和37(1962)年度の 118.3kg をピークとして、令和元(2019)年度は前年度に比べて 0.5kg 減少の 53.0kg[2]となるなど、減少傾向が続いています。

このような状況に対しては、経営感覚あふれる農業者により、消費者ニーズにきめ細かく対応した米生産が行われるとともに、食料自給率[3]・食料自給力[4]の向上等を図る観点から、水田をフル活用し、需要のある麦、大豆、米粉用米、飼料用米等の戦略作物や野菜、果樹等の高収益作物等への転換が進められることが重要です。このため、平成 30(2018)年産から、行政による生産数量目標の配分を廃止し、産地・生産者が中心となって需要に応じた生産・販売を行う米政策へと見直しを行いました。

図表 2-7-23　主食用米の需要量

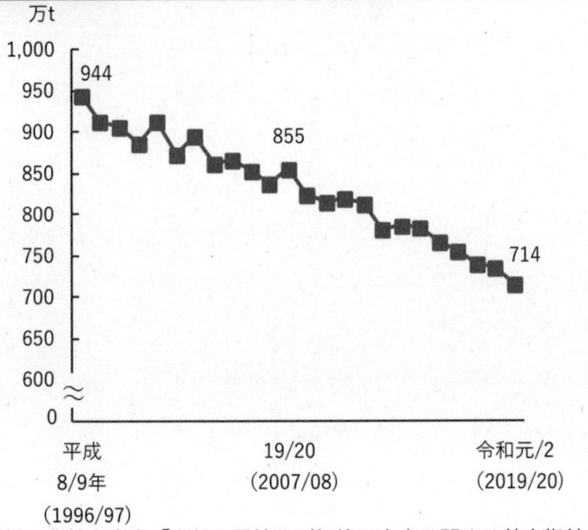

資料：農林水産省「米穀の需給及び価格の安定に関する基本指針」

農林水産省では、この米政策改革の着実な推進に向け、産地・生産者と実需者が結び付いた事前契約や複数年契約による安定取引の推進、水田活用の直接支払交付金による支援や、米の都道府県別の販売進捗及び在庫・価格等の情報提供を実施しています。

今後も、人口減少等により、主食用米の需要は毎年 10 万 t 程度減少すると見込まれています(**図表 2-7-23**)。しかしながら、令和 2(2020)年産の主食用米の作付面積は、前年産に比べて、1 万 3 千 ha 減少の 136 万 6 千 ha と需要減少に見合った作付面積の削減が十分に進んでおらず、主食用米の生産量については、全国で作況指数[5]が 99 となったものの、前年産に比べて 0.5%減少の 723 万 t にとどまりました(**図表 2-7-24**)。さらに、新型コロナウイルス感染症の影響等により、中食[6]・外食向けを中心とした需要減少も加わったことから、令和 3(2021)年 6 月末の民間在庫は 207〜212 万 t と見込まれるなど、在庫水準が高い状況となっています。

---

1 主食用米のほか、菓子用・米粉用の米
2 農林水産省「食料需給表」(令和元(2019)年度は概算値)
3 用語の解説 3(1)を参照
4 用語の解説 3(1)を参照
5 用語の解説 3(1)を参照
6 用語の解説 3(1)を参照

図表 2-7-24　主食用米の作付面積と生産量

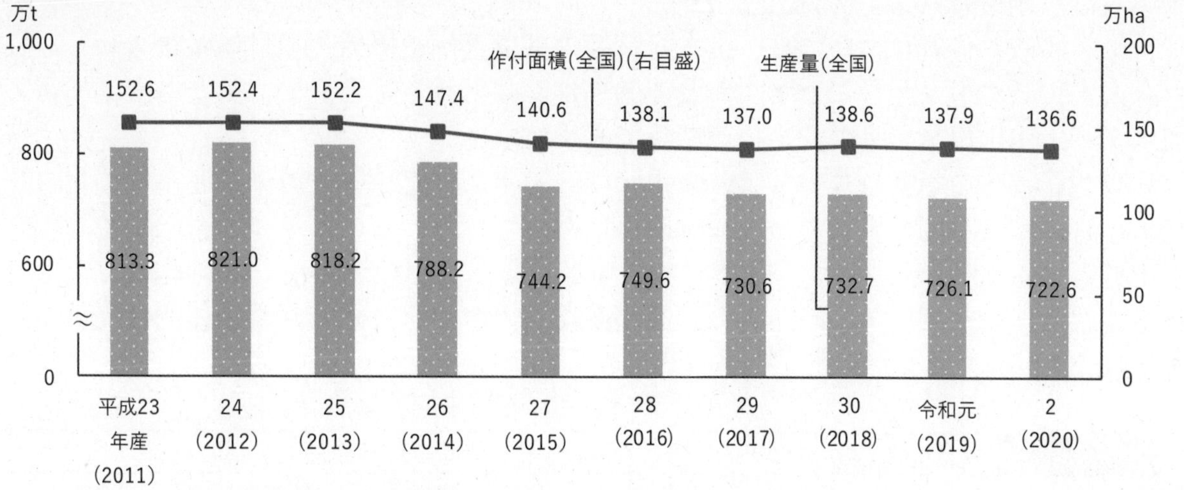

資料：農林水産省「作物統計」、「耕地及び作付面積統計」
注：生産量は「作物統計」の収穫量

これに伴い、米の需給と価格の安定を図るためには、令和 3(2021)年産の主食用米について、全国で過去最大規模の 6.7 万 ha(平年作ベースの収穫量に換算すると 36 万 t)の作付転換が必要となっています。

令和 2(2020)年産の米の価格動向を見ると、令和 3(2021)年 2 月までの相対取引価格は、年産平均で 60kg 当たり 1 万 5 千円前後と前年産と比べ 5%程度の低下にとどまっていますが、令和 3(2021)年産の過去最大規模の作付転換が実現できなければ、需給と価格の安定が崩れかねない、まさに正念場を迎えています(**図表 2-7-25**)。

図表 2-7-25　米の相対取引価格

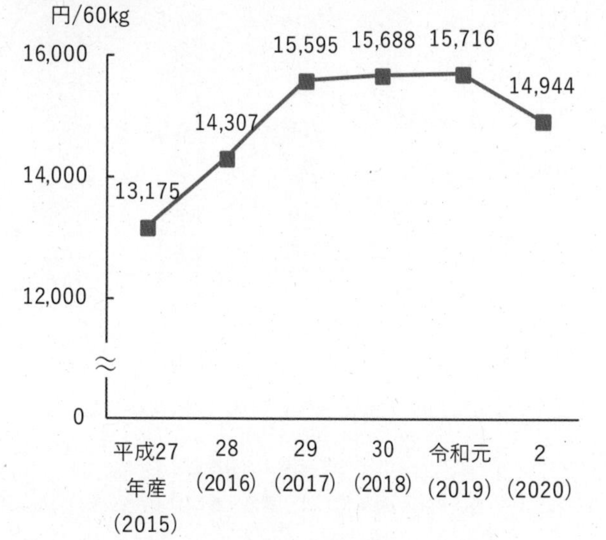

資料：農林水産省「米穀の取引に関する報告」
注：1) 相対取引とは、出荷団体(事業者)・卸売事業者間で取引されている価格
2) 出回り～翌年 10 月(令和 2(2020)年産は令和 3(2021)年 2 月まで)の相対取引価格の平均値

このため、農林水産省では、新型コロナウイルス感染症の影響等による需要減少に対する販売促進対策や産地における調整保管への支援の拡充等の措置を講じつつ、令和 2(2020)年度第 3 次補正予算と令和 3(2021)年度当初予算で 3,400 億円に及ぶ作付転換の関連予算を計上し、令和 3(2021)年産の水田フル活用に必要な施策を盛り込みました。

令和 3(2021)年産の過去最大規模の作付転換の実施に向けて、産地や農家・生産法人、都道府県・市町村、集出荷業者、流通・販売事業者等全ての関係者が一丸となった需要に応じた生産・販売を推進します。

(戦略作物や高収益作物への更なる転換が必要)

水田において、需要のある麦、大豆等の戦略作物や、野菜や果樹等の高収益作物等への転換を積極的に推進していくことが重要になります。野菜作や果樹作は、必要な労働時間

は水田作よりも長くなるものの、面積当たりの農業所得[1]は高くなっており、作付けにより高い収益が期待されます(**図表 2-7-26**)。

特に、高収益作物については、排水対策等の基盤整備や機械化一貫体系等の新しい技術の導入と併せて取り組むことで、作業の効率化が図られるとともに、更なる農業所得の増加により、水田農業経営の安定化が期待できます。

高収益作物への転換については、令和元(2019)年に策定された農業生産基盤強化プログラムにおいても主要な施策の一つに位置付けられており、これに基づき、水田で高収益作物を導入する産地に対して、農業農村整備事業による水田の汎用化[2]・畑地化のための基盤整備、栽培技術や機械・施設の導入、販路確保等の取組を計画的かつ一体的に支援しています。

図表 2-7-26　単位面積当たり農業所得、自営農業労働時間(作物別の比較)

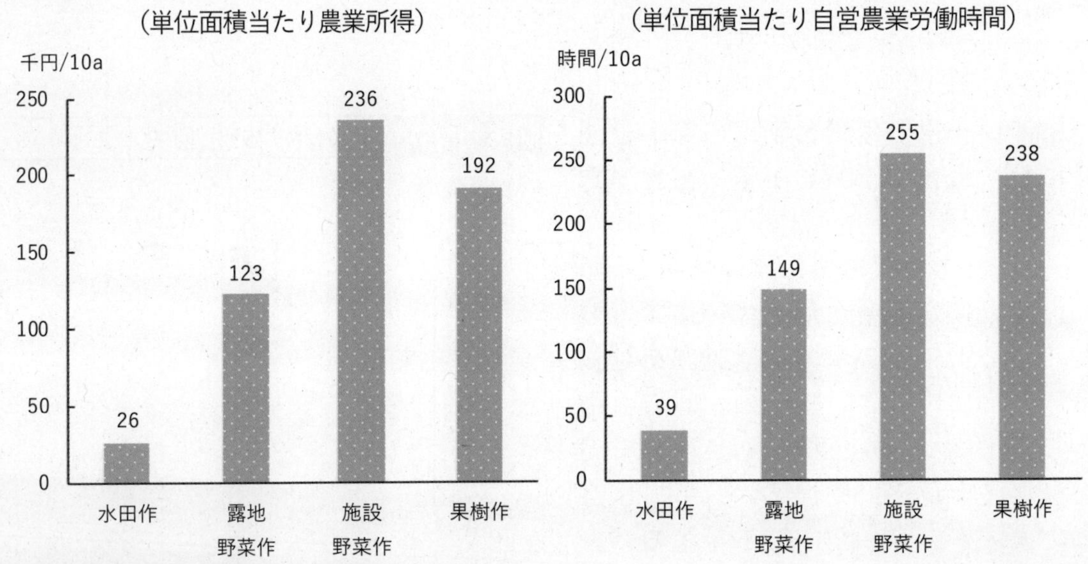

資料：農林水産省「営農類型別経営統計(個別経営)」を基に作成

注：1) 平成30(2018)年の数値

2) 単位面積当たり農業所得、自営農業労働時間とは、作物の作付延べ面積10a当たりの農業所得、自営農業労働時間

3) 自営農業労働時間とは、農業及び農作業受託に関わる労働時間

(コメ・コメ加工品の輸出は近年大きく増加)

国内の主食用米の需要量が、毎年減少していく一方で、海外における食品市場は年々拡大しており、日本食レストラン数も増加傾向にあります。このような中で新たな市場の開拓を通じ、国内だけでなく海外に積極的に進出し、コメ・コメ加工品の輸出拡大を図っていくことが重要です。

このため、農林水産省では、目標を立てて戦略的に輸出に取り組む輸出事業者と輸出向けの米の安定的な生産に取り組む産地の結び付きを強化・拡大するとともに、両者が連携したプロモーションの実施等に対する支援を通じて海外市場の開拓を図ってきました。

その結果、コメ・コメ加工品の輸出額は平成27(2015)年の201億円から令和2(2020)年には338億円に増加しています。

[1] 用語の解説2(4)を参照
[2] 用語の解説3(1)を参照

特に商業用の米の輸出量は平成 27(2015)年の7,600t から、令和 2(2020)年には 19,700t に過去 5 年間で 2.6 倍に増加しました(**図表 2-7-27**)。

令和 2(2020)年 12 月に決定した「農林水産物・食品の輸出拡大実行戦略」においては、コメ・パックご飯・米粉及び米粉製品を、今後輸出拡大の余地が大きい重点品目(全 27 品目)の一つに選定しており、令和 7 (2025)年の輸出額目標を 125 億円とし、輸出ターゲット国・地域を香港、アメリカ、中国、シンガポールと設定するとともに、各国・地域への輸出拡大を図るための取組方策や産地の育成方針について定めています。

図表 2-7-27 商業用の米の輸出量と輸出額

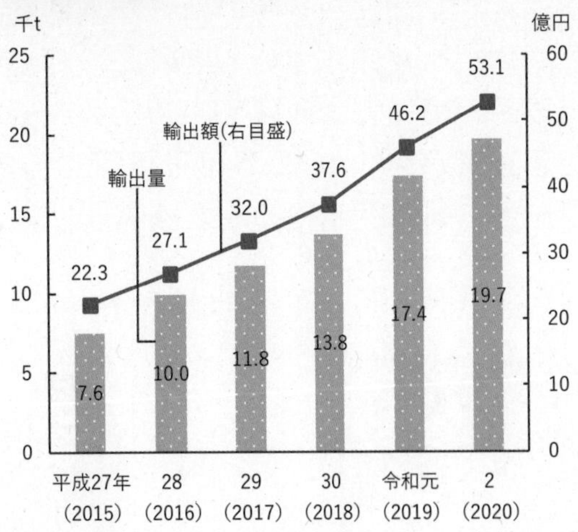

資料：財務省「貿易統計」を基に農林水産省作成
注：政府による食糧援助米を除く。

今後、コメ・パックご飯・米粉及び米粉製品の輸出拡大を図っていくために、国際競争力の確保と農家手取収入の両立を図り、大ロットで輸出向けの米の生産・供給に取り組む産地の育成等に加えて、各国・地域によって異なるニーズを踏まえた海外市場開拓に取り組む必要があります。

このほか、農林水産物・食品の輸出拡大実行戦略においては、コメ・コメ加工品関連のうち日本酒も輸出拡大の余地が大きい重点品目に選定しており、令和 7(2025)年の輸出額目標を 600 億円とし、輸出ターゲット国・地域をアメリカ、中国、香港等と設定しています。

(米の消費拡大に向け Web サイト「やっぱりごはんでしょ！」で情報発信)

農林水産省では、中食・外食業界による主体的な米の消費拡大の取組を応援すべく、平成 30(2018)年 10 月に開設した Web サイト「やっぱりごはんでしょ！」において、消費拡大につながる企業等の各種企画・イベントの情報、米と健康に関する情報、地域ならではの「ごはん食」が食べられる店舗の情報、ごはん・米粉を使ったレシピ等、消費者にとって有益な情報を発信しています。また、平成 31(2019)年 2 月から SNS を運用し、米に関する情報をタイムリーに発信しています。

(米粉の需要量は 3 年連続で増加)

米粉用米の需要量は、平成 24(2012)年度以降、2 万 t 程度で推移していましたが、令和元(2019)年度は前年度に比べて 16% 増の 3 万 6 千 t となり、3 年連続で増加しました(**図表 2-7-28**)。

日本米粉協会《にほんこめこきょうかい》が平成 30(2018)年から米粉の特徴を活かし、グルテンを含まない特性を発信する「ノングルテン米粉第三者認証制度」や「米粉の用途別基準」の運用を開始しました。また、令和元(2019)年 9 月

図表 2-7-28 米粉用米の生産量と需要量

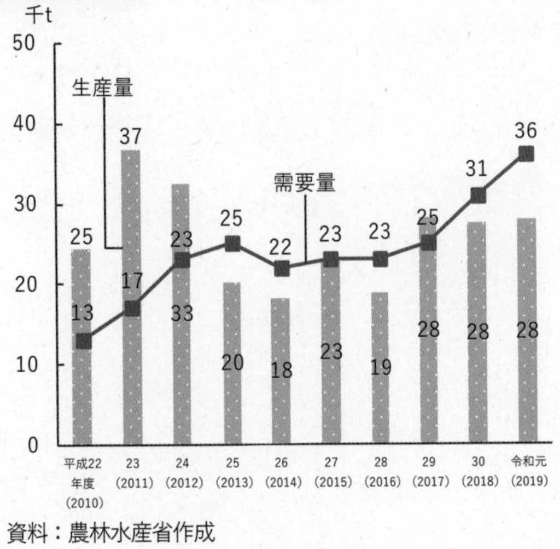

資料：農林水産省作成

からノングルテン米粉の加工品に「ノングルテン米粉使用マーク」を表示する仕組みを開始したことや、ピューレ等の新たな米粉製品の開発・普及が進んできたことが米粉用米の需要の増加につながっていると考えられます。さらに、令和2(2020)年10月に、更なる米粉の需要・輸出拡大に向けて、ノングルテン米粉の製造工程管理JASを制定し、認証を取得した事業者が会社のWebサイト等に特色JASマークを表示できる仕組みを構築しました。今後も、日本産米粉の更なる需要拡大が期待されます。

特色JASマーク
資料：農林水産省

ノングルテン米粉使用マーク
資料：日本米粉協会

ノングルテン米粉認証第1号の製品
資料：日本米粉協会

(飼料用米の安定的な取引の拡大が重要)

令和元(2019)年産の飼料用米の作付面積は前年産に比べ7千ha減少の7.3万ha、生産量は前年産に比べ8.9%減少の39万tとなりました(**図表2-7-29**)。

図表2-7-29　飼料用米の作付面積と生産量

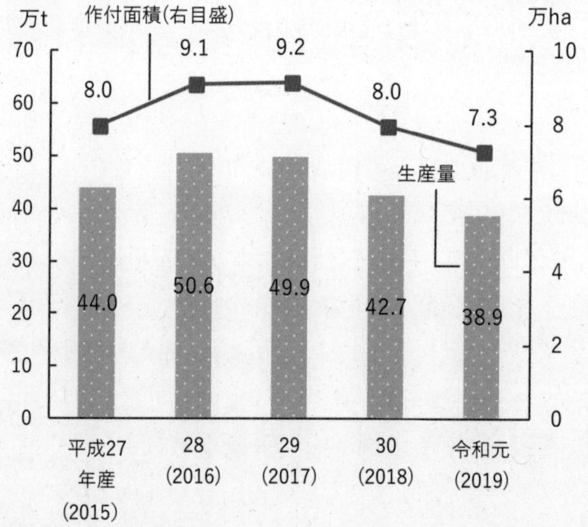

資料：農林水産省作成

国産飼料に立脚した畜産業の確立に向け、実需者からは飼料用米の安定的な供給が求められています。このため、農林水産省では、令和2(2020)年度の水田活用の直接支払交付金において、実需者との複数年契約に対する加算を措置し、安定的な取引の拡大を推進しています。また、飼料用米生産農家の生産技術の向上を目指し、多収を実現している先進的で他の模範となる経営体を表彰する「飼料用米多収日本一コンテスト」を実施し、令和2(2020)年度は12経営体を表彰しました。さらに、低コスト栽培技術の普及のため、「飼料用米生産コスト低減マニュアル」を令和3(2021)年1月に改訂し、飼料用米の安定的な供給に取り組んでいます。

(中食・外食需要への対応が重要)

主食用米は、中食・外食向けの業務用需要が全体の約 3 割を占めています(**図表2-7-30**)。しかし、産地においては高価格帯の一般家庭向けの米を中心に生産する意向が強い反面、中食・外食事業者からは値頃感のある米を求める声も多くあり、ミスマッチが生じています。

このような中、農林水産省は、中食・外食向けのニーズに対応した安定取引を推進するため、産地の生産者と中食・外食事業者等とのマッチングの取組を支援しています。平成 29(2017)年から令和元(2019)年までに開催した「米マッチングフェア」では、実需者延べ 875 社の参加があり、産地と中食・外食事業者の実需者等が商談を行いました。なお、令和 2(2020)年 9 月及び令和 3(2021)年 2 月に開催した「米マッチングフェア 2020」は、オンラインにより開催されました。

図表 2-7-30 主食用米の消費内訳

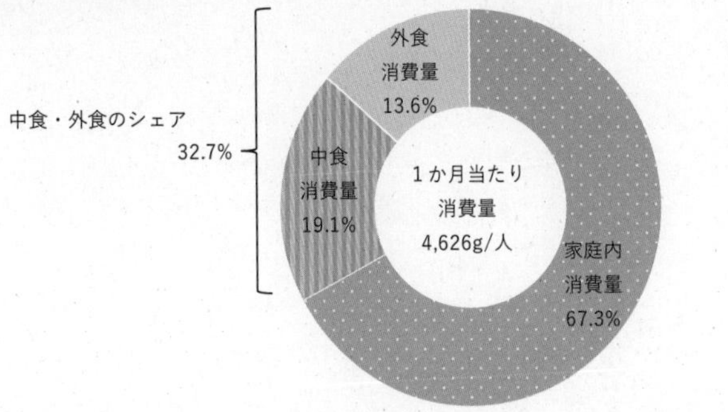

資料：公益社団法人米穀安定供給確保支援機構「米の消費動向調査」(推計値)を基に農林水産省作成
注：令和元(2019)年度の数値

(担い手の生産コストの削減を推進)

稲作経営の農業所得を向上させるためには、生産コストの削減も重要です。このため、農林水産省は、担い手の米の生産コストについて、令和 5(2023)年までに平成 23(2011)年産の全国平均(16,001 円/60kg) から 4 割削減する目標を掲げ[1]、農地の集積・集約化[2]による分散錯圃《さくほ》の解消や作付けの団地化、多収品種の導入やスマート農業技術等による省力栽培技術の普及、資材費の低減等を推進しています。このような中で、令和元(2019)年産については、認定農業者[3](15.0ha 以上)では、平成 23(2011)年産の全国平均と比べて 32.2%減少の 10,851 円/60kg[4]、稲作主体の組織法人経営では 26.7%減少の 11,721 円/60kg[5]となっています。

---

1 「日本再興戦略」(平成 25(2013)年 6 月閣議決定)
2 用語の解説 3(1)を参照
3 用語の解説 3(1)を参照
4 農林水産省「令和元年農産物生産費(個別経営)」
5 農林水産省「令和元年農産物生産費(組織法人経営)」

（事例）大規模水田作の大区画圃場での超省力作業体系の技術検証（富山県）

富山県射水市《いみずし》の農事組合法人布目沢営農《ぬのめさわえいのう》では、令和元(2019)年度からスマート農業実証プロジェクトを開始し、大規模水田作の大区画圃場《ほじょう》での超省力作業体系の技術実証に取り組んでいます。

当該法人では、生産者の高齢化が進展する一方、世代交代が進まず、新たな労働力の確保と高齢化に対応した省力化、軽労化が課題となっていました。また、近年、請負農地が増える中、農地の地力差が大きく、地力に応じた管理が必要となり、生産者の負担が多くなっていました。

技術実証では、自動運転トラクターにより10a当たりの水稲耕うん・代掻きの作業時間を 36%短縮させることができました。さらに、自動水管理システムにより乾田直播栽培の水管理作業時間を 80%削減するとともに、収量コンバインと可変施肥田植機により圃場内の収量の差が改善され、収量は前年より約60kg/10a増加し、食味も向上しました。

今後は、スマート農業機械の活用により、米の品質向上や、省力化・生産コストの削減の取組を一層進め、収益の向上、人材育成につなげることを目標としています。

自動運転トラクター
資料：農事組合法人布目沢営農

収量コンバイン
資料：農事組合法人布目沢営農

（4）麦・大豆の需要に応じた生産の更なる拡大

（小麦の収穫量は平均を上回る作柄）

令和 2(2020)年産の小麦については、作付面積は前年産とほぼ同水準の 21 万 2,600ha となりました。収穫量は、特に作柄の良かった前年産には及ばないものの、天候に恵まれ、生育が順調で登熟も良好であったことから、平均を上回る作柄の 94 万 9,300t となりました(**図表 2-7-31**)。なお、大麦・はだか麦については、作付面積は 6 万 3,630ha、収穫量は 22 万 1,700t となりました。

図表 2-7-31 小麦の作付面積、収穫量、単収

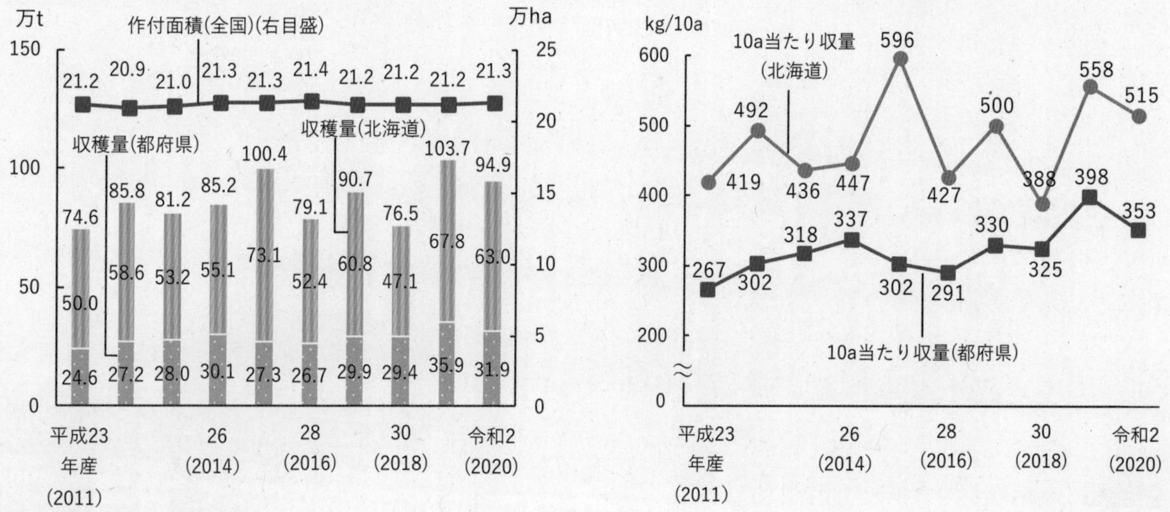

資料：農林水産省「作物統計」

（加工適性に優れる新品種の導入により国産麦の普及が進展）

国産小麦については、近年、耐病性や加工適性に優れた新品種の導入･普及が進み、地域によっては単収の向上も見られるようになってきました。

特に、平成10(1998)年以降、秋まきのパン・中華麺用多収新品種の開発・導入が進み、小麦作付面積に占めるパン・中華麺用新品種の作付割合は上昇しています(**図表 2-7-32**)。消費者の国産志向の高まりを受け、国産小麦のみを使用した商品が増えてきており、今後も、こうした新品種を活用したパン・中華麺用途の需要拡大が期待されます。

図表 2-7-32　小麦作付面積に占めるパン・中華麺用新品種小麦の作付割合の推移

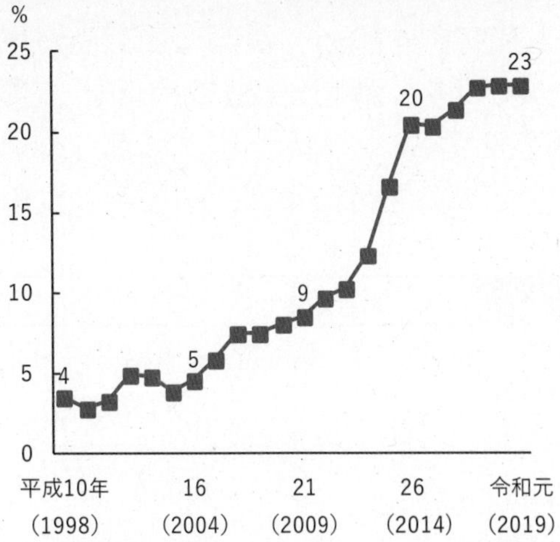

資料： 農林水産省作成

一方で、二条大麦、はだか麦を中心とした一部の品種については、令和元(2019)年より２年連続で豊作となったため、現在、供給が需要を上回るミスマッチが生じています。外国産麦を使用している企業からは、国産麦については作柄の変動が大きく、安定供給の面で不安があるなどの指摘を受けており、今後の需要拡大に向けて、国産麦を安定供給できる体制を整備していくことが重要です。

（大豆の収穫量は前年産と比べ 1%増加）

令和 2(2020)年産の大豆の作付面積は、前年産に比べ 1%減少し、14 万 1,700ha となりました。一方、収穫量は、主に北海道において、天候に恵まれ、順調な生育となったことから、前年産に比べ 1%増加し、21 万 8,900 t となりました(**図表 2-7-33**)。

図表 2-7-33　大豆の作付面積、収穫量、単収

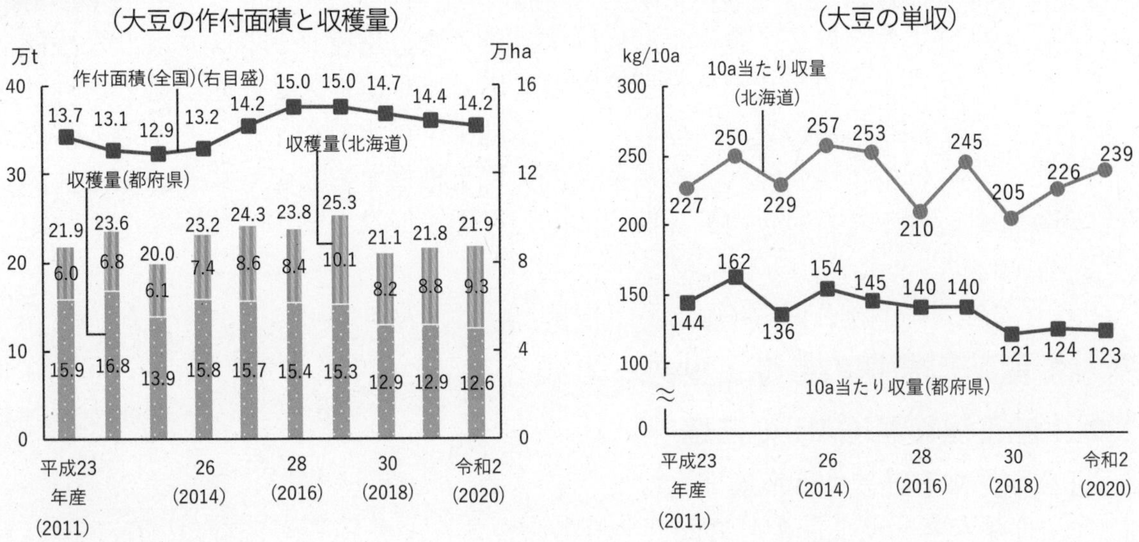

資料：農林水産省「作物統計」

（大豆の需要量は増加傾向）

近年、健康志向の高まり等により、納豆、豆乳の需要が増加傾向であること、大豆を原料とした代替肉を始め、新たな加工品が生産されていること等から、食用大豆の需要は堅調となっており、令和元(2019)年度の需要量は前年度と比べ3%増加の367万tとなりました(**図表2-7-34**)。また、国産大豆については、実需者から味の良さ等の品質面が評価され、ほぼ全量が豆腐、煮豆、納豆等の食用に向けられています。

図表2-7-34　大豆の需要動向

（我が国における大豆の需要量及び自給率）

（単位：千t）

	需要量	うち食品用	うち国産	自給率（%）
平成26年度（2014）	3,095	942	226	7
27（2015）	3,380	959	237	7
28（2016）	3,424	975	231	7
29（2017）	3,573	988	245	7
30（2018）	3,567	1,018	203	6
令和元(2019)（概算値）	3,670	1,019	210	6

資料：農林水産省「食料需給表」を基に作成

（我が国における大豆の需要割合(令和元(2019)年)）

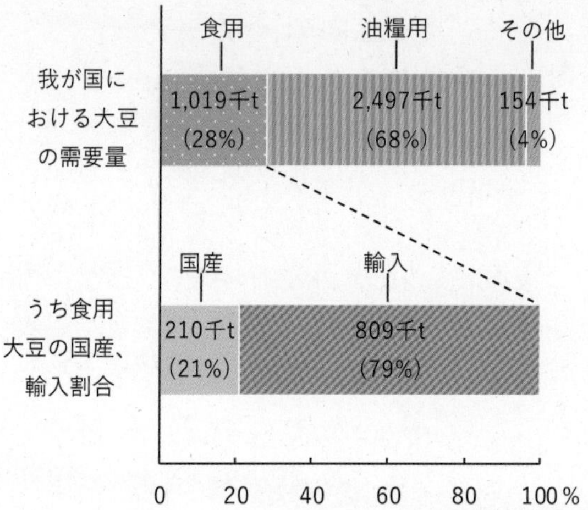

（更なる需要の拡大に向けて安定供給の実現が重要）

麦・大豆については、短期的な変動はあるものの堅調な国産需要がある一方で、作柄変動が大きく、更なる需要拡大に向けては、量・品質・価格の安定が実需者から求められています。

しかしながら、麦・大豆産地は、湿害、連作障害、規模拡大による労働負担の増加、気象条件の変化等様々な課題を抱えています。

こうした課題の解決に向けて、農林水産省内に「麦・大豆増産プロジェクト」を設置して検討を行い、産地ぐるみで行う麦・大豆の需要に応じた生産拡大と安定供給の実現に取り組んでいます。具体的には、麦・大豆の作付の団地化、排水対策や土づくり等の営農技術導入による、産地の生産性の向上と安定生産の実現を推進するとともに、毎年の豊凶変動・需給変動に対応するための産地等の保管体制の強化・促進を支援しています。

(5) 農業生産工程管理の推進と効果的な農作業安全対策の展開

ア　農業生産工程管理(GAP)の推進

（GAP認証を取得する経営体は増加）

GAP[1]は、食品安全、環境保全、労働安全等の観点から、農業者が自らの生産工程をチェックし、改善する取組です。GAPを実践することで、持続可能性の確保、競争力の強化、

1　用語の解説3(2)を参照

品質の向上、農業経営の改善や効率化、消費者や実需者の信頼の確保等に役立つことが期待されています。

これらGAPの取組が正しく実施されていることを第三者機関が審査し、証明する仕組みをGAP認証といい、我が国では国際水準GAPとしてGLOBALG.A.P.[1]、ASIAGAP[2]、JGAP[3]の3種類が普及しています。また、GAP認証が東京2020大会[4]の食材調達基準とされたことを受けて、農林水産省では、指導者の育成等を通じ、GAP認証の取得拡大を進めてきました。

図表 2-7-35 GAP認証取得経営体数（農産物）

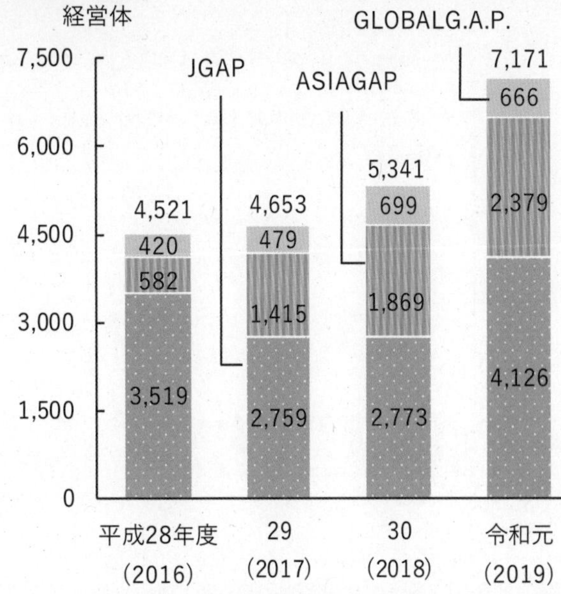

資料：一般社団法人GAP普及推進機構、一般財団法人日本GAP協会公表資料を基に農林水産省作成

注：1）各年度末時点（ただし、GLOBALG.A.P.の平成28(2016)年度の数値は平成29(2017)年4月末時点、平成29(2017)年度の数値は平成29(2017)年12月末時点の数値）

2）各年度の合計の数値は、JGAP、ASIAGAP、GLOBALG.A.P.を積み上げた数値

令和元(2019)年度末時点で、農産物についてこれらのGAP認証を取得している経営体数は、前年度に比べ1,830経営体増加の7,171経営体となっています(**図表 2-7-35**)。また、畜産物については、平成29(2017)年8月にJGAP家畜・畜産物の認証が開始され、令和3(2021)年3月時点で、認証取得経営体数は217経営体となっています。

今後は、令和12(2030)年度までに、ほぼ全ての産地で国際水準のGAPが実施されることを目標に、取組を拡大していくこととしています。

(GAP認証導入の効果は食品安全、労働安全に関して8割以上が実感)

農業者等を対象とした調査[5]によると、GAP認証導入による分野別効果については、特に食品安全及び労働安全に関して多くの農業者(いずれも80%以上)が、実感していることが分かります。また、その他の分野においても、過半数がGAPに取り組むことで「効果があった」と回答しています(**図表 2-7-36**)。なお、全体の満足度に関しては、53%の者が「満足」と回答する一方、不満を持っている者が19%となっています。

1 用語の解説3(2)を参照
2 用語の解説3(2)を参照
3 用語の解説3(2)を参照
4 令和2(2020)年3月に、大会開催を令和3(2021)年に延期することが決定
5 株式会社政策基礎研究所「令和元年度GAP導入影響分析のための調査委託事業　報告書・概要」(令和2(2020)年3月公表)

図表2-7-36　分野別のGAPの取組効果

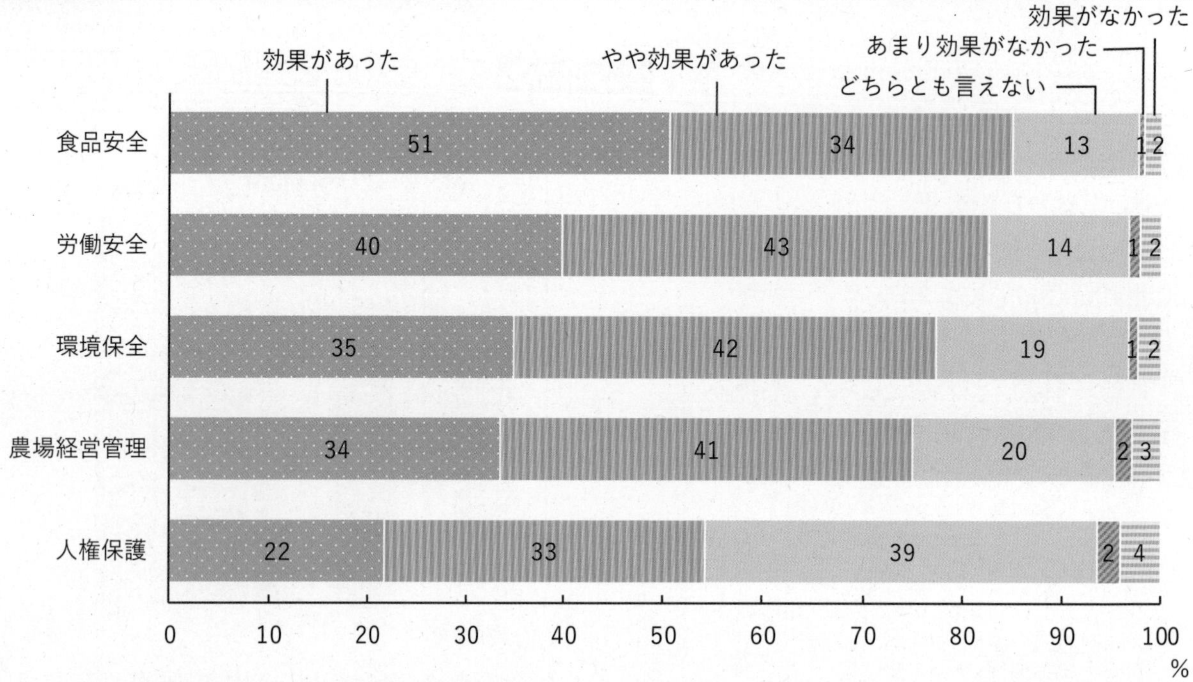

資料：株式会社政策基礎研究所「令和元年度GAP導入影響分析のための調査委託事業　報告書・概要」（令和2（2020）年3月公表）を基に農林水産省作成

注：1）令和元(2019)年5月末時点でGAP認証（GLOBALG.A.P.、ASIAGAP、JGAP)を取得している農業者及び団体（農業教育機関を除く青果物・穀物・茶の品目に限る。）を対象に実施

2）回答数は589経営体

また、農産物の生産から消費に至るフードチェーン関係者を対象としたGAPに対する意識・意向に関する調査[1]によると、GAPの認知度について、農業者の45.5%が「知っていた」又は「聞いたことがある」と回答しています(**図表2-7-37**)。また、消費者については、72.1%が「知らなかった」と回答する一方で、GAP認証取得農産物について、85.7%が「割高になっても購入したい」又は「同程度の価格であれば購入したい」と回答しています。このため、農林水産省では、消費者のGAP認知度の向上を図るため、消費者向けのGAP情報発信サイト「GAP－info」により、GAPを分かりやすく伝える動画の配信や各地のGAPに関する積極的な取組の紹介のほか、GAPの価値を共有し、GAP認証農産物を取り扱う意向を有している事業者である「GAPパートナー」の紹介を行っています。

1　農林水産省「令和元年度　食料・農林水産業・農山漁村に関する意向調査　フードチェーン関係者のGAPに関する意識・意向調査」（令和2(2020)年3月公表）

図表 2-7-37 農業者、消費者のGAP認知度の調査結果

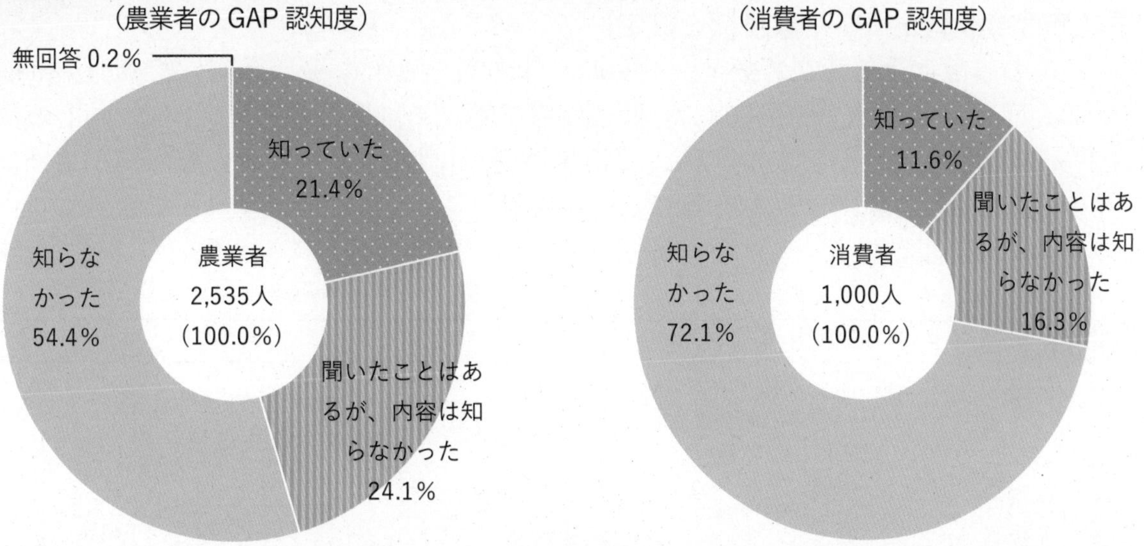

資料：農林水産省「令和元年度　食料・農林水産業・農山漁村に関する意向調査　フードチェーン関係者のGAPに関する意識・意向調査」（令和2（2020）年3月公表）

注：1）農業者の調査の対象は、2015 年農林業センサスにおける農業経営体のうち、穀物(稲作、麦類作)、野菜(露地野菜、施設野菜)、果樹(果樹類)、その他(雑穀・いも類・豆類、工芸農作物)の販売金額が1位の農業経営体を対象とした、4,000 経営体(穀物(2,523 経営体)、野菜(710 経営体)、果樹(536 経営体)、その他(231 経営体))。有効回答数は、2,535 経営体

2）消費者の調査対象は、2015 年国勢調査の男女別年齢階層別の人口構成割合(20 歳以上の人口に対する男女別年齢階層の比率)に基づき配分。調査対象数(有効回答数)は 1,000 人((男 480 人、女 520 人）(20～29 歳 120 人、30～39 歳 150 人、40～49 歳 177 人、50～59 歳 149 人、60 歳以上 404 人))

（事例）GAPで農場経営の効率化を推進（新潟県）

新潟県上越市《じょうえつし》にある有限会社穂海農耕《ほうみのうこう》は、平成 17(2005)年 12 月に設立された農業法人で、役員 2 人、従業員 20 人により、170ha の水田で水稲を栽培しています。

社内ルールの一つとして GAP を活用し、作業道具や作業記録の整理整頓等を実践し、作業の安全確保や農場経営の効率化に取り組んでいます。代表取締役の丸田《まるた》 洋《ひろし》さんは平成 18(2006)年 3 月に GAP の指導員資格を取得し、同年 11 月には法人として JGAP の認証を取得しました。さらに、平成 19(2007)年 9 月に穀物では初となる JGAP 団体認証を取得し、平成 29(2017)年 9 月には ASIAGAP Ver.2 の認証を取得しました。

同社では、GAP の取得を通じ、栽培計画の策定や、作業の記録、実績評価を ICT ツールの活用により効率的に行っています。具体的には、作期分散により、田植機等機械を効率的に利用できたほか、農薬費を大口取引や必要量の発注により削減するとともに、栽培計画に基づく効率的な田植え作業による予備苗の削減等により種苗費や人件費を削減することができました。

これらの経営改善の結果、GAP 導入時に比べ米の生産コストを削減することができました。

穂海農耕の若手従業員

資料：有限会社穂海農耕

整理整頓は基本中の基本

資料：有限会社穂海農耕

イ　農作業安全対策の展開

(農作業死亡事故防止の新たな目標を設定)

農作業中の事故による死亡者数は、近年減少傾向にあるものの、令和元(2019)年は前年に比べ7人増えて281人となりました(**図表 2-7-38**)。年齢別に見ると、65歳以上の割合は88.3%、80歳以上の割合は42.0%と、高齢農業者の割合が高い状況となっています。また、同年の農業就業人口10万人当たりの死亡者数は16.7人と上昇傾向となっており、全産業の1.3人、建設業の5.4人との差は拡大しています。

図表 2-7-38　農作業中の年齢階層別死亡者数

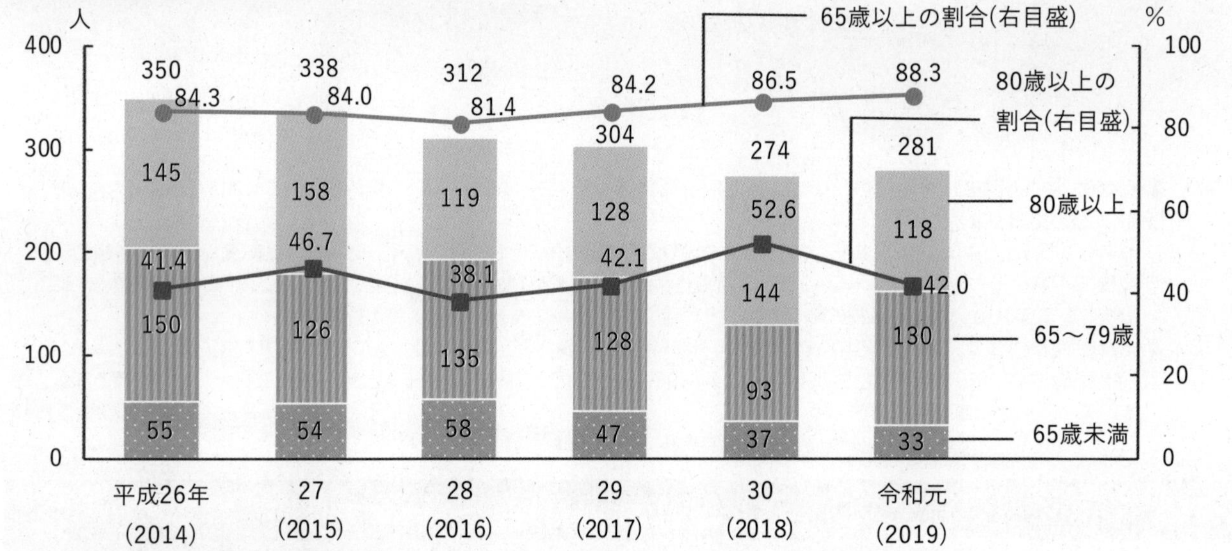

資料：農林水産省「農作業死亡事故調査」
注：平成29(2017)年は年齢不明の死亡者が1人

農作業死亡事故を要因別に見ると、農業機械作業に係る事故が全体の約7割を占めています(**図表 2-7-39**)。農業機械作業に係る事故のうち、乗用型トラクターに係るものが最多となっており、機械の転落・転倒事故が57人となっています。

このような状況を踏まえ、農林水産省は、毎年春と秋の農繁期に全国で展開している農作業安全確認運動の新たな目標として、農業機械作業に係る死亡事故を令和4(2022)年までに平成29(2017)年の水準(211人)から半減することを掲げて取り組んでいます。

図表 2-7-39 農作業の死亡事故発生状況

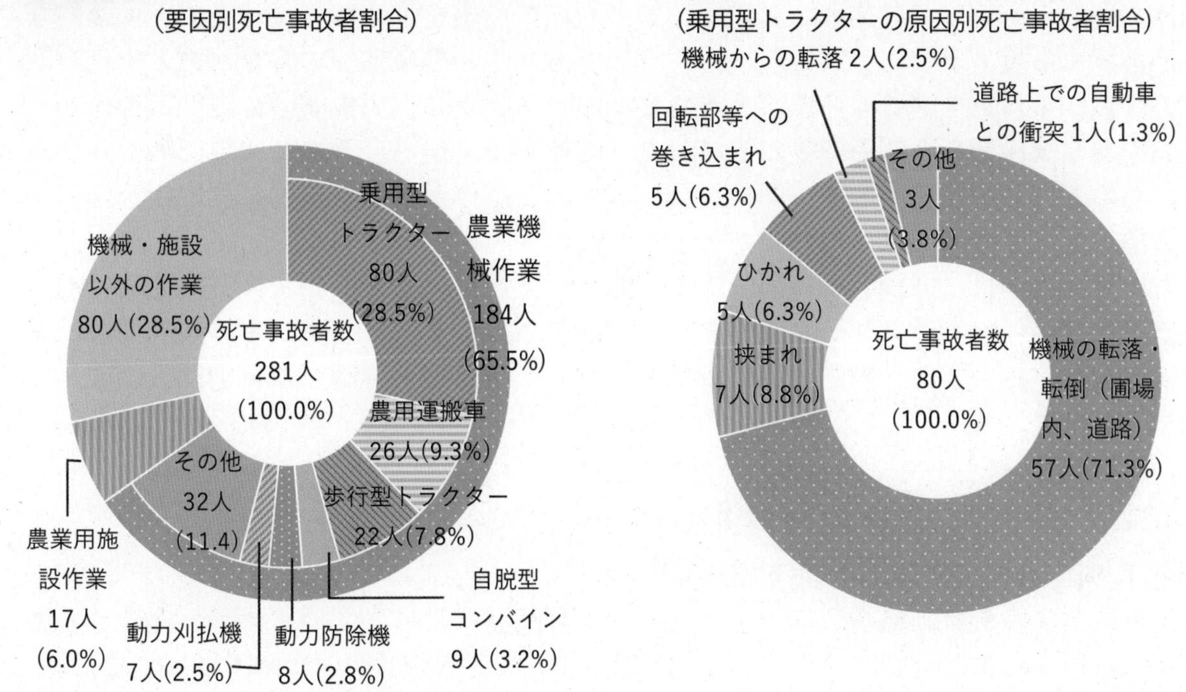

資料：農林水産省「農作業死亡事故調査」を基に作成
注：令和元(2019)年の数値

（農林水産業・食品産業の分野を横断した作業安全対策の推進）

農林水産業・食品産業の現場では、依然として毎年多くの死傷事故が発生しており、若者が将来を託せる、より安全な職場を作っていくことが急務となっています。このため、農林水産省では、農林水産業・食品産業の分野を横断した作業安全対策を推進しています。

令和３(2021)年２月には、「農林水産業・食品産業の現場の新たな作業安全対策に関する有識者会議」での議論を踏まえ、「農林水産業・食品産業の作業安全のための規範」を策定しました。今後は、この規範を広く周知し、現場の従事者の方々に作業安全のための取組をチェックしてもらい、安全意識の向上を図っていくこととしています。

（農作業事故の防止に向けた取組を強化）

農業分野においては、安全フレーム等が未装備のトラクターへの追加装備やシートベルト・ヘルメットの装着、作業機付きトラクターの公道走行に必要となる灯火器類の設置、農業機械の日常的・定期的な点検整備等の促進に、行政や団体等の関係機関、農業機械メーカー各社の協力も得て取り組んでいます。

また、農作業事故の未然防止にも寄与する GAP の普及の推進に取り組んでいるほか、令和２(2020)年からは、都道府県、農機メーカーからの農作業事故情報の報告を受け、毎月、MAFF アプリ等の媒体を通じ、農業者に直接、事故発生情報とともに注意喚起を発信するなど、情報の把握・発信の強化に取り組んでいます。

地域においては、地方公共団体、農業者団体等の関係者が、地域の実態に即して農作業安全対策を推進することが重要です。農林水産省では、都道府県段階や地域段階における「農作業安全推進協議会」等の設置を働きかけています。

農研機構は、令和２(2020)年５月に、農業者と対話しながら、より安全な農作業につなげる研修を実施するための「対話型農作業安全研修ツール」を開発しました。このようなツールも有効に活用して現場での安全指導を実施する体制を構築することが重要です。

こうした取組を通じて農業者・農業団体等の現場の取組を進めていく一方で、人為的なミスがあっても重大事故につながらないようにするための農業機械の安全対策の強化等、幅広い観点から対策を講じていくことが必要であることから、労働安全の専門家のほか、農業者や農業機械業界の関係者等で構成した「農作業安全検討会」を令和３(2021)年２月から新たに開催しました。今後、同検討会において、農作業安全対策として取組を強化すべき事項について検討を深めていくこととしています。

また、労災保険は、労働者の負傷、疾病、障害、死亡に対して療養・休業補償給付や遺族補償給付等の保険給付を行う制度ですが、労働者以外でも、トラクター等の農業機械を使用するなど一定の要件を満たす農業者については、任意加入を認める特別加入制度が設けられています。

(6) 良質かつ低廉な農業資材の供給

(肥料、飼料の価格指数は 100 以下で推移)

近年の農業生産資材価格指数は、全体的には上昇基調で推移していますが、そのうち肥料、飼料については、基準年である平成 27(2015)年の価格を下回る水準で推移しており、令和元(2019)年は、肥料が 98.0、飼料が 97.3 となっています(**図表 2-7-40**)。また、基準年以降は、農機具(100.8)、農薬(100.5)もおおむね横ばいで推移しています。

なお、農業資材は、原材料やその原料を輸入に頼っていることから、鉱石や穀物の国際相場や為替相場の変動等の国際情勢の影響を受け､価格が変動するという特徴があります。

図表 2-7-40　農業生産資材価格指数(平成 27(2015)年を 100 とする指数)

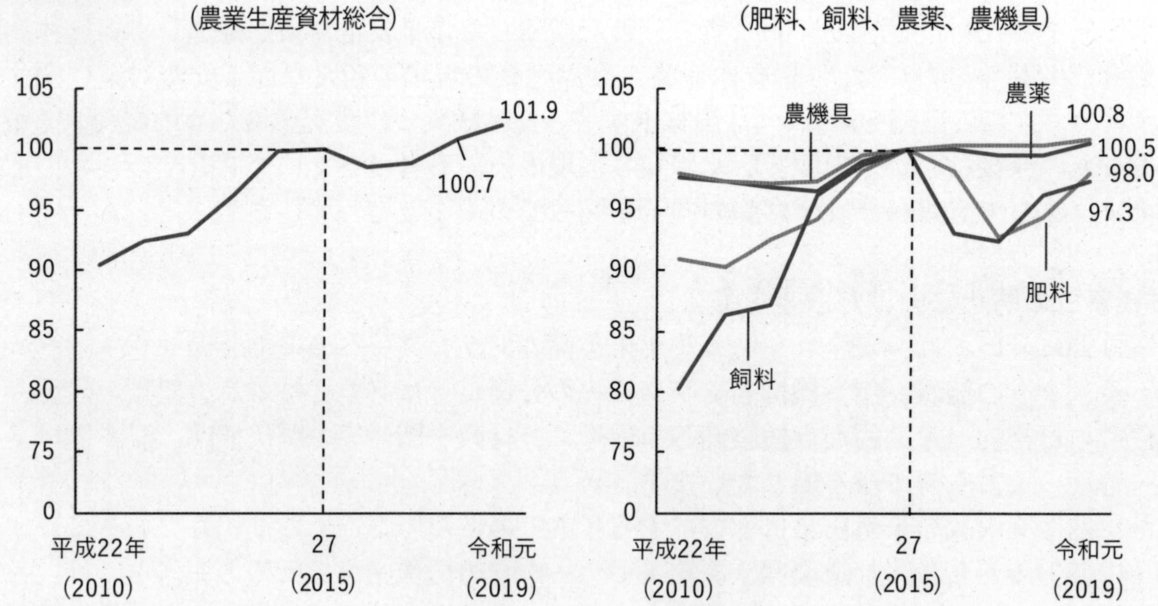

資料：農林水産省「農業物価統計」

農業経営費に占める農業資材費の割合は、例えば水田作経営、畑作経営で６割、肥育牛経営で８割と一定の割合を占めていることから(**図表 2-7-41**)、農業所得の向上に向けて、農業資材の価格の引下げを進めていく必要があります。

図表 2-7-41 農業経営費に占める農業生産資材の割合

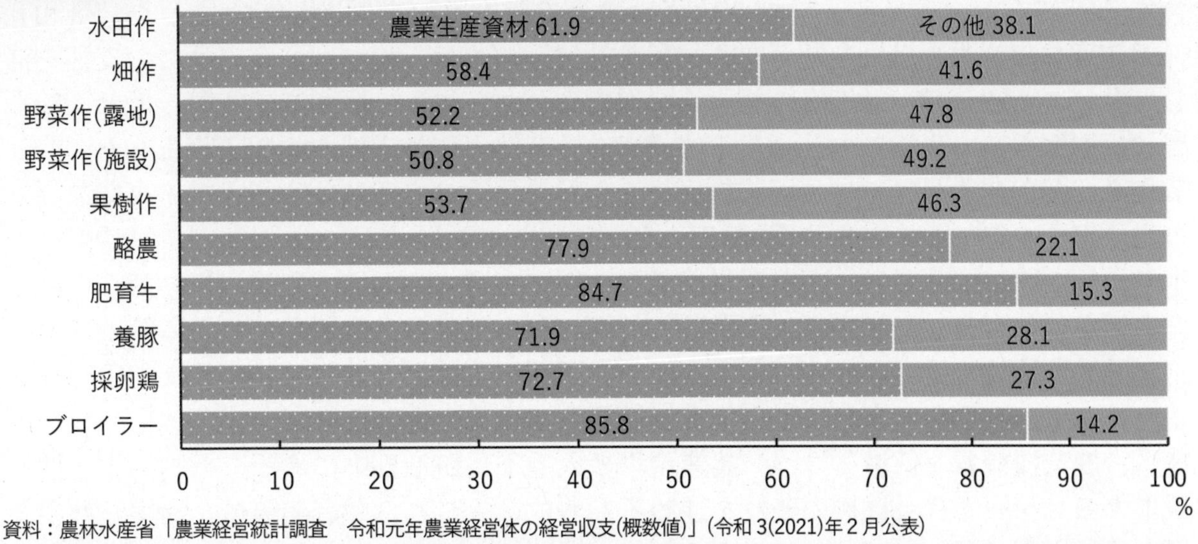

資料：農林水産省「農業経営統計調査　令和元年農業経営体の経営収支(概数値)」(令和 3(2021)年 2 月公表)

注：農業生産資材は、種苗費、もと畜費、肥料費、飼料費、農薬衛生費、諸材料費、動力光熱費、農具費、作業用衣料費、修繕費、減価償却費

(コラム) 肥料原料は大半を輸入に依存

我が国で使用されている化学肥料の大半は、原料を輸入し国内で製造されたものです。主な原料であるりん鉱石と塩化加里は全量輸入に依存しており、また、りん鉱石を加工したりん酸アンモニウムの形態でも輸入しています。

令和 2 (2020) 年の我が国の肥料原料の輸入量・輸入先国については、りん鉱石は約 15 万 1 千 t で中国(25.5%)、南アフリカ共和国(20.8%)、モロッコ(17.3%)から輸入しており、この 3 か国で輸入量全体の約 6 割を占めています。また、塩化加里は約 43 万 7 千 t で、カナダが全体の約 6 割を占めており、りん酸アンモニウムは約 49 万 t で、中国が全体の約 9 割を占めています。

また、輸入原料への依存度を減らし、より持続性の高い農業を実現していくため、家畜排せつ物を始めとする様々な国内有機性資源を循環利用するとともに、データを活用して土壌や作物の生育状況に応じた施肥を行うことで肥料の効率利用を推進していくことも重要です。

図表　肥料原料の輸入量

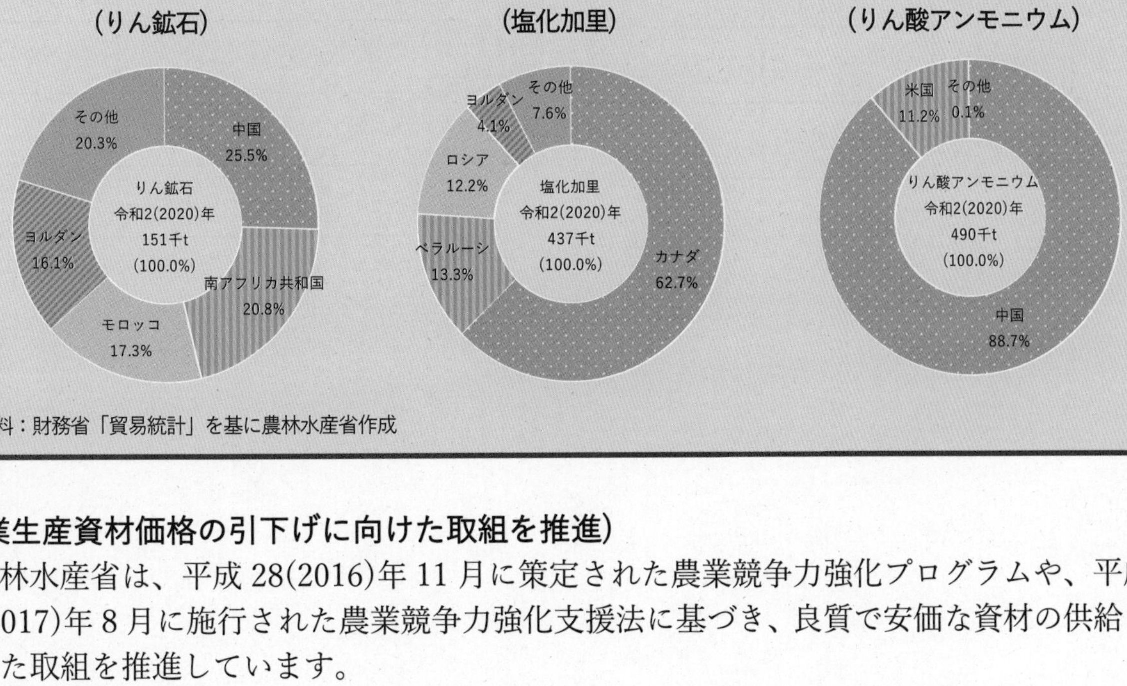

資料：財務省「貿易統計」を基に農林水産省作成

(農業生産資材価格の引下げに向けた取組を推進)

農林水産省は、平成 28(2016)年 11 月に策定された農業競争力強化プログラムや、平成 29(2017)年 8 月に施行された農業競争力強化支援法に基づき、良質で安価な資材の供給に向けた取組を推進しています。

特に、農業競争力強化支援法の施行以降においては、良質かつ低廉な農業資材の供給等に資する事業再編・事業参入計画の認定を通じて業界再編を促進してきました。令和元(2019)年度に事業再編計画を認定した飼料会社については、税制面・金融面での支援を活用し、会社の新設分割、新工場の建設等を進めました。また、令和2(2020)年度は、新たに農業用機械製造の事業参入計画を1件認定し、金融面での支援が活用されました。

令和2(2020)年4月からは、同法施行後2年目の見直しを受け、事業再編・事業参入計画の対象事業を追加しています(**図表 2-7-42**)。

事業再編計画については、農業資材流通の合理化を進めるため、農業資材の卸売事業と小売事業を追加しました。また、事業参入計画については、営農管理システム等のソフトウェア開発の後押しや、スマート農業機械の共同利用等による安価で効率的な利用促進を図るため、これらを行う事業についても支援対象に追加しました。

特に、農業機械費を低減しつつ、農業現場の人手不足が進む中にあっても高い生産性を実現できるスマート農業機械の普及を進めるためには、これらの農業機械を活用した作業受託や農業機械のシェアリング等を行う農業支援サービス事業を育成することが重要です。このため、農林水産省では、令和3(2021)年3月に農業支援サービスがユーザーに提供する情報を共通化するためのガイドラインを作成・公表するなど、農業支援サービス事業の育成・普及に向けた取組を推進しています。

このほか、平成28(2016)年度には農業資材価格の比較・検討が可能なWebサイトが構築され、平成29(2017)年度から稼働しています。また、平成29(2017)年度以降、毎年、農林水産省において国内外における農業資材の販売価格等に関する調査を実施・公表し、農業資材価格の見える化にも積極的に取り組んでいます。

図表 2-7-42 農業競争力強化支援法の支援対象事業(農業資材)

(事業再編計画)

対象事業	令和2(2020)年3月まで	令和2(2020)年4月から
農業資材製造事業	○	○
農業資材卸売事業	−	○
農業資材小売事業	−	○

(事業参入計画)

対象事業	令和2(2020)年3月まで	令和2(2020)年4月から
農業用機械製造事業	○	○
農業用ソフトウェア作成事業	−	○
農業用機械の利用促進事業	−	○
種苗の生産卸売事業	○	○

資料：農林水産省作成

(事例) 全農が取り組む生産資材価格の引下げ

全国農業協同組合連合会においては、農業競争力強化プログラムに基づく自己改革の取組の一環として、これまで550種類あった一般高度化成肥料の銘柄を平成30(2018)年秋肥から25種類まで集約するとともに、競争入札により肥料価格を1～3割程度引き下げました。また、農薬では大容量規格によるスケールメリット、完全受注生産、メーカー工場からの直接配送等により、当該農薬製品価格を通常規格より2～3割程度引き下げました。

農業機械については、担い手のニーズを聞き取り、必要な機能を絞り込んだ大型トラクター(60馬力クラス)の共同購入により、同クラスの標準型式に比べて2～3割程度販売価格が引き下げられました。さらに、令和2(2020)年12月からは、第2弾の取組として、標準モデルより2割程度低価格な中型トラクター(28～35 馬力クラス)の販売を開始するなど、生産コスト低減に資する取組を進めています。

28～35馬力クラスの中型トラクター

資料：全国農業協同組合連合会

(7) 農産物の生産・流通・加工の合理化

(農産物検査規格の見直し)

農林水産省では、農業競争力強化支援法に基づき、平成31(2019)年1月から、農産物流通や消費者ニーズの変化を踏まえ、農産物検査規格等の見直しを検討し、令和 2(2020)年産米から、農産物検査の一部の項目について、目視に代えて穀粒判別器による鑑定を可能としたほか、同年6月に、玄米流通の合理化につながるようフレキシブルコンテナバッグに推奨規格を設定するなどの見直しを行いました(**図表2-7-43**)。

加えて、令和 2(2020)年7月に閣議決定した規制改革実施計画を踏まえ、同年9月から農産物検査規格・米穀の取引に関する検討会を開催し、更に検討を進めました。

この結果、現行の規格とは別に、「機械鑑定を前提とした規格」を新たに策定することとし、今後、計測・標準化や米穀の専門家等による機械鑑定に係る技術検討チームを令和3(2021)年内に開催し、技術的事項を中心に検討を進めた上で、機械鑑定用の検査規格を設定することとしました。

また、検査コストの低減に向け、サンプリング方法の簡素化を進めることとし、今後、標準抽出方法を見直すとともに、検査現場で適正なサンプリングが行われるようにするためのガイドラインを関係者の意見を聴いて作成することとしました。

このほか、米のスマートフードチェーンの構築と、それを活用したJAS規格を民間主導により制定することとし、今後、生産者・実需者・企業等が参加するコンソーシアムを開催し、海外調査や国際ワークショップの開催、JAS規格原案の策定等を経て、令和5(2023)年産米からの実現を目指すこととしました(**図表2-7-44**)。

さらに、農産物検査証明における「皆掛重量[1]」を廃止することとし、今後、省令の改正の手続を進めること、穀粒判別器等科学的検査の更なる精度向上を図るため、AI画像解析等による次世代穀粒判別器の開発を進めることになりました。

これらを踏まえ、農林水産省では、今後、速やかに規格設定等の作業を進めていくほか、産地品種銘柄や包装規格等についても、引き続き検討会で検討していくこととしています。

---

[1] 皆掛重量=正味重量+風袋重量+余マス。「余マス」とは、米を出荷する際に、正味重量を超えて多めに袋詰めされた米のこと

図表 2-7-43　穀粒判別器とフレキシブルコンテナバッグ

（穀粒判別器について）

株式会社ケツト科学研究所
機種名：「RN-700」

株式会社サタケ
機種名：「RGQI100A」

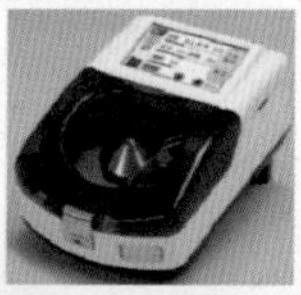

静岡製機株式会社
機種名：「ES-５」

（穀粒判別器による玄米の分類例）

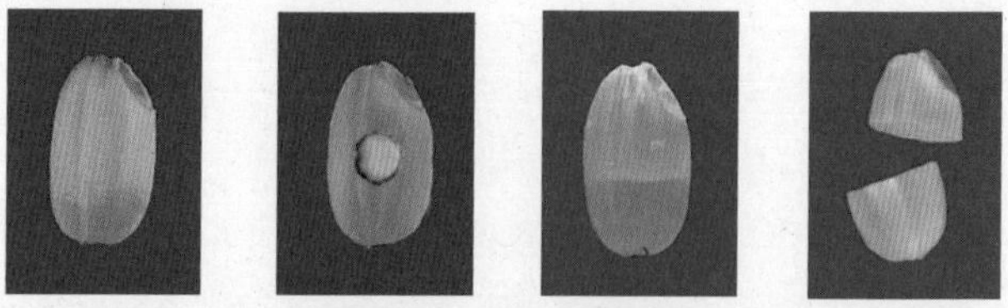

死　米　　着色粒　　胴割粒　　砕　粒

測定結果（データ）は、本体ディスプレイ・プリンタ出力の他、パソコンによる精緻な解析が可能

●本体ディスプレイ

●内蔵プリンタ印字例

●パソコン・タブレット

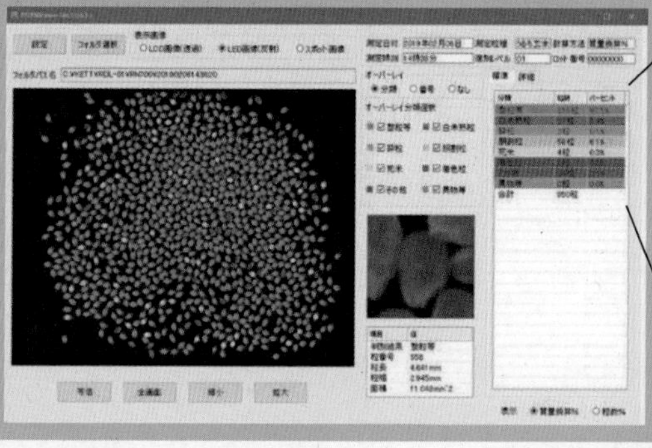

分類	粒数	パーセント
整粒等	815粒	87.1%
白未熟粒	37粒	3.4%
砕粒	2粒	0.1%
胴割粒	58粒	6.1%
死米	4粒	0.3%
着色粒	0粒	0.0%
その他	34粒	3.1%
異物等	0粒	0.0%
合計	950粒	

（米流通の合理化につながるフレキシブルコンテナバッグの推奨規格の設定）

・充填質量　：　1,080kg

・形　　　状　：　方形（角底型及び隔壁形）

・安 全 性　：　ＪＩＳに規定された性能に適合

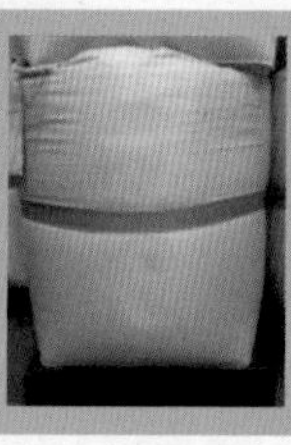

資料：農林水産省作成

図表 2-7-44　米のスマートフードチェーンと JAS 活用のイメージ

生　産

〇生産方法
- ・品種名
- ・田植え日
- ・施肥量
- ・防除日
- ・収穫日

〇生産者情報

乾燥・調製

〇乾燥・調製方法
- ・乾燥調製の方法
- ・乾燥・調製場所

〇水分量

〇施設の管理方法
- ・施設の点検日
- ・点検内容等

検　査

〇検査方法
- ・検査場所
- ・検査機関名
- ・検査日

〇検査結果
（穀粒判別器のデータ等も含む）

卸・精米

〇精米方法
- ・精米工場
- ・精米場所

〇精米データ
（穀粒判別器のデータ等も含む）

消費者

米の特色についての情報が分かる

JAS認証により、米の付加価値を高める特色ある生産・加工・流通方法の情報を証明することも可能

クラウドで情報を整理

提供

資料：農林水産省作成

第8節　情報通信技術等の活用による農業生産・流通現場のイノベーションの促進

発展著しいデジタル技術の活用による、農業生産・流通現場のイノベーションの進展、農業施策に関する各種手続や情報入手の利便性の向上は、労働力不足が深刻となっている我が国の農業において、経営の最適化や効率化に向けた新たな動きとして期待されています。また、現場のニーズに即した様々な研究開発にも期待が寄せられています。

本節では、先端技術を活用し、生産力向上と持続性の両立を実現するスマート農業の社会実装に向けた施策展開や実証プロジェクトの実施状況等のほか、農業・食関連産業におけるデジタル変革に向けた取組、産学官連携による研究開発の動向等について紹介します。

(1) スマート農業の推進

(スマート農業の開発・実用化が進展)

ロボット、AI[1]、IoT[2]等の先端技術を活用したスマート農業については、近年、産学官が連携した研究開発により、衛星測位を活用したロボットトラクタやロボット田植機の有人監視下での自動走行、ドローンによる農薬散布、ドローン・人工衛星等によるセンシング[3]で得られた生育データの活用等様々な技術の実用化が進んでいます。

このようなスマート農業技術を社会実装するため、令和元(2019)年度からスマート農業実証プロジェクトを実施しています[4]。本プロジェクトは、令和元(2019)年度に実証期間を2年として69地区で始まりました。実証プロジェクトを進めていく中で、現場からは農作業の自動化やデータ共有等による経営改善効果が評価される一方、ロボットトラクタ等のスマート農業機械の導入コストが高額であることや、インフラ面での整備や学習機会が不十分であること等の課題が明らかとなりました。

このため、令和2(2020)年10月に、今後5年間で展開する施策の方向性を示した「スマート農業推進総合パッケージ」を策定しました(令和3(2021)年2月改訂)。今後はこれに基づき、(1)スマート農業の実証・分析や成果の普及、(2)シェアリング等新たな農業支援サービスの育成と普及、(3)農業データの活用や農地インフラの整備等による実践環境の整備、(4)農業大学校・農業高校等での学習機会の提供、(5)国際的なアウトリーチ[5]活動の強化等による海外展開等、スマート農業の社会実装の加速化に取り組んでいくこととしています(**図表2-8-1**)。

---

1 用語の解説3(2)を参照
2 用語の解説3(2)を参照
3 センサーにより圃場の温度や湿度、照度等を感知して計測・判別すること
4 トピックス3を参照
5 研究成果の情報発信

図表 2-8-1　スマート農業推進総合パッケージの概要

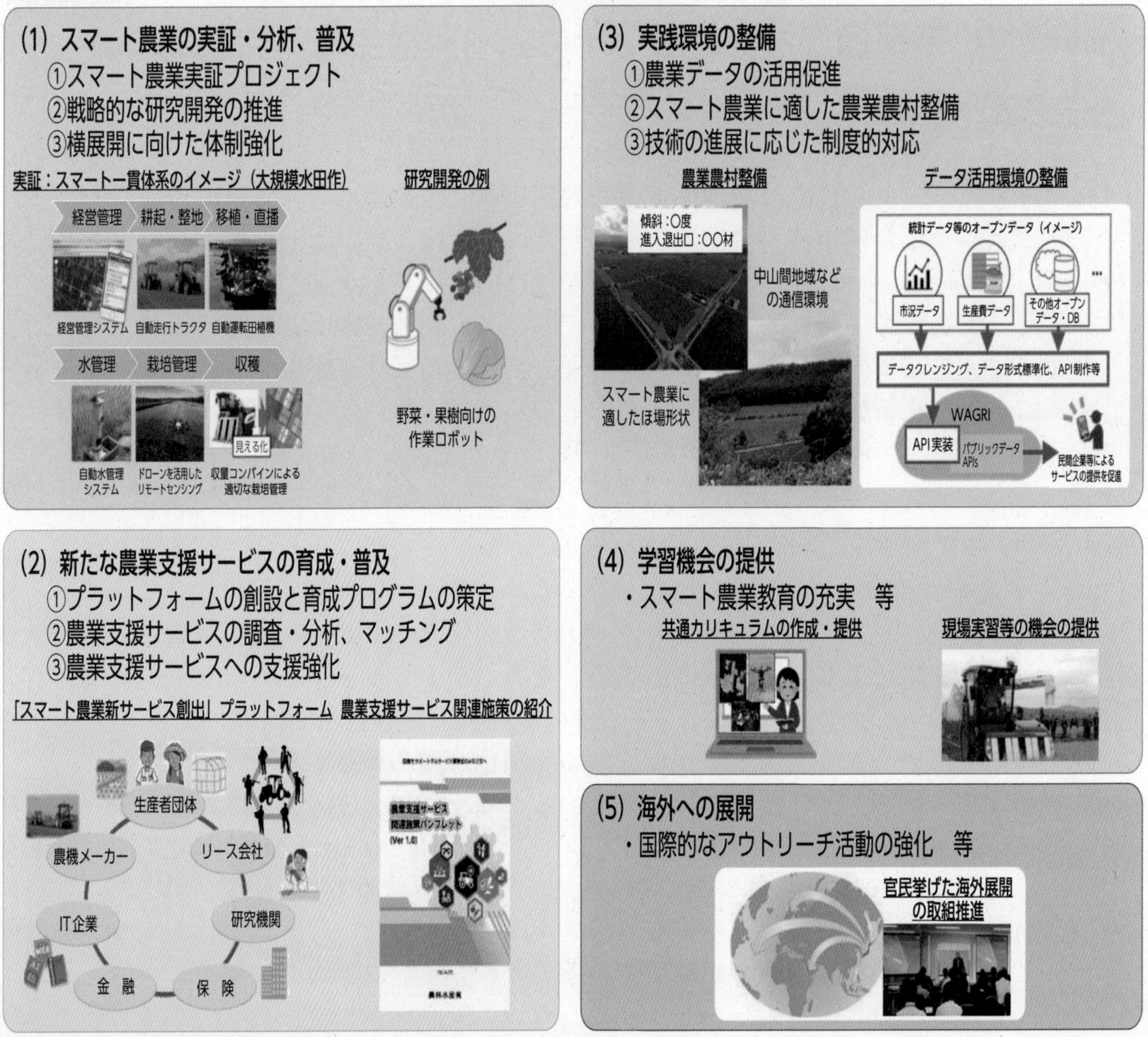

資料：農林水産省作成

(令和 2(2020)年度からは中山間地域を中心に 55 地区で実証プロジェクトを開始)

令和 2 (2020)年度のスマート農業実証プロジェクトでは、新たに全国 55[1]地区で実証プロジェクトを開始しました。このうち、中山間地域で 31 地区(うち棚田 5 地区)、被災地で 9 地区、シェアリング・リース等の新サービスで 7 地区を採択したほか、令和元(2019)年度に採択実績がなかった地区(埼玉県、大阪府、鳥取県、徳島県)や少なかった品目(野菜、果樹、畜産等)を採択し、労働時間の削減やコストの削減等の効果を検証しています。

また、高速情報通信を活用したスマート農業技術により人手不足等の農村地域の課題の解決に貢献するため、総務省と連携し、ローカル 5 G 技術を活用した実証を 3 地区で進めています[2]。

さらに、新型コロナウイルス感染症に伴う緊急経済対策として農業高校等と連携したスマート農業技術の実証を 1 年を期間として全国 24 地区で実施し、農業高校生がドローン

---

1 中山間地域、被災地、サービス等においては重複で採択されていることから、それらを積み上げても合計の 55 地区にはならない。
2 第 2 章第 6 節を参照

や搾乳ロボット等のスマート農業機械を実際に操作・学習する機会を提供しました[1](**図表2-8-2**)。このほか、スマート農業を学ぶことができる動画コンテンツを、農業大学校等に提供しています。

図表 2-8-2 スマート農業実証プロジェクト採択数一覧

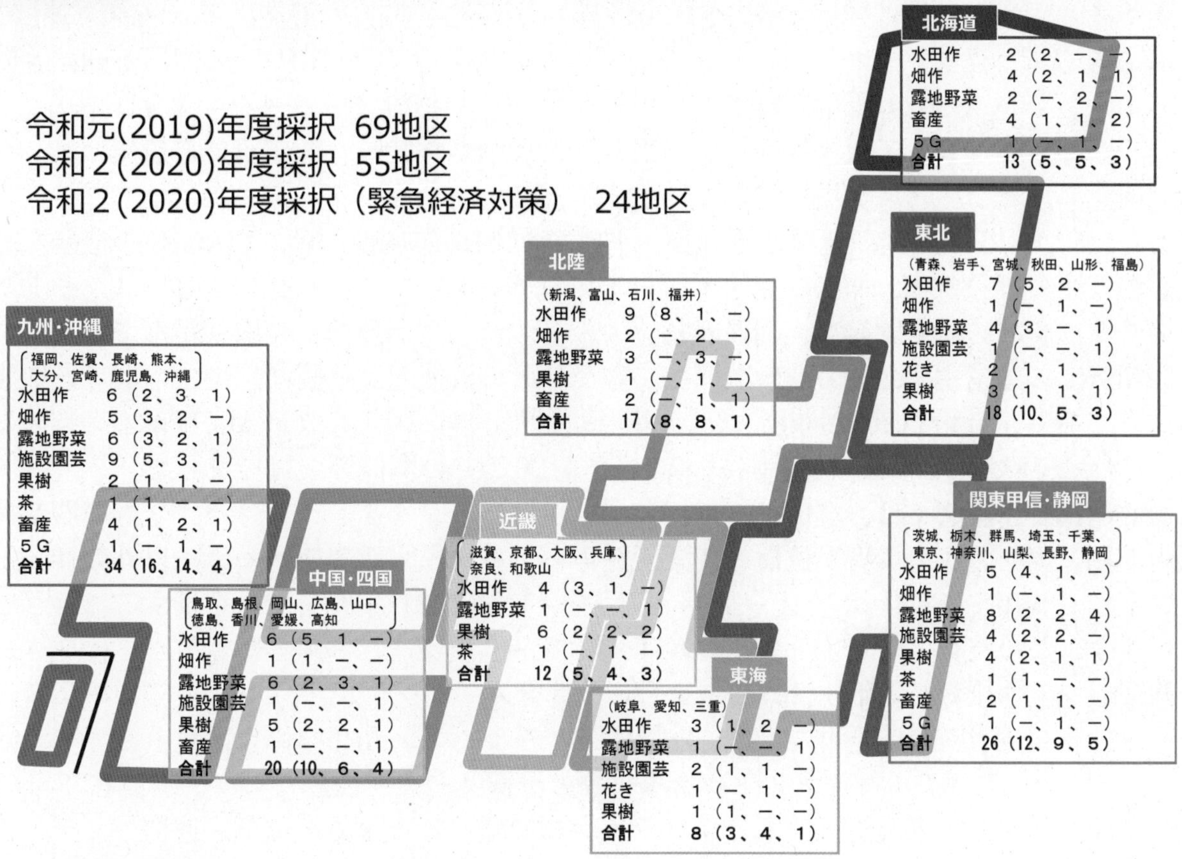

資料：農林水産省作成

注：1）各ブロック品目等の（ ）内の数値は、左から令和元(2019)年度採択地区数、令和2(2020)年度採択地区数、令和2(2020)年度(緊急経済対策)採択地区数

2）令和2(2020)年7月時点

3）緊急経済対策については、農業高校等と連携しスマート農業技術の実証を緊急的に実施している。

(飛躍的な生産性向上に向けた技術開発を実施)

現在実用化されているロボットトラクタは、使用者の目視監視の下、圃場《ほじょう》内での自動走行に限定されており、今後、飛躍的な生産性向上を図るためには、使用者の居所にとらわれない遠隔監視システムと、農道を通る圃場間移動による連続的な自動化作業体系が必要です。このため、令和2(2020)年10月に、農研機構を中心とする研究グループが、これまでの研究成果[2]として、全国で初めて、農業者の

圃場間の移動を含む遠隔監視下での自動走行システム(実演)

資料：農林水産省作成

1 特集を参照

2 「日本再興戦略2016(平成28(2016)年6月閣議決定)」において、令和2(2020)年までに「ほ場間での移動を含む遠隔監視による無人自動走行システム」を実現するとされていた。

圃場で本システムの実演を行いました。今後、早期の市販化に向け、更なる技術開発や安全性確保策の検討等に取り組むこととしています。

（農業関連データの連携・活用を推進）

農業者自らの営農データを始めとして、農地や市況、気象等のあらゆるデータを十分に活用できる環境の整備に向け、平成31(2019)年4月から、様々な農業関連データを連携・活用できるデータプラットフォーム「農業データ連携基盤(WAGRI《わぐり》[1])」の運用が開始されています。令和2(2020)年度末時点で、ICT[2]ベンダーや農機メーカーを始めとする52の企業や団体が参加し、気象データ等を利用したきめ細かな栽培管理が可能な情報サービス等の農業者向けサービスが提供されています。

また、WAGRIの開発、運用と並行し、平成30(2018)年度からは、WAGRIの機能を拡充して、生産部分から、加工・流通・消費までのデータをひとつなぎにする「スマートフードチェーン」の研究開発に、関係府省協力の下、産学官が連携して取り組んでいます。

WAGRIの運営主体である農研機構は、WAGRIの機能充実と認知度向上に向けた取組を進めており、令和2(2020)年度には、病害画像判定プログラムのWAGRIへの実装のほか、「スマートフードチェーン国際シンポジウム2020」の開催等を行いました。

また、農林水産省では、農機メーカーに働きかけ、トラクター、コンバイン等の農業機械の使用に当たり、農業者が位置、作業記録等のデータを当該農機メーカー以外の作ったソフトでも利用できる仕組み(オープンAPI[3])を令和3(2021)年度までに整備することとしています。このため、農機メーカーやICTベンダー、農業者、学識経験者等から構成される検討会を立ち上げ、令和3(2021)年2月に、農機メーカーやICTベンダー等の事業者のデータ連携に向けた対応指針を「農業分野におけるオープンAPI整備に関するガイドライン ver1.0」として策定しました。トラクター等の農機メーカーのみならず、農業ICTサービスに関わる多くの事業者は、本ガイドラインを参照することで、協調・連携してデータ駆動型の農業を実現するための環境整備を行うことができます。

---

[1] 農業データプラットフォームが、様々なデータやサービスを連環させる「輪」となり、様々なコミュニティの更なる調和を促す「和」となることで、農業分野にイノベーションを引き起こすことへの期待から生まれた造語(WA+AGRI)
[2] 用語の解説3(2)を参照
[3] Application Programming Interfaceの略

（コラム）農業分野でのドローン利用が拡大

ドローンはその取扱いの容易さや拡張性の高さから、農薬や肥料の散布、生育状況や病害虫の発生状況のセンシング、鳥獣被害対策等の様々な分野での利用や、中山間地域等の様々な場所での活用が期待されています。農業分野でのドローン利用は拡大しており、令和元(2019)年度末時点でのドローンによる農薬の散布面積は約６万５千 ha となり、前年度末時点と比べて約２倍に増加しています。

農業用ドローンは、主に水田における農薬散布の際に利用されているほか、一部の農協や受託事業者による農薬・肥料散布等のサービスの提供も始まったところです。スマート農業実証プロジェクトにおいても、露地野菜への追肥を行う体系の実証をしているほか、センシングの結果に基づいて農薬をピンポイントで散布する取組も始まっています。

さらに、令和２(2020)年８月には、農業分野では国内で初めて、目視外補助者なしによるドローンの飛行(レベル３*)が民間企業により実施されました。今後、農業分野において本飛行方法が普及することにより、農業現場における省力化が進むものとして期待されています。

*「空の産業革命に向けたロードマップ2020」に記載されている無人地帯における目視外補助者なしによる飛行方法

ドローンによる農薬の散布面積

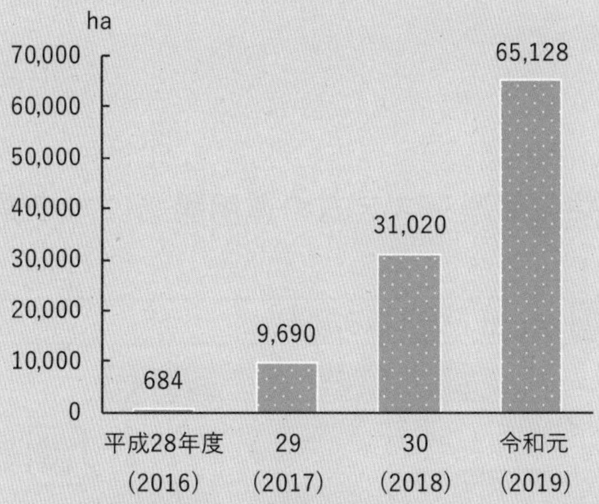

資料：農林水産省作成
注：令和元(2019)年度の空中散布面積は、空中散布実績を把握している都道府県のデータを基に農林水産省において推計

レベル３で使用された固定翼型ドローン

(2) 農業施策の展開におけるデジタル化の推進

(農林水産省共通申請サービス(eMAFF)の構築を推進)

農林水産省では、農業のデジタル変革の取組の一環として、現場の農業者、地方公共団体を始めとする関係機関の手間を省くことで農業経営に注力できる環境を整備するため、所管する法令に基づく申請や補助金等の行政手続について、農業者等が自分のスマートフォンやタブレット、パソコンからオンラインで申請を行うことができる「農林水産省共通申請サービス(eMAFF)」の構築を進めています。認定農業者[1]制度や経営所得安定対策等の一部の手続については、令和２(2020)年４月からオンライン申請の受付を開始しており、農林水産省関係の３千を超える行政手続について、令和４(2022)年度までに全てオンライ

[1] 用語の解説3(1)を参照

ン化し、令和7(2025)年度までにはオンライン利用率を60%にすることを目指しています。

eMAFF を活用することにより、農業者等は、窓口に足を運ばなくても、自宅のパソコンやスマートフォン等から補助金等の申請が行えるとともに、一度登録した情報は再度入力する必要がなくなるなど、利便性が向上することになります(**図表 2-8-3**)。

また、オンライン化する行政手続については、申請に係る書類や申請項目等の抜本的な見直しを進め、申請者にとって負担のかからないものとなるように努めています。

図表 2-8-3 eMAFF の事業イメージ

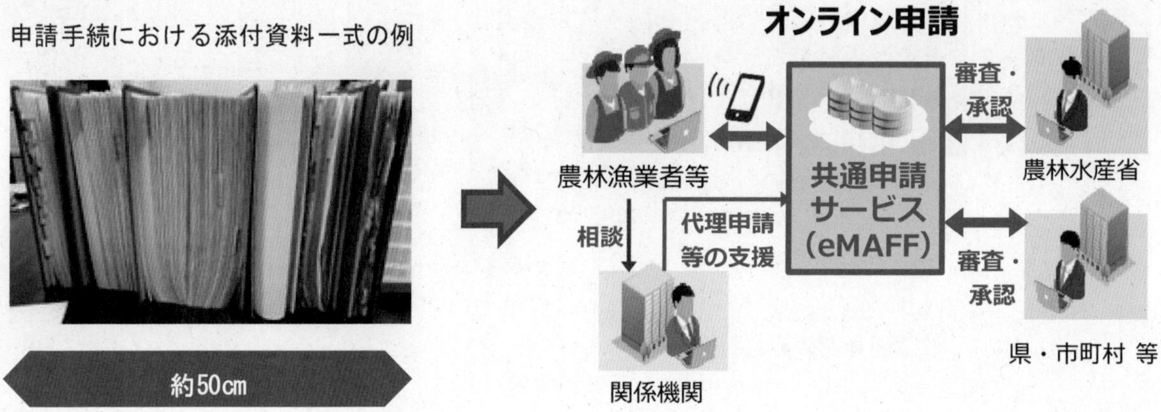

資料：農林水産省作成

(デジタル地図を活用した農林水産省地理情報共通管理システムの運用開始に向け開発開始)

図表 2-8-4 eMAFF 地図の概要

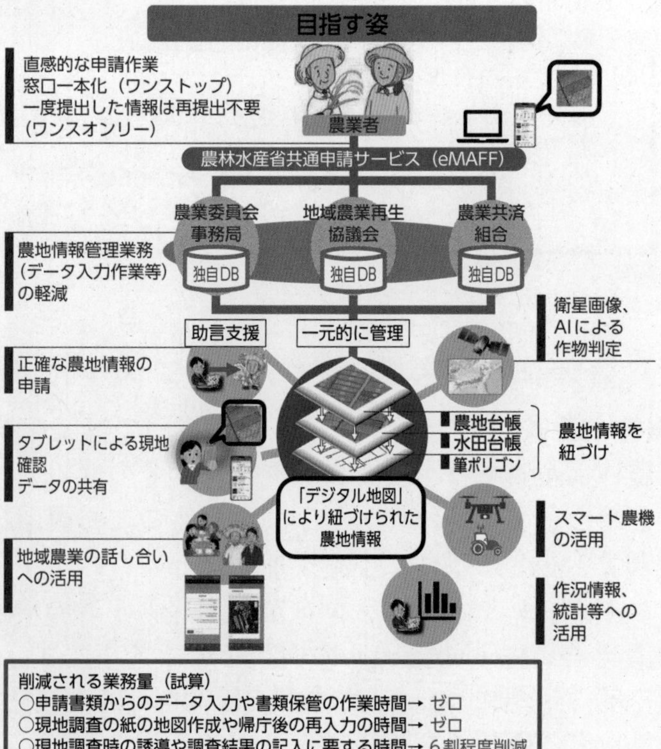

資料：農林水産省作成

農地に関する情報については、農業委員会が整備する農地台帳や地域農業再生協議会が整備する水田台帳等、施策の実施機関ごとに個別に収集・管理されています。このため、農業者は、実施機関ごとに繰り返し同じ内容を申請する必要があるとともに、実施機関は、手書きの申請情報をそれぞれのシステムに手入力し、それぞれが作成した手書きの地図により現地調査を行っています。

このため、農林水産省では、令和元(2019)年11月に「「デジタル地図」を活用した農地情報の管理に関する検討会」を設置し、デジタル地図を活用した一元的な農地情報の管理・活用方法の検討を行いました。令和2(2020)年3月に取りまとめられた報告を踏まえ、「農林水産省地理情報共通管理システム(eMAFF 地図)」の開発を進め、令和4(2022)年度から運用を開始することとしています。eMAFF 地図を活用することにより、農地台帳や水田台帳等の農地に関する情報を統合し、関係者がタブレット等で最新の農地情報が反映された地図を共有することにより、農地の利用状況の現地確認等の業務の抜本的な効率化・省力化等を図るほか、農地情報の正確性を向上させることとしています(**図表 2-8-4**)。

(「農業 DX 構想」を策定)

デジタル技術の活用により、消費者ニーズに対応した農業・食関連産業への変革を進めるため、令和3(2021)年1月、有識者からなる「農業 DX 構想検討会」を立ち上げました。

同検討会では農業・食関連産業分野でのデジタル変革の基本的方向や、取り組むべきプロジェクト等について検討が行われ、同年3月に「農業 DX 構想」が公表されました。この構想を踏まえ、多種多様なプロジェクトが実行される予定です。

(3) イノベーション創出・技術開発の推進

(「農林水産研究イノベーション戦略 2020」を策定)

農林水産省は、科学技術の活用により農林水産分野においてイノベーションを創出し、我が国の豊かな食と環境を守り発展させるため、令和2(2020)年5月に「農林水産研究イノベーション戦略 2020」を策定しました。

本戦略では、農林水産業以外の多様な分野との連携により、イノベーションの創出が期待できる分野(スマート農業、環境、バイオ)を重点3分野として掲げ、当該分野における研究開発の方向性を示しました。令和 2(2020)年度は、スマート農業分野で生産現場での実装の加速化、環境分野で農地、森林、海洋の炭素吸収源対策技術の開発、バイオ分野で迅速な品種開発を可能とするビッグデータ[1]・AI を活用するスマート育種の研究開発や、生物機能を活用した新素材の開発等に取り組みました。

(「知」の集積と活用の場において様々な研究活動を推進)

「知」の集積と活用の場は、農林水産・食品産業の成長産業化を図るため、様々な分野の知識・技術・アイデアを導入し、イノベーションを創出する取組です。この取組を行う場として、農林水産省は、平成 28(2016)年度に「知」の集積と活用の場の産学官連携協議会(以下「協議会」という。)を設置し、平成 28(2016)年度から令和 2(2020)年度の5年間を第1期と位置付け、研究成果の発信や、会員同士のマッチング機会の創出等を行ってきました。

令和3(2021)年3月末時点で、協議会には工学や医学等の農林水産・食品以外の分野を含む 3,918 の企業や大学、研究機関等が会員として参加しており、日本食・食産業のグローバル展開や、健康長寿社会の実現に向けた課題の共有、商品化・事業化に向けた研究戦略の策定、ビジネスプランづくり等が行われました。175 の研究開発プラットフォームの中から、具体的な研究を行う研究コンソーシアムが 361 形成され、青果物の鮮度保持輸送技術の研究等様々な研究活動が行われています。

また、研究成果の海外展開にも力を入れており、令和3(2021)年3月末時点で、オラン

[1] 用語の解説 3(1)を参照

ダ、シンガポール、ベルギー等計 27 か国の在京大使館の参加を得ているほか、同年２月には在京ハンガリー大使館において、両国のアグリビジネス分野の新興企業に焦点を当てたセミナーを開催しました。

令和３(2021)年度からの第２期に向け、令和 2(2020)年 12 月には、第１期の活動で形成された産学官連携の場を活用し、イノベーションの創出に向けた研究成果の事業化を更に強化するため、「知」の集積と活用の場の基本方針の改訂を行いました。今後は、農林水産業・食品産業の持続可能性や環境保全等にも対応した研究成果の商品化・事業化や、創出された技術等の海外展開を支援する取組等も推進していくこととしています。

(事例) 「知」の集積と活用の場から生まれた成果事例　ナス由来コリンエステル(アセチルコリン)を機能性関与成分とした機能性表示食品の開発

「知」の集積と活用の場の研究開発プラットフォームである、「健康長寿社会の実現に向けたセルフ・フードプランニングプラットフォーム」では、信州大学が「ナスに血圧・気分改善作用を持つ成分・コリンエステルが他の野菜に比べて 3,000 倍以上も多く含まれる」という研究成果を明らかにしました。この成果を活用し、信州大学発ベンチャー企業の株式会社ウェルナスは、ナス由来コリンエステル(アセチルコリン)を機能性関与成分とし、血圧が高めの方の血圧(拡張期血圧)を改善する機能を表示する機能性表示食品としてサプリメントを開発しました。

このサプリメントは、令和 2(2020)年 7 月に機能性表示食品の消費者庁への届出が受理され、ナスとして初めて機能性表示食品となりました。また、JA 高知県でも、プロジェクトの成果を活用し県内で栽培している冬春ナスのブランド「高知なす」を機能性表示食品とするなど、ナス生産者、食品メーカー、ベンチャー企業、研究機関が連携した取組に発展しており、産学官連携による研究成果を活用したナス機能性表示食品の普及、ナス生産者の収入アップにつながる取組として期待されています。

本取組については、異分野連携での地域資源の活用例として高知県庁のイベントでも紹介されています。

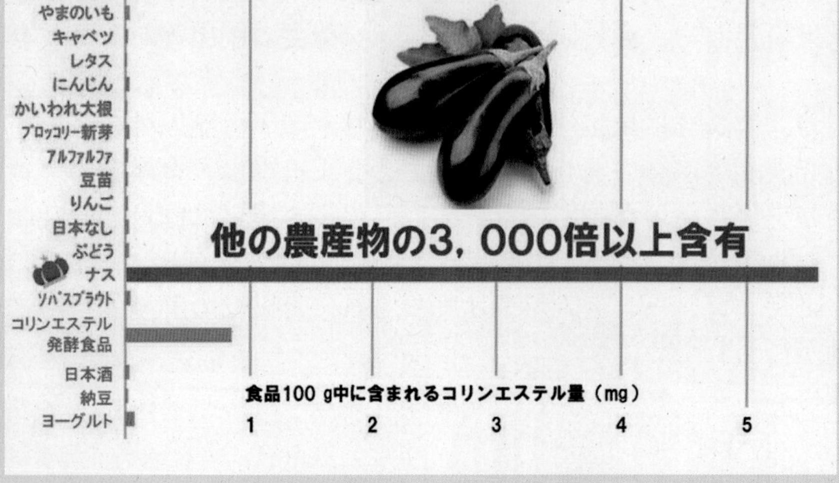

ナス機能性表示食品・
ウェルナスサプリ
資料：株式会社ウェルナス提供

(ゲノム編集技術に関する理解促進に向けた取組)

近年、ゲノム編集[1]技術を活用し、収穫時期に雨に濡れても穂発芽が抑制され品質や収穫量が低下しにくいコムギや、天然毒素を低減したジャガイモ等、様々な研究が進んでおり、我が国農業の競争力強化や農業者の収益向上、安全・安心な食料提供等に貢献することが期待されています。

一方、ゲノム編集技術に対しては、安全性や生物多様性への影響を心配する声もあることから、正確な情報発信を通じて国民の理解を得ながら活用を進めていくこととしており、厚生労働省等の関係省庁との役割分担の下で、農林水産省は、ゲノム編集技術で得られた農林水産物について、その栽培・流通に先立ち、生物多様性への影響や飼料としての安全性等について、専門家の意見を伺いながら、問題がないことを確認した上で、開発者から届出された情報を農林水産省 Web サイトで公開することとしています。

令和 2 (2020)年 12 月には、機能性成分であるGABA《ギャバ》[2]の含有量を高めたトマトが、国内で初めて、ゲノム編集技術によって開発された食品・作物として届出され、今後の社会実装が見込まれています。

また、農林水産省では、ゲノム編集技術に関する消費者等への情報提供に取り組んでいます。平成 28(2016)年度から大学の出前授業等に研究者を派遣し、正確な情報提供を行うとともに、令和 2 (2020)年度には、新たな取組として、消費者を招いたゲノム編集研究施設の見学会を開催しゲノム編集技術を紹介しました。さらに、消費者等にゲノム編集技術を周知するとともに、開発者にゲノム編集技術を用いた農林水産物の利用に関する手続等を説明するため、消費者庁、厚生労働省と共同で「ゲノム編集技術を用いた農林水産物を考えるシンポジウム」をオンラインで開催するなど、ゲノム編集作物等の社会実装に関する国民理解の促進を目的とした取組を行っています。

---

[1] 用語の解説 3(1)を参照
[2] γアミノ酪酸 (Gamma Amino Butyric Acid)。食品に含まれる健康機能性成分として、ストレス緩和や血圧降下作用等が注目されている。

第9節　気候変動への対応等の環境政策の推進

令和2(2020)年、京都議定書に代わる地球温暖化対策の国際ルールであるパリ協定[1]が実行段階に入り、また、同年10月には、総理所信表明演説において、令和32(2050)年までに我が国の温室効果ガス[2]の排出を全体としてゼロ[3]にすること(「カーボンニュートラル」)が宣言されるなど、気候変動への対応の加速化が求められています。

国内では、このような動きを受け、持続可能な食料システムの構築に向けて、食料・農林水産業の生産力向上と持続性の両立をイノベーションで実現するため「みどりの食料システム戦略」[4]の策定に向けた検討を進めています。

本節では、食料・農業・農村分野における気候変動に対する緩和・適応策や、生物多様性の保全に向けた取組を示すとともに、有機農業の推進状況や企業・消費者とのコミュニケーションについて紹介します。

(1) 気候変動に対する緩和・適応策の推進

(パリ協定の目標達成に向けて)

近年、気候変動に伴う気温の上昇や、気候変動による強度や頻度の増大が懸念されている大雨、台風等の異常気象や気象災害が世界各地で生じており、気候変動対策は喫緊の課題となっています。

我が国では令和元(2019)年6月に策定した「パリ協定に基づく成長戦略としての長期戦略」において、最終到達点として掲げた脱炭素社会の実現に向け、令和32(2050)年までに温室効果ガスの排出を80%削減することとしています。このため、令和2(2020)年1月に官房長官を議長とする統合イノベーション戦略推進会議で決定した「革新的環境イノベーション戦略」を踏まえ、農林水産分野では、農地・森林・海洋による二酸化炭素の吸収・固定、農畜産業からのメタン・一酸化二窒素の排出削減、再生可能エネルギーの活用とスマート農林水産業の推進等、イノベーションを創出するための新たな技術開発に取り組んでいます(**図表2-9-1**)。

また、令和2(2020)年7月には、革新的環境イノベーション戦略を着実に実施し、最大限の成果を生み出すことを目的として「グリーンイノベーション戦略推進会議」を設置し、革新的環境イノベーション戦略のフォローアップ等の議論を行いました。

---

1 平成27(2015)年の国連気候変動枠組条約第21回締約国会議(COP21)で採択された、地球温暖化対策の国際ルール。パリ協定は世界の平均気温の上昇を工業化以前に比べ2℃未満に抑えることを目指し、1.5℃を努力目標としている。さらに全ての締約国は自国が決定する温室効果ガスの削減目標を提出し、その目標に向けた取組の実施状況を報告する必要がある。

2 用語の解説3(1)を参照

3 二酸化炭素を始めとする温室効果ガスの排出量から、森林等による吸収量を差し引いてゼロを達成すること

4 トピックス2を参照

図表 2-9-1 革新的環境イノベーション戦略(農林水産分野の概要)

農地や森林、海洋によるCO_2吸収	■ 目標コスト　産業持続可能なコスト ■ CO_2吸収量　119億トン～／年	
【技術開発】 ● 海藻類の増養殖技術等、**ブルーカーボンの創出** ● ***バイオ炭***の農地投入や早生樹･エリートツリーの開発･普及等 ● 高層建築物等の木造化や改質リグニンを始めとしたバイオマス素材の低コスト製造・量産技術の開発・普及	【施策】 ● バイオ技術による要素技術の高度化 ● 先導的研究から実用化、実証までの一貫実施	
農畜産業からのメタン・N_2O排出削減	■ 目標コスト　既存生産プロセスと同等価格 ■ CO_2潜在削減量　17億トン／年	
【技術開発】 ● ***メタン発生の少ないイネや家畜の育種***、N_2Oの発生削減資材の開発 ● メタン・N_2Oの排出を削減する**農地、家畜の管理技術**の開発 ● メタン・N_2Oの削減量を可視化するシステムの開発	【施策】 ● 産学官による研究体制の構築	
再エネの活用＆スマート農林水産業	■ 目標コスト　エネルギー生産コストの大幅削減 ■ CO_2潜在削減量　16億トン～／年	
【技術開発】 ● 農山漁村に適した**地産地消型エネルギーシステムの構築** ● 作業最適化等による燃料や資材の削減	【施策】 ● 産学官による研究体制の構築	

資料：農林水産省作成
注：1) 吸収量は世界全体における数値を国立研究開発法人新エネルギー・産業技術総合開発機構(NEDO)等において試算
　　2) 潜在削減量は世界全体における数値を農林水産省において試算

(総理所信表明演説で、令和 32(2050)年までにカーボンニュートラルの実現を宣言)

令和 2(2020)年 10 月に行われた総理所信表明演説で、令和 32(2050)年までに温室効果ガスの排出を全体としてゼロにすること(「カーボンニュートラル」)が宣言され、より早期に脱炭素社会を実現することが求められています。

このため、令和 2(2020)年 10 月、農林水産省と環境省は、気候変動に直面する中で顕在化している課題の解決に向けて、大臣間で連携を強化することで合意しました。今後、農林水産業における令和 32(2050)年までの CO_2 ゼロエミッション化を目指し、農山漁村における再生可能エネルギーの導入の促進等について連携・協力するほか、食品ロスや海洋プラスチックごみ削減等の循環経済への移行に向けた取組や、国連気候変動枠組条約締約国会議等の国際交渉において、連携していくこととしています。

また、令和 2(2020)年 12 月、経済と環境の好循環を作っていく産業政策として、経済産業省等の関係府省と連携の下、グリーンイノベーション戦略推進会議の意見も踏まえて「2050 年カーボンニュートラルに伴うグリーン成長戦略」を策定しました。本戦略の中で、今後の産業としての成長が期待され、温室効果ガスの排出削減の観点からも令和 32(2050)年にカーボンニュートラルを目指す上で取組が不可欠な 14 分野について、現状と課題、今後の取組方針等をまとめた「実行計画」を策定しており、「食料・農林水産業」分野もその一つとなっています。

具体的には、みどりの食料システム戦略を策定し、スマート農林水産業等の実装の加速化による化石燃料起源の CO_2 ゼロエミッション化、森林及び木材・農地・海洋における炭素の長期・大量貯蔵の技術等の確立、スマートフードチェーンの活用、持続可能な消費の促進等の取組等を推進することとしています。

さらに、令和 2(2020)年 12 月、脱炭素社会の実現に向けて、政府と地方自治体との連携の在り方等を議論する「国・地方脱炭素実現会議」を官房長官を議長として設立し、農林水産大臣も政府側メンバーとして参加しています。同会議では、農山漁村・里山里海等の地域の取組と国民のライフスタイルに密接に関わる主要分野において、国と地方が協力して、令和 32(2050)年までに、脱炭素、かつ持続可能で強靭《きょうじん》な活力ある地域社会を実現する行程を「地域脱炭素ロードマップ」として描くこととしています。

(緩和策と適応策を一体的に推進)

地球温暖化の要因である温室効果ガスは、化石燃料の燃焼によってその多くが発生していますが、農林水産業においても、燃料の燃焼、稲作、家畜の消化管内発酵(げっぷ)など営農活動に伴い温室効果ガスが排出されています。我が国の農林水産分野における令和元(2019)年度の排出量は4,747 万 t(二酸化炭素換算)で、我が国の総排出量の3.9%を占めています(**図表2-9-2**)。

図表 2-9-2　農林水産分野の温室効果ガス排出の現状

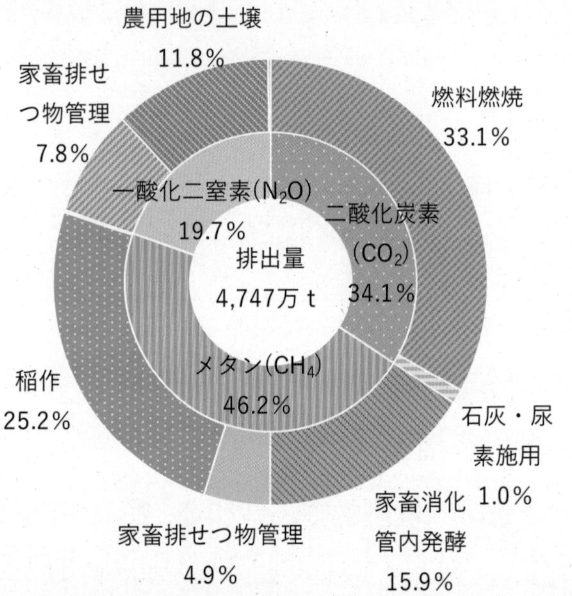

資料：国立環境研究所温室効果ガスインベントリオフィス「日本の温室効果ガス排出量データ(確報値：1990～2019 年度)」を基に農林水産省作成

注：1) 令和元(2019)年度の数値
2) 排出量は二酸化炭素換算

農林水産省では、森林吸収源対策や温室効果ガスの排出削減対策など地球温暖化を防止するための「緩和策」と、高温でも品質低下が起きにくい生産安定技術や品種の開発・普及など気候変動による被害を回避・軽減する「適応策」に取り組んでいます。

さらに、緩和策と適応策を一体的に推進するため、令和 2(2020)年 11 月には大臣政務官をチーム長とする「農林水産省地球温暖化対策推進チーム」の体制を拡充しました。気候変動による影響の評価に関する最新の知見や、政府の地球温暖化対策計画及び適応計画の改定、みどりの食料システム戦略の検討状況等を踏まえ、令和 3(2021)年度中に緩和策としての「農林水産省地球温暖化対策計画」(平成 29(2017)年 3 月決定)と適応策としての「農林水産省気候変動適応計画」(平成 30(2018)年 11 月改定)の改定に向け、検討を進めています。

(フードサプライチェーンにおける脱炭素化の実践とその可視化を推進)

農林水産省は、令和 2 (2020)年 3 月に新たな「農林水産省環境政策の基本方針」を策定し､農林水産業･食品産業の成長が環境も経済も向上させることを理念として掲げました。基本方針の中では、カーボンニュートラルを実現するため、フードサプライチェーン全体を通じて温室効果ガスの排出削減と吸収を推進するとともに、その取組を可視化し、気候変動対策への投資等の ESG 投資[1]や環境と調和した生産方法で作られた農林水産物・食品の消費等の持続可能な消費行動を促すこととしており、基本方針の理念はみどりの食料シ

---

[1] 従来の財務情報だけでなく、環境(Environment)・社会(Social)・ガバナンス(Governance)要素も考慮した投資のこと

ステム戦略の中間取りまとめへも反映させています。

このことを踏まえ、農林水産省では、同年９月から「フードサプライチェーンにおける脱炭素化の実践とその可視化の在り方検討会」を開催しました。検討会では、令和3(2021)年４月までにTCFD(気候関連財務情報開示タスクフォース)提言[1]に基づく取組事例を調査し、食品事業者向けに分かりやすい手引を作成するとともに、新たな脱炭素化技術や定量化等の情報を基に、農林水産業・食品産業等の関係者向けの脱炭素技術の紹介資料を作成し、農林水産省Webサイトにおける情報発信や食品関連事業者への周知等により、サプライチェーンを通じた脱炭素化の実践とその可視化の取組を促すこととしています。

(顕在化しつつある気候変動の影響に適応するための品種や技術の開発・普及を推進)

農業生産は一般に気候変動の影響を受けやすく、各品目で生育障害や品質低下等の地球温暖化によると考えられる影響が現れており、この影響を回避・軽減するための品種や技術の開発・普及が進められています。

農林水産省では、「農林水産省気候変動適応計画」(平成30(2018)年11月改定)に基づき、都道府県の協力を得て農作物等の地球温暖化の影響や適応策の導入状況について調査を行い、「地球温暖化影響調査レポート」を公表しています。令和2(2020)年10月に公表したレポートにおいて、水稲は高温でも品質低下が起こりにくい高温耐性品種の導入が進められており、令和元(2019)年産における作付面積は、前年産に比べ0.9万ha増加し、13.6万haとなったことが報告されています。

また、気温の上昇による栽培地域の拡大を活用し、これまで輸入に依存していた亜熱帯・熱帯果樹等の導入も行われており、例えば愛媛県でブラッドオレンジやアボカドの普及が進められています。

にじのきらめき　　コシヒカリ

水稲の高温耐性品種「にじのきらめき」は夏が暑くても安定した生産が可能で、倒伏にも強く、コシヒカリと同等の食味

資料：農研機構

(2) 生物多様性の保全と利用

(次期生物多様性国家戦略の策定に向けて)

平成22(2010)年に愛知県で開催された生物多様性条約第10回締約国会議(COP10[2])で、世界目標である「生物多様性戦略計画2011-2020及び愛知目標」が採択されました。これを受け、我が国では生物多様性国家戦略2012-2020を策定し、愛知目標を踏まえた国別目標を設定しました。令和3(2021)年に開催予定の生物多様性条約第15回締約国会議(COP15)では、愛知目標の達成状況等を踏まえ、今後10年間に達成すべき新たな世界目標が決定される予定です。それに伴い、我が国では同目標の達成に向けて、次期生物多様性国家戦略(以下「次期国家戦略」という。)を策定することとしています。

次期国家戦略の策定に向けて、農林水産省では、農林水産業と農山漁村における生物多様性に関する「農林水産省生物多様性戦略」(平成24(2012)年２月改定。以下「戦略」という。)を見直すため、令和2(2020)年度に有識者による戦略検討会を開催し、愛知目標の達成に向けた農林水産分野の取組状況と次期戦略の改定の方向性について整理を行いまし

1 第１章第３節参照
2 COPは締約国会議(Conference of the Parties)の略。10は第10回を指す。

た。次期戦略は、みどりの食料システム戦略を踏まえて検討することとしており、国民と共有できる未来像として令和12(2030)年のビジョンを設定し、農山漁村が育む自然の恵みを生かし、環境と経済の向上の両立を目指していく旨を記載することとしています。

(3) 有機農業の更なる推進

(有機食品の市場規模が拡大)

世界の有機食品市場は、欧米を中心に拡大しており、平成 20(2008)年から平成30(2018)年までの 10 年間で倍増しています。これに対応する形で世界の有機農業[1]の取組面積も、同期間に2倍に拡大しており、例えば、平成 30(2018)年の欧州における取組面積は 1,560 万 ha、欧州全体の耕地面積に占める割合は 3.1%となっています[2]。

我が国においても有機食品の市場規模は拡大しており、平成 21(2009) 年の 1,300 億円から平成 29(2017) 年には 1,850 億円[3]と、8 年間で 1.4 倍になったと推計されています。

図表 2-9-3　国内の有機農業取組面積

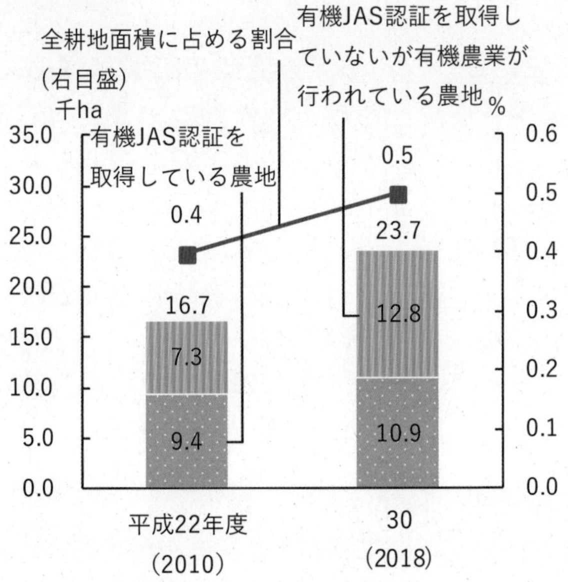

資料：農林水産省作成
注：1）有機 JAS 認証取得面積は、翌年4月1日時点の認証面積
2）有機 JAS を取得していない農地面積の調査・推計方法は平成 22(2010)年度と平成 30(2018)年度で異なる。

これに対応し、我が国の有機農業の取組面積も平成 22(2010)年度から平成 30(2018)年度にかけて4割拡大し 2.4 万 ha[4]、全耕地面積に対する割合は 0.5%となっています(**図表 2-9-3**)。我が国では、有機食品の日本農林規格(JAS)に適合した生産が行われていることを認証された事業者のみが「有機JASマーク」を貼ることができ、この有機JASマークがない農産物、畜産物、それらの加工食品に、「有機」、「オーガニック」等の名称の表示を付すことはJAS法[5]で禁止されています。平成 31(2019)年に有機JAS認証を取得している農地は 1.1 万 ha となっており、普通畑[6]では北海道で 1,735ha、近年増加している茶畑は鹿児島県で 558ha と面積が大きくなっています(**図表 2-9-4**)。

---

1 化学的に合成された肥料及び農薬を使用しないこと並びに遺伝子組換え技術を利用しないことを基本として、農業生産に由来する環境への負荷をできる限り低減するとともに、生物多様性の保全等、生物の生育・生息環境の維持にも寄与するもの
2 FiBL &IFOAM「The World of Organic Agriculture Statistics & Emerging Trends 2020」
3 農林水産省「平成 29 年度有機食品マーケットに関する調査」を基に推計
4 有機JAS 認証取得農地面積に有機JAS を取得していないが有機農業が行われている農地面積(農林水産省推計)を加えた数値
5 正式名称は「日本農林規格等に関する法律」
6 畑のうち樹園地及び牧草地を除いた畑

図表 2-9-4 有機 JAS 認証取得農地面積

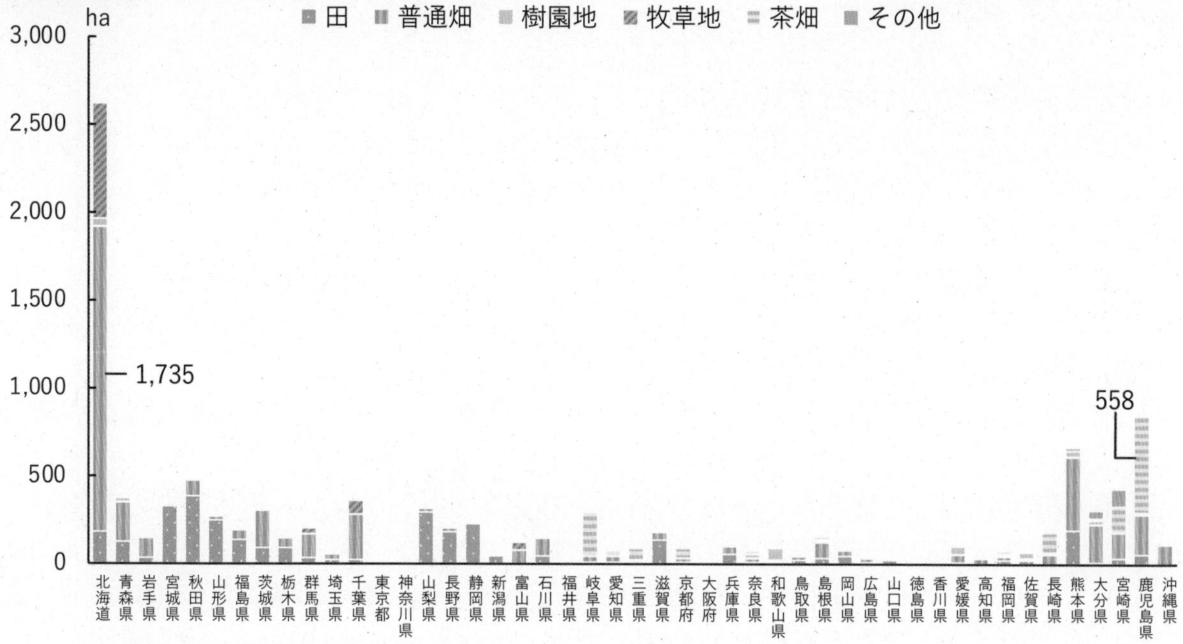

資料：農林水産省作成
注：平成 31(2019)年 4 月 1 日時点

(有機食品の輸出は増加傾向)

国内外での有機食品市場の拡大に伴い、我が国で生産された有機食品の輸出量は増加しており、令和 2(2020)年は 2,596t となりました(**図表 2-9-5**)。主な輸出品目は茶、しょうゆ、味噌等です。

図表 2-9-5 有機食品の輸出量

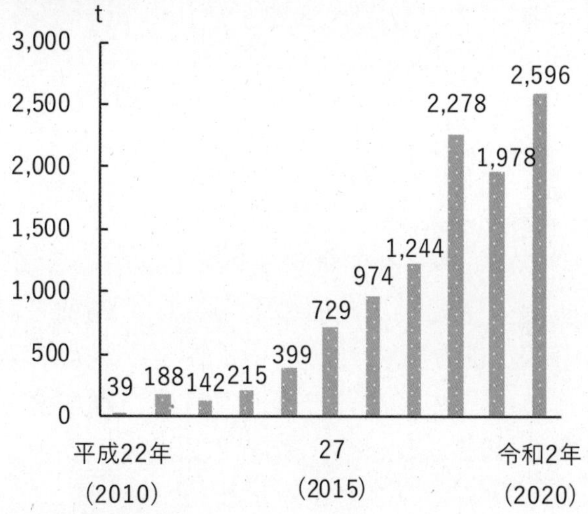

資料：農林水産省作成
注：1) 各年 12 月 31 日時点
2) 令和元(2019)年分までは米国、カナダ、EU 加盟国及びスイス向け、令和 2(2020)年分は米国、カナダ、EU 加盟国、スイス及び台湾向けの有機農産物と農産物加工食品の輸出数量
3) 米国向け輸出数量は、平成 25(2013)年分まではレコグニションアグリーメントに基づき農林水産省から認定された認証機関が取りまとめた輸出実績のみを集計

諸外国の多くは「有機」の表示を規制しており、自国の制度により有機認証を受けた食品でなければ「有機」の表示はできませんが、国・地域間で有機認証制度の同等性が認められている場合には、自国で有機認証を受けた食品を輸出先に「有機」の表示を付して輸出することが可能です。我が国の有機 JAS 認証は、EU、米国、カナダ、スイス及び台湾の有機認証制度と同等性が認められており[1]、これらの国・地域では我が国の有機 JAS 認証を受けた農産物・農産物加工食品に「有機」の名称(Organic 等)を表示して輸出することができます。

また、令和 2 (2020)年 7 月 16 日以降は、有機 JAS 認証を受けた畜産物・畜産物を含む加工食品について、米国、カナダ及びスイスに「有機」と表示して輸出することができるようになりました。有機食品の輸出促進

1 令和 2(2020)年 10 月時点

の観点から、引き続き、各国から我が国の有機JASが同等性を認められるよう推進していくこととしています。

(有機農業の取組拡大に向けて)

「有機農業の推進に関する法律」に基づき令和2(2020)年4月に定められた「有機農業の推進に関する基本的な方針」では、今後の国内外の有機食品市場の拡大を見通し、我が国の有機農業の取組面積を令和12(2030)年までに6.3万haとすることを目標としています。また、令和3(2021)年3月に公表されたみどりの食料システム戦略の中間取りまとめにおいては、令和32(2050)年までに、有機食品市場を拡大しつつ、耕地面積に占める有機農業[1]の取組面積割合を25%(100万ha)に拡大することを目指すこととしています。

農林水産省では、有機農業の取組拡大のため、生産面では人材育成や産地づくり、消費面では販売機会の多様化や消費者の理解の増進等を推進しています。令和2(2020)年度からは、都道府県による有機農業指導員の育成、有機農業に新たに取り組む者の技術習得支援や有機農地の試行的な取組等に対する支援を開始しました。さらに、全国27地区で、有機農業者グループの技術習得や販路開拓の取組への支援により有機農業の産地づくりを推進し、一部では、生産した有機食品が学校給食の食材として活用されています。

このような産地づくりに資するため、水田や畑地の雑草対策技術の実証支援や、点在する有機農業者と消費地間の物流の合理化に向けた実証の支援を行い、令和3(2021)年3月には、取組の成果を共有するセミナーを開催しました。

また、令和元(2019)年8月に立ち上げた「有機農業と地域振興を考える自治体ネットワーク」において、耕作放棄地を活用した有機農業の取組事例を共有するセミナーを令和2(2020)年9月に開催し、自治体間での情報共有も推進しています。

(4) 農業の自然循環機能の維持増進とコミュニケーション

(民間企業等を巻き込んだ持続可能な生産・消費の拡大への取組)

SDGs[2]のゴール12(生産・消費)には「つくる責任　つかう責任」が位置付けられており、農林水産業の持続的な発展のためには、環境と調和した持続的な生産とともに、消費についても持続可能なものとしていくことが求められています。

このため、農林水産省では消費者庁、環境省と連携し、食品や農林水産物の持続的な生産・消費を達成するため、令和2(2020)年6月、生産から消費に至るサプライチェーン全体に関わる事業者等の連携を促す「あふの環《わ》2030プロジェクト～食と農林水産業のサステナビリティを考える～」を立ち上げました。令和3(2021)年3月現在、116企業・団体が参画しています。本プロジェクトでは、令和2(2020)年9月17～27日に「サステナウィーク～未来につながるおかいもの～」を実施し、本プロジェクトに参画する企業等による持続可能な取組の発信や、生産現場での体験イベントが行われ、持続可能な消費について多くの消費者が気付を得られるイベントになりました。

また、生物多様性等に効果の高い有機農業を国内で更に拡大していくため、令和2(2020)年9月、国産の有機食品を取り扱う小売事業者等の協力の下、国産の有機食品の需要喚起を推進するためのプラットフォーム「国産有機サポーターズ」を立ち上げ、国産の有機食品の需要拡大に取り組んでいます。

---

1 国際的に行われている有機農業
2 用語の解説3(2)を参照

(コラム) EU の Farm to Fork 戦略

令和 2(2020)年 5 月 20 日、欧州委員会は欧州グリーンディールの一環として、「Farm to Fork 戦略」(政策文書：Communication)を公表しました。

持続可能な食料システムの構築に向けた EU の戦略であり、有害性の高い農薬や肥料の使用の削減、抗菌剤の販売の削減、有機農業の割合の上昇、食品ロスの削減といった数値目標が定められました。

詳細内容は、今後の欧州議会及び理事会での議論を踏まえ、令和 5 (2023)年の立法化までに明らかになる予定です。

【各種目標値】

項目	2030 年目標
有害性の高い農薬の使用	50%削減*
肥料の使用	20%削減
家畜及び養殖に使用される抗菌剤の販売	50%削減
ＥＵの農地面積に占める有機農業の割合	25%まで上昇
消費段階での一人当たりの食品ロス	50%削減

資料：欧州委員会「A Farm to Fork Strategy」(COM(2020)381)を基に農林水産省作成
注：＊農薬全体の使用量及び農薬が生物多様性等に与えるリスクに関する指標の数値を 50%削減することを目指す。

第10節　農業を支える農業関連団体

各種農業関連団体については、農業経営の安定、食料の安定供給、農業の多面的機能の発揮等において重要な役割を果たしていくことが期待されています。

本節では、各種農業関連団体へのそのような期待に対応した取組の動向について紹介します。

(1) 農業協同組合系統組織

(各地の農協で自己改革の取組が進展中)

農協は協同組合の一つで、農業協同組合法に基づいて設立されています。農業者等の組合員により自主的に設立される相互扶助組織であり、農産物の販売や生産資材の供給、資金の貸付けや貯金の受入れ、共済、医療等の事業を行っています。

近年の総合農協[1]の組合数は減少傾向、組合員数は横ばいで推移しており、令和元(2019)年度の組合数は611組合、組合員数は1,047万人となっています(**図表 2-10-1**)。組合員数の内訳を見ると、農業者である正組合員数は減少傾向で推移していますが、非農業者である准組合員数は増加傾向にあります。

図表 2-10-1　農協(総合農協)の状況

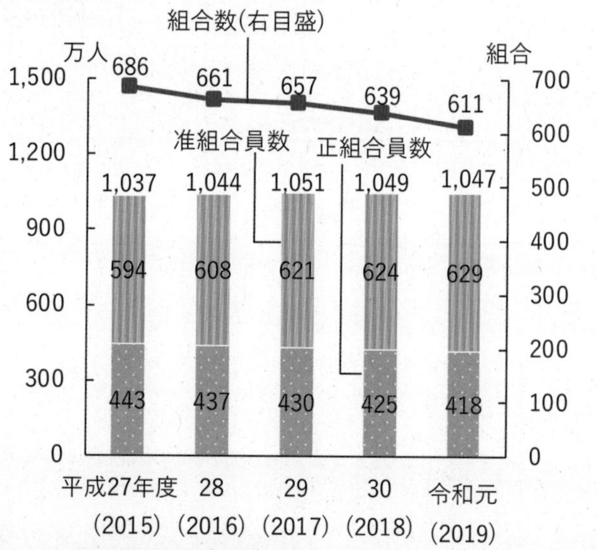

資料：農林水産省「総合農協統計表」

注：1) 組合数は「総合農協統計表」における集計組合数

2) 各組合事業年度末時点の数値

農林水産省が実施した令和元(2019)年度のアンケート調査によると、地域の農協が農業者の所得向上に向けた農産物販売事業や生産資材購買事業の見直しについて、「具体的取組を開始した」と回答した総合農協、農業者双方の割合は、年々増加傾向にあり、各地の農協において、農業者の所得向上を目的とした農産物の有利販売や生産資材の有利調達、組合員との徹底的な話合い等の自己改革の取組は着実に進展していることがうかがわれます(**図表 2-10-2**)。一方で、総合農協と農業者の評価には2倍以上の差があり、各地の農協においては、引き続き自己改革の取組を進めていくことが期待されています。販売事業や購買事業以外にも、例えば地域農業の担い手の育成等、地域の課題を踏まえた取組が各地の農協で工夫して展開されており、農林水産省としても、それらの具体的な取組をWebサイトで公表し横展開を図るなど、自己改革の取組を促進しています。

[1] 農業協同組合法に基づき設立された農協のうち、販売事業、購買事業、信用事業、共済事業等を総合的に行う農協

図表2-10-2 農協改革に関するアンケート

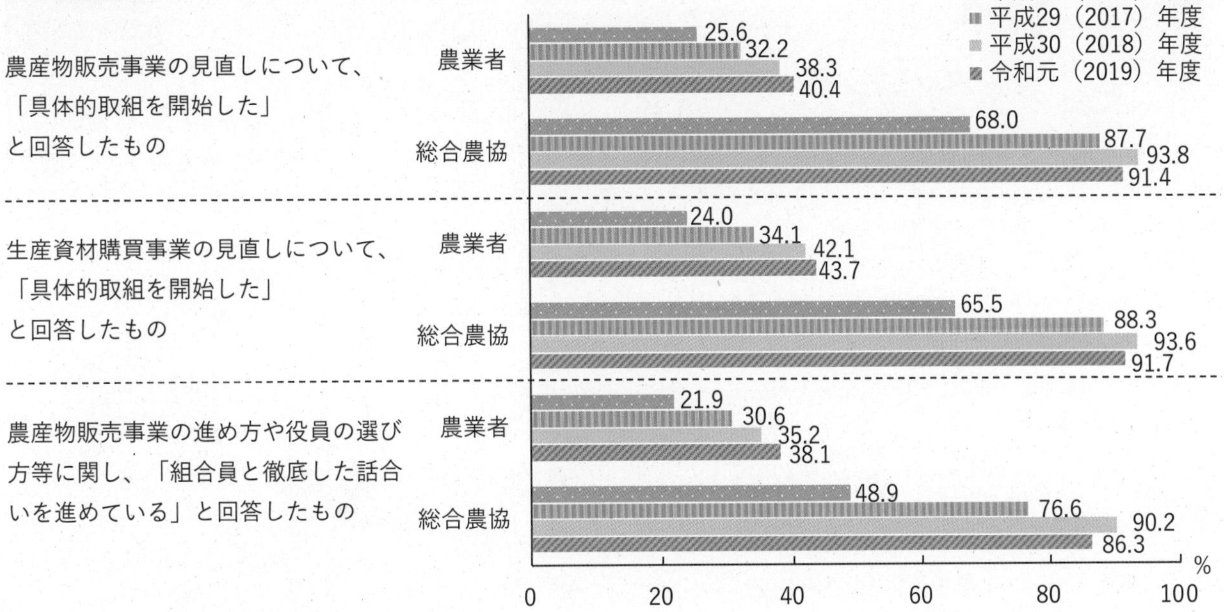

資料：農林水産省「農協の自己改革に関するアンケート調査」（令和元(2019)年9月公表）

注：1) 総合農協の回答数は、平成28(2016)年度666組合、平成29(2017)年度658組合、平成30(2018)年度656組合、令和元(2019)年度626組合

2) 農業者(認定農業者を基本として都道府県が選定した者)の回答数は、平成28(2016)年度10,442人、平成29(2017)年度10,882人、平成30(2018)年度10,503人、令和元(2019)年度10,671人

(事例) 新規就農者の育成により野菜事業の黒字化を実現(福岡県)

福岡県柳川市《やながわし》の柳川《やながわ》農業協同組合では、野菜生産の担い手確保に向けて新規就農者を育成することにより、野菜事業利益の黒字化を実現しています。

同農協では、新規就農者の確保・定着を図るため、農協と柳川市、南筑後普及指導《みなみちくごふきゅうしどう》センターが連携して、定期就農相談会を行うほか、就農準備段階から現役生産者がアドバイスを行う体制を整えています。また、新規就農者は販売実績がなく、融資を受けることが難しいため、農協がハウスや農業機械を購入し、リースしています。

こうした支援により、平成24(2012)年度から令和元(2019)年度の間にいちごの生産者は53人から65人に増加し、アスパラガスの生産者は33人から46人に増加しました。その結果、野菜の販売・取扱高は平成24(2012)年度の25.6億円から令和元(2019)年度には28.9億円となり、3.3億円増加しました。

同農協では、令和3(2021)年度には販売・取扱高を30億円とすることを目指し、引き続き新規就農者を支援していくこととしています。

アスパラガスを収穫する生産者

資料：柳川農協

（コラム）新型コロナウイルス感染症対応に取り組む厚生連病院

JA グループでは、医療や保健(健康管理)、高齢者福祉等の厚生事業も行っています。都道県郡単位で設置されている厚生農業協同組合連合会(以下「厚生連」という。)では、病院・診療所等の医療施設の運営や、高齢者福祉のサービス等の提供により、組合員や地域住民の生活を支えており、全国に 105 の厚生連病院、60 の診療所(令和 3 (2021)年 3 月末時点)を有しています。厚生連病院については、その 43%が人口 5 万人未満の市町村に立地し、農山村を始め地域における基幹施設としての役割を果たしています。

厚生連病院では、感染症指定医療機関に指定されている病院を始めとして、令和 2(2020)年 1 月以降の新型コロナウイルス感染症の発生初期から感染者の受入れを行ってきました。一部の厚生連病院では大型クルーズ船ダイヤモンド・プリンセス号において発生した感染者を受け入れました。その後も各地の厚生連病院では感染者を受け入れており、同年 1〜12 月までの間で受入実績がある病院は 67、受け入れた患者は 3,049 人に上ります。

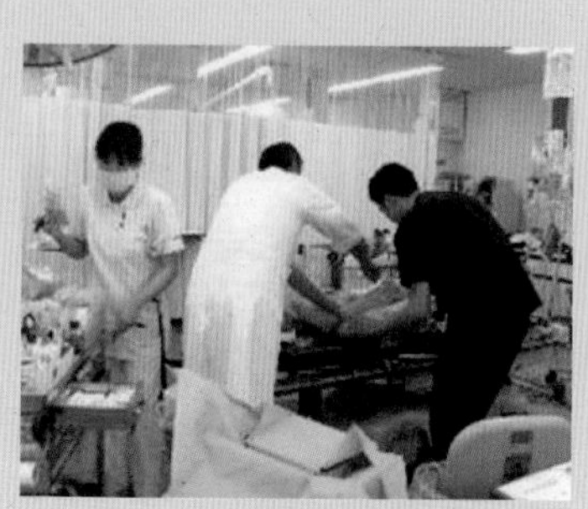

厚生連病院で働く
医療従事者
資料：全国厚生農業協同組合連合会

こうした厚生連に対して、日本中央競馬会からは 5 億円の寄附が行われたほか、全国農業協同組合連合会(全農)からは食事サポート、全国共済農業協同組合連合会(全共連)や農林中央金庫、農協等からはマスク等の寄贈が行われています。

（事例）各地の農協等における新型コロナウイルス感染症拡大を受けた取組

(通販による応援消費の取組)

JA 全農は、平成 13(2001)年から、全国の農協や生産者が農畜産物や加工品等を産地直送するインターネット販売サイト「JA タウン」を運営してきました。新型コロナウイルス感染症の拡大に伴い、農産物の売り先に困っていた生産者を支援するため、令和 2(2020)年 5 月から、和牛、果実、乳製品、花きを対象に、送料を JA グループが負担する「さんち直送おうちごはん　送料無料キャンペーン」を実施しました。開始後 1 か月間で対象アイテム数は 1,000 アイテムまで増加し、畜産物の販売拡大を継続的に支援しています。このような産地支援や旺盛な巣ごもり需要の影響を受けて、キャンペーンの効果もあり、令和 2(2020)年の JA タウンの売上高は前年比で約 2 倍に増加しました。

送料無料キャンペーンの
バナー画像
資料：JA 全農

(他産業とのマッチングによる人材確保の取組)

長野県の佐久浅間《さくあさま》農業協同組合では、地元の軽井沢《かるいざわ》旅館組合と協力し、レタス農家等の農業経営体と訪日外国人旅行者の減少や外出自粛の影響で雇用継続が困難であった宿泊施設の従業員等のマッチング支援を、令和 2 (2020)年 4 月に開始しました。この取組によって、同年 11 月までに 7 人の人材が農業現場で雇用されました。

また、JA 全農は旅行会社の株式会社 JTB と連携し、観光業で働く人に農業の現場で働いてもらうための「農業労働力支援事業」に取り組み始めました。JA グループが農家の労働力需要を取りまとめ、株式会社 JTB がホテルや旅館、バス会社から人材を募り、アルバイト雇用した上で、労働力を提供する取組です。令和 2(2020)年 12 月から愛媛県内でモデルケースとして開始し、6 軒のみかん農家に 36 人の労働力を提供し、収穫作業等の作業を行いました。

農家での収穫作業
資料：株式会社 JTB 虎ノ門第一事業部

(2) 農業委員会系統組織

(農地利用の最適化に向けてより一層の取組を推進)

農業委員会は、全国の市町村に設置され、農地法等の法令業務(農地の権利移動の許可や農地転用案件への意見具申)を行う行政委員会です。農業委員会の業務は、平成28(2016)年4月に施行された改正農業委員会法において、従来の農地法等の法令業務に加え、農地利用の最適化業務(担い手への農地の利用集積、遊休農地[1]の解消、新規参入の促進) が必須化されました。これに伴い、農業委員とは別に、各地域において農地利用の最適化を推進する農地利用最適化推進委員(以下「推進委員」という。)が新設され、令和元(2019)年度から、新体制の２期目がスタートしました。令和 2(2020)年における農業委員数は２万 3,201 人、推進委員数は 1 万 7,698 人で合わせて 4 万 899 人となっています(**図表 2-10-3**)。

図表 2-10-3 農業委員会の状況

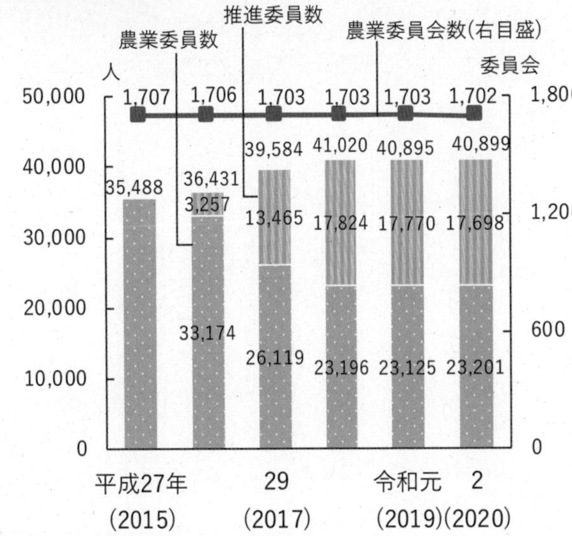

資料：農林水産省作成

注：1) 各年 10 月 1 日時点の数値

2) 推進委員は農地利用最適化推進委員の略で、平成 28(2016)年に新設

令和 2(2020)年 4 月に施行された改正農地中間管理事業法に基づき、地域の将来的な担い手・農地利用の青写真を定めた「人・農地プラン」を見直すことで、担い手への農地の集積率を 8 割に引き上げるという目標の実現に向け、農業委員会はもとより、市町村、農地バンク、土地改良区、農協等が課題解決策を持ち寄り、地域の関係者が一丸となって取り組んでいくこととしています。農業委員会は、農地のコーディネーターとして、農地の保有･利用状況や所有者の意向等､農地の利用集積に向けた有益な情報を提供することで、農地利用の最適化の一層の推進に資することが期待されています。

(3) 農業共済団体

(1 県 1 組合化等による業務効率化、農業保険への加入促進の取組が進展中)

農業共済制度は、農業保険法の下、農業共済組合及び農業共済事業を実施する市町村(以下「農業共済組合等」という。)、 県単位の農業共済組合連合会、国の 3 段階で運営されてきました。近年、業務効率化のため、農業共済組合等の合併により県単位の農業共済組合を設立するとともに、農業共済組合連合会の機能を県単位の農業共済組合が担うことにより、農業共済組合と国の 2 段階で運営できるよう、1 県 1 組合化を推進しています。令和 2(2020)年 4 月 1 日時点では 41 都府県で 1 県 1 組合化が実現しており、まだ実現していない道県にある農業共済組合等においては、引き続き 1 県 1 組合化等による業務の効率化を進めることとしています(**図表 2-10-4**)。

[1] 用語の解説 3(1)を参照

また、平成30(2018)年４月に全国農業共済組合連合会が設立され、平成31(2019)年１月から始まった収入保険[1]の業務を実施しています。その業務の一部は、農業共済組合等又は農業共済組合連合会に委託されています。近年多発する自然災害や価格低下等の様々なリスクに備えるためには、収入保険への加入が重要となっています。令和２(2020)年における青色申告を行っている農業経営体のうち収入保険に加入している割合は10.2%であることから、農業共済団体においては、引き続き収入保険への加入を促進していくことが期待されています。

図表 2-10-4　農業共済団体の状況

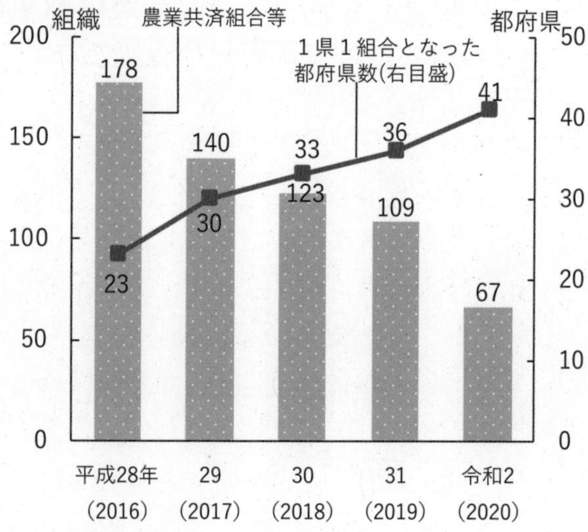

資料：農林水産省作成
注：1) 各年４月１日時点の数値
2) 農業共済組合等は、農業共済組合と農業共済事業を実施する市町村の合計

(4) 土地改良区

(土地改良区の組織運営基盤の強化に向けた取組が進展中)

土地改良区は、圃場《ほじょう》整備等の土地改良事業を実施するとともに、農業水利施設[2]等の土地改良施設の維持・管理等の業務を行っており、令和元(2019)年度末時点で4,403地区となっています(**図表 2-10-5**)。

農業者の高齢化による離農や農地集積の進展等に伴い、土地持ち非農家[3]が増加しています(**図表 2-10-6**)。このような中、土地改良区においても組合員の中での土地持ち非農家の割合が増加していることや組合員数の減少等が課題となっています。今後も、土地持ち非農家が増加すれば、土地改良施設の管理や更新等に関する土地改良区の意思決定が適切に行えなくなるおそれがあります。

このような状況を受けて、実際に農業を行っている耕作者の意見が適切に反映される事業運営体制への移行を進めるため、平成31(2019)年４月に改正された土地改良法では、土地改良区の准組合員制度の導入や、農地の所有者から耕作者への組合員資格交代手続の簡素化等により、耕作者が事業運営により参加しやすい仕組みが作られました。また、将来にわたって土地改良施設等の維持・管理や更新を適切に進めるために、同法では、財務状況の透明性を高め、計画的な施設更新を図ることを目的とする貸借対照表の作成・公表を令和4(2022)事業年度から行うこととされました。

農林水産省としても、土地改良区の規模・組織体制の違いにより準備の進捗に差が生じることのないよう、小規模な土地改良区に対する巡回指導等の支援を行っています。

[1] 第２章第５節を参照
[2] 用語の解説3(1)を参照
[3] 用語の解説3(1)を参照

図表 2-10-5 土地改良区の状況

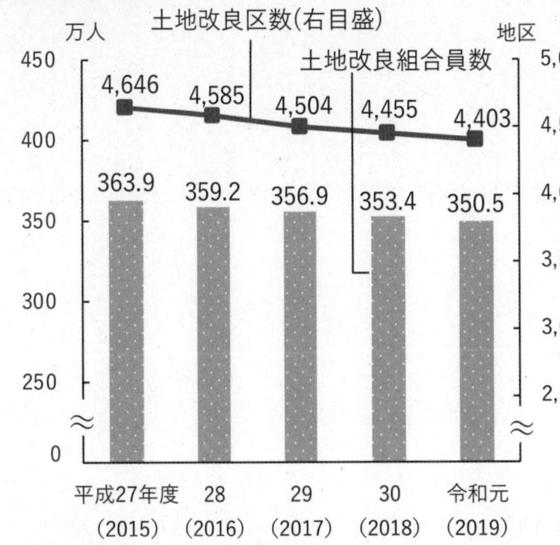

資料：農林水産省作成
　注：各年度末時点での数値

図表 2-10-6 農家と土地持ち非農家の戸数

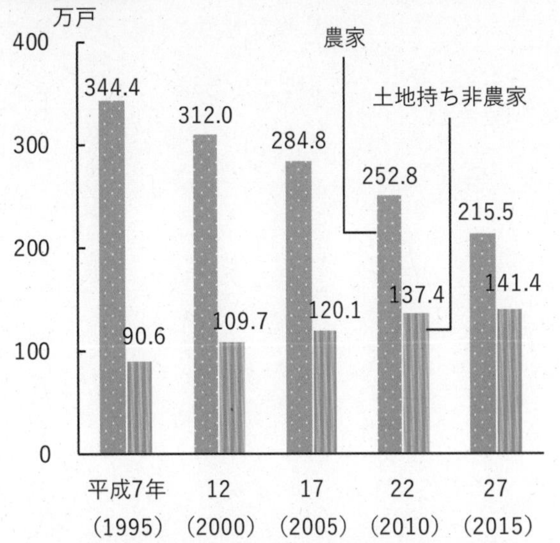

資料：農林水産省「農林業センサス」を基に作成
　注：農家は、販売農家と自給的農家の合計。農家、販売農家、自給的農家については、用語の解説2(3)を参照

第3章

農村の振興

第1節　田園回帰の動向

中山間地域[1]を始めとする農村では、少子高齢化・人口減少が都市に先駆けて進行している一方で、近年、「田園回帰」による人の流れが全国的な広がりを持ちながら継続しており、農村の持つ価値や魅力が再評価されています。

本節では、農村の現状と田園回帰の動向について紹介します。

（農村では少子高齢化・人口減少が都市に先駆けて進行）

国土の大宗を占める農村は、国民に不可欠な食料を安定供給する基盤であるとともに、農業・林業など様々な産業が営まれ、多様な地域住民が生活する場でもあり、さらには国土の保全や水源の涵養《かんよう》など多面的機能が発揮される場であることから、農村の振興を図ることが重要です。

一方、農村において、少子高齢化・人口減少が都市に先駆けて進行しており、農村の高齢化率は特に平成 27(2015) 年時点で 31.0%であり、都市部よりも 20 年程度先行しています（**図表 3-1-1**）。また、人口減少は、都市的地域[2]から山間農業地域[3]になるほど顕著となり、特に山間農業地域において、令和 27(2045)年には平成 27(2015)年と比較すると、人口は5割以上減少すると見込まれています（**図表 3-1-2**）。これにより、集落機能の維持が困難な地域が増加し、生活インフラも維持できなくなるおそれがあります。

図表 3-1-1　農村・都市部の人口と高齢化率

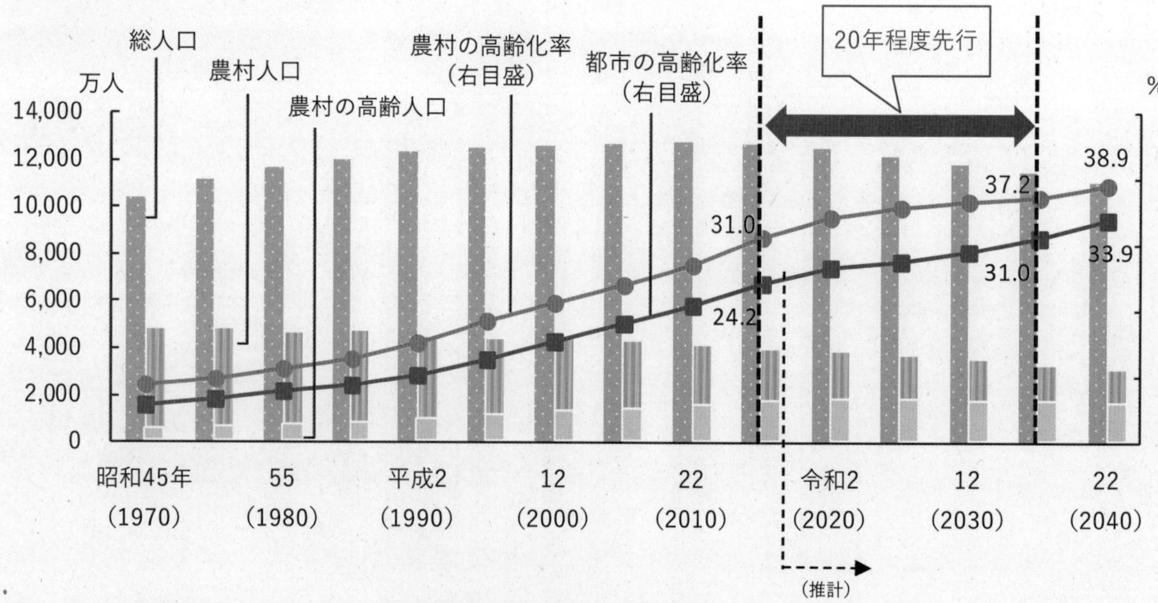

資料：総務省「国勢調査」、国立社会保障・人口問題研究所「日本の地域別将来推計人口(平成 30(2018) 年推計)」を基に農林水産省作成

注：1) 国勢調査における人口集中地区を都市、それ以外を農村とした。

2) 高齢化率とは、総人口に占める 65 歳以上の高齢者の割合

3) 昭和 45(1970)～平成 27(2015)年は「国勢調査」、令和 2(2020)～22(2040)年は「日本の地域別将来推計人口(平成 30(2018) 年推計)」を基に作成

[1] 用語の解説 2(7)を参照
[2] 用語の解説 2(7)を参照
[3] 用語の解説 2(7)を参照

図表 3-1-2 農業地域類型区分別の人口推移と将来予測(平成 27(2015)年を 100 とする指数)

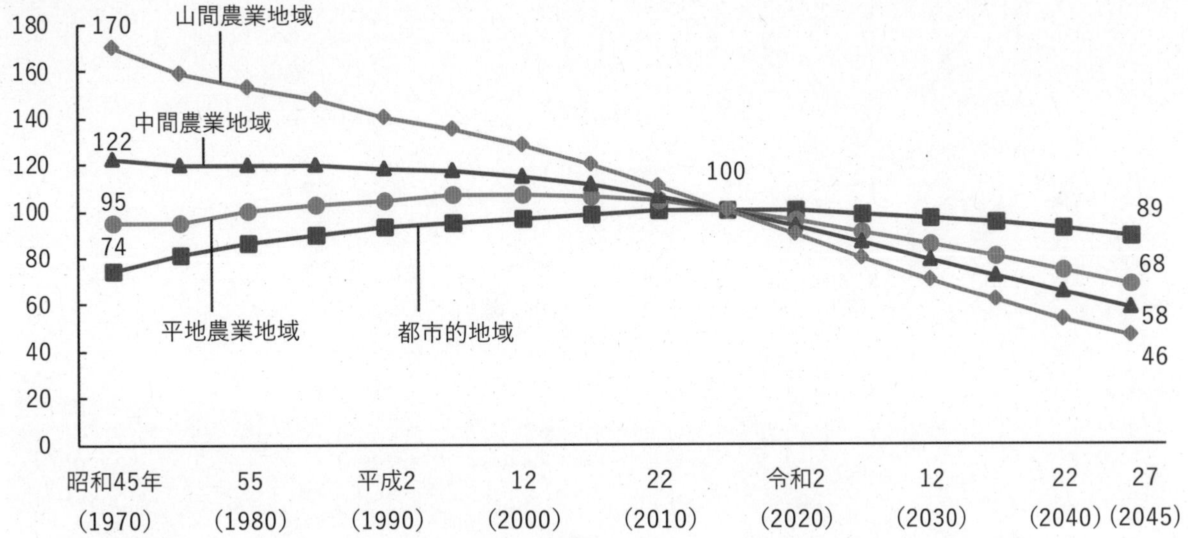

資料：農林水産政策研究所「農村地域人口と農業集落の将来予測－西暦 2045 年における農村構造－」

注：1) 国勢調査の組替集計による。なお、令和 2 (2020) 年以降はコーホート分析による推計値である。

2) 農業地域類型区分は平成 12(2000) 年時点の市町村を基準とし、平成 19(2007) 年 4 月改定のコードを用いて集計した。

(田園回帰が全国的に拡大傾向)

近年、三大都市圏からの転入者数が転出者数を上回る市町村が全国的に見られるようになっており、このような田園回帰の動きは全国的に広がってきています。平成 24(2012)年から令和元(2019)年までの 8 年間で、三大都市圏から転入超過となった年が 1 回以上あった市町村は、三大都市圏以外の全 36 道県のうち 35 道県の 579 市町村となっています。また、4 回以上あった市町村は 36 道県のうち 31 道県の 132 市町村となっています(**図表 3-1-3**)。

図表3-1-3 三大都市圏からの転入超過回数

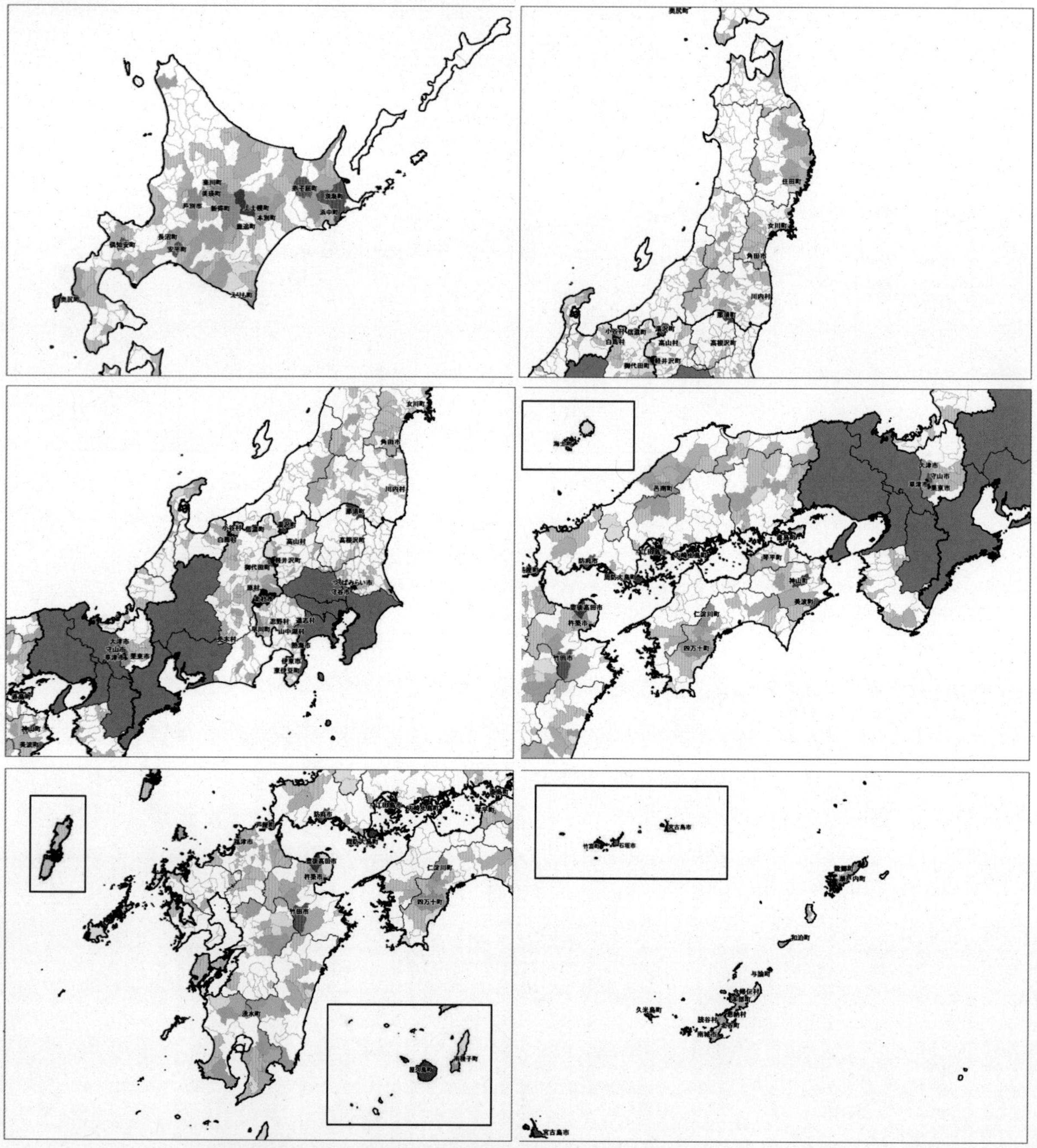

0回：676市町村
1回：236市町村
2回：134市町村
3回：77市町村
4回：54市町村
5回：31市町村
6回：23市町村
7回：12市町村
8回：12市町村

132町村

579市町村

資料：総務省「住民基本台帳人口移動報告」を基に国土交通省作成

注：1) 平成24(2012)年から令和元(2019)年の間で、三大都市圏からの転入者数が三大都市圏への転出者数を上回った回数別に色分け

2) 三大都市圏は東京圏(埼玉県、千葉県、東京都、神奈川県)、名古屋圏(岐阜県、愛知県、三重県)、大阪圏(京都府、大阪府、兵庫県、奈良県)

3) 調査していないため該当数値がないデータについては0回として整理

(コラム) 人口移動と所得格差の変遷

第二次世界大戦後、我が国で三大都市圏の人口が転出超過となった時期は、これまで2回あります。最初の転出超過期は昭和48(1973)年の第1次石油危機に端を発した景気低迷期の昭和51(1976)年で、2回目の転出超過期は平成3(1991)年のバブル経済崩壊後の平成5(1993)〜7(1995)年となっています。

三大都市圏の転入超過数と1人当たり県民所得の三大都市圏と地方圏の格差を見ると、昭和30(1955)年から平成29(2017)年に至るまで連動していることが分かります(図表1)。

三大都市圏の転出超過の要因について、最初の転出超過期である昭和55(1980)年度の農業白書では、経済基調の変化により大都市における雇用環境が悪化したことと「成長よりゆとりと生きがいを求める方向に国民の価値観が移っていること」と分析しています。当時の世論調査*1によると、住んでみたいまちのイメージとして、「水やみどりが美しいなど自然の多いまち」を求める回答が57.3%を占めています。また、2回目の転出超過期においても、バブル崩壊前後の調査*2を比較すると、今後の生活において重視することとして、心の豊かさやゆとりのある生活と回答した割合が伸びており、こうした価値観の変化が人口の移動と関係あるものと考えられます(図表2)。

*1 総理府「居住地の魅力とまちづくりに関する世論調査」(昭和54(1979)年12月)

*2 総理府「国民生活に関する世論調査」(平成元(1989)年5月、平成5(1993)年5月)

図表1　三大都市圏における転入超過数と地方圏との所得格差

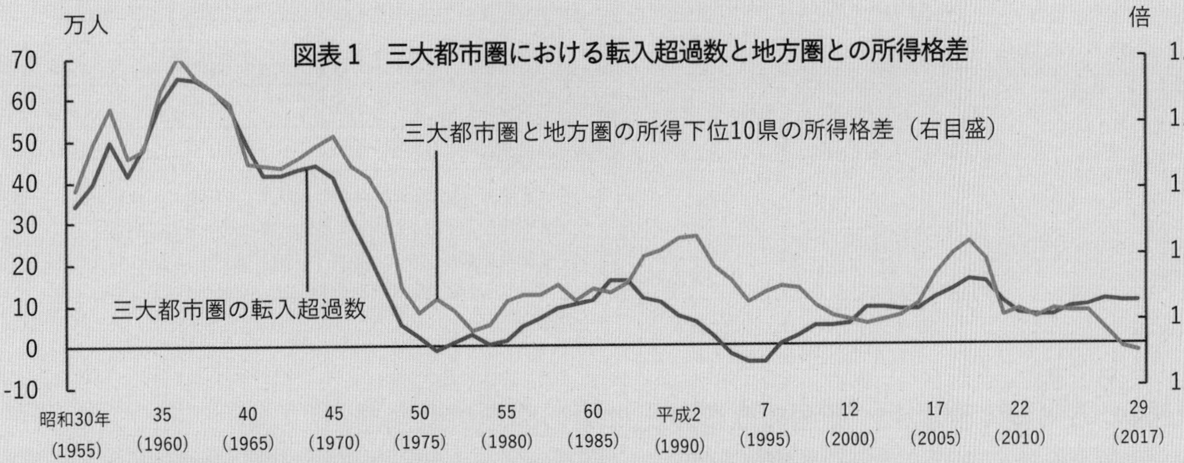

資料：内閣府「県民経済計算」、総務省「住民基本台帳人口移動報告」を基に農林水産省作成

注：1) 所得格差は異なる基準年の系列を接続

2) 転入超過数は日本人移動者の数

3) 三大都市圏は東京圏（埼玉県、千葉県、東京都、神奈川県）、名古屋圏（岐阜県、愛知県、三重県）、大阪圏（京都府、大阪府、兵庫県、奈良県）

図表2　今後の生活において重視すること

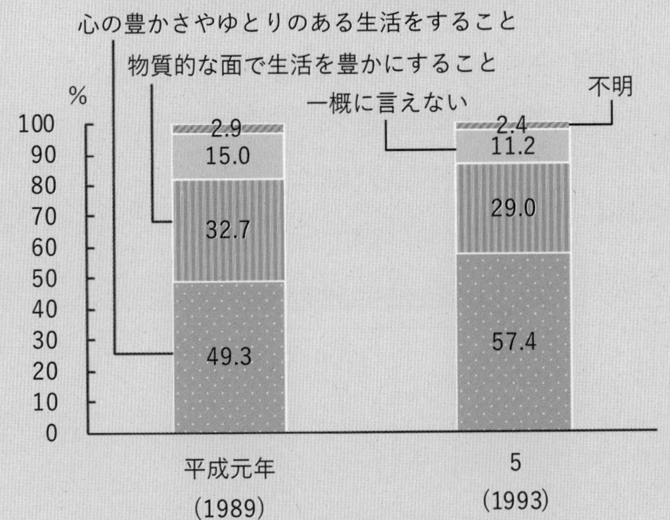

資料：総理府「国民生活に関する世論調査」を基に農林水産省作成

第2節　地域の特性を活かした複合経営等の多様な農業経営等の推進

農村、特に中山間地域[1]では、米、野菜、果樹作等のほか、畜産、林業にも取り組む複合経営を進め、所得と雇用機会を確保する必要があります。一方で、都市農業は、農業体験等において重要な役割を担っています。本節では、地域の特性を活かした多様な農業経営等の取組について紹介します。

(1) 中山間地域の農業の振興

(中山間地域の総農家数、農地面積、農業産出額は全国の約４割)

中山間地域は、総農家[2]数、農地面積、農業産出額の約４割を占めるなど、食料生産を担うとともに、豊かな自然や景観の形成・保全といった多面的機能の発揮の面で重要な役割を担っています(**図表 3-2-1**)。

図表 3-2-1　中山間地域の主要指標

（単位：千戸、集落、千ha、億円、％）

	全国	中山間地域	割合
総農家数	2,155	953	44.2
農業集落数	138,256	73,759	53.3
農地面積	4,496	1,841	40.9
農業産出額	88,631	36,138	40.8

資料：農林水産省「2015 年農林業センサス」、「平成 27 年耕地及び作付面積統計」、「平成 27 年生産農業所得統計」を基に作成

注：1) 農業地域類型区分は、平成 29(2017)年 12 月改定のものによる。

2) 中山間地域の農地面積及び農業産出額については農林水産省による推計

(我が国の果実の４割以上、畜産の５割以上は中山間地域で生産)

農業産出額に占める中山間地域の割合を品目別にみると、平成 27(2015)年は米や穀物・麦類の割合が 2～3 割程度の一方、果実では４割以上、畜産では５割以上を占め全品目の平均値である約４割より高くなっています(**図表 3-2-2**)。これは、果樹や畜産は地形上の制約が比較的小さいためであると考えられます。

図表 3-2-2　農業産出額に占める中山間地域の割合

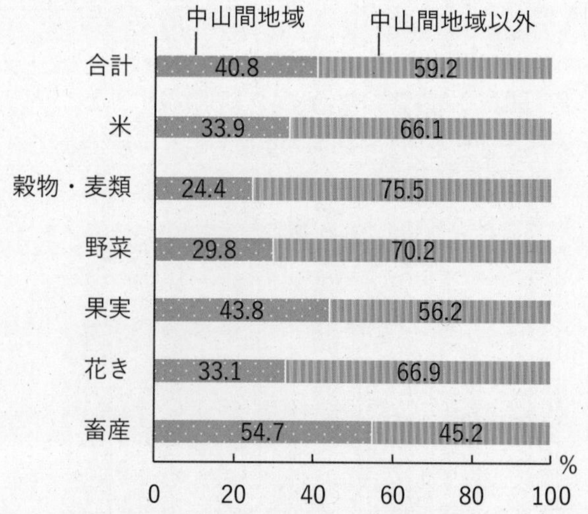

資料：農林水産省「生産農業所得統計」を基に作成

注：1) 中山間地域と全国の内訳については農林水産省による推計

2) 農業産出額は平成 27(2015)年の数値

1 用語の解説 2(7)を参照

2 用語の解説 2(3)を参照

(中山間地域の 1 農業経営体当たりの農業所得は全国平均の 8 割程度で推移)

1 農業経営体[1]当たりの農業所得[2]を農業地域類型別に比較すると、中山間地域の農業所得はおおむね全国平均の 8 割程度で推移しており、令和元(2019)年では 134 万円となっています(**図表 3-2-3**)。中山間地域では、平地農業地域[3]と比較して経営耕地面積が小さく、農業粗収益が低いことが原因の一つとして考えられます(**図表 3-2-4**、**図表 3-2-5**)。

図表 3-2-3 農業地域類型別の 1 農業経営体当たり農業所得

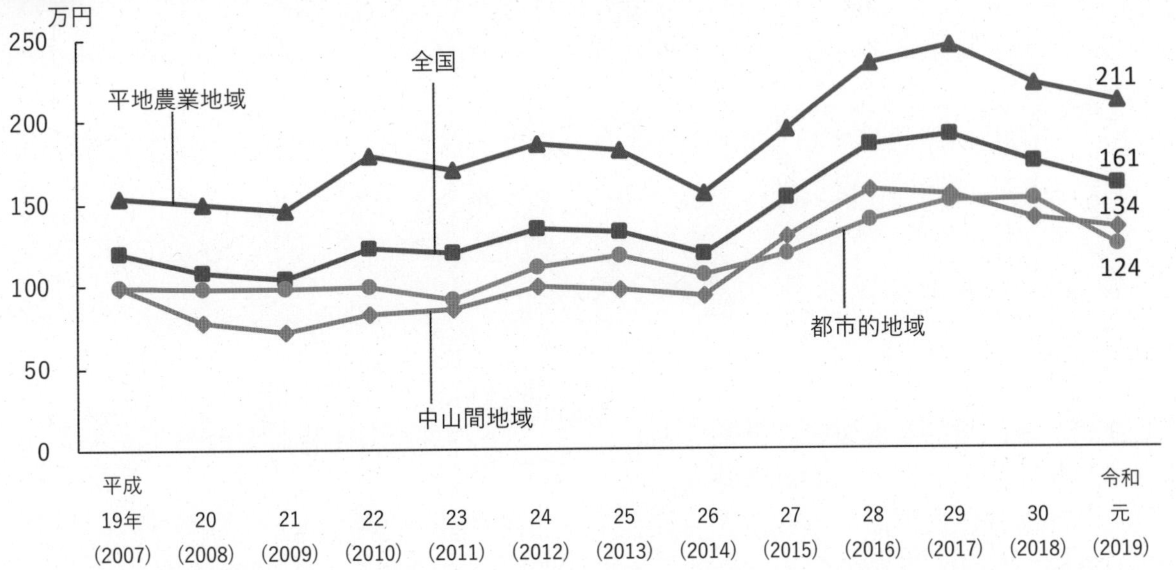

資料：農林水産省「農業経営統計調査 経営形態別経営統計(個別経営)」、「農業経営統計調査 令和元年農業経営体の経営収支(概数値)」(令和 3(2021)年 2 月公表)を基に作成

注：1) 平成 19(2007)年から平成 30(2018)年までの数値は、「農業経営統計調査 経営形態別経営統計(個別経営)」の数値

2) 令和元(2019)年の数値は、「農業経営統計調査 令和元年農業経営体の経営収支(概数値)」の経営形態別経営統計(個人経営体)の数値を基に、1)と同一基準(旧基準)で試算した結果

図表 3-2-4 1 戸当たり経営耕地面積

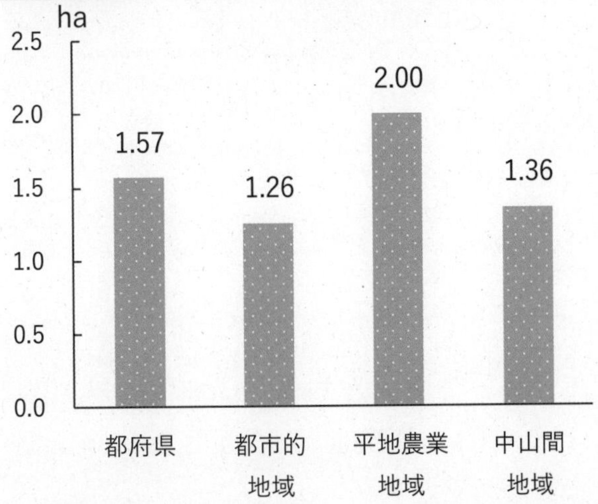

資料：農林水産省「2015 年農林業センサス」(都府県・販売農家)を基に作成

注：1) 1 戸当たり経営耕地面積は、経営耕地面積を経営耕地のある販売農家数で除したもの

2) 農業地域類型区分は、平成 29(2017)年 12 月改定のものによる。

図表 3-2-5 1 農業経営体当たり農業粗収益

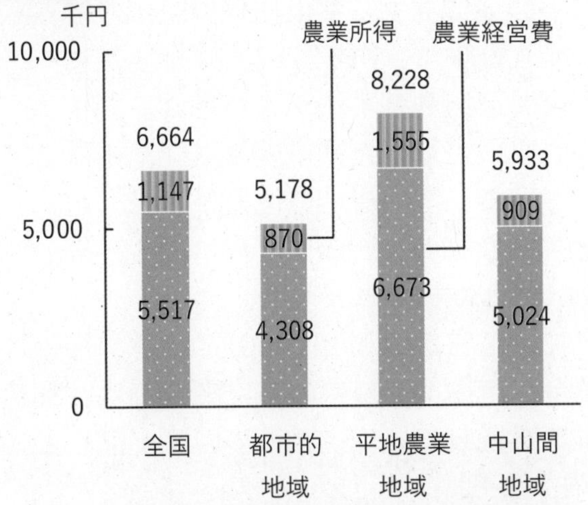

資料：農林水産省「農業経営統計調査 令和元年農業経営体の経営収支(概数値)」(令和 3(2021)年 2 月公表)の経営形態別経営統計(個人経営体)を基に作成

[1] 用語の解説 1、2(1)を参照
[2] 用語の解説 2(4)を参照
[3] 用語の解説 2(7)を参照

(中山間地域等の特性を活かした複合経営の全国的な展開を推進)

中山間地域等を今後も安定的に維持していくためには、小規模農家を始めとした多様な経営体が、それぞれにふさわしい農業経営を実現する必要があります。

このため、農林水産省は、令和3(2021)年3月、地域特性を活かした農業、畜産、林業も含めた多様な経営の組合せにより所得を確保する複合経営モデルを提示しました。このモデルでは、近年、市場性があると考えられる新たな作物や最新の技術も加味しながら、新規就農者[1]等の地域内外の新たな人材が取り組み得る「入門段階」の小規模経営(農業所得200万円程度)と、家族で暮らせる「複合経営のモデル」(農業所得400万円程度)を一体的に示すとともに、各モデルによる多様なライフスタイルを実現するための考え方を示しました。

今後、中山間地域における小規模農家を始めとした多様な経営体の所得確保や新たな人材の裾野の拡大に向け、優良事例の全国的な展開を推進していくこととしています。

(2) 多様な機能を有する都市農業の推進

(都市農業・都市農地を残していくべきとの回答が増加)

都市農業は、都市という消費地に近接する特徴から、新鮮な農産物の供給に加えて、農業体験・学習の場や災害時の避難場所の提供、住民生活への安らぎの提供等の多様な機能を有しています。

都市農業が主に行われている市街化区域[2]内の農地が我が国の農地全体に占める割合は2%と低いものの、農業経営体数と農業産出額ではそれぞれ全体の10%と7%を占めています[3]。

都市農業に対する都市住民の評価が高まってきた中で、平成27(2015)年4月には都市農業振興基本法が施行され、同法に基づき策定された都市農業振興基本計画において、都市農地の位置付けが「宅地化すべきもの」から「都市にあるべきもの」へと転換されました。

図表3-2-6　都市住民の都市農業・都市農地の保全に対する考え方

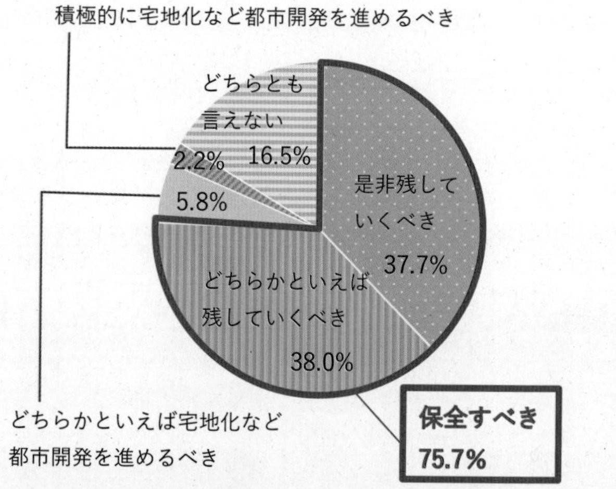

資料：農林水産省「都市農業に関する意向調査」を基に作成
注：1) 令和2(2020)年5月調査
2) 三大都市圏特定市の住民を対象に実施したWebアンケート調査
3) 回答者数は2,000人

農林水産省が令和2(2020)年5月に実施した都市住民を対象とした調査では、都市農業の多様な役割が評価され、都市農業・都市農地を残していくべきとの回答が前年と比べて4.7ポイント増加し75.7%となりました(**図表3-2-6**)。

---

1 用語の解説2(6)を参照
2 都市計画法に基づき、既に市街地を形成している区域、おおむね10年以内に優先的、計画的に市街化を図るべき区域
3 農林水産省「2015農林業センサス」、総務省「固定資産の価格等の概要調書(平成30年)」等を基に農林水産省が作成

(都市農地の貸借が進展)

生産緑地制度は、良好な都市環境の形成を図るため、市街化区域内の農地の計画的な保全を図るものです。市街化区域内の農地面積が一貫して減少する中、生産緑地地区の農地面積はほぼ横ばいで推移しています(**図表 3-2-7**)。生産緑地地区内の農地の所有者は自らによる耕作を要件に税制上の軽減措置を受けることができましたが、農業者の減少や高齢化が進行する中、都市の農地の有効な活用に向けて、平成30(2018)年9月に「都市農地の貸借の円滑化に関する法律」が施行され、都市農地の所有者が、意欲ある農業者等に安心して農地を貸付けすることができるようになりました。

図表 3-2-7 市街化区域内農地面積

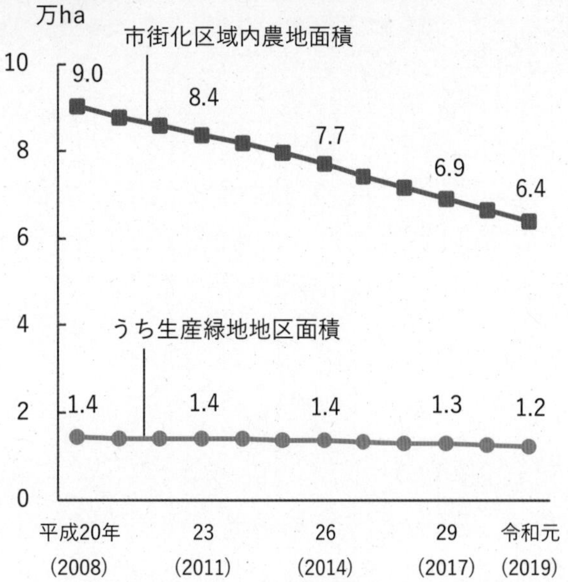

資料：総務省「固定資産の価格等の概要調書」、国土交通省「都市計画現況調査」を基に農林水産省作成

また、これまでは、企業、NPO[1]等が都市農地において市民農園を開設する場合には、地方公共団体等を経由して農地を借り受ける必要がありましたが、同法により都市農地所有者から直接農地を借り受けることができるようになりました。令和元(2019)年度末時点の制度の活用状況を見ると、貸借による耕作の事業に関する計画については、前年度から97件増加し、9都府県で計119件、22万2千㎡の農地について認定が行われ、市民農園の開設については35件増加し、9都府県で計55件、8万4千㎡の農地の承認が行われ、合わせて30万6千㎡の農地について認定・承認されています。

1 用語の解説3(2)を参照

第3節　農泊、農福連携、再生可能エネルギー等の農村発イノベーションの推進

農村の地域資源を他分野と組み合わせ新たな価値を創出する取組「農村発イノベーション」が進みつつあり、地域資源を活用した食事や体験・交流プログラムを提供する農泊や障害者による農業分野での活躍を通じて社会参画を実現する農福連携、太陽光発電等の再生可能エネルギーの活用等の動きが広がっています。

本節では、このような地域資源を活用した農村の所得、雇用機会を確保するための様々な取組について紹介します。

(1) 農村発イノベーションをはじめとした地域資源の高付加価値化の推進

(農村発イノベーションを推進)

所得と雇用機会を確保し、農村に人を呼び込むため、活用可能な地域資源を発掘し、磨き上げた上で、他分野と組み合わせる「農村発イノベーション」を実現し、新たなビジネス展開を促進することが必要です。このため、農林水産省は、令和2(2020)年5月から「新しい農村政策の在り方に関する検討会」を立ち上げ、農村発イノベーションの推進を通じた所得確保手段の多角化について検討を行っており、令和3(2021)年6月までに取りまとめることとしています。

検討会での議論を踏まえ、ポストコロナ時代を見据えて、農村で農業経営と農村発イノベーションに取り組む世帯や事業体を育成するのに不可欠な資金、情報等の支援を今後も充実させていくこととしています。

なお、令和元(2019)年度からの取組として、農山漁村で活動する起業者等が情報交換を通じてビジネスプランを磨き上げることができるプラットフォーム(INACOME《イナカム》)の運営を実施しており、農村発イノベーションの取組を支援しています(**図表3-3-1**)。

図表 3-3-1 農村発イノベーション

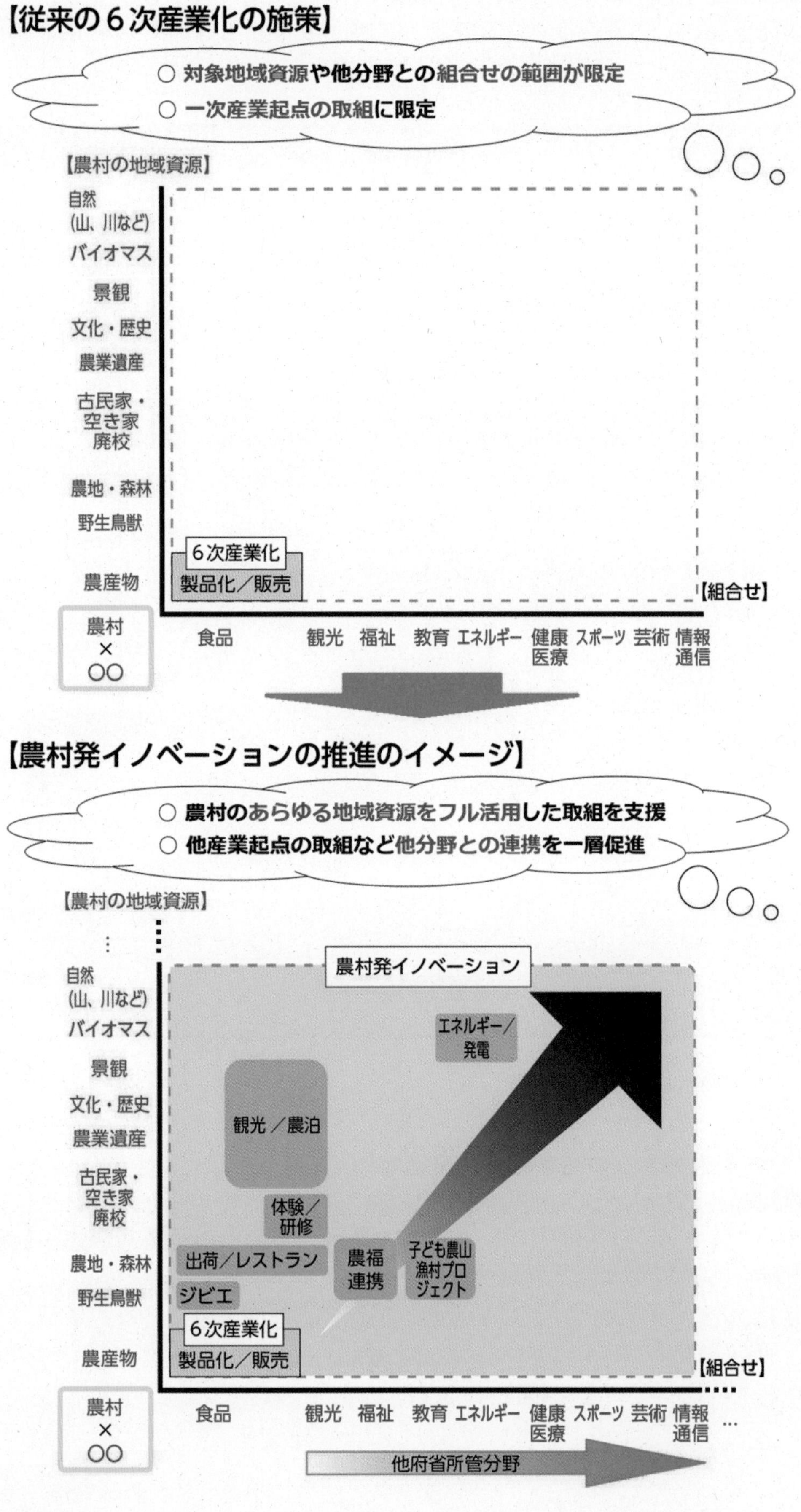

資料：農林水産省作成

(山村地域の特性を活かした産業の育成による雇用と所得の増大)

農林水産省は、平成 27(2015)年度から、振興山村[1]の山菜やくり、ゆず、木工品等の特色ある地域資源を活かした新商品の開発や販路開拓等を支援し、地域の雇用と所得の増大を図っています。令和 2(2020)年度は 90 地区で支援を行いました。

(事例) 特用作物・紫草を活用し、化粧品を開発、販売(滋賀県)

振興山村に指定されている滋賀県東近江《ひがしおうみ》市《し》奥永源寺《おくえいげんじ》地区では、古くから染料、生薬として用いられており、市の花にも選定されている絶滅危惧種「紫草《むらさき》」の根「紫根《しこん》」を活用した山村の活性化に取り組んでいます。

地域資源の活用に向けた取組として、紫草の栽培に適した風土や耕作放棄地の再生に着目し、平成 27(2015)年度から山村活性化支援交付金事業により、耕作放棄地を利用して無農薬・有機栽培にこだわった紫草の栽培に取り組みました。さらに、栽培した紫草の商品化に取り組み、100%植物性由来の化粧品である、紫根を主原料としたオーガニックシコンコスメ「MURASAKIno ORGANIC」を開発しました。

平成 29(2017)年には、同市の地域おこし協力隊が中心となって地元住民や市民から出資金を募り、「株式会社みんなの奥永源寺《おくえいげんじ》」を設立し、平成 31(2019)年 2 月に東京ビッグサイトで開催された「山の恵みマッチング商談会」でミニブースを出展するなど、シコンコスメの販路拡大に取り組んだ結果、無農薬・有機栽培等の商品特性が評価され、バイヤーとの商談が成立しました。

シコンコスメの出荷量は 2 万本を超え、販売額は山の恵みマッチング商談会の前と比べ、令和 2(2020)年 9 月時点で約 10 倍に増加しました。

自然派化粧品
「MURASAKIno ORGANIC」
資料：株式会社みんなの奥永源寺

東京ビッグサイトでの展示
商談会に出展
資料：株式会社みんなの奥永源寺

(2) 農泊の推進

(ビジネスとして実施できる体制を持った農泊地域)

農泊は、農山漁村において農家民宿や古民家等に滞在し、我が国ならではの伝統的な生活体験や農村の人々との交流を通じて、その土地の魅力を味わってもらう農山漁村滞在型旅行のことです。

農林水産省は、令和 2(2020)年度末時点で、全国 554 地域を農泊推進対策地域として採択し、宿泊、食事、体験に関するコンテンツ開発等、農泊をビジネスとして実施できる体制構築等の取組を支援しています(**図表 3-3-2**)。

---

[1] 山村振興法に基づき指定された地域

図表 3-3-2 農泊推進対策地域

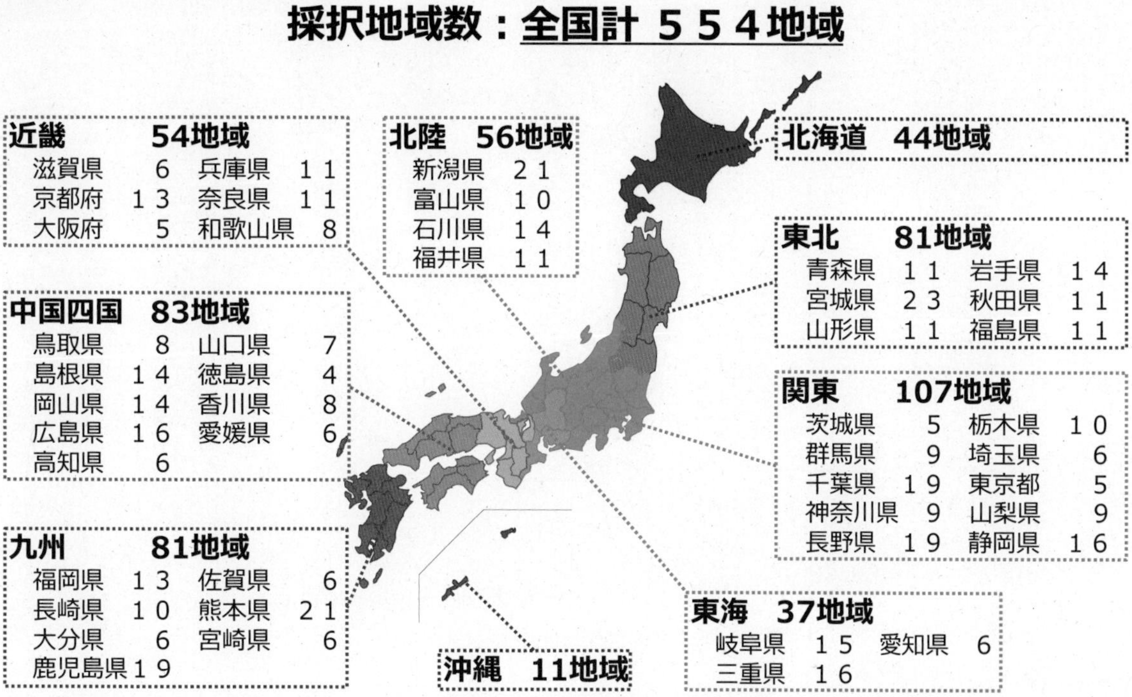

資料：農林水産省作成
注：1）令和 2(2020)年度末時点
2）農山漁村振興交付金(農泊推進対策)において採択された地域数を対象

(農泊の体制整備は進みつつあるものの、一層の環境整備が必要)

農林水産省は、平成 29(2017)年度から、宿泊、食事、農林漁業体験等のプログラム(以下「体験プログラム」という。)を提供する、地域の多様な関係者を構成員とする協議会や、農泊実施の中心となる役割を担う法人の設立等の体制整備を進めています。

その結果、令和元(2019)年度までに採択された 515 地域では、平成 29(2017)年度末では約 4,700 件だった体験プログラム数が、令和元(2019)年度末時点で、約 8,200 件に増加しました(**図表 3-3-3**)。また、延べ宿泊者数は平成 29(2017)年度の約 503 万人から約 589 万人へと増加し、そのうち、訪日外国人旅行者の延べ宿泊者数は約 38 万人に増加しました(**図表 3-3-4**)。

農泊地域における利用者ニーズに更にきめ細かく対応するため、農泊地域に対して、ジビエ料理等の食事メニューや農業、文化、自然等を体験するプログラムの開発、古民家等を活用した宿泊施設等の整備を支援するほか、訪日外国人旅行者の受入れに向けた環境整備のため、無線 LAN の整備や外国語 Web サイト等の多言語対応等の支援を引き続き行っています。

図表 3-3-3　体験プログラム数

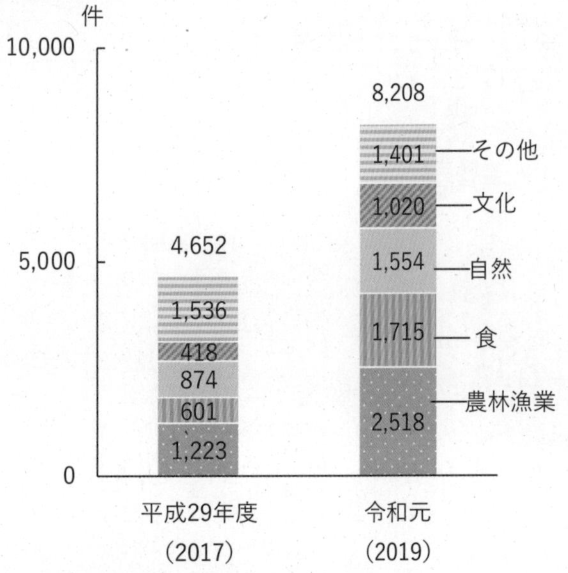

資料：農林水産省作成
注：令和元(2019)年度までに採択した農泊地域 515 地域を対象

図表 3-3-4　農泊の延べ宿泊者数

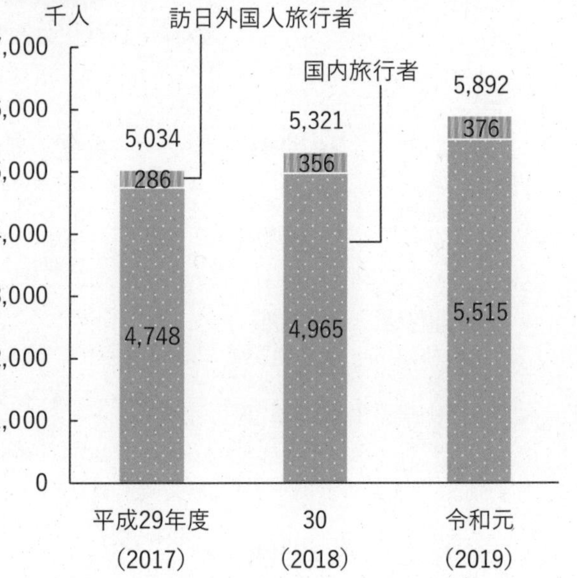

資料：農林水産省作成
注：令和元(2019)年度までに採択した農泊地域 515 地域を対象

(事例) 地域資源を活用した農泊の取組(北海道)

北海道余市町《よいちちょう》は札幌市《さっぽろし》から日帰り圏にあり、平成 27(2015)年に北海道版構造改革・地域再生特区に認定されたことをきっかけに、農家民宿事業への取組を本格的に開始しました。

余市町は、北海道における果樹の主要生産地であるとともに、ウイスキーやワイン産業も盛んであり、ニセコ積丹小樽《しゃこたんおたる》海岸国定公園の景観や遺跡等も豊富であるなど宿泊事業に取り組む好条件を備えています。

農家民宿事業では、消費者がリンゴ農家による民宿に宿泊し、果樹栽培の歴史を学ぶことができるとともに、スノーシューを使っての果樹園散策等を行うことができるほか、北海道産の木材や古材を使った一棟貸の宿泊施設で地元住民との交流を楽しむことができるなど、個性豊かな宿泊プランを販売しています。また、農業も題材に盛り込んだ忍者エンターテイナー「嵐斬《らんざん》」と手裏剣や忍者刀を使った体験は、訪日外国人旅行者に人気のコンテンツです。

一般社団法人余市《よいち》観光協会では、町内の宿泊施設の予約状況をオンラインで一元的に管理するなど、効率的に事業に取り組んでいます。

リンゴ農家
資料：一般社団法人余市観光協会

忍者
資料：一般社団法人余市観光協会

(「SAVOR JAPAN」認定地域に 4 地域を追加)

農林水産省は、平成 28(2016)年度から地域の食・食文化や農林水産業を核に訪日外国人旅行者を中心とした観光客を誘致する重点地域を「農泊 食文化海外発信地域(SAVOR《セイバー》 JAPAN《ジャパン》)」に認定する取組を行っています。令和 2(2020)年度に認定された地域は、前年度から 4 地域増え、全国で 31 地域となりました(**図表 3-3-5**)。

農林水産省では、認定地域を対象に、専門家の派遣による地域の食・食文化体験のコンテンツ造成と磨き上げを行うとともにオールジャパンでのブランド化と一元的な情報発信を行い、訪日外国人の誘客の強化に取り組んでいます。

図表 3-3-5 SAVOR JAPAN 認定地域数の推移(累計)

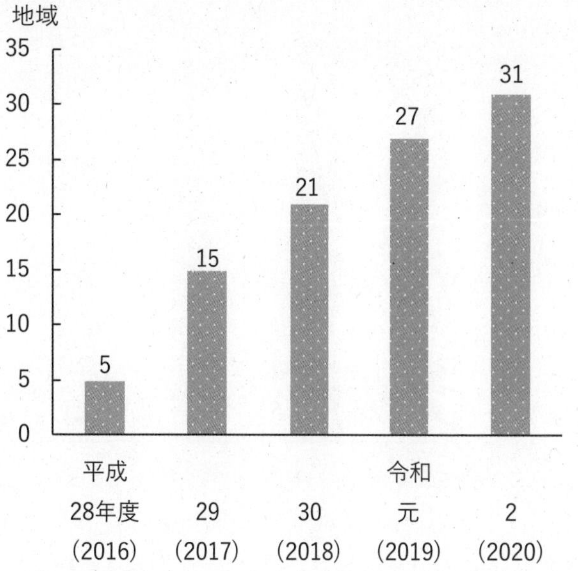

資料：農林水産省作成

(3) 農福連携の推進

(農福連携により収益が向上)

障害者の農業分野での雇用・就労を推進する農福連携は、農業、福祉両分野にとって利点があるものとして各地で取組が進んでいます。

一般社団法人日本基金《にっぽんききん》の調査によれば、農福連携の取組について、農地面積ベースでみると平成27(2015)年から平成30(2018)年までの3年間で25%増加しています(**図表3-3-6**)。また、農福連携に取り組んだ農業者の 78%が、平成 25(2013)年と比較し、平成 30(2018)年には年間売上額が増加したと回答しています(**図表 3-3-7**)。障害者を受け入れた農業者の 83%が収益性向上に「効果がある」と回答しており、農福連携に取り組む多くの農業者が農業分野へのメリットを実感しています(**図表 3-3-8**)。

図表 3-3-6　農福連携に取り組んだ農業者の農地面積の推移

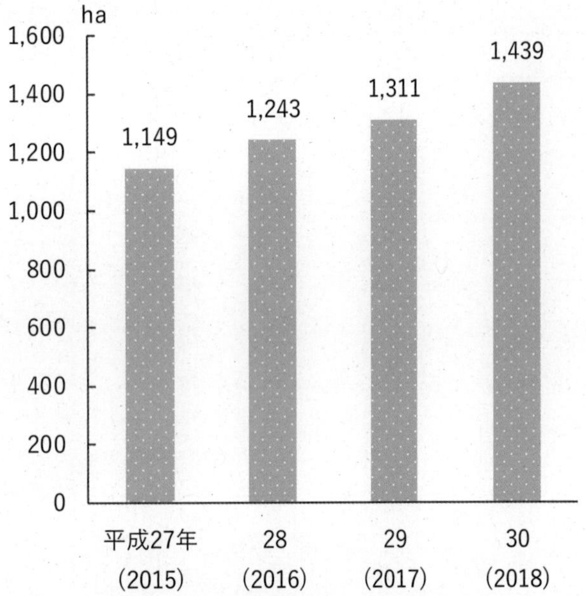

資料：一般社団法人日本基金「平成 30 年度農福連携の効果と課題に関する調査結果」を基に農林水産省作成
注：1）障害者を雇用又は福祉事業所等に農作業を委託している 350 農家等を対象
2）回答数は 113 経営体

図表 3-3-7　農福連携に取り組んだ農業者の年間売上額の増減

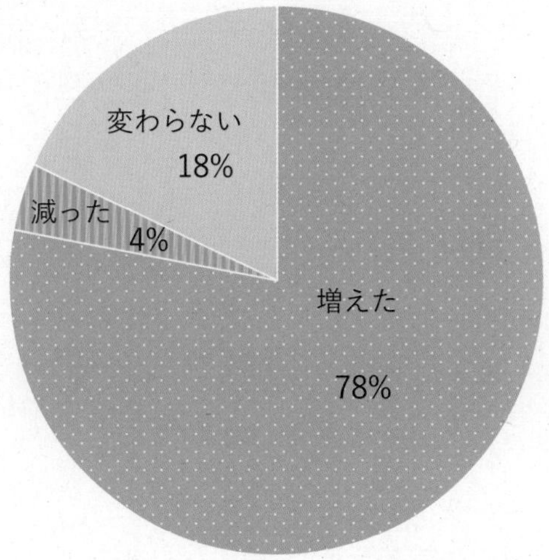

資料：一般社団法人日本基金「平成 30 年度農福連携の効果と課題に関する調査結果」を基に農林水産省作成
注：1）障害者を雇用又は福祉事業所等に農作業を委託している 350 農家等を対象
2）平成 25(2013)年と比較した平成 30(2018)年の年間売上額について調査
3）回答数は 120 経営体

図表 3-3-8　障害者を受け入れることによる収益性向上に関する効果

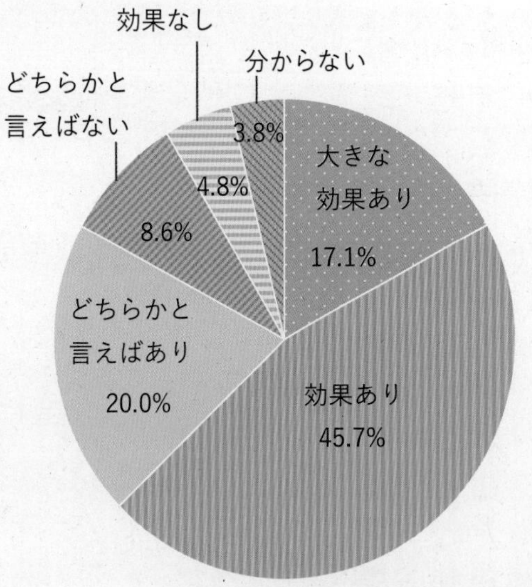

資料：一般社団法人日本基金「平成 30 年度農福連携の効果と課題に関する調査結果」を基に農林水産省作成
注：1）障害者を雇用又は福祉事業所等に農作業を委託している 350 農家等を対象
2）回答数は 105 経営体

（多様な関係者による国民的運動を展開するとともに専門人材を育成）

令和元(2019)年６月に政府の農福連携等推進会議にて決定した農福連携等推進ビジョンに基づき、令和２(2020)年３月、農林水産省は、関係省、関係団体等と共に、農福連携等応援コンソーシアムを設立しました。本コンソーシアムでは、農福連携に関する優良事例の表彰と全国的な展開、普及啓発のためのイベントの開催、連携・交流の促進、情報提供等を行うこととしています。その取組の一環として、令和３(2021)年３月、農福連携に取り組む団体、企業、個人等の優良事例 16 団体を「ノウフク・アワード」として表彰しました(**図表 3-3-9**)。

また、農業者、障害者、障害者就労施設の指導員の間に立ち、障害者の農業分野での定着を支援する専門人材を育成するため、農林水産省は、令和２(2020)年度には、障害特性に対応した農作業の流れ・農作業方法や農作業における作業の細分化、割当ての方法等を学ぶ育成研修を農林水産研修所つくば館水戸ほ場で実施しました。

（事例） 農業と福祉で地域を活性化（北海道）

北海道月形町《つきがたちょう》の社会福祉法人雪《ゆき》の聖母園《せいぼえん》（以下、「雪の聖母園」という。）は、昭和 39(1964)年、障害のある子供の入所施設として開設し、敷地内で自分たちの食料とするために農産物を生産、平成 7(1995)年に成人の施設へ移行するとともに、徐々に生産量の拡大を行いながら、販売への道筋を模索してきました。

平成 18(2006)年からは、町内の農業者と連携し、都市部への出荷を開始しました。また、平成 25(2013)年から、離農した町内の農業者を農福連携の専属支援員として雇用し、収量の増加に向けて、障害者へ作業手順の説明等を行っています。

現在は、雪の聖母園が所有する 1ha の農地で、10 名程度の障害者がジャガイモ、大根、カボチャ、ミニトマト等の生産に取り組み、播種、施肥、除草、収穫、出荷準備等のほぼ全ての工程を、障害者の得意不得意に応じて役割分担を決め、作業を行っています。

農作業の様子

資料：社会福祉法人雪の聖母園

農産物の月平均の売上高は、平成 25(2013)年は 17 万円でしたが、農福連携の取組を進めるにつれ年々増加し、令和 2(2020)年では 25 万円となりました。この結果、障害者の月平均の工賃は平成 25(2013)年度の約４千円から令和元(2019)年度には約１万３千円に増加しました。

また、地域や近郊で催事が開かれる際には、障害者自ら農産品を販売しており、顧客の反応を感じ取ることにより、作業へのモチベーションにつながっています。

出荷準備の様子

資料：社会福祉法人雪の聖母園

図表 3-3-9　ノウフク・アワード2020優秀賞表彰団体

No.12 島根県 出雲市
社会福祉法人喜和会 障害者支援施設太陽の里
・農地の集約等により規模を拡大し産地の維持発展に貢献
・「せわやき隊」と称し農業以外においても地域に貢献

No.11 鳥取県 米子市
株式会社シルクファーム
・大規模なスマート農業システムを導入し就労環境等を整備
・ノウフクスーパーを活用するなど販売就労の機会を創出

No.13 香川県 高松市
特定非営利活動法人香川県社会就労センター協議会
・協議会が共同受注窓口となりマッチングさせる代表的な事例

No.14 長崎県 雲仙市
社会福祉法人南高愛隣会
・多様な者を受け入れ障害者等の社会参画の実現に貢献
・「生き甲斐」をキーワードとした双方向性の関係を構築

No.15 大分県 大分市
全国農業協同組合連合会大分県本部
・JAが共同受注窓口となりマッチングさせる代表的な事例
・子ども支援ネットとも連携し生活困窮者等を積極的に支援

No.16 鹿児島県 南大隅町
社会福祉法人白鳩会 花の木ファーム
・「来るもの拒まず」で多様な者を受け入れ就労の場を提供
・大規模な農地で広域に事業を展開し様々な雇用機会を創出

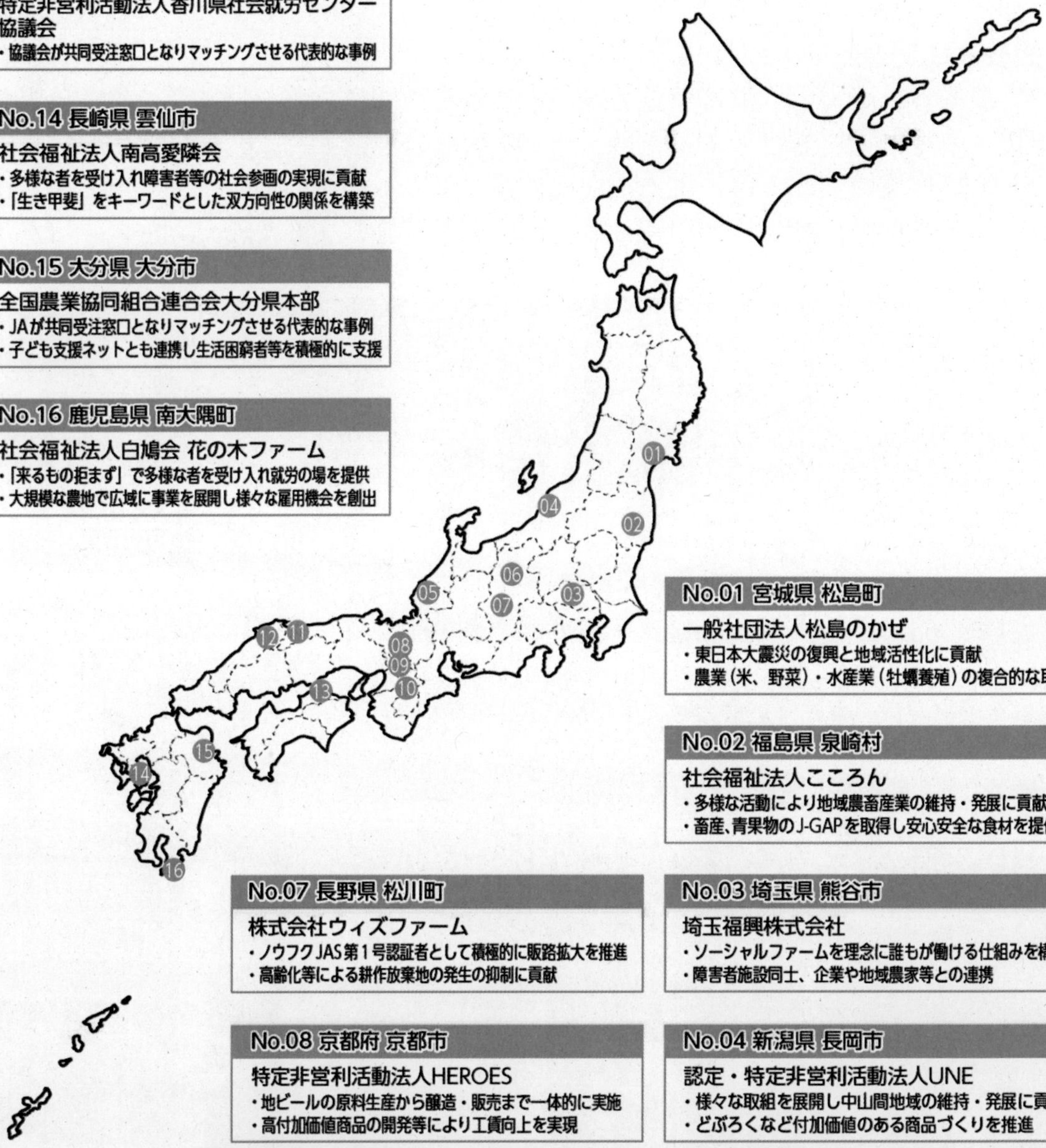

No.01 宮城県 松島町
一般社団法人松島のかぜ
・東日本大震災の復興と地域活性化に貢献
・農業（米、野菜）・水産業（牡蠣養殖）の複合的な取組

No.02 福島県 泉崎村
社会福祉法人こころん
・多様な活動により地域農畜産業の維持・発展に貢献
・畜産、青果物のJ-GAPを取得し安心安全な食材を提供

No.07 長野県 松川町
株式会社ウィズファーム
・ノウフクJAS第1号認証者として積極的に販路拡大を推進
・高齢化等による耕作放棄地の発生の抑制に貢献

No.03 埼玉県 熊谷市
埼玉福興株式会社
・ソーシャルファームを理念に誰もが働ける仕組みを構築
・障害者施設同士、企業や地域農家等との連携

No.08 京都府 京都市
特定非営利活動法人HEROES
・地ビールの原料生産から醸造・販売まで一体的に実施
・高付加価値商品の開発等により工賃向上を実現

No.04 新潟県 長岡市
認定・特定非営利活動法人UNE
・様々な取組を展開し中山間地域の維持・発展に貢献
・どぶろくなど付加価値のある商品づくりを推進

No.09 京都府 京田辺市
社会福祉法人 さんさん山城
・地域特産・地産地消・6次産業・地域活性化の取組を推進
・ノウフクJASと京野菜の普及啓発、地産地消に貢献

No.05 福井県 あわら市
特定非営利活動法人ピアファーム
・ASIAGAPを取得し海外へも販路を拡大
・6次産業化、観光化に事業を拡大し地域活性化に貢献

No.10 奈良県 奈良市
社会福祉法人青葉仁会 あおはにファーム
・中山間地域農業の維持・発展に貢献
・マルシェカフェなど多様な場所を提供し地域活性化に貢献

No.06 長野県 松本市
松本ハイランド農業協同組合
・JAが共同受注窓口となりマッチングさせる代表的な事例
・県内JAの先駆的な取組となり農福連携の推進に貢献

資料：農林水産省作成

(4) 再生可能エネルギーの活用

(再生可能エネルギー発電の割合は18%に上昇)

長期エネルギー需給見通しにおいては、総発電電力量に占める再生可能エネルギーの割合を令和 12(2030)年度に 22～24%にする見通しが示されています。令和元(2019)年度の再生可能エネルギーの割合は 18.1%となり、その内訳は、水力発電が 796 億 kWh、太陽光発電が 690 億 kWh、バイオマス[1]発電が 261 億 kWh、風力・地熱発電が 105 億 kWh となっています(**図表 3-3-10、図表 3-3-11**)。特に太陽光が占める割合は平成 23(2011)年度は発電全体の 0.4%でしたが、令和元(2019)年度では 6.7%へ大きく増加しました。

図表 3-3-10 発電電力量全体に占める再生可能エネルギーの割合

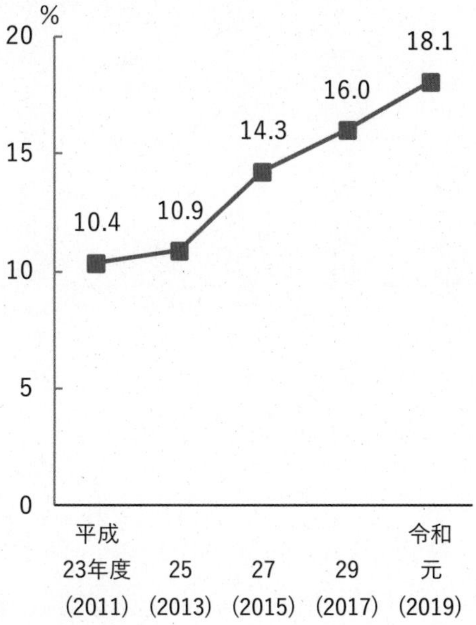

資料：経済産業省資源エネルギー庁「総合エネルギー統計」を基に農林水産省作成

図表 3-3-11 再生可能エネルギー発電の発電電力量

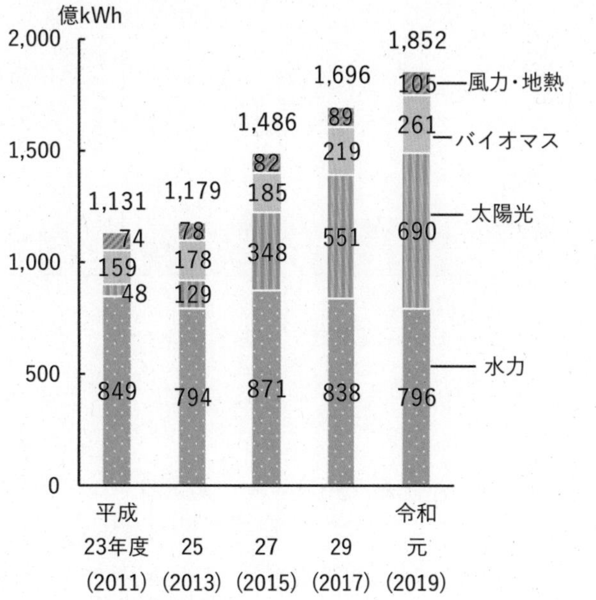

資料：経済産業省資源エネルギー庁「総合エネルギー統計」を基に農林水産省作成

(農山漁村再生可能エネルギー法に基づく基本計画を作成した市町村は 68 に増加)

再生可能エネルギーの導入に当たっては、農山漁村が持つ食料供給機能や国土保全機能の発揮に支障を来さないよう、農林地等の利用調整を適切に行い、地域の農林漁業の健全な発展や地域の活性化につながる取組とする必要があります。

こうしたことから、農林水産省では、市町村、発電事業者、農業者等の地域の関係者が主体となって協議会を設立し、地域主導で農林漁業の健全な発展と調和のとれた再生可能エネルギー発電を行う農山漁村再生可能エネルギー法[2]に基づく取組を促進するとともに、営農を適切に継続しながら上部で太陽光発電を行う営農型太陽光発電を推進しており、令和 2(2020)年度には、このうち営農型太陽光発電について、荒廃農地を再生利用する場合の要件緩和を講ずることとしたところです。

令和元(2019)年度末時点で、農山漁村再生可能エネルギー法に基づく基本計画を作成し、再生可能エネルギーの導入に取り組む市町村は、前年度に比べ 7 市町増加の 68 市町村となりました。

[1] 用語の解説 3(1)を参照
[2] 正式名称は「農林漁業の健全な発展と調和のとれた再生可能エネルギー電気の発電の促進に関する法律」

第3章

(農業水利施設等を活用した発電により農業者の負担軽減を推進)

農業用ダムや水路を活用した小水力発電施設、農業水利施設[1]の敷地等を活用した太陽光発電施設及び風力発電施設については、昭和 58(1983)年度から農業農村整備事業等により、国、地方公共団体、土地改良区が実施主体となって整備を進めています。令和元(2019)年度末時点で、小水力発電施設は 147 施設、太陽光発電施設は 124 施設、風力発電施設は 4 施設を整備しました(**図表 3-3-12**)。これらの発電により得られた電気を自らの農業水利施設等で利用することで、施設の運転に要する電気代が節約でき、農業者の負担軽減にもつながっています。

図表 3-3-12 農業農村整備事業等における再生可能エネルギー発電施設整備数の推移(累計)

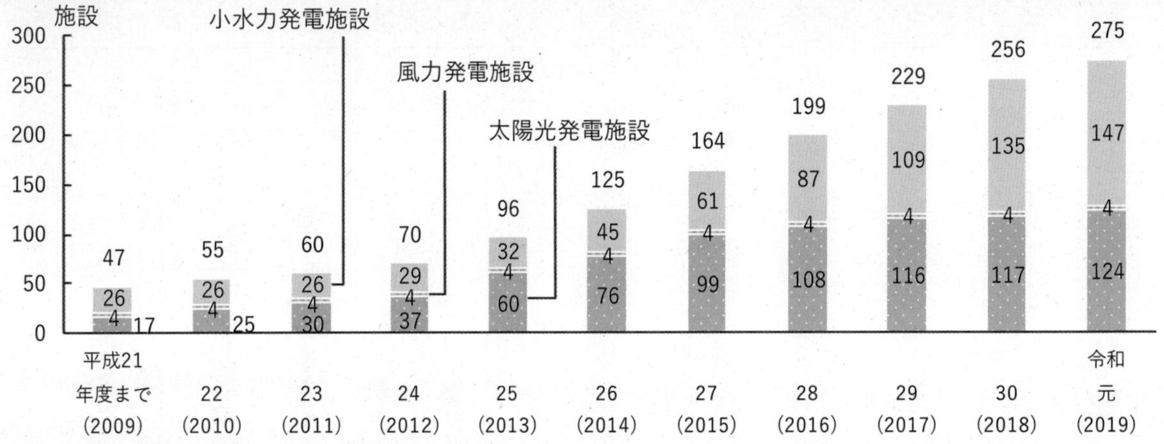

資料：農林水産省作成

(営農型太陽光発電の導入が進展)

農地に支柱を立て、上部空間に太陽光発電設備を設置し、営農を継続しながら発電を行う営農型太陽光発電の取組は年々増加しています。平成 30(2018)年度の営農型太陽光発電の取組面積は前年度と比べて 147ha 増の 560ha となり、設備を設置するための農地転用許可件数(累計)は前年度と比べて 481 件増の 1,992 件となりました(**図表 3-3-13、図表 3-3-14**)。

図表 3-3-13 営農型太陽光発電の取組面積(累計)

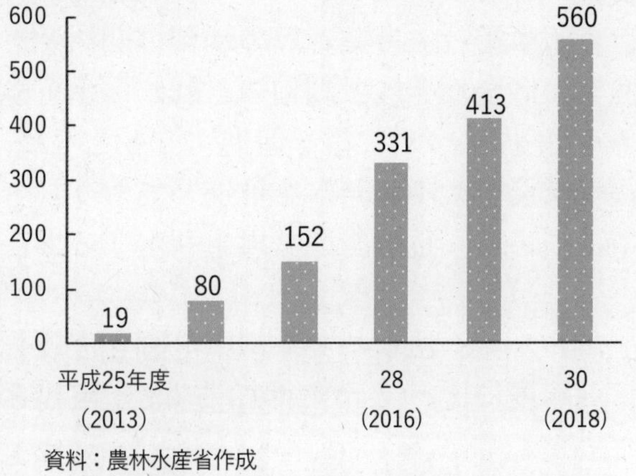

資料：農林水産省作成

注：取組面積は、営農型太陽光発電設備の下部の農地面積

図表 3-3-14 営農型太陽光発電設備を設置するための農地転用許可件数(累計)

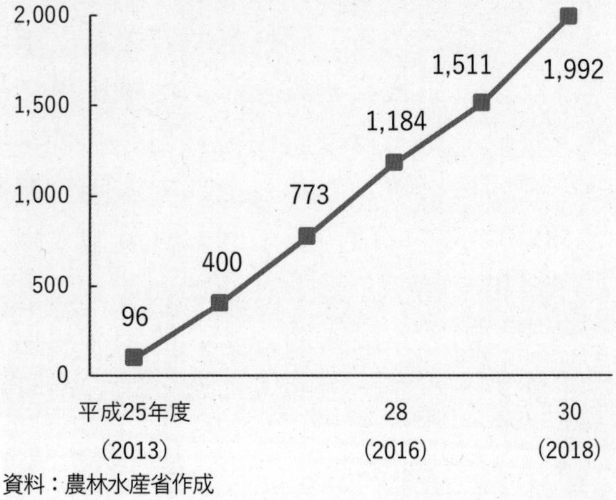

資料：農林水産省作成

---

1 用語の解説 3(1)を参照

（農山漁村再生可能エネルギー法に基づく取組を行っている地区の経済規模は増加）

令和元(2019)年7月に見直した、農山漁村再生可能エネルギー法に基づく基本方針では、再生可能エネルギーを活用して地域の農林漁業の発展を図る取組を行っている地区の経済規模を令和5(2023)年度に600億円とする目標を設定しています。令和元(2019)年度末時点の経済規模は、前年度と比べて75億円増の372億円となっています(**図表3-3-15**)。

図表 3-3-15　農山漁村再生可能エネルギー法に基づく取組を行っている地区の経済規模

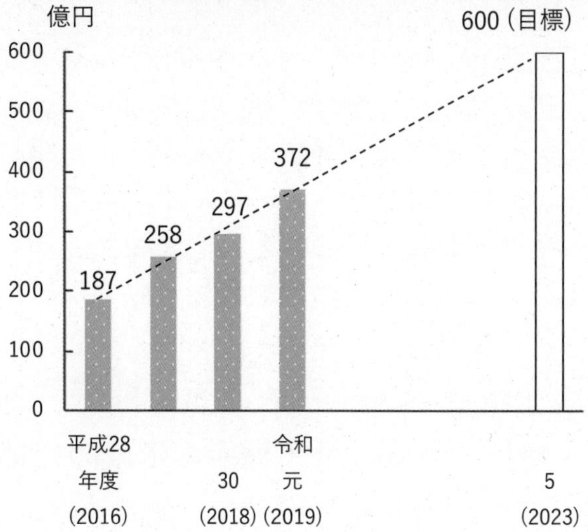

資料：農林水産省作成

（バイオマス産業都市を新たに選定）

農山漁村における再生可能エネルギーの導入の拡大を図り、地域に存在するバイオマスを有効活用していくため、関係府省では、バイオマス産業都市の構築を推進しています。バイオマス産業都市では、原料生産から収集・運搬、製造・利用まで、経済性が確保された一貫システムを構築し、地域の特色を活かしたバイオマス産業を軸とする環境にやさしく災害に強いまち・むらづくりを目指しています。

令和2(2020)年度に北海道湧別町《ゆうべつちょう》、秋田県大潟村《おおがたむら》、三重県多気町《たきちょう》、南伊勢町《みなみいせちょう》の4町村を選定し、バイオガスプラントの整備、稲わら・籾殻の有効活用、食品廃棄物や生活排水汚泥を主原料としたメタン発酵によるエネルギー利用等、地域の特色を活かしたバイオマスの有効利用を推進しています。

このほか、畜産経営の規模拡大の進展に伴い、増大する家畜排せつ物の利用の高度化を進めるため、令和元(2019)年度補正予算において、7地区で自家消費を含めたエネルギー地産地消[1]型のバイオガスプラントの導入を進めているほか、副産物の消化液の利用を推進しています。

---

[1] 用語の解説3(1)を参照

第4節　中山間地域をはじめとする農村に人が住み続けるための条件整備

中山間地域[1]を始めとする農村は、多様な地域住民が生活する場ですが、人口減少や少子高齢化が都市に先駆けて進行しています。このような中で農村を維持し、次の世代に継承していくためには、地域コミュニティの維持を目的とする「小さな拠点」の形成や多面的機能の発揮を促進するための日本型直接支払等により、農村に人が安心して住み続けるための条件が整備されることが必要です。

本節では、これらの取組に係る動向について紹介します。

(1) 地域コミュニティ機能の維持や強化

ア　地域コミュニティ機能の形成のための場と世代を超えた人々による地域のビジョンづくり

(地域の将来像についての話合い等を促進)

農林水産省は地域コミュニティの形成や交流のための場づくりを推進するため、平成12(2000)年度から中山間地域等直接支払制度の活用により、地域コミュニティによる農用地や集落の将来像の明確化、農地、水路等の機能の維持・増進を図る共同活動等を支援しています。

また、これに加えて、地域住民がいきいきと暮らしていける環境の創出を行うため、地域住民団体等からなる地域協議会に対して、ワークショップ等を通じた地域の活動計画の策定や地域の活動計画に掲げられた取組の体制構築、実証活動等を支援しています。平成27(2015) 年度から支援を開始し、これまで全国で164 地区の地域協議会が様々な活動に取り組んでおり、令和2(2020)年度は、全国で98 地区の活動計画を支援しました。

イ　「小さな拠点」の形成の推進

(「小さな拠点」の形成数が増加)

地域住民が地方公共団体や事業者、各種団体と協力・役割分担をしながら、行政施設や学校、郵便局等の各種生活支援機能を集約し、地域コミュニティを維持する「小さな拠点」づくりの取組が平成23(2011)年から行われており、令和2(2020)年5月末時点で、全国で1,267か所の「小さな拠点」が形成されています(**図表3-4-1、図表3-4-2、図表3-4-3**)。

関係府省庁が連携し、遊休施設の再編・集約に係る改修や、廃校施設の活用等に取り組む中、農林水産省は、農産物加工・販売施設や地域間交流拠点等のほか、「小さな拠点」間や「小さな拠点」と周辺集落の間を結ぶ農道を始めとしたインフラの整備を行っています。

[1] 用語の解説2(7)を参照

図表 3-4-1 「小さな拠点」のイメージ

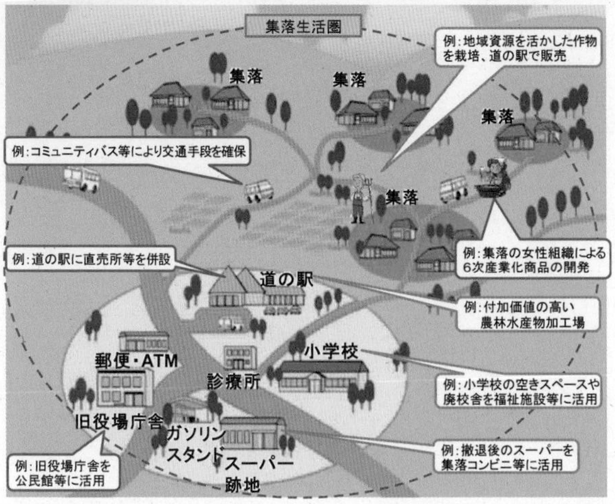

資料：内閣官房まち・ひと・しごと創生本部事務局、内閣府地方創生推進室「住み慣れた地域で暮らし続けるために～地域生活を支える「小さな拠点」づくりの手引き～」

図表 3-4-2 「小さな拠点」の形成数

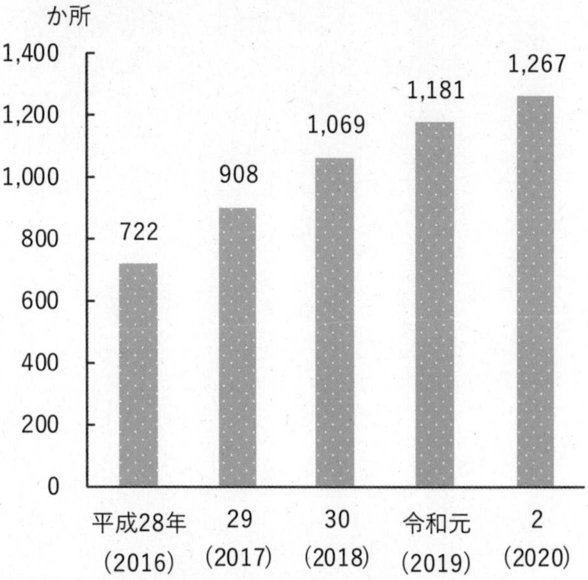

資料： 内閣府地方創生推進事務局「小さな拠点の形成に関する実態調査」を基に農林水産省作成

注：1) 各年５月末時点

2) 市町村版総合戦略に位置付けのある小さな拠点の数

図表 3-4-3 「小さな拠点」の都道府県別形成数

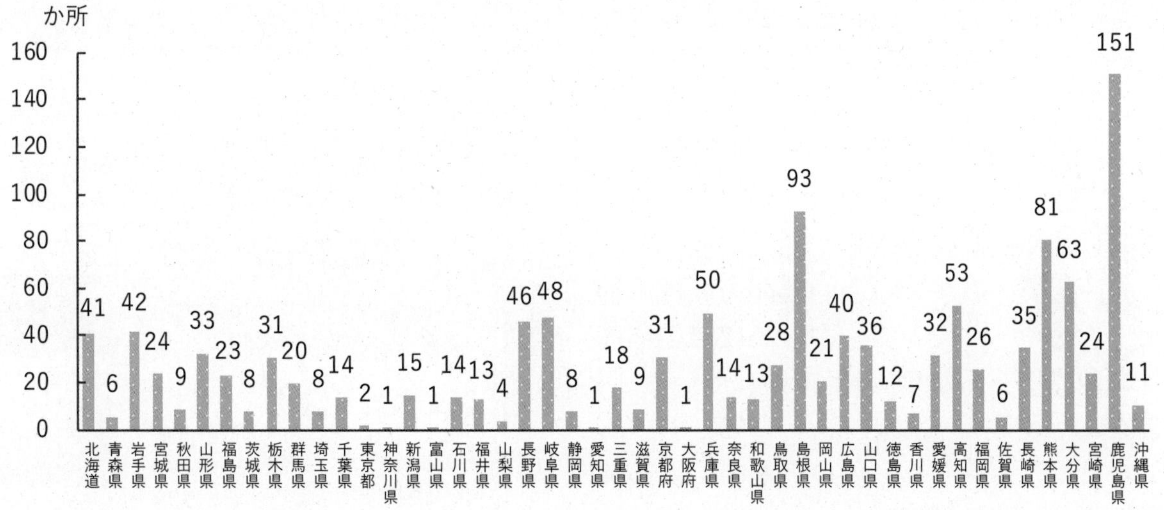

資料： 内閣府地方創生推進事務局「小さな拠点の形成に関する実態調査」を基に農林水産省作成

注：1) 令和 2(2020)年５月末時点

2) 市町村版総合戦略に位置付けのある小さな拠点の数

（コラム）中山間地域では集落機能が低下傾向

集落は、資源管理機能（水田や山林等の地域資源の維持保全に係る集落機能）、生産補完機能（農林水産業等の生産に際しての草刈り、道普請《みちぶしん》等の相互扶助機能）、生活扶助機能（冠婚葬祭等日常生活における相互扶助機能）を有していますが、中山間地域ではこれらの集落機能の低下傾向が見られます。

総務省、国土交通省の条件不利地域を対象とした調査によると、平成 22(2010)年から令和元(2019)年にかけ、集落機能の維持状況について「機能低下」又は「維持困難」と回答した割合は、中間農業地域では 6.3 ポイント増加し 19.5%、山間農業地域では 7.9 ポイント増加し 37.6%となっています。

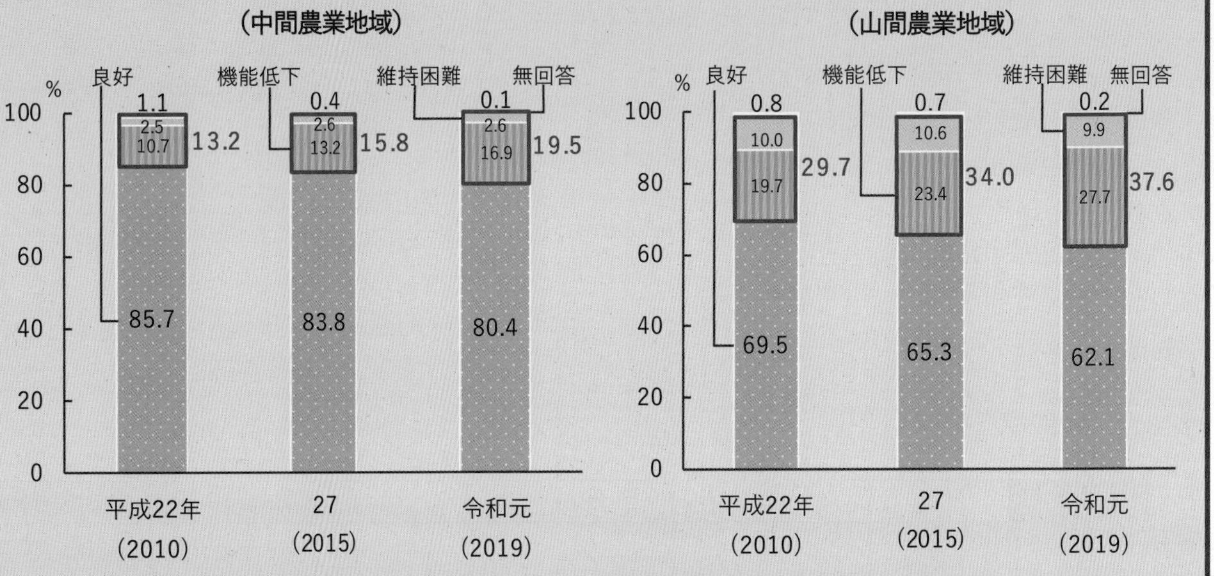

資料：総務省、国土交通省「過疎地域等における集落の状況に関する現況把握調査報告書」を基に農林水産省作成

(2) 多面的機能の発揮の促進

（多面的機能支払制度を着実に推進）

農業・農村の多面的機能[1]の維持・発揮を目的として、「農業の有する多面的機能の発揮の促進に関する法律」に基づき、平成 26(2014)年度から日本型直接支払制度[2]が実施されています（**図表 3-4-4**）。

この日本型直接支払制度のうち、多面的機能支払制度は、農地維持支払と資源向上支払の二つから構成されています（**図表 3-4-5**）。農地維持支払は、地域共同で行う農地法面《のりめん》の草刈りや水路の泥上げ等の地域資源の基礎的な保全活動等を対象としています。また、資源向上支払は、水路や農道等の軽微な補修等の地域資源の質的向上を図る共同活動等を対象としています。

図表 3-4-4　日本型直接支払制度の概要

資料：農林水産省作成

1 用語の解説4を参照
2 多面的機能支払制度、中山間地域等直接支払制度、環境保全型農業直接支払制度の三つの制度から構成

農地維持支払については、令和元(2019)年度の取組面積が、農用地面積[1]の 55%にあたる 227 万 ha となっています。また、活動組織のうち 947 の組織が広域活動組織として活動しており、前年度と比較すると 48 組織増加しています。

資源向上支払のうち地域資源の質的向上を図る共同活動については、令和元(2019)年度の取組面積が、農用地面積の 48%にあたる 201 万 ha となっています。また、資源向上支払のうち施設の長寿命化のための活動は、令和元(2019)年度の取組面積が、農用地面積の 18%である 74 万 ha となっています。

令和 2(2020)年度からは、甚大な自然災害時に対象組織間で交付金を融通できるよう制度の見直しが行われました。例えば、異常気象時に災害復旧費が不足し自己負担をせざるを得ない場合に、同交付金を受ける他の活動組織の余剰金を災害復旧費に充当することができるようになり、早期の営農再開が可能となりました。また、資源向上支払の対象である多面的機能の増進を図る活動として、従来の医療・福祉との連携に加えて、やすらぎや教育の場としての機能増進を図る活動も対象となったほか、防災・減災力の強化として災害時における応急体制の整備も対象となりました。

図表 3-4-5 多面的機能支払制度の概要

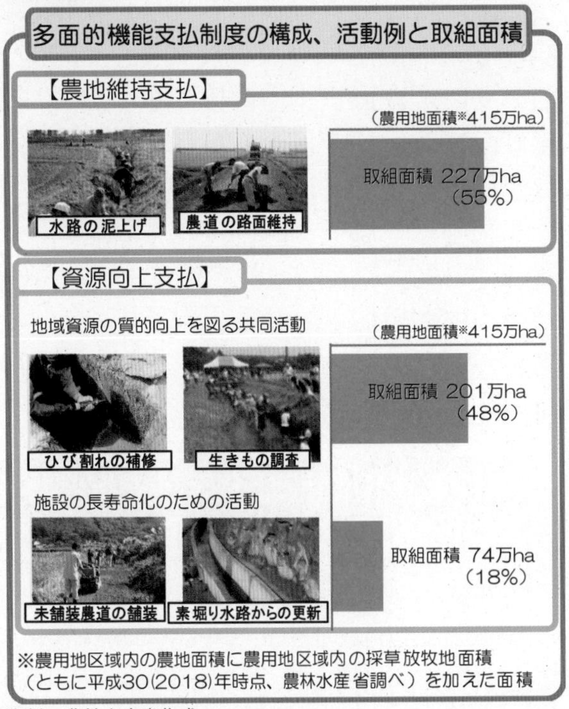

資料：農林水産省作成

注：令和元(2019)年度の取組面積

(事例) 多面的機能支払制度を活用した生態系保全等の取組(大分県)

大分県宇佐市《うさし》岩崎《いわさき》地区は、平成 24(2012)年 6 月に多面的機能支払制度を活用して、「岩崎農地水環境保全組合」を設立しました。

同組合では、農村の混住化が進む中、非農業者等の参加者のアイデアを活用し、生態系保全活動や学校教育との連携等の様々な活動が行われています。

例えば、集落の外縁にある河川からの取水施設周辺に繁茂した特定外来生物のオオフサモについて、同組合が重機による大掛かりな駆除を行うことで、それ以降は日常的な管理作業の一環として手作業で容易に駆除することができるようになり、維持管理の負担の軽減にもつながるとともに、在来生物の保全が図られました。

また、個々の農家が行うには負担が大きいことから断念されていた子供の農業体験についても、同組合員が協力して、地元の小学校や地域の子供会で実施するなど、地域コミュニティの強化等の活性化にもつながっています。

重機を使った特定外来生物の駆除

資料：岩崎農地水環境保全組合

[1] 農用地区域内の農地面積に農用地区域内の採草放牧地面積(ともに平成 30(2018)年時点、農林水産省調べ)を加えた面積

(中山間地域等直接支払制度第5期対策により支援を強化)

中山間地域等直接支払制度は、平地に比べ自然的・経済的・社会的に不利な営農条件下にある中山間地域等での農業生産活動を継続することを目的として平成 12(2000)年度に始まり、現在は日本型直接支払制度の一つとして実施されています。令和元(2019)年度の交付面積は、前年度からほぼ横ばいの 66 万 5 千 ha であり、対象農用地面積に対する交付面積の割合は 84%となっています。

本制度は、施策の評価を第三者委員会において実施しつつ5年ごとに対策の見直しが行われており、令和 2(2020)年度からは第 5 期対策が始まっています。第 5 期対策では、交付金の返還措置が見直されるとともに、農用地や集落の将来像の明確化を図る集落戦略の作成や集落の地域運営機能の強化、棚田の保全や地域の振興を図る活動等、将来に向けた前向きな取組への支援が強化されています。

(事例) 中山間地域等直接支払制度を活用した6次産業化の実現(岡山県)

岡山県美咲《みさき》町《ちょう》境《さかい》集落は過疎地域及び特定農山村地域に指定されており、近隣に棚田百選にも選出された「大垪和西《おおはがにし》の棚田」や「北庄《きたしょう》の棚田」のある棚田地域です。高齢化や人口減少による地域活力の低下への対策として、平成 12(2000)年度から中山間地域等直接支払制度を活用し、赤そば「高嶺《たかね》ルビー」の栽培を行っています。

平成 15(2003)年には、中山間地域等直接支払交付金等を活用して棚田のそば屋「紅《あか》そば亭《てい》」を開設し、地区内で生産されたそばやそば加工品、野菜等を販売しています。

また、中山間地域等直接支払交付金等により汎用型コンバインを生産組合法人に導入し、法人への農地の集積を進めてきました。法人が集積した農地面積は平成 23(2011)年の 1ha から令和元(2019)年には 10ha に増加しており、生産拡大と耕作放棄地の発生の防止につながっています。

商品化した加工品

資料：境集落協定

(環境保全型農業直接支払制度第2期対策では対象となる取組を拡大)

環境保全型農業直接支払制度は、化学肥料・化学合成農薬を原則5割以上低減する取組と併せて行う地球温暖化防止や生物多様性保全等に効果の高い営農活動の支援を目的として平成 23(2011)年度に始まり、現在は日本型直接支払制度の一つとして実施されています。支援の対象となる取組には、カバークロップ(緑肥)の作付けや堆肥の施用、有機農業等の全国共通取組と、地域の環境や農業の実態等を勘案した上で都道府県が申請を行い、地域を限定して取り組むことができる地域特認取組があります。令和元(2019)年度の実施面積は、前年度からほぼ横ばいの8万 ha で、実施市町村数は全市町村の 52%にあたる 887 市町村となっています。

令和 2 (2020)年度からは第 2 期対策が始まり、多くの農業者が取組を実施できるよう、全国共通取組にリビングマルチ[1]や長期中干し[2]等の五つの取組が追加されました。また、地域特認取組の運用も見直され、地球温暖化防止や生物多様性保全以外に、水質保全等の効果がある取組も支援の対象にすることができるようになるなど、都道府県の裁量が拡大しました。

---

[1] 主作物の畝間に緑肥を作付けする取組
[2] 水稲の生育中期に 10a 当たり 1 本以上の溝切りを実施した上で 14 日以上の中干しを実施する取組

(3) 生活インフラ等の確保

(農地付き空き家等の契約数が増加)

農村への移住希望者にとって、住宅の確保は、収入の確保とともに重要な課題です。

国土交通省は、一部の地方公共団体が行う、空き家等の情報サイトを一元化した Web サイトを平成 30(2018)年に開設し、「全国版空き家・空き地バンク」として運営しています。

同 Web サイトに登録されている物件数は増加しており、令和 2(2020)年 10 月末時点で 1 万 1,048 件となっています(**図表 3-4-6**)。このうち 495 件が農地付き空き家となっています。また、同 Web サイト開設以降、契約件数も増加しており、同年 10 月末時点で 630 件の農地付き空き家を含む約 6 千件が契約されています。

図表 3-4-6 全国版空き家・空き地バンクの登録物件数

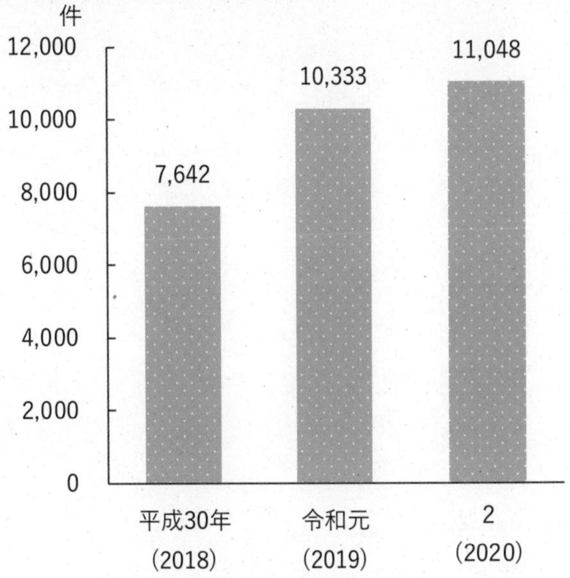

資料：国土交通省資料を基に農林水産省作成

注：1) 各年 10 月末時点での掲載中の物件数

2) 株式会社 LIFULL とアットホーム株式会社が運営する Web サイトの掲載数を合計した数

農地付き空き家

資料：国土交通省

第5節　鳥獣被害対策とジビエ利活用の推進

野生鳥獣による農作物被害は営農意欲の減退をもたらし、耕作放棄や離農の要因になることから農山村に深刻な影響を及ぼしています。このため、鳥獣被害対策を全国で進めるとともに、捕獲した有害鳥獣をジビエとして利活用するなど農山村における所得向上、雇用創出に向けた取組が行われています。本節では、鳥獣被害の状況とマイナスの存在であった有害鳥獣をプラスの存在に変えていく取組の現状について紹介します。

(1) 鳥獣被害対策等の推進

(野生鳥獣による農作物被害額は158億円)

令和元(2019)年度の野生鳥獣による農作物被害額は158億円で、多いものから、シカ、イノシシ、鳥類、サルによるものとなっています。野生鳥獣による農作物被害は営農意欲の減退をもたらし、耕作放棄や離農の要因にもなることから、数字として表れる以上に農山村に深刻な影響を及ぼしています。

(鳥獣被害対策を強化)

捕獲等の対策に携わる人材の不足や野生鳥獣の生息域の拡大等によって依然として農山村に深刻な影響を及ぼしている鳥獣被害に対応するため、野生鳥獣の保護・管理や狩猟の適正化を推進する環境省等の関係府省庁が連携し、戦略的に各種対策を組み合わせることにより鳥獣被害対策を強化しています。

野生鳥獣による被害防止のため、鳥獣被害防止特措法[1]に基づき、令和2(2020)年4月末時点で1,502市町村が鳥獣被害防止計画を策定しています。そのうち1,218市町村が鳥獣被害対策実施隊を設置しており、各市町村において様々な対策が行われています(**図表3-5-1**)。

これらの取組の結果、平成22(2010)年度と令和元(2019)年度の都道府県別の野生鳥獣による農作物被害額を比較すると、捕獲活動の推進、侵入防止柵の設置、集落の環境管理[2]による被害防止対策の推進により、多くの地域で減少しています(**図表3-5-2**)。

一方で、東北地方の一部県等では、地球温暖化がもたらす環境変化等の影響による

図表3-5-1　被害防止計画策定数と鳥獣被害対策実施隊設置数

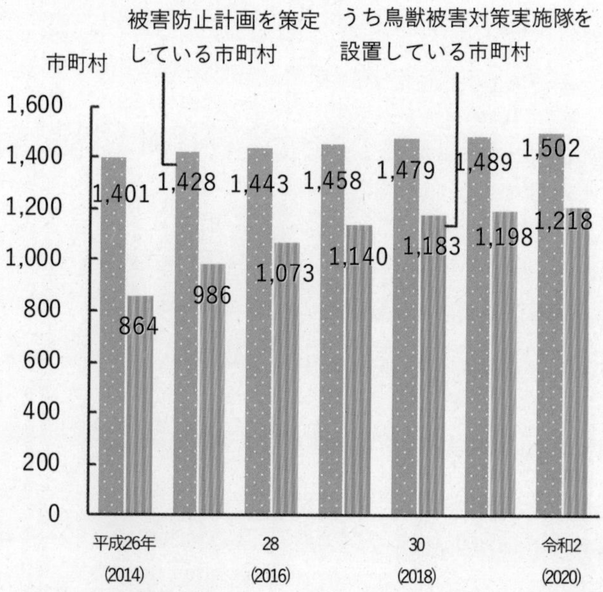

資料：農林水産省作成
注：各年4月末時点

1 正式名称は「鳥獣による農林水産業等に係る被害の防止のための特別措置に関する法律」
2 農地周りの鳥獣の潜み場をなくすための、刈り払いによる緩衝帯の設置や鳥獣を誘因する原因となる放任果樹の伐採等

シカ・イノシシの生息域の拡大や生息密度の高まり等により、被害額が増加している県もあります。

更なる鳥獣被害防止のため、農林水産省は、地域ぐるみで行う捕獲活動や侵入防止柵の設置、里山や森林における緩衝帯づくり等の環境管理を支援しています。また、令和5（2023）年度までに平成 23(2011)年度比でシカ、イノシシの生息頭数を半減させるという国全体での目標の達成に向けて、令和 2(2020)年度は環境省とともに都道府県にできる限り高い捕獲頭数の目標を設定するよう働きかけを行いました。これらの目標が達成されるよう、秋以降の狩猟期間における広域での集中的な捕獲を行う「集中捕獲キャンペーン」を全国で展開するなど、関係府省庁等と連携しながら、捕獲の強化を推進しました。

このほか、ICT[1]やドローン技術等を活用した効率的なスマート捕獲の技術の普及のため、ドローンを活用した捕獲わなの見回り、誘引エサやりの自動化システムの開発を推進しています。

図表 3-5-2 都道府県別に見た過去 10 年の鳥獣被害額の増減状況

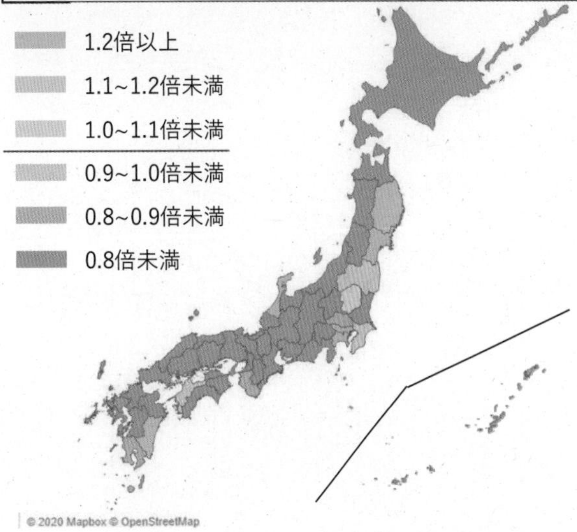

資料：農林水産省「野生鳥獣による都道府県別農作物被害状況」
注：平成 22(2010)年度の被害額に対する令和元(2019)年度の比率

集中捕獲キャンペーン
普及啓発ポスター

資料：農林水産省

1 用語の解説3（2）を参照

（事例）関係機関の連携により地域一体となった鳥獣被害対策を推進（佐賀県）

佐賀県唐津市《からつし》と玄海町《げんかいちょう》は平成元(1989)年頃からイノシシによる農作物被害に悩まされており、近年では市街地への出没も発生してきました。

野生鳥獣は広域を移動するため、その被害対策には地域一体となった対策が必要です。このため、唐津市と玄海町が協働して、平成20(2008)年に有害鳥獣対策のための協議会を設立し、周辺地域の被害対策を総合的に推進してきました。具体的には、地域内の集落等に対し、被害対策のための研修会や優良事例の普及・啓発活動を実施したほか、狩猟免許不所持者でも捕獲の補助ができる制度を利用した地域ぐるみの捕獲班の形成に取り組みました。

この結果、取組前の平成20(2008)年度と比較して、平成29(2017)年度のイノシシの有害捕獲数は3.1倍に増加し、唐津市と玄海町の農作物被害金額は65%減少しました。さらには、自治会や生産組合が協力した独自の対策協議会を設立する集落が登場するなど、集落等単位の対策も活発になっており、今後の更なる鳥獣被害対策の推進が期待されています。

集落内の研修の様子
資料：唐津地域有害鳥獣広域駆除対策協議会

(2) ジビエ利活用の拡大

（ジビエの利用が拡大）

捕獲した野生鳥獣のジビエ利用は、外食、小売用のほか、学校給食、ペットフード等、様々な分野において拡大しており、令和元(2019)年度のジビエ利用量は、前年度に比べ6.4%増加の2,008tとなり、平成28(2016)年度と比べると57%増加しています(**図表3-5-3**)。

捕獲頭数全体に占めるジビエ利用頭数割合[1]は、全体では年々増加傾向にあり、令和元(2019)年度は9%になりました。獣種別では、令和元(2019)年度は、シカでは前年度に比べ1ポイント増加し14%となりました。イノシシでは豚熱[2]の発生等もあり前年度より1ポイント減少しました(**図表3-5-4**)。この理由は、野生イノシシの豚熱の発生及び発生地域の拡大による出荷自粛によるものと考えられます。

農林水産省は、食肉処理施設において処理されたジビエ利用量を令和元(2019)年度の水準から倍増させ、令和7(2025)年度に4千tにする目標を掲げており、目標の達成に向け、全頭搬入、利用可能な個体のフル活用、利用者向け産地情報のネットワーク化、国産ジビエ認証制度の普及、ペットフードへの利活用等に取り組んでいます。さらに、野生イノシシの豚熱感染が確認されている地域では、食肉処理施設におけるシカ利用への転換等を支援するとともに、感染確認地域においても野生イノシシのジビエ利用ができるよう、豚熱陰性イノシシの出荷を可能とするための枠組みを構築しました。

---

1 捕獲頭数全体に占める、ジビエ利用のために食肉処理施設で処理された野生鳥獣頭数の割合(シカ、イノシシ)
2 用語の解説3(1)を参照

図表 3-5-3　ジビエ利用量

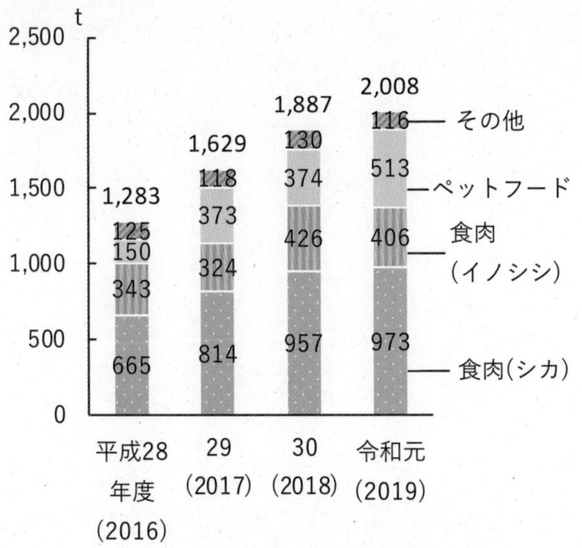

資料：農林水産省「野生鳥獣資源利用実態調査」
注：「その他」は、シカ・イノシシ以外の鳥獣の食肉、自家消費向け等

図表 3-5-4　シカ、イノシシのジビエ利用頭数割合

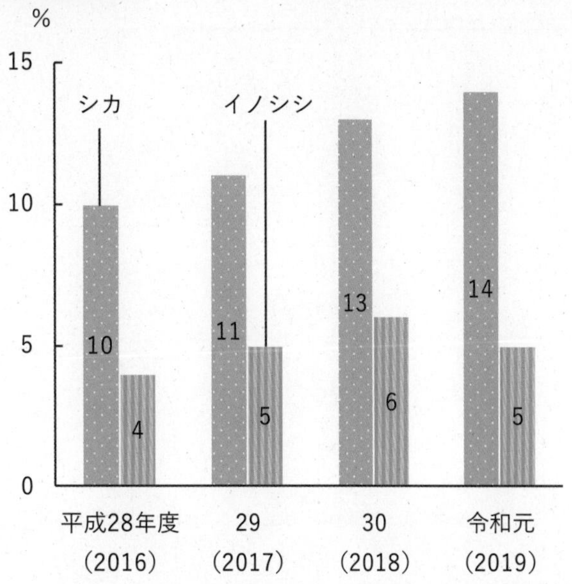

資料：農林水産省「野生鳥獣資源利用実態調査」、環境省「狩猟及び有害捕獲等による主な鳥獣の捕獲数」を基に農林水産省作成
注：捕獲数は、令和元(2019)年度は令和2(2020)年9月時点の速報値（環境省調査）

(ジビエの円滑な流通に向け、関係者間の情報共有システムを構築)

ジビエは畜産物とは異なり、外食産業等の需要者が、供給量やトレーサビリティ等の情報を把握できないことや、供給量や品質が安定しないことが流通の阻害要因となることがあるため、令和 2(2020)年度から、農林水産省では、ジビエの円滑な流通に向け、捕獲、受入れ、処理加工、販売の各段階の情報を関係者が共有できるシステムの実証を行っており、ジビエ流通量を増加させていくこととしています。

(消費者の安心確保に向け、23 施設が国産ジビエ認証を取得)

ジビエの安全性の向上と透明性の確保を通じて、ジビエに対する消費者の安心と信頼を確保するため、農林水産省では、平成 30(2018)年に、国産ジビエ認証制度を開始しました。

令和 2(2020)年度末時点では、前年度から 9 施設増加し、23 施設が認証を取得しています（**図表 3-5-5**）。認証施設で生産されたジビエ製品には国産ジビエ認証マークが表示されるため、消費者は衛生管理基準を満たし、トレーサビリティが確保されたジビエ製品を選択することが可能となっています。

図表 3-5-5　国産ジビエ認証施設の認証を受けた施設数

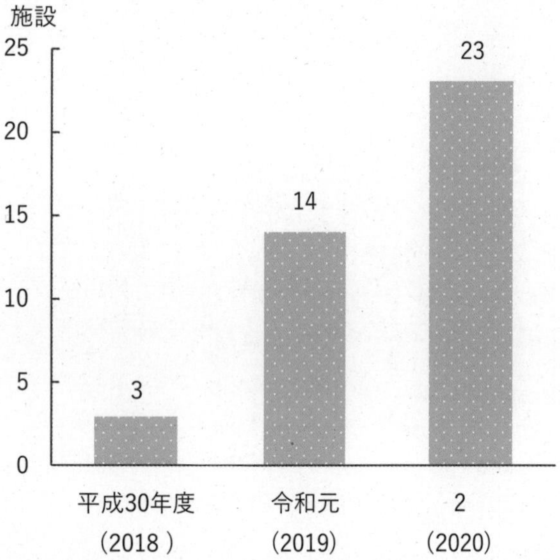

資料：農林水産省作成

国産ジビエ認証マーク
資料：農林水産省

(需要拡大に向けたプロモーションを展開)

農林水産省は、ジビエの全国的な需要拡大に向けたプロモーションとして、ジビエを提供している飲食店等をポータルサイト「ジビエト」で平成30(2018)年から紹介しています。令和 3(2021)年 3月時点で約 300 店舗の情報が紹介されています。

また、令和元(2019)年度に引き続き、令和 2(2020)年 11 月から全国ジビエフェアを実施しました。全国で約 1,100 店の飲食店等が参加し、ヘルシーでおいしいジビエ料理の素晴らしさを広め、新たな地域食材として注目されるジビエを盛り上げました。

さらに、消費者にとってジビエが購入しやすいものとなるよう、ジビエ商品を専門に取り扱う EC サイトを令和 2(2020)年 7 月に開設しました。同サイトには 55 社の販売店が参加しています。

EC サイト
資料：楽天株式会社

第6節　農村を支える新たな動きや活力の創出

「田園回帰」による人の流れが全国的に広がりつつある中で、本節では、農村における新たな動きや農村の活力の創出に向けた体制・人材づくり、棚田地域の振興、多面的機能に関する理解の促進等の様々な取組について紹介します。

(1) 地域を支える体制と人材づくり

ア　地域づくりに向けた体制整備の進展

(地域運営組織による地域づくりの取組が進展)

地域課題の解決に取り組む地域運営組織(RMO)[1]は、公共施設の維持管理といった行政の代行事業や地域イベントの運営といった多様な活動を行っており、近年、その形成数は増加しています(**図表 3-6-1**)。

農林水産省は、農林漁業の振興と併せて買物・子育て等の地域のコミュニティの維持に資するサービスの提供や、地域内外の若者等の呼び込みを行う事業体の形成等を支援しています。

また、リーダーの世代交代等に関係なく地域を持続的に支えることができる体制を構築し、地域を維持していくため、中山間地域等直接支払制度における地域の集落戦略作成を推進すること等を通じて、地域運営組織の形成と地域づくりの取組を推進しています。

さらに、令和2(2020)年5月から「新しい農村政策の在り方に関する検討会」において、集落機能の維持・強化に資する地域運営組織への支援等について議論を行っており、令和3(2021)年6月までに取りまとめることとしています。

図表 3-6-1　地域運営組織の形成数

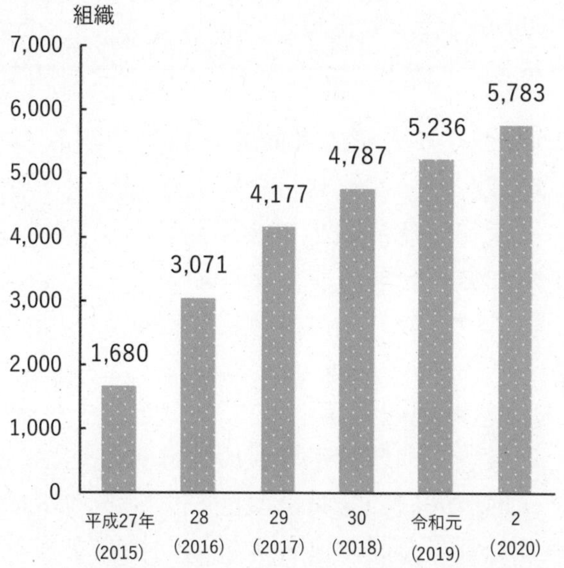

資料：内閣官房まち・ひと・しごと創生本部事務局「小さな拠点・地域運営組織に関する取組状況について」、総務省「令和元年度地域運営組織の活動状況におけるアンケート調査結果」、総務省「令和2年度地域運営組織の形成及び持続的な運営に関する調査研究事業報告書」を基に農林水産省作成

[1] 地域の暮らしを守るため、地域で暮らす人々が中心となって形成され、地域内の様々な関係主体が参加する協議組織が定めた地域経営の指針に基づき、地域課題の解決に向けた取組を持続的に実践する組織のこと(総務省「暮らしを支える地域運営組織に関する調査研究事業報告書」)

（事例）地域運営組織によって地域の課題やニーズに総合的に対応（高知県）

高知県三原村《みはらむら》は、人口減少や高齢化により、地域活動の担い手不足、買い物や移動手段といった生活面での不安等の様々な課題に直面しています。このため、平成 28(2016)年度に、住民が主体となって、地域運営組織、一般社団法人三原村集落活動《みはらむらしゅうらくかつどう》センターやまびこ(以下「やまびこ」という。)を設立し、村内の 14 地区それぞれの課題やニーズに応じ、生活、福祉、産業といった活動に取り組んでいます。

やまびこには活動内容に応じて六つの部署が設置されています。例えば、生産部では、ししとうやブランド米「水源のしずく」の栽培を行っており、店舗部が運営するレストランで提供されているほか、特産品販売促進部によって加工・販売されています。

やまびこの職員は「以前は村民が一体となって話し合う機会が少なく、村の将来に悲観的な声もあったが、やまびこを設立したことで村内 14 地区の多様な住民が集まる場が生まれ、質的にも量的にも地域づくりの取組を向上させることができた。住民の意識も前向きになった。」と話しています。今後は、広報誌等による住民への情報発信を続け、更に村民が一体となって活動を継続していく予定です。

地域運営組織による共同作業

資料：一般社団法人三原村集落活動センターやまびこ

（地域づくり人材の育成のための仕組みづくりを促進）

地域への「目配り」をする地方自治体職員の減少や体制の脆弱化等に対応するため、農林水産省では令和 2(2020) 年度において、各地域の実情に応じた地域づくりを行うコーディネーターを育成する研修のカリキュラムを作成したところであり、令和 3 (2021)年度から主に地方公共団体の職員を対象とした人材研修を開始することとしています。

（人口急減地域特定地域づくり推進法が施行）

人口急減地域特定地域づくり推進法[1]が令和 2 (2020)年 6 月に施行されました。これにより、地域人口の急減に直面している地域において、地域の様々な事業者が出資し、地域内外の若者等を雇用する事業協同組合を設立し、都道府県知事の認定を受けた場合に、労働者派遣法[2]の特例や組合の運営等に係る経費について財政上の措置を受けられるようになり、令和 2(2020)年度は全国で 5 市町村が特定地域づくり事業推進交付金の交付対象となりました。地域内で複数の仕事を組み合わせ、年間を通じた雇用を創出することにより、安定的な雇用環境や一定の所得水準の確保が可能となり、地域内外の若者等の定住の増加や地域経済の活性化につながっていくことが期待されています。

イ　関係人口の創出・拡大や関係の深化を通じた地域の支えとなる人材の裾野の拡大

（関係人口の増加に向けた取組を実施）

農村の人口減少の下、地域の社会的・経済的活力を維持するため、これからの地域づくりの担い手として「関係人口」が注目されています(**図表 3-6-2**)。

農林水産省は、長期的な定住人口でも短期的な交流人口でもない、地域や地域の人々と

1　正式名称は「地域人口の急減に対処するための特定地域づくり事業の推進に関する法律」
2　正式名称は「労働者派遣事業の適正な運営の確保及び派遣労働者の保護等に関する法律」

継続的に多様な形で関わる「関係人口」の増加に向けて、農山漁村と都市の交流を契機として農山漁村地域に関心を持ってもらうため、平成 29(2017)年度以降、農泊に取り組む地域に対して、古民家等を活用した滞在施設の整備や体験・交流プログラムの開発を支援するなど農泊を推進しています。また、平成 20(2008)年度から、子供の農山漁村体験の充実のため、体験プログラムの開発や宿泊施設の整備等を支援しているほか、平成 27(2015)年度からは、都市住民の農業への理解を醸成するため、体験農園の取組を支援しています。

図表 3-6-2 関係人口の概念図

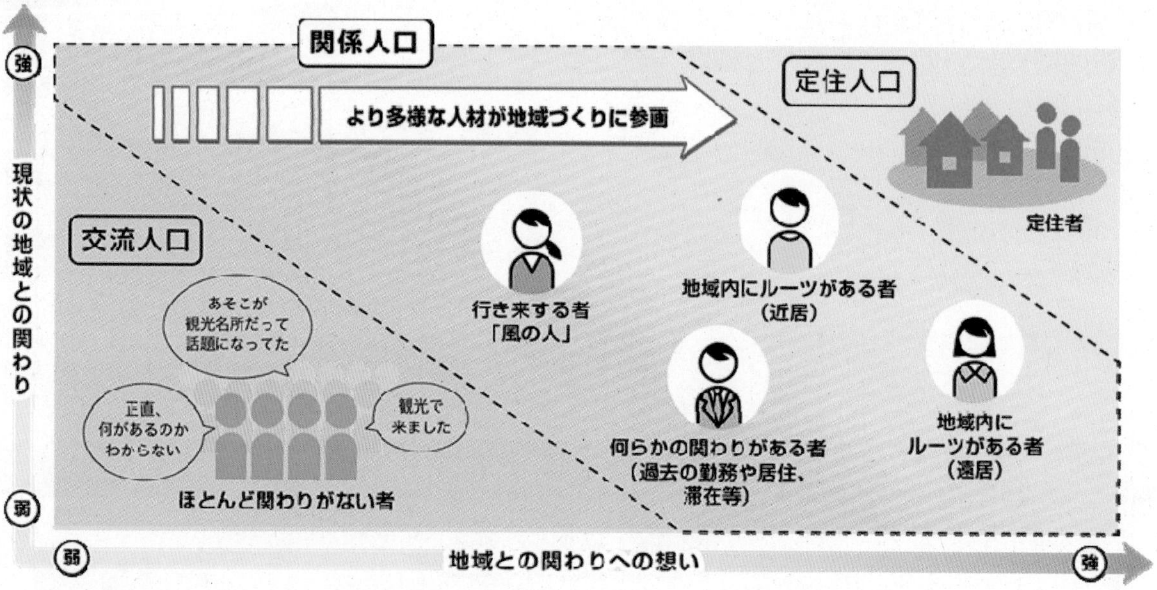

資料：総務省「関係人口ポータルサイト」を基に農林水産省作成

(事例) 体験を通じた関係人口から実際の移住へ(和歌山県)

和歌山県では、平成 30(2018)年度より、移住前の生活のイメージと移住後の生活のミスマッチを防ぐため、地域での「しごと」を体験しながら、ゲストハウスや農家民宿等に滞在し、「くらし」を体験することができる「わかやましごと・くらし体験」事業を実施し、関係人口の創出・拡大に取り組んでいます。

平成 30(2018)年度から令和 2(2020)年度までの間に、県内の 130 を超える事業者から受入れの登録があり、参加者は最大 2 泊 3 日の「起業・就農コース」や最大 5 泊 6 日の「就労コース」を通じて、製炭業から IT 事業まで様々な業種を体験することができます。

これまでの参加者のうち、実際に移住したのは 7 人で、その家族も含めると移住者は計 15 人となります。移住者の中には地域の伝統産業である紀州備長炭の担い手となる者や、地域の様々な取組を紹介するライターとして活動する者等もおり、移住先で多様な活躍を見せています。

「わかやましごと・くらし体験」事業のイメージ
資料：和歌山県

「わかやましごと・くらし体験」事業への参加者は、令和元(2019)年度の 25 人から、令和 2(2020)年度には 55 人に増加しており、和歌山県は今後更なる関係人口の創出を目指しています。

（三大都市圏における関係人口は１千万人弱）

国土交通省の調査によると、令和２(2020)年９月時点で、三大都市圏都市部の18歳以上の居住者4,678万人のうち、18.4％にあたる861万人が関係人口（訪問系）として、日常生活圏や通勤圏等ではない特定の地域を訪問している[1]と推計されています(**図表 3-6-3**)。また、実際に訪問はしないものの、ふるさと納税やクラウドファンディング、地場産品等の購入、オンラインの活用等による地域との関わりのある関係人口（非訪問系）は123万人いると推計されており、地域との関わり方が多様になっていることがうかがわれます。

図表 3-6-3　三大都市圏における関係人口の割合

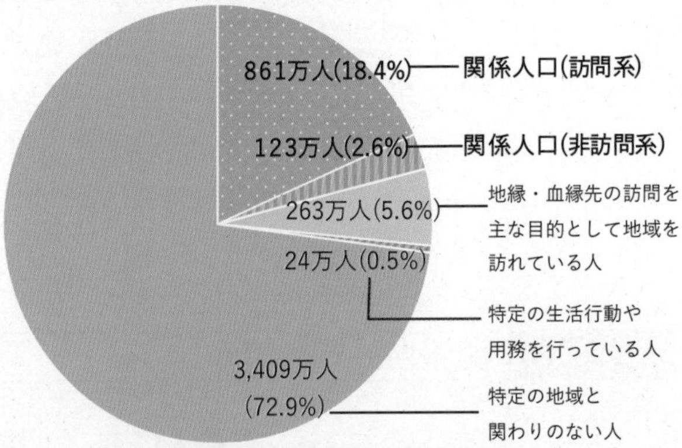

資料：国土交通省「地域との関わりについてのアンケート」を基に農林水産省作成

注：1) 令和2(2020)年9月に、三大都市圏に居住する7.5万人に対して行ったインターネットによるアンケート調査(18歳以上の男女、74,579人が有効回答)

2) 調査対象地域の18歳以上の人口(4,678万人)に基づき、男女比率及び年齢構成(4年齢区分)を踏まえて母集団拡大推計を実施

3) 関係人口(訪問系)は直接寄与型、就労型、参加・交流型、趣味・消費型の4類型の合計

（事例）ふるさと納税の返礼に手紙、写真で情報を発信（長野県）

長野県飯田市《いいだし》が導入しているふるさと納税には、平成20(2008)年に開始した「ふるさと飯田応援隊」と平成29(2017)年に開始した「飯田市20地区応援隊」の２種類の仕組みがあります。「ふるさと飯田応援隊」は納税者が飯田市を対象に寄附を行い、返礼品として飯田市の特産品が届けられるものです。一方、「飯田市20地区応援隊」は、飯田市を構成する20地区のうち、応援したい地区を納税者が選択して寄附を行い、その返礼としてお礼の手紙のほか、地区の折々の行事等の案内状や写真を受け取るもので、納税者と地区との関係づくりを目指したものです。

20地区の一つ、飯田市川路《かわじ》地区では、川路《かわじ》まちづくり委員会が20地区応援隊による寄附金を基に、納税者にお礼の手紙のほか、運動会、マルシェ、祭りの開催の案内状や開催時の様子の写真、カレンダー等を発送しています。川路地区には平成30(2018)年度に３件・55万円、令和元(2019)年度には15件・24万円の寄附が集まりました。川路まちづくり委員会では、今後も春、秋の年２回、行事の案内等の情報発信、ふるさと納税への呼びかけを続けることとしています。

地区外に住む地元出身者への情報発信

資料：川路まちづくり委員会

川路地区を含む「飯田市20地区応援隊」への寄附は、平成29(2017)年度の９件・29万円から、令和元(2019)年度には51件・215万円と増加しており、飯田市は令和３(2021)年度以降も制度を継続する予定です。

[1] 帰省等の地縁・血縁的な訪問は除く。

（子供の農山漁村体験を推進）

農林水産省を含む関係省庁は、平成20(2008)年度より、子供が農山漁村に宿泊し、農林漁業の体験や自然体験活動等を行う「子ども農山漁村交流プロジェクト」を推進しています。

子供の教育にとって、農山漁村での生活体験は、生命と自然を尊重する精神の育成や環境保全に対する意識の形成、農林漁業の意義の理解等の効果があるとされています。また、子供を受け入れる地域にとっても、地域内外の関係者同士の新たなつながりや住民の活力の創造等の効果が期待されます。

（コラム）小学生向けに農業について紹介した教材を配布

ＪＡバンクでは、平成20(2008)年度より、小学校高学年向けに米や野菜等の生育過程や我が国の農業の概要等を紹介した教材本「農業とわたしたちのくらし」を作成し、全国２万校に130万部を配布しています。

小学校における総合的な学習の時間等の補助教材として利用されており、児童の農業や自然環境等に対する理解を醸成し、農業に関心を持つ次世代の育成に寄与しています。

実際に、児童からも、「これからの農業は後継ぎ不足でどうなるかわからないけど、今自分たちがご飯を食べられるありがたさを習い、そのことを活かすことができたらいいなあと思いました。」といった声が聞かれています。

教材本「農業とわたしたちのくらし」

資料：ＪＡバンク

（地元企業の認知度が高いほど出身市町村への愛着が高く、Ｕターンを希望）

独立行政法人労働政策研究《ろうどうせいさくけんきゅう》・研修機構《けんしゅうきこう》の調査[1]によると、出身市町村への愛着を持っている割合[2]は、高等学校卒業までに地元企業を全く知らなかったとした回答者では51.1%であるのに対し、地元企業をよく知っていたとした回答者では87.1%と高くなっています(**図表3-6-4**)。また、出身市町村へのＵターン希望の割合[3]についても、高等学校卒業までに地元企業を全く知らなかったとした回答者では32.5%であるのに対し、地元企業をよく知っていたとした回答者では63.8%と高くなっています。このように、高校時代までの地元企業への認知度が、出身地への愛着につながり、Ｕターン希望を喚起する可能性がうかがえます。

---

1 独立行政法人労働政策研究・研修機構「地方における雇用創出―人材環流の可能性を探る―」(平成29(2017)年３月公表)
2 「強い愛着あり」「少し愛着あり」と回答した割合の合計
3 「戻りたい」「やや戻りたい」と回答した割合の合計

図表 3-6-4　高等学校卒業までの地元企業認知度と出身地への愛着・Uターン希望

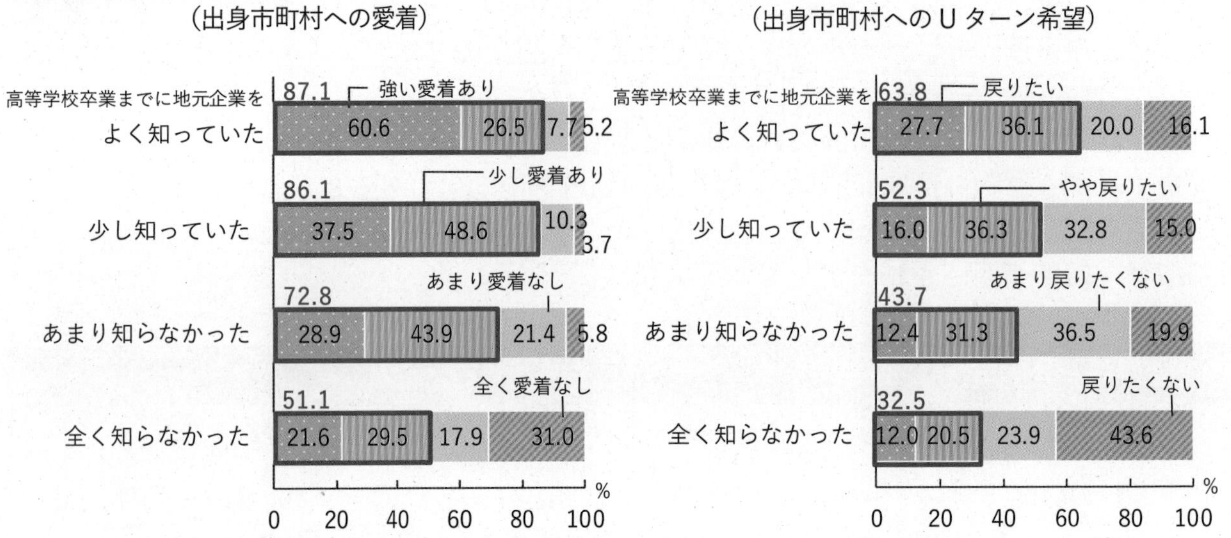

資料：独立行政法人労働政策研究・研修機構「地方における雇用創出 ―人材還流の可能性を探る―」を基に農林水産省作成
注：1）平成28(2016)年1月実施のインターネットを用いたアンケート調査
　　2）対象は三大都市圏以外の地方圏の出身で、出身道県以外に居住し、就業している25～39歳の男女2,027人

ウ　多様な人材の活躍による地域課題の解決

（地域おこし協力隊員が全国で活躍）

平成21(2009)年度に総務省が開始した「地域おこし協力隊」の取組により、都市部から住民票を移した地域おこし協力隊員(以下「隊員」という。)の定住・定着を図る取組が進められています。

隊員は、地方公共団体から委嘱され、地場産品の開発・販売や農林水産業の支援等の「地域協力活動」に従事することで、地域に定住するための準備等を行うことができます。隊員の地域協力活動を通して、受入地域や地方公共団体は、斬新な発想や新たな技術を持った人材を活用することができるようになります。令和2(2020)年度末時点で、全国1,065の地方公共団体で5,556人の隊員が受け入れられています。

令和元(2019)年度末までに任期を終了した隊員の数は延べ6,525人となっており、このうち20代が30.7%、30代が39.8%を占めています(**図表 3-6-5**)。また、任期を終了した隊員の半分に当たる3,310人は受入地域と同一市町村内に定住し、古民家カフェの起業や地域づくり・まちづくり支援業への就業、農業法人への就職等を通じて引き続き地域で活躍しています(**図表 3-6-6**)。

図表 3-6-5　任期を終了した地域おこし協力隊員の年齢

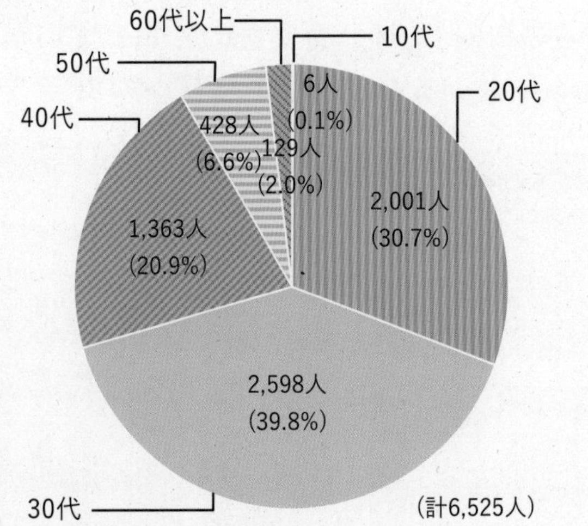

資料：総務省「令和2年度地域おこし協力隊の定住状況等に係る調査結果」を基に農林水産省作成
注：令和元(2019)年度末までに任期終了した地域おこし協力隊員6,525人に行ったアンケート調査

図表 3-6-6 任期終了後に同一市町村内に定住した地域おこし協力隊員の進路

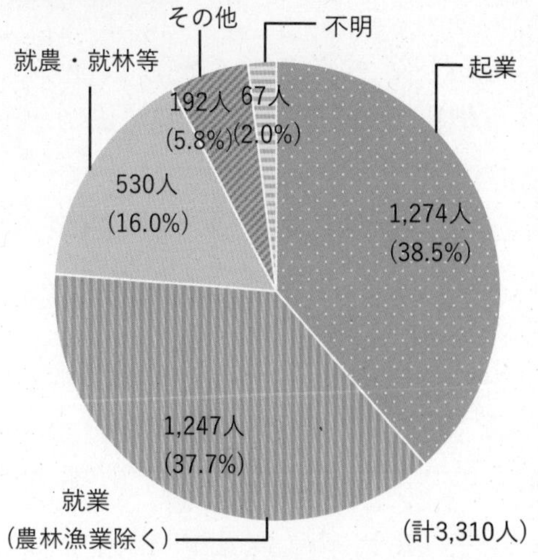

	人数（人）	例
起業	1,274 (38.5%)	飲食サービス業(古民家カフェ等) 207人 宿泊業(ゲストハウス等) 143人 等
就業(農林漁業除く)	1,247 (37.7%)	行政関係(自治体職員等) 349人 地域づくり・まちづくり支援業 102人 等
就農・就林等	530 (16.0%)	農業法人、森林組合等 117人 等
その他	192 (5.8%)	
不明	67 (2.0%)	

資料：総務省「令和２年度地域おこし協力隊の定住状況等に係る調査結果」を基に農林水産省作成
注：1) 令和元(2019)年度末までに任期終了した地域おこし協力隊員 6,525 人に行ったアンケート調査
2) 活動地と同一市町村内に定住した隊員 3,310 人の結果
3)「就業」のうち農林漁業関係は「就農・就林等」に含めた。また、事業承継は「その他」に含めた。

(2) 農村の魅力の発信

(棚田地域振興法に基づく棚田地域の振興を推進)

棚田は、農産物の供給にとどまらず、国土の保全、水源の涵養《かんよう》、自然環境の保全、良好な景観の形成、文化の伝承等の多面的機能を有しています。しかし、地形的条件の厳しさのため、その保全には多大なコストが必要であり、地域の高齢化等が進展する中、荒廃の危機に直面している棚田も見られます。

このような背景の下、令和元(2019)年８月、棚田地域振興法が施行され、市町村や都道府県、農業者、地域住民等の多様な主体が参画する地域協議会による棚田を核とした地域振興の取組を、関係府省庁横断で総合的に支援する枠組みが構築されました。

令和２(2020)年度には、同法に基づき累計629地域を指定棚田地域に指定するとともに、指定棚田地域において地域協議会が作成した累計102計画の指定棚田地域振興活動計画を認定しました。認定された活動計画に基づき地域協議会が行う棚田の保全と地域振興の取組を、関係府省庁で連携して支援しています。

(棚田カードの作成等を通じた棚田の魅力を発信)

農林水産省では、棚田地域を盛り上げ、棚田保全の取組の一助となるよう、都道府県に呼びかけ、平成30(2018)年度に棚田カードプロジェクトチームを立ち上げました。本チームでは、「棚田に恋」をキャッチコピーに、棚田に関心を持ってもらい棚田を訪れるきっかけになるよう棚田カードを作成しており、令和２(2020)年７月には第２弾となる棚田カードの配布を開始するなど、108 地区の棚田が参加する取組となっています。また、令和２(2020)年度には、「棚田コン」と表して佐賀県玄海町《げんかいちょう》の浜野浦《はまのうら》の棚田を舞台としたオンライン婚活イベントを開催したほか、「棚田で輝くおばあちゃん」を「棚田ばあ」としてスポットライトを当てた作文・フォトコンテストを開催しました。

(3) 多面的機能に関する国民の理解の促進等

(日本農業遺産、世界かんがい施設遺産の認定が増加)

世界農業遺産は、社会や環境に適応しながら何世代にもわたり継承されてきた独自性のある伝統的な農林水産業システムを FAO(国際連合食糧農業機関)が認定する制度であり、令和 2(2020) 年度末時点で、我が国では 11 地域が認定されています。

日本農業遺産は、我が国において重要かつ伝統的な農林水産業を営む地域を農林水産大臣が認定する制度であり、令和 2(2020)年度には新たに 7 地域が認定され、認定地域は 22 地域となりました(**図表 3-6-7**)。

また、世界かんがい施設遺産は、歴史的・社会的・技術的価値を有し、かんがい農業の画期的な発展や食料増産に貢献してきたかんがい施設を ICID(国際かんがい排水委員会)が認定する制度で、令和 2(2020)年度には我が国で新たに 3 施設が認定され、認定施設は 42 施設となりました。

認定された農業遺産や世界かんがい施設遺産を将来にわたって継承していくため、各認定地域や認定施設では、認定を契機として、観光客の誘致活動や教育活動、農産物のブランド化等が行われています。

農林水産省では、農業遺産認定地域における取組の効果をより大きくするため、令和 2(2020)年度にプロモーション動画を作成し、首都圏の電車内や全国 4 駅の構内において紹介したほか、11 月には民間事業者が開催するオンラインイベントに出展を行うなど、制度に対する国民の理解と認知度の向上に取り組んでいます。

図表 3-6-7　令和 2(2020)年度に新たに認定された日本農業遺産、世界かんがい施設遺産

資料：農林水産省作成

(多面的機能の普及・啓発と調査研究の推進)

農業が有する国土保全・水源涵養・景観保全等の多面的機能について国民の理解を促進するため、これらの機能を分かりやすく解説したパンフレットを作成し、令和 2(2020) 年度は、学校や地方自治体等に約 2 万 8 千部配布し普及・啓発に取り組んでいます。また、平成 13(2001)年 11 月の日本学術会議の答申によれば、多面的機能には機能回復リハビリテーションの機能もあることから、令和 3(2021)年 3 月に農業者と非農業者の後期高齢者の医療費について試行的な調査を実施したところ、農業者は非農業者に比べて医療費が 1 人当たり年間 8.6 万円少ないことが分かりました(**図表 3-6-8**)。

図表 3-6-8 農業者と非農業者の後期高齢者の1人当たり年間医療費

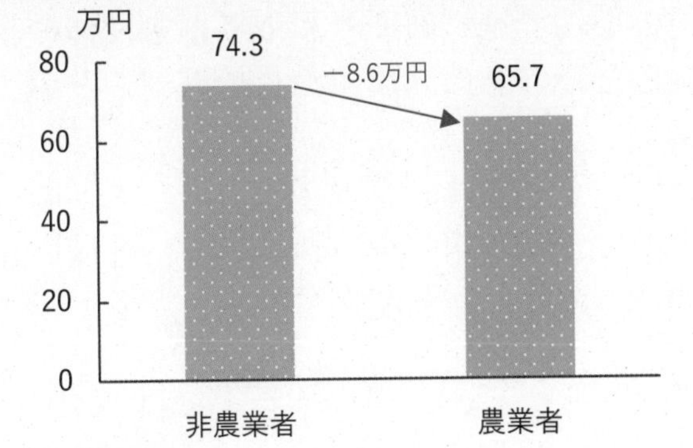

資料：農林水産省作成
注：茨城県城里町における後期高齢者(75 歳以上）を対象とした調査

多面的機能を解説したパンフレット
資料：農林水産省

（「ディスカバー農山漁村の宝」に 28 地区と 4 人を選定）

農林水産省と内閣官房は、平成 26(2014)年度から、農山漁村の有するポテンシャルを引き出すことで地域の活性化や所得向上に取り組んでいる優良な事例を「ディスカバー農山漁村《むら》の宝」として選定し、農村への国民の理解の促進や優良事例の横展開等に取り組んでいます。第 7 回目となる令和 2 (2020)年度は全国の 28 地区と 4 人を選定しました(**図表 3-6-9**)。選定を機に更なる地域の活性化や所得向上が期待されます。

図表 3-6-9 ディスカバー農山漁村の宝第 7 回選定結果

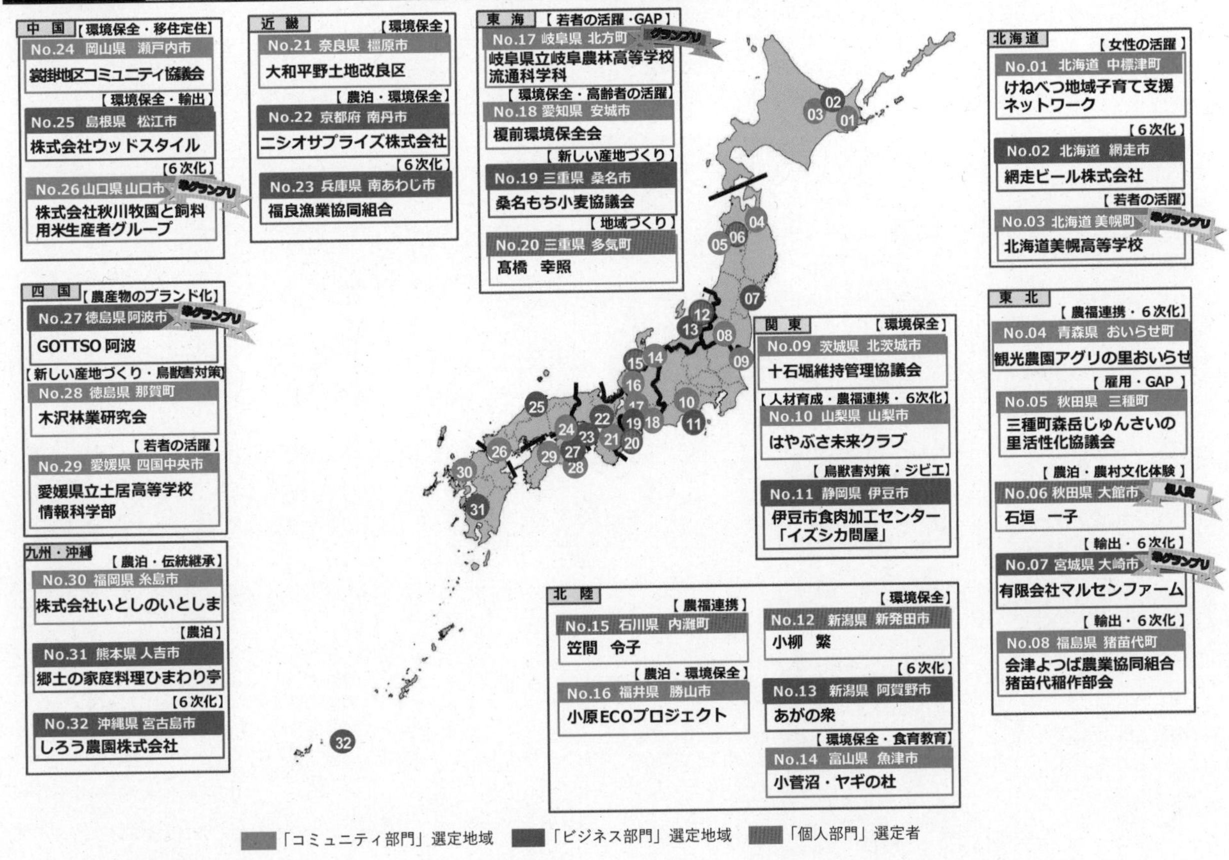

資料：農林水産省作成

(4) 関係府省で連携した仕組みづくり

(農山漁村地域づくりホットラインを開設)

農林水産省は、令和2(2020)年12月に、農山漁村の現場で地域づくりに取り組む団体や市町村等を対象に相談を受け付け、取組を後押しするための窓口「農山漁村地域づくりホットライン」を開設しました。

「農山漁村地域づくりホットライン」は、食料・農業・農村基本計画に基づく「しごと」、「くらし」、「活力」の三つの柱からなる農村振興を推進する仕組みの一つとして、地域の実態や要望を直接把握し、関係府省とも連携して課題の解決に取り組んでいます。

第4章

災害からの復旧・復興や防災・減災、国土強靭化等

第1節　東日本大震災からの復旧・復興

平成23(2011)年3月11日に発生した東日本大震災では、岩手県、宮城県、福島県の3県を中心とした東日本の広い地域に東京《とうきょう》電力《でんりょく》福島《ふくしま》第一《だいいち》原子力発電所(以下「東電福島第一原発」という。)の事故の影響を含む甚大な被害が生じました。

政府は同年7月に策定した「東日本大震災からの復興の基本方針」において、復興期間を令和2(2020)年度までの10年間と定め、被災地の復興に向けて取組を行ってきました。また、令和2(2020)年7月の復興推進会議において、令和3(2021)年度から令和7(2025)年度までの5年間を新たな復興期間として、「第2期復興・創生期間」と位置付け、引き続き被災地の復興に向けて取り組むこととしています。

本節では、東日本大震災の地震・津波や原子力災害からの農業分野の復旧・復興の状況について紹介します。

(1) 東日本大震災の発生

(未曾有の規模の被害をもたらした東日本大震災)

平成23(2011)年3月11日午後2時46分に、三陸沖を震源として、国内観測史上最大規模となるマグニチュード9.0の「平成23年(2011年)東北地方太平洋沖地震」が発生しました。この地震により、宮城県北部で震度7、宮城県、福島県、茨城県、栃木県で震度6強等、広い範囲で強い揺れが観測されました。また、太平洋沿岸を中心に高い津波が観測され、特に東北地方の太平洋沿岸地域では大規模な津波被害が発生しました。その後も規模の大きな余震が発生したほか、同年3月12日には、長野県北部を震源とする最大震度6強の地震が発生するなど、余震域の外側でも地震活動の高まりが見られました。さらに、東電福島第一原発の事故により、広い地域に立入制限が課されました。

東日本大震災による人的被害は、令和3(2021)年3月10日時点で死者1万5,899人、行方不明者2,526人[1]に上り、大正12(1923)年に発生した「関東大震災」の死者・行方不明者10.5万人に次いで、多くの尊い生命が失われました。また、地震・津波による建物の全壊・半壊は約37万戸を超え、このうち全壊は約13万戸に及びました。このため、地震発生直後には、最大約47万人が公民館・学校等の避難所に避難し、以後、長期の避難生活を余儀なくされました。

また、東北地方では約440万世帯、関東地方では約405万世帯が停電するなど、電力、水道、ガス等のインフラに多大な支障が生じました。さらに、石油製品については、太平洋岸沿いの製油所が被災したことにより、ガソリンや灯油等の供給不足が発生しました。交通網では、高速道路が多くの路線で通行止めとなり、鉄道でも、JR東日本、私鉄等多くの路線で運転が休止しました。

---

1 警察庁緊急災害警備本部広報資料「平成23年(2011年)東北地方太平洋沖地震の警察活動と被害状況」(令和3(2021)年3月10日公表)

(2) 政府の復興方針

(政府の復興方針の策定)

政府は、平成23(2011)年7月に「東日本大震災からの復興の基本方針」を策定しました（同年8月に改定)。同方針では、復興期間を10年間とし、当初の5年間(平成23(2011)年度～平成27(2015)年度）を「集中復興期間」と位置付けました。農業分野の復興施策については、被災地の農業の復興を図り、日本全国のモデルとなるよう取組を進め、東北を新たな食料供給産地として再生することとしました。

また、平成28(2016)年3月には、「「復興・創生期間」における東日本大震災からの復興の基本方針」を閣議決定しました。同方針では、後期5か年の「復興・創生期間」(平成28(2016)年度～令和2(2020)年度)において重点的に取り組む事項として、農業分野の取組については、被災地の農林水産業の再生に向けた、農地の大区画化・利用集積を推進することとしました。

さらに、令和元(2019)年12月には、復興の進展に伴い、引き続き対応が必要となる事業や新たな課題も明らかになってきたことを踏まえ、「「復興・創生期間」後における東日本大震災からの復興の基本方針」を閣議決定しました。同方針における、復興・創生期間後(令和3(2021)年度以降)の農業分野の取組として、農地・農業用施設等の整備や、農業用機械・家畜の導入、鳥獣被害対策等これまで行ってきた被災農業者への支援を継続し、営農の再開を促進することとしています。

(3) 地震・津波災害からの復旧・復興

(営農再開が可能な農地は94%に)

東日本大震災による農業関係の被害額は、平成24(2012)年7月5日時点(農地・農業用施設等は令和3(2021)年2月1日時点)で9,634億円、農林水産関係の合計では2兆4,426億円となっています(**図表4-1-1**)。津波により被災した農地2万1,480haから公共用地等への転用が見込まれるものを除いた復旧対象農地1万9,690haについては、除塩や畦畔《けいはん》の修復等の復旧が進められており、令和3(2021)年1月末時点では94%で営農再開が可能となりました(**図表4-1-2**)。

図表4-1-1 農林水産関係の被害の状況

区分	被害額（億円）	主な被害
農業関係	9,634	
農地・農業用施設等	8,999	農地、水路、揚水機、集落排水施設等
農作物等	635	農作物、家畜、農業倉庫、ハウス、畜舎、堆肥舎等
林野関係	2,155	林地、治山施設、林道施設等
水産関係	12,637	漁船、漁港施設、共同利用施設等
合計	24,426	

資料：農林水産省作成
注：平成24(2012)年7月5日時点の数値(農地・農業用施設等は令和3(2021)年2月1日時点)

図表 4-1-2　農地・農業用施設等の復旧状況

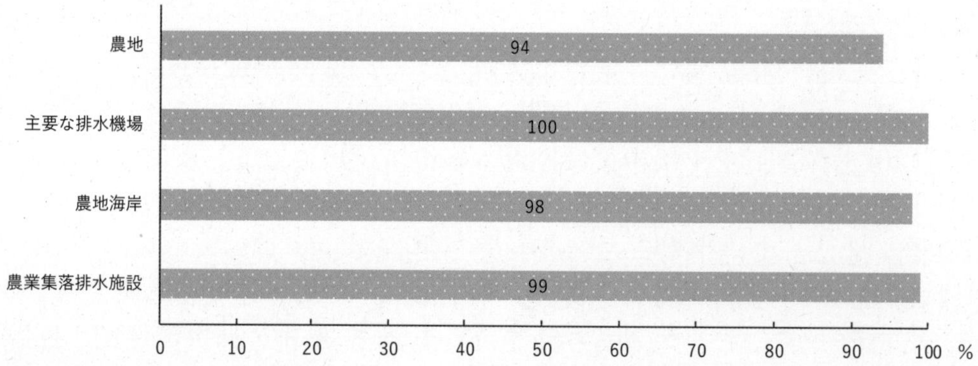

資料：農林水産省作成
注：1) 令和 3(2021)年 1 月末時点の数値
2) 農地は、農地転用が行われたもの(見込みを含む。)を除いた津波被災農地 1 万 9,690ha に対するもの(岩手県 100%、宮城県 99%、福島県 75%)
3) 主要な排水機場は、復旧が必要な 96 か所に対するもの(復旧事業実施中も含む。)
4) 農地海岸は、復旧が必要な 122 地区に対するもの(復旧事業実施中も含む。)
5) 農業集落排水施設は、被災した 401 地区に対するもの(復旧事業実施中も含む。)

避難指示が解除された区域内の農地や、まちづくり等の他の復旧・復興事業との工程調整が必要な残りの農地についても、早期復旧に向けた取組が進められています。

(地震・津波からの農地の復旧に併せた圃場の大区画化が進展)

岩手県、宮城県、福島県の 3 県では、地域の意向を踏まえ、地震・津波からの復旧に併せた農地の大区画化(整備計画面積 8,230ha[1])に取り組んでいます。令和 2(2020)年度末時点では、8,160ha の大区画化が完了し、地域農業の復興基盤の整備が進展しています。

農地整備事業の区域内に、防災集団移転促進事業により市町村が買い上げた住宅等の移転元地が点在する場合、土地改良法の換地[2]制度を活用することで、移転元地と農地をそれぞれ集団化することが可能となります。これにより、事業期間の短縮と効率的な土地利用を実現できます。防災集団移転促進事業と連携した農地整備事業は、宮城県と福島県の 10 市町 15 地区で進められており、令和 2(2020)年度末時点で 12 地区の整備が完了しています。

[1] 整備計画面積は、大区画化に取り組む地区の計画面積の総計であり、大区画化の取組を行わない農地(端部の狭小農地等)も一部含まれている。
[2] 用語の解説 3(1)を参照

（事例）　震災からの復興のため、地域資源を活用した次世代施設園芸に取り組む（宮城県）

株式会社デ・リーフデ北上《きたかみ》は、従業員45人(うち正社員7人)でトマトとパプリカの周年栽培を行い、カット野菜等の加工業者やファストフード店、小売店に販売しています。

同社は、東日本大震災の津波により大きな被害を受けた宮城県石巻市《いしのまきし》の北上川下流域でオランダ式の施設園芸を始めるため、地域の農家と中小企業からの出資を受け、平成26(2014)年に設立されました。

平成 28(2016)年には、農林水産省の事業「次世代施設園芸導入加速化支援事業」を活用して、最先端の環境制御設備を導入した約2.4haの大規模なガラス温室等「宮城県拠点」を整備しました。温室の加温にはLPGボイラーのほかに木質バイオマスボイラーや、地中熱を利用したヒートポンプ等を併用したハイブリッド運転を採用し、地域資源を有効活用することで化石燃料の使用量削減にも取り組んでいます。

高度な環境制御技術と地域エネルギーを活用した「次世代施設園芸」の全国モデルの一つとして、被災地での雇用創出を実現するとともに、拠点の成果の普及等により、今後、東北地域の施設園芸を牽引する存在としての活躍が期待されます。

次世代施設園芸宮城県拠点

ハウス内で栽培されたパプリカ

資料：株式会社デ・リーフデ北上

（先端的農業技術の現地実証研究、情報発信等を実施）

農林水産省は被災地域を新たな食料生産基地として再生するため、産学官連携の下、農業・農村分野に関わる先端的で大規模な実証研究を行っています。

平成30(2018)年度から令和2(2020)年度にかけては、岩手県、福島県において7課題の農業分野に関わる現地実証研究を行うとともに、岩手県、宮城県、福島県の3県に、これまでの実証研究で得られた成果を現場に定着させるための拠点を設置しました(**図表4-1-3**)。各拠点では、それぞれオープンラボや展示圃場《ほじょう》を設置し、情報発信、技術指導等を行い、得られた研究成果の普及に取り組んでいます。

図表 4-1-3 現地実証研究の例

研究課題	概要
大規模露地野菜の効率的栽培管理技術の実証研究(福島県)	○ドローン空撮画像によるタマネギ生育均一性の評価手法の確立 ○衛星画像解析による広域農地の排水保水性区分技術の確立 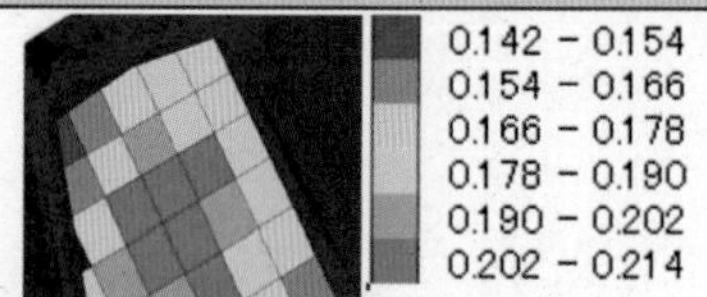 ※数値が低いほど生育が悪い ドローン空撮画像から算出した作物の生育状況解析結果 資料：福島県農業総合センター

資料：農林水産省作成

令和2(2020)年12月には、こうした取組の全体を共有するため、福島県福島市《ふくしまし》で研究成果発表会を開催し、被災地域の生産者・生産者団体、加工・流通関係者、普及・行政機関等を対象に、実証研究に取り組んだ生産者等とともに現地実証の研究成果を発信しました。今後は、現場指導や実証圃《ほ》における技術検証の実施により実用化された技術体系の迅速かつ広範な社会実装を図っていくこととしています。

(「新しい東北」の創造に向けた取組を推進)

復興庁では、復旧・復興に当たり、単なる原状回復にとどめるのではなく、地方公共団体、企業、大学、NPO[1]等がこれまでの手法や発想にとらわれない新しい挑戦に取り組み、地域の諸課題の解決を進める、「新しい東北」の創造に向けた取組を推進しています。

平成26(2014)年度から開催している「新しい東北」復興ビジネスコンテストでは、被災地域における地域産業の復興や地域振興に資する事業の表彰を行っており、令和2(2020)年度においては、農業関係では、有害捕獲したニホンジカをジビエとしてオンライン販売をしている株式会社ソーシャル・ネイチャー・ワークス(岩手県大槌町《おおつちちょう》)が優秀賞を受賞しました。このほか、農業関係では二つの取組が企業賞を受賞しました(**図表 4-1-4**)。

1　用語の解説3(2)を参照

図表 4-1-4　「新しい東北」復興ビジネスコンテスト 2020 の受賞者(抜粋)

団体名	事業概要
優秀賞 株式会社ソーシャル・ネイチャー・ワークス (岩手県大槌町《おおつちちょう》)	「害獣を「まちの財産」に。協働で取り組む持続可能なジビエ事業！！」 有害捕獲した害獣であるニホンジカを活用したジビエ事業を創出。オンラインプラットフォームによる販路開拓とPR、食肉と関連商品及びハンターの魅力を発信し、担い手の確保を志向。勉強会等の活動を通じ、地元地域や猟友会とも関係を構築し、関係者と協働で効率的な事業運営を実現。  地域でジビエ販売会を実施した際の様子 資料：株式会社ソーシャル・ネイチャー・ワークス
企業賞 平松農園《ひらまつのうえん》 (宮城県仙台市《せんだいし》)	「荒浜型ＣＳＡによる野菜サブスク　マリーゴールドと農で彩りを！」 津波被災地域である仙台市荒浜地区で野菜を生産し、サブスクリプションで定期的に配送するとともに、情報発信を行い新たな農業の担い手や地域産業の応援を目指す。また、個人ではなく職場・近所の単位で契約を結ぶことでコミュニティの活性化も志向。  仙台市荒浜地区で栽培・収穫された新鮮な野菜 資料：平松農園
企業賞 福島県立岩瀬《いわせ》農業高等学校 アグリビジネス科　情報発信専攻班 (福島県鏡石町《かがみいしまち》)	「力農《りきのう》カフェ」 地場産業である農業の振興を目標に設定し、カフェの運営に取り組み、学校で収穫した農作物を活用したカフェメニューの開発・販売も実施し、地域住民に提供。  地域住民を招いた、力農カフェの様子 資料：福島県立岩瀬農業高等学校

資料：復興庁「「新しい東北」復興ビジネスコンテスト 2020 選定結果」を基に農林水産省作成

さらに、平成 28(2016)年度から、被災地域で進む「新しい東北」の実現に大きな貢献をしている個人や団体を対象に「新しい東北」復興・創生顕彰を実施しています。令和 2(2020)年度においては、農業関係では、消費期限が短い「甲子柿《かっしがき》」を１年中食べられるように加工し、6 次産業化[1]を軸とする地域活性化に取り組んだ釜石《かまいし》市《し》甲子《かっし》地区《ちく》活性化《かっせいか》協議会《きょうぎかい》と移住希望の新規就農者[2]へ伴走型の就農支援を実施した一般社団法人イシノマキ・ファームが顕彰されました(**図表 4-1-5**)。

1 用語の解説 3(1)を参照
2 用語の解説 2(6)を参照

図表 4-1-5　令和２年度「新しい東北」復興・創生顕彰の受賞者(抜粋)

団体名	取組概要
釜石市甲子地区《かまいししかっしちく》 活性化協議会《かっせいかきょうぎかい》 (岩手県釜石市《かまいしし》)	甲子柿《かっしがき》の普及・啓蒙活動を始め、消費期限が短い「甲子柿《かっしがき》」を1年中食べられるように加工品を開発し、６次産業化を軸とする地域活性化を目指して活動。  釜石市甲子地区活性化協議会の皆さん 資料：復興庁
一般社団法人 イシノマキ・ファーム (宮城県石巻市《いしのまきし》)	ひきこもりがちな無業者の若者の中間就労の場としてスタート。また「石巻市農業担い手センター」を運営し、移住希望の新規就農者へ伴走型の就農支援を実施している。  一般社団法人イシノマキ・ファームの皆さん 資料：復興庁

資料：復興庁「令和２年度「新しい東北」復興・創生顕彰受賞者一覧」を基に農林水産省作成

(4) 原子力災害からの復旧・復興

ア　農畜産物の安全確保の取組

(安全性確保のための取組が進展)

生産現場では、市場に放射性物質の基準値を上回る農畜産物が流通することのないように、放射性物質の吸収抑制対策、暫定許容値以下の飼料の使用等、それぞれの品目に合わせた取組が行われています。このような生産現場における努力の結果、基準値超過が検出された割合は、全ての品目で平成 23(2011)年以降低下しており、平成 30(2018)年度以降では、全ての農畜産物において基準値超過はありません。

福島県では、米については、作付制限、放射性物質の吸収抑制等の対策とともに、これまで県全域で全量全袋検査を実施していましたが、放射性物質の吸収を抑制するカリウムの追加施用等を徹底した結果、平成 27(2015)年以降、通算５年間基準値超過がないことから、令和 2(2020)年産から旧避難指示区域等[1]一部の地域を除き、モニタリング(抽出)検査に移行しています。

さらに、第三者認証 GAP[2]の取得も進められており、福島県の発表によれば、令和 2(2020)年 12 月末時点で、GAP 認証の取得件数は、GLOBALG.A.P.[3]が 29 件、ASIAGAP[4]が 6 件、JGAP[5]が 170 件及び FGAP[6]が 92 件となっています。

イ　原子力被災 12 市町村の復興

(原子力被災 12 市町村の農地の復旧・整備実施済面積は約 1,830ha)

原子力被災 12 市町村の農地については、営農休止面積 1 万 7,298ha から、帰還困難区域(約 2,040ha)と農地転用等(約 1,440ha)を除いた約 1 万 4 千 ha のうち、令和元(2019)年

1 田村市、南相馬市、広野町、楢葉町、富岡町、川内村、大熊町、双葉町、浪江町、葛尾村、飯舘村及び川俣町(旧山木屋村)
2 用語の解説 3(2)を参照
3 用語の解説 3(2)を参照
4 用語の解説 3(2)を参照
5 用語の解説 3(2)を参照
6 用語の解説 3(2)を参照

度末時点で約 1,090ha は農地の復旧が実施・検討、約 1,700ha は農地の復旧に併せた整備が実施・検討、約 3,590ha は農地の整備が実施・検討されており、これらのうち、令和元(2019)年度末時点で約 1,830ha の復旧又は整備が実施されました(**図表 4-1-6**)。

一方で、復旧又は整備が検討されているものの、帰還率が低い地域では、実施に向けた調整が必要となっています。

また、残りの約 7,440ha については、条件の悪い農地で不在地主化が進んでいるとともに、担い手の不足等が課題となっています。

図表 4-1-6 原子力被災 12 市町村の農地の復旧・整備の実施・検討状況

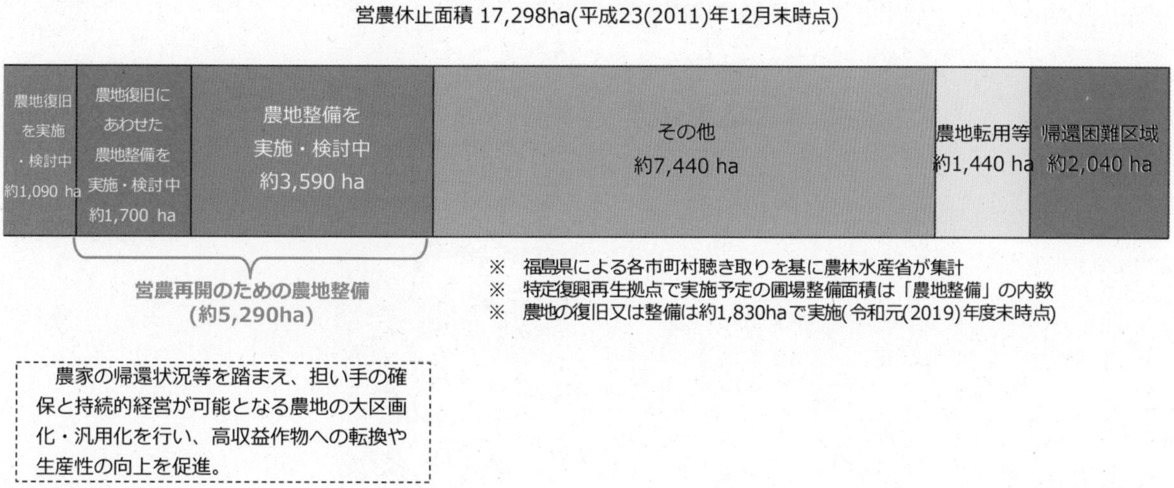

資料：農林水産省作成

(営農再開済の回答が増加)

令和元(2019)年度末時点で、原子力被災 12 市町村[1]においては、平成 23(2011)年 12 月末時点で営農が休止されていた農地 1 万 7,298ha の 32.2%に当たる 5,568ha で営農が再開されています(**図表 4-1-7**)。

[1] 田村市、南相馬市、川俣町、広野町、楢葉町、富岡町、川内村、大熊町、双葉町、浪江町、葛尾村、飯舘村

図表 4-1-7　避難指示区域の解除の状況及び原子力被災 12 市町村の営農再開状況

（避難指示区域の解除の状況）

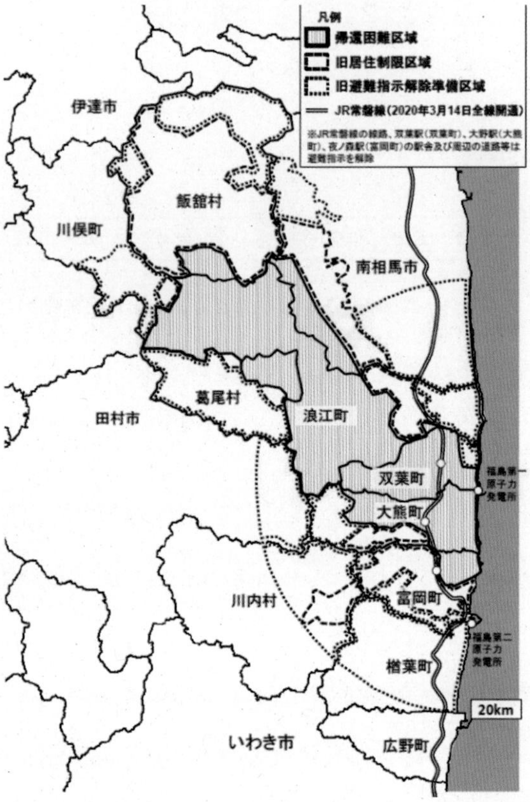

資料：原子力災害対策本部資料を基に農林水産省作成
注：令和 3(2021)年 3 月時点

（原子力被災 12 市町村の営農再開状況）

（単位：ha）

	営農休止面積	営農再開面積	再開割合（%）
12市町村計	17,298	5,568	32.2

資料：農林水産省「福島県営農再開支援事業　令和元年度事業実績報告書」
注：営農休止面積は平成 23(2011)年 12 月末時点、営農再開面積は令和元(2019)年度末時点の数値

農林水産省は、福島《ふくしま》相双《そうそう》復興《ふっこう》官民合同チームの営農再開グループに参加し、平成 29(2017)年以降毎年、原子力被災 12 市町村の主に認定農業者[1]以外の農業者を対象とした要望調査や支援策の説明を個別訪問により行っています。平成 29(2017)年～令和 2(2020)年までに実施した調査では、令和元(2019)年までの調査結果よりも 2.9 ポイント増加の 32.1%が「営農再開済」と回答しています(**図表 4-1-8**)。一方で、「再開未定又は再開意向なし」と回答した農業者の割合は 55%であり、これらのうち「農地の出し手となる意向あり」と回答した農業者の割合は 72%となっています。地域外も含めた担い手の確保や、担い手と農地のマッチングの取組を推進することが課題となっています。

なお、農林水産省と福島県が平成 28(2016)年 7～11 月にかけて原子力被災 12 市町村の

---

[1] 用語の解説 3(1)を参照

認定農業者に個別訪問を行った際に実施した要望調査の結果では、61.7%が「営農再開済」、23.4%が「営農再開を希望」と回答しています。

図表 4-1-8 原子力被災 12 市町村の農業者の営農再開状況及び意向

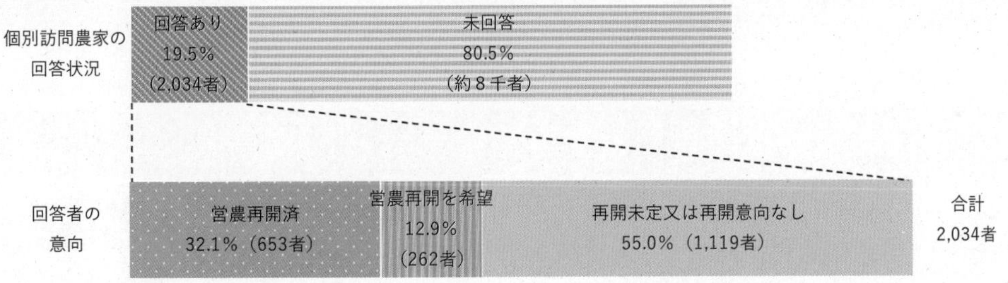

個別訪問農家のうち再開未定又は再開意向なしの農業者の農地の活用意向

課題(理由)	者数	割合
既に出し手となっている	94者	8%
出し手となる意向あり	809者	72%
出し手となる意向なし	98者	9%
すべて活用(予定を含む)	83者	7%

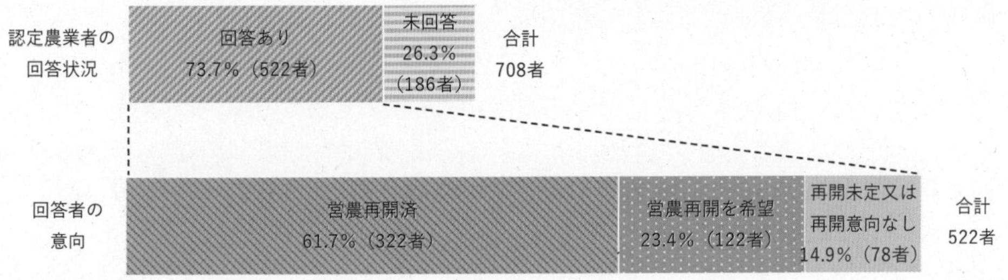

資料:農林水産省作成
注:1) 個別訪問農家の回答状況は、福島相双復興官民合同チーム営農再開グループにおいて、平成 29(2017)年4月から令和 2(2020)年12月までに主に認定農業者以外の農業者 2,034 者を訪問(再訪問を含む。)した調査結果
2) 個別訪問農家のうち再開未定又は再開意向なしの農業者(1,119 者)には、農地の活用意向の無回答の農業者(35 者)を含む。
3) 認定農業者の回答状況は、農林水産省と福島県において、平成 28(2016)年 7〜11 月にかけて認定農業者 522 者を訪問した調査結果

(農地の利用集積と大規模化に向けた取組)

このような課題を踏まえ、福島復興再生特別措置法の改正を含む、復興庁設置法等の一部を改正する法律が令和 2(2020)年 6 月に成立しました。これにより、改正後の福島復興再生特別措置法においては、営農再開の加速化に向けて、農地の利用集積や 6 次産業化[1]施設の整備を促進するための特例が措置されました。この改正法は令和 3(2021)年 4 月に施行されます。こうした措置や関連予算により、担い手の意向に沿った農地の利用調整を円滑に進めるための体制を構築するとともに、農地中間管理機構(農地バンク)を活用して担い手への農地集積・集約化を図る取組等を支援していきます。

(営農再開支援のため原子力被災 12 市町村へ職員を派遣)

営農再開支援に際し、原子力被災 12 市町村の中で営農再開割合の比較的高い地域では、「人・農地プラン」の作成や農業委員会の活動が進んでおり、大規模で労働生産性の高い

1 用語の解説 3(1)を参照

農業経営の展開を図ることができる一方で、営農再開割合の比較的低い地域では集中的な対策を講じていく必要があります。

このため、農林水産省は、令和 2(2020)年度から、常駐職員を原子力被災 12 市町村へ派遣し、福島県、市町村、福島相双復興推進機構《ふくしまそうそうふっこうすいしんきこう》、農協と連携して、一筆ごとの土地利用調整に取り組むなど、市町村が行う営農ビジョンの策定から具体化までの支援を行っています。

(事例) 被災市町村派遣職員が農業者の営農再開をサポート(福島県)

*田村市、南相馬市、川俣町、広野町、楢葉町、富岡町、川内村、大熊町、双葉町、浪江町、葛尾村、飯舘村

農林水産省では、原子力被災地域での営農再開を加速するため、原子力被災 12 市町村に対して職員を派遣し、市町村や農協等の関係機関と一体となって支援しています。

また、技術職員(農学、農業土木)等によるサポートチームを設置して派遣職員のサポートにあたっています。12 市町村ではそれぞれ復興のステージが異なることから、派遣職員は市町村ごとのステージに合わせて必要とされている業務に取り組んでいます。

避難指示解除が比較的早く、営農再開が進んでいる田村市《たむらし》、広野町《ひろのまち》、楢葉町《ならはまち》、川内村《かわうちむら》等では、圃場《ほじょう》や施設等の整備を進めるための交付金関連業務を始め、農地中間管理事業を活用した担い手への農地集積等に取り組んでいます。

一方、未だ町内の大半のエリアが帰還困難区域である双葉町《ふたばまち》や大熊町《おおくままち》では、営農再開ビジョンの策定や農業者の営農に対する意向確認等の業務に取り組んでいます。被災市町村からは、「震災以降、農政に詳しい職員が少なくなっており、農政に係る各種情報提供や、農地の保全管理から基盤整備事業につなげるための各地区の組合との調整、県と連携した基盤整備事業に取り組む際の助言等、派遣職員に頼っているところが大きい。」などの声も聞かれています。

しかしながら、依然として住民帰還が進んでいない市町村も多く、担い手不足等営農再開に向けて多くの課題を抱えています。こうしたことから農林水産省では、意見交換の場を定期的に設けるなど、市町村や派遣職員が抱える課題の共有と解決に向けたサポートを実施しています。

今後は、営農再開を加速させるため、圃場整備や ICT の活用等による大規模で労働生産性の高い農業の展開、生産と加工等が一体となった高付加価値生産の広域的な展開に向け、関係者間の連携を更に深めながら、取り組んでいくこととしています。

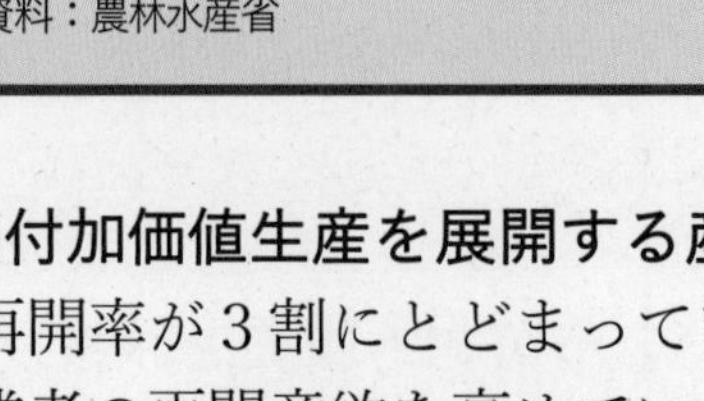

営農再開検討会での意見交換の様子
(令和 2(2020)年 10 月 9 日)

資料：農林水産省

(生産と加工等が一体となった高付加価値生産を展開する産地の創出)

原子力被災 12 市町村の営農再開率が 3 割にとどまっている中、営農再開の加速化に向け、地域外からの参入も含め農業者の再開意欲を高めていくためには、生産すれば売れる環境を形成し、将来に向けて被災地域の農業が産業として発展する姿を提示していくことが不可欠です。

このため、農林水産省は、福島県、農業者団体等関係機関との意見交換を行い、令和

2(2020)年 7 月には、食品加工メーカー等の実需者等を現地に呼び込み、市町村の範囲を越えて農産物を供給する産地を広域的に形成する構想を取りまとめました。

構想を踏まえ、現地に進出する意向を有する実需者等と農産物を供給する農業者団体等関係機関との調整や、市町村との意見交換等、産地の形成に向けた取組を進めています。

(事例) 福島県浪江町で震災後初めて米の販売会を実施(福島県)

福島舞台《ふくしまぶたい》ファーム株式会社は、福島県浪江町《なみえまち》で米を生産する農業生産法人です。

同社は、令和 2(2020)年に東日本大震災の津波と原発事故で大きな被害を受けた浪江町で 29ha の水田に福島県のオリジナル品種「天のつぶ」の作付けを開始しました。

収穫した米は、浪江町の道の駅で震災後初めて開催された販売会において「浪江復興米」として販売しました。

この取組は、東京農業大学が福島イノベーション・コースト構想推進事業による担い手育成をテーマに、農作業体験や現地講習の取組の一環として、福島舞台ファーム株式会社と連携して、稲刈り、販売実習を行いました。

福島舞台ファーム株式会社の代表取締役志子田勇司《しこだゆうじ》さんは、「今後も作付面積を拡大し、地域農業の復興のために寄与していきたい。」と話しています。

また、東京農業大学の黒瀧秀久《くろたきひでひさ》教授は、「今後は、学生のインターンのためのプログラムを充実したいと考えており、従来の 6 次産業化支援、スマート農業推進に加えて、新たにイノシシ対策プロジェクトや復興米を使った復興酒(日本酒)づくりにも取り組んでいきたい。」と話しています。

収穫作業の様子
資料：福島舞台ファーム株式会社

販売会の様子
資料：福島県浪江町

(福島イノベーション・コースト構想に基づく先端農林業ロボット研究開発を実施)

福島・国際研究産業都市(イノベーション・コースト)構想研究会が平成 26(2014)年 6 月に取りまとめた「福島・国際研究産業都市(イノベーション・コースト)構想研究会報告書」では、革新的な先端農林水産業を全国に先駆けて実施することを通じて、地域の農林水産業の復興・再生を実現することとしています。これを受け、農林水産省では、平成 28(2016)年度から、福島イノベーション・コースト構想に基づく先端農林業ロボット研究開発事業を実施しており、令和 2(2020)年度は、ブロッコリー自動選別収穫機、高品質米生産管理技術、農地地力の見える化技術、ICT[1]活用による和牛肥育管理技術の研究・開発の取組を支援しました。

---

[1] 用語の解説 3(2)を参照

（「特定復興再生拠点区域」の復興・再生への取組を実施）

福島復興再生特別措置法においては、5 年を目途に避難指示を解除し、住民の帰還を目指す「特定復興再生拠点区域」の復興・再生を推進するための計画制度の下、帰還困難区域が存在する全 6 町村[1]が計画の認定を受けています。

6 町村全ての復興再生計画で農業の再生を目指した区域が設定されており、本計画に基づき、インフラの復旧、生活環境の整備、産業の復興・再生、除染・家屋解体等が進められています。福島県双葉町《ふたばまち》では、特定復興再生拠点区域内の除染した農地で、令和 2(2020)年 6 月から福島県営農再開支援事業による除草等の農地の保全管理が行われました。

（事例）特定復興再生拠点区域内の除染した農地の保全管理作業を実施(福島県)

福島県双葉町《ふたばまち》の羽鳥《はとり》・長塚《ながつか》地区は、帰還困難区域内の一部に設定された特定復興再生拠点区域の耕作再開モデルゾーンです。同地区では、令和 2(2020)年 4 月に地元農家等で農地保全管理組合が設立され、除染後の農地の保全管理が行われています。

令和 3(2021)年度には、出荷制限を解除するための野菜の試験栽培と東電福島第一原発の事故後初めてとなる水稲の試験栽培が行われる予定です。

双葉町農業振興課では、「農業者へのアンケート結果では、震災から 10 年が経ち、営農を再開する予定はないという回答が多い中、双葉町でまた農業をやりたいという回答も少なからずある。こうした農業者の思いをつないで、地域外の力も借りながら、まずは羽鳥・長塚地区の田園風景を再生していきたい。」と考えています。

雑草の除草作業の様子
資料：福島県双葉町

ウ　風評払拭に向けた取組等

（「風評払拭・リスクコミュニケーション強化戦略」に基づく取組のフォローアップを実施）

消費者庁が令和 3(2021)年 2 月に公表した消費者の意識調査[2]によると、放射性物質を理由に福島県産品の購入をためらう人の割合は 8.1%となり、調査開始以来最低の水準となったものの、依然として一定割合の人が購入をためらうと回答しています(**図表 4-1-9**)。

---

1 双葉町、大熊町、浪江町、富岡町、飯舘村、葛尾村
2 消費者庁「風評被害に関する消費者意識の実態調査(第 14 回)」(令和 3(2021)年 2 月公表)

図表 4-1-9 放射性物質を理由に福島県産品の購入をためらう人の割合

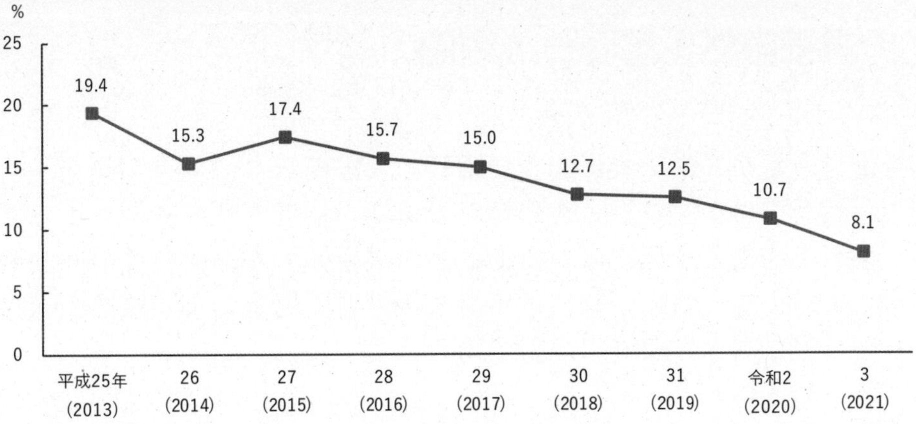

資料：消費者庁「風評被害に関する消費者意識の実態調査」を基に農林水産省作成
注：各年３月時点(令和 3(2021)年は２月時点)の数値

このような風評を払拭するため、復興庁その他関係府省庁は、平成 29(2017)年 12 月に取りまとめた「風評払拭・リスクコミュニケーション強化戦略」に基づく取組のフォローアップとして、「知ってもらう」、「食べてもらう」、「来てもらう」の三つを柱とする情報発信を実施しています。

また、農林水産省では、福島復興再生特別措置法に基づき、関係省庁と協力し、平成 29(2017)年度から福島県産農産物等の販売不振の要因と実態を明らかにするための流通実態調査と当該調査に基づく指導・助言等を行っています。

令和 2(2020)年度調査では、福島県産農産物等の価格は回復傾向にあるものの、一部の品目で震災前の水準まで回復していないこと、仲卸業者等の納入業者が納入先の福島県産農産物等の取扱姿勢を実態よりも低く評価している認識の齟齬は、平成 30(2018)年度調査と比べてやや改善傾向にあること等が明らかになりました。

このほか、「食べて応援しよう！」のキャッチフレーズの下、生産者、消費者等の団体や食品事業者等、多様な関係者の協力を得て被災地産食品の販売フェアや社内食堂等での積極的利用を進めています。

(放射性物質による輸入規制措置の緩和・撤廃)

第１章第４節を参照

(東京電力による農林水産関係者への損害賠償支払)

原子力損害の賠償に関する法律の規定により、東電福島第一原発の事故の損害賠償責任は東京電力《とうきょうでんりょく》ホールディングス株式会社(以下「東京電力」という。)が負っています。

東京電力によるこれまでの農林漁業者等への損害賠償支払累計額は、令和 3(2021)年 3 月末時点で 9,509 億円[1]となっています。

[1] 農林漁業者等の請求・支払状況について、関係団体等からの聴き取りから把握できたもの

第2節 大規模自然災害からの復旧

近年、日本各地で地震や異常気象に伴う豪雨等の大規模な自然災害が頻発しています。地震や豪雨等の自然災害により被災した農業者の早期の営農再開を支援するとともに、被災を機に災害への対応強化と一体的に、作物転換、規模拡大等、生産性の向上等を図る産地の取組を支援しています。本節では、近年の大規模自然災害による被害の発生状況やこれらの災害からの復旧に向けた取組について紹介します。

(1) 近年多発する自然災害と農林水産業への被害

(平成30(2018)年や令和元(2019)年の農林水産関係の自然災害による被害額は過去10年で最大級)

近年、異常気象による猛烈な雨の発生回数(全国のアメダスによる観測値を1,300地点当たりに換算した数値)は増加傾向となっています。1時間降水量が80mm以上の「猛烈な雨」の年間発生回数を、10年間ごとの平均回数で見ると増加傾向で推移しており、平成23(2011)〜令和2(2020)年は26回となっています(**図表4-2-1**)。

図表4-2-1 1時間降水量80mm以上の年間発生回数

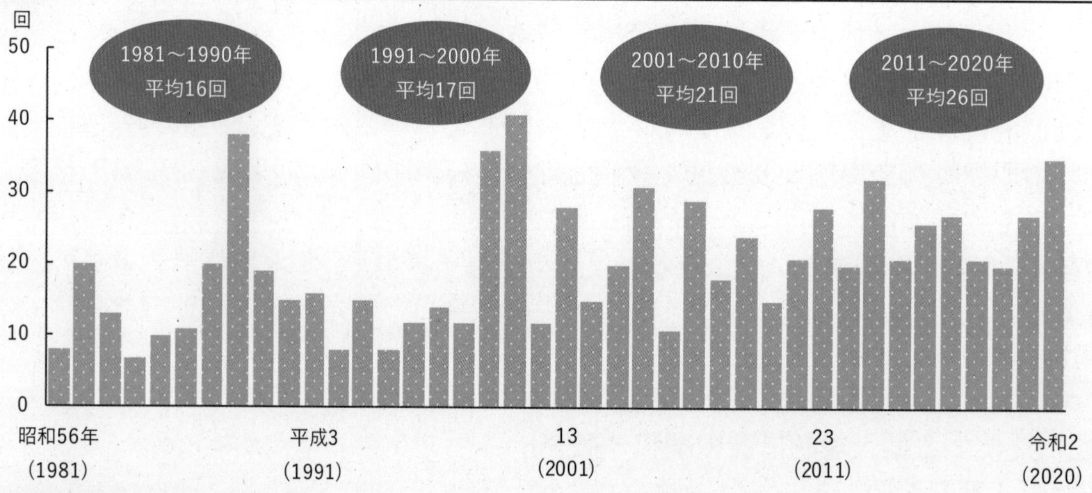

資料：気象庁資料を基に農林水産省作成

注：年間発生回数は、全国のアメダスによる観測値を1,300地点当たりに換算した数値

平成30年7月豪雨では西日本を中心に記録的な大雨となりました。また、令和元年房総半島台風及び令和元年東日本台風は強い勢力を保ったまま本州に上陸したことから、我が国の農林水産業は農作物や農地・農業用施設等に甚大な被害が発生しました。

この結果、平成30(2018)年や令和元(2019)年の農林水産関係の自然災害による被害額は、東日本大震災のあった平成23(2011)年を除くと過去10年で最大級の被害額となりました。なお、令和2(2020)年の被害額は、平成30(2018)年や令和元(2019)年よりも減少しました(**図表4-2-2**)。

図表 4-2-2 過去 10 年の農林水産関係の自然災害による被害額

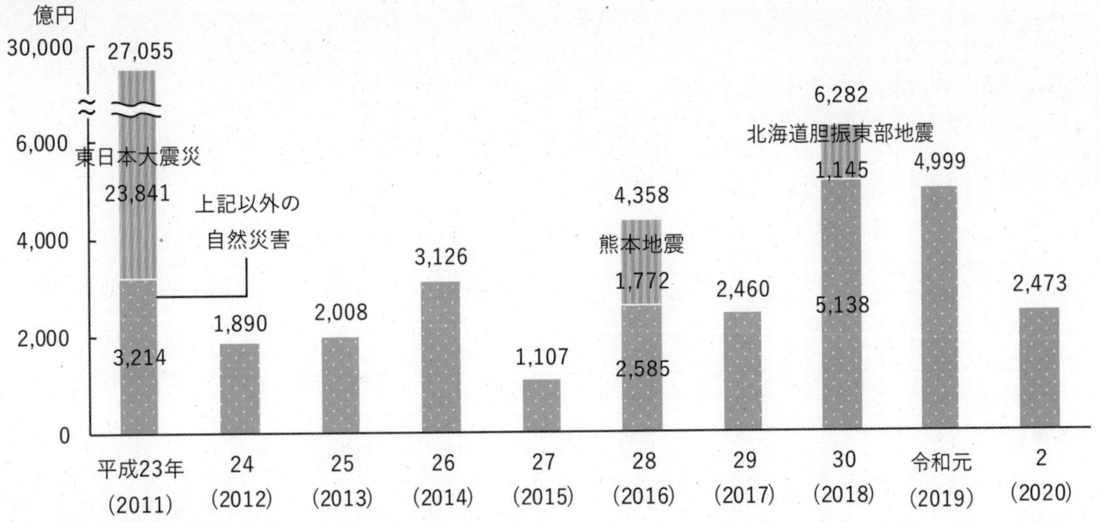

資料：農林水産省作成
注：令和 2(2020)年の被害額は令和 3(2021)年 4 月 12 日時点

(2) 近年の大規模自然災害からの復旧状況

(熊本地震からの創造的復興が進展)

平成 28(2016)年 4 月に発生した熊本地震では、熊本県を始めとする九州各県で大きな被害が生じました。熊本県では、同年 12 月に策定した「熊本復旧・復興 4 カ年戦略」に基づき復旧・復興の歩みを進めてきました。

農林水産分野では、農地及び営農施設の復旧等を着実に進めた結果、目標に掲げた「被災農家の営農再開 100%」を達成しています。

大規模な地表面の亀裂やずれによる被害が発生した農地や農業用施設については、創造的復興の取組として、単に元の姿に戻すだけでなく、担い手への農地集積を図るために大区画化等の基盤整備を行いました。具体的には、熊本県熊本市《くまもとし》と熊本県益城町《ましきまち》にまたがる秋津《あきつ》地区で 172ha、熊本県阿蘇市《あそし》の阿蘇谷《あそだに》地区で 63ha、熊本県南阿蘇村《みなみあそむら》の乙ヶ瀬《おとがせ》地区で 26ha の農地において大区画化を進め、工事が完了した農地から順次、営農が再開されています(**図表 4-2-3**)。

令和元(2019)年度に着手した熊本県西原村《にしはらむら》の大切畑《おおきりはた》ため池(通称、大切畑ダム)の復旧工事については、令和 2(2020)年 12 月に河川の流れを切り替える転流工を行い、令和 3(2021)年 3 月には仮排水トンネルを竣工しました。なお、大切畑ダムの復旧は令和 5(2023)年度までの 5 年間で工事完了を目指しています。

図表4-2-3 秋津・阿蘇谷・乙ヶ瀬の復旧状況

地区名	取組概要	進捗状況
秋津《あきつ》 (熊本市《くまもとし》・益城町《ましきまち》)	沈下等被災した農地の復旧と併せた大区画化(受益面積：172ha)	・工事が完了した農地から順次営農(畑作)を再開。令和2(2020)年5月に工事が完了 ・用水路工事が完了した農地では水稲作付を再開
阿蘇谷《あそだに》 (阿蘇市《あそし》)	地割れ等被災した農地の復旧と併せた大区画化(受益面積：63ha)	平成30(2018)年6月に、工事が完了し、営農再開済み (阿蘇大橋周辺復旧に伴う搬出土砂5万m^3を受入れ)
乙ヶ瀬《おとがせ》 (南阿蘇村《みなみあそむら》)	被災農地を含めた農地の大区画化(圃場《ほじょう》整備)(受益面積：26ha)	・工事が完了した農地から順次営農(畑作)を再開。令和2(2020)年4月に工事が完了。 ・令和2(2020)年度から、5年ぶりに水稲作付けを再開

資料：熊本県農林水産部調べ

(北海道胆振東部地震からの復興)

平成30(2018)年9月に発生した北海道胆振東部《いぶりとうぶ》地震では、北海道全域に大きな被害が生じました。

北海道では、同年12月に策定した「北海道胆振東部地震災害からの復旧・復興に向けた取組のロードマップ」や平成31(2019)年3月に策定した「平成30年北海道胆振東部地震災害からの復旧・復興方針」に基づき復旧・復興に向けた取組を進めてきました。

被災した農地については、災害復旧事業の対象面積137.6haのうち、令和3(2021)年3月末までにおおむね100%に当たる137.3haが復旧しました。

被災により通水不能となった国営パイプラインの受益地約2,800haでは、直轄災害復旧事業で代替水路を整備し、平成31(2019)年4月から営農が可能となりました。被災したパイプラインは令和4(2022)年度の工事完了を目指し、復旧を進めています。

特に被害が大きかった北海道厚真町《あつまちょう》では、山腹崩壊により作付けが不能であった農地において、早期に作付けが可能となるよう、暫定的に堆積土砂を農地内の一部に集積したほか、倒木、土砂の撤去、畦畔築立《けいはんちくりつ》により復旧を図り、平成31(2019)年4月には一部の農地で営農を再開しました。

農地の復旧後は、生産力の回復に向け、町、農協、土地改良区と連携を図りながら、土壌診断、生育・収量調査、営農の指導・助言等のフォローアップを実施しています。

(令和元年東日本台風等からの復興)

令和元年東日本台風等で被災した農地・農業用施設の復旧について、農林水産省は、被災自治体に人的・技術的支援を行いながら、令和2(2020)年1月末までに災害査定を完了しました。順次復旧工事が進み、令和3(2021)年2月末時点で、災害復旧事業の対象となる9,061件のうち、4,931件で復旧が完了しました。

果樹の浸水被害については、長野県や福島県で土砂の撤去、樹体洗浄、ゴミの撤去、病害の発生・蔓延防止に向けた取組が実施されました。

(令和元(2019)年の台風等からの復旧のためスマート農業実証を支援)

令和2(2020)年度のスマート農業実証プロジェクトでは、被災地の速やかな復興・再生とともに新たな技術の導入に向け、令和元(2019)年に発生した台風等による被害を受けた地域での実証について、優先的に採択しました。宮城県、福島県、茨城県、千葉県等の被災地において、水田作や花き、養豚等の生産から出荷に関する各種先端技術の導入の実証を行っています(**図表 4-2-4**)。

図表 4-2-4 令和元年台風等の被災地におけるスマート農業実証プロジェクトの実施概要

県・市町村名	品目名	実証経営体名	実証の概要
宮城県加美町《かみまち》	水田作 (水稲種子)	農事組合法人いかずち	直進アシスト田植機、自動操舵付き水田除草機、食味・収量センサー付きコンバインのデータの活用により、精密で省力的な水稲の種子生産技術を実証し、生産効率の向上、省力化を図る。
福島県いわき市《し》	花き (トルコギキョウ)	株式会社いわき花匠	閉鎖型育苗や、薄膜水耕、統合環境制御・計画出荷システム等を活用し、トルコギキョウの計画出荷や、労働時間削減を図る。
茨城県坂東市《ばんどうし》	水田作 (水稲)	有限会社アグリ山﨑	センサー付き可変施肥装置やロボットトラクタ等を活用し、輸出用高品質米生産での環境保全型スマート農業の実現とともに生産コストの削減を図る。
茨城県常陸大宮市《ひたちおおみやし》	施設園芸 (いちご)	つづく農園	ユビキタス環境制御(UECS)、AI養液土耕を活用し、中山間地における直売型いちご経営において、生産から販売まで一貫したスマート農業(スマートフードチェーン)を展開し、収量・収益の向上を図る。
千葉県東金市《とうがねし》	畑作 (落花生)	有限会社土屋ライスファームほか	ドローン・センサー等 のIoT 技術、AIを活用した収穫適期判断等先進 ICT 技術、自動運転トラクターの活用と、天候に左右されない屋内乾燥技術を融合させ、落花生生産の労働工数の削減と品質の確保を図る。
千葉県旭市《あさひし》	畜産 (豚)	農事組合法人清和畜産ほか	繁殖・肥育管理システム等の活用により、養豚の生産から出荷に関わる各種先端技術の一貫体制での導入と、データを活用した技術面・経営面から最適な生産体制の構築支援・コンサルティングの実施により、国際競争力強化に向けたスマート養豚モデル(技術体系)の確立を図る。
新潟県津南町《つなんまち》	露地野菜 (にんじん・キャベツ)	株式会社津南アグリ	ロボットトラクタによる自動耕うん等のスマート農業技術を利用することで、にんじんやキャベツ生産の省力化や生産性向上を図る。
静岡県浜松市《はままつし》	果樹 (みかん)	ＪＡみっかび	環境計測システム、運搬補助ロボットやAI選果機等のAI技術を活用し、みかん栽培における温暖化への対応と作業時間の削減と収益の向上を図る。

資料：農林水産省作成

自動操舵付き水田除草機

資料：農事組合法人いかずち

薄膜水耕

資料：株式会社いわき花匠

第3節　令和２年度の自然災害からの復旧

令和 2(2020)年度には、令和２年７月豪雨、令和２年から３年までの冬期の大雪等の自然災害が発生しました。本節では、これらの被害状況や復旧状況について紹介します。

(1) 令和２年度の発生災害による農林水産関係の被害状況

(令和 2(2020)年の農林水産関係の被害額は 2,473 億円)

令和 2(2020)年度においては、同年７月に発生した「令和２年７月豪雨」により、広範囲で河川の氾濫による被害が発生し、農林水産関係の被害額は 2,208 億円となりました(**図表 4-3-1**、**図表 4-3-2**)。このほか、台風等による被害が発生したことから、令和 2(2020)年発生の主な自然災害による農林水産関係の被害額は、2,473 億円となりました。

また、同年 12 月から発生した大雪(「令和２年から３年までの冬期の大雪」)では、東北及び北陸地方を中心に被害が発生し、農林水産関係の被害額は 148 億円となりました。

図表 4-3-1　令和 2(2020)年度の主な自然災害による農林水産関係の被害額

（単位：億円）

	農業関係			林野関係	水産関係	合計
		農作物等	農地・農業用施設関係			
令和2年7月豪雨	1,218.8	186.3	1,032.5	970.2	19.0	2,207.9
令和2年から3年までの冬期の大雪	140.5	140.5	0.0	3.0	4.0	147.5

資料：農林水産省作成

注：令和２年７月豪雨は令和 3(2021)年４月 12 日時点、令和２年から３年までの冬期の大雪は令和 3(2021)年４月７日時点

図表 4-3-2　令和 2(2020)年度の主な自然災害による農林水産関係の被害状況

	時期	地域	主な特徴と被害
令和2年7月豪雨	7月3日～7月31日	東北・東海・九州地方を中心とした全国各地	・九州南部、九州北部地方、東海地方及び東北地方の多くの地点で24時間当たり等の降水量が観測史上１位を超えるなど記録的な大雨 ・果樹園、水田、葉たばこ畑への土砂流入、農業用機械やハウス、畜産物処理加工施設、林地荒廃等で広範囲にわたり大きな被害
令和2年から3年までの冬期の大雪	12月14日～	東北・北陸地方を中心とした全国各地	・冬型の気圧配置が続き、北日本・東日本の日本海側を中心に降雪 ・特に北陸地方を中心に1月7日から9日にかけて、3時間に20cmを超える降雪量を観測し、新潟県上越市高田で24時間降雪量103cmの観測史上1位を記録 ・農業用ハウスや畜舎等の倒壊、果樹の枝折れ、倒伏等の被害が発生

資料：農林水産省作成

冠水したハウス栽培のかんきつ類
（令和２年７月豪雨）

冠水、土砂や牧草ロールの流入
（令和２年７月豪雨）

冠水したコンバイン
（令和２年７月豪雨）

土砂が流出し、人家が被災
（令和２年７月豪雨）

積雪により損壊したハウス
（令和２年から３年までの冬期の大雪）

積雪による樹体の枝折れ
（令和２年から３年までの冬期の大雪）

(2) 令和２年７月豪雨への対応

（プッシュ型による食料支援を実施）

政府は、特に被害の大きかった令和２年７月豪雨においては、発災当初から、必要な食料等の物資が避難所等の被災者に速やかに行き届くようにするため、令和２(2020)年７月４日～30日にかけて熊本県に対し食料及び飲料のプッシュ型支援[1]を行いました。政府が支援した物資のうち食料は12万点、飲料は20万点、乳児用ミルクは２千点となりました。

（被害状況の把握や被災地の復旧に向けた支援を実施）

令和２年７月豪雨発生直後には、農林水産大臣と被災農家との意見交換をWeb会議形式で実施するとともに、農林水産省の職員（「MAFF-SAT」）を被災地方公共団体に派遣（延べ1,362人）し、的確な被害状況の把握や、被害を受けた農地・農業用施設、森林・林業施設、水産関係施設等の早期復旧のための支援を行いました（**図表4-3-3**）。

このほか、地方公共団体間の職員派遣の促進、民間コンサルタントの確保に向けた協力要請を行うなど、人的・技術的な面からも支援を行いました。

[1] 国が被災都道府県からの具体的な要請を待たないで、避難所避難者への支援を中心に必要不可欠と見込まれる物資を調達し、被災地に物資を緊急輸送する支援

熊本県球磨地域の被災農家との意見交換会
（令和２年７月豪雨）

図表 4-3-3　国の職員(MAFF-SAT)の府県別派遣者数(令和２年７月豪雨)

【MAFF-SAT府県別派遣者数（延べ人数）1,362人】

資料：農林水産省作成
注：令和 3(2021)年 4 月 12 日時点の数値

山地の被災状況調査（令和２年７月豪雨）

（早期に激甚災害を指定）

農地・農業用施設、林道、公共土木施設については発災から２日後に、農林水産業共同利用施設は発災から９日後に激甚災害指定の見込みの公表を行い、その後、激甚災害の対象として指定しました(**図表 4-3-4**)。これにより、被災地方公共団体等は財政面での不安なく、迅速に復旧・復興に取り組むことが可能になるとともに、農業関係では、農地・農業用施設、農林水産業共同利用施設の災害復旧事業について、地方公共団体や被災農業者等の負担軽減を図りました。

図表 4-3-4 令和 2(2020)年発生災害における激甚災害指定

災害名	発生年月日	激甚指定		事前公表	閣議決定	公布・施行
		区分[*1]	対象	(発災からの日数)		
令和2年梅雨前線豪雨等[*2*3]	R2.5.15～7.31	本激	農地・農業用施設、林道 公共土木施設	R2.7.10 (2日間)	R2.8.25 (48日間)	R2.8.28 (51日間)
			農林水産業共同利用施設	R2.7.17 (9日間)		

資料：農林水産省作成

注：*1 本激は、対象区域を全国として、災害発生後早期に指定される。

*2 令和２年梅雨前線豪雨等は、閣議において、令和 2(2020)年５月 15 日から７月 31 日までの間の豪雨による災害を激甚災害に指定することが決定されたことから、発生日は５月 15 日～7 月 31 日である。また、７月３日～７月８日にかけて停滞した梅雨前線により九州地方を中心に大きな被害を受けたことから、発災からの日数は７月９日からカウントした。

*3 発災から時間を要した要因として、７月９日に命名された「令和２年７月豪雨」が、７月３日～8 日以降も、７月 13 日～14 日にかけては中国地方を中心に、７月 27 日～28 日にかけては東北地方を中心に大雨となり、８月４日に令和２年７月豪雨が７月 31 日までとされたこと等による。

(令和２年７月豪雨からの復旧のため、農林水産関係被害への支援対策を実施)

農林水産省では、令和 2(2020)年７月に決定した「令和２年７月豪雨による農林水産関係被害への支援対策について」に基づき、被災した農林漁業者が営農意欲を失わず、一日も早く経営再建ができるように、農地に堆積した土砂等の撤去や、農地等の復旧、土づくり、防除・施肥、農業用機械・農業用ハウス等の復旧、果樹の植替え等をパッケージとして支援しました。特に、再度災害防止の観点を踏まえつつ、早急に農林漁業関係施設等の復旧を進めるとともに、原形回復にとどまらない改良復旧の考え方も踏まえ、被災農地周辺の農地も含め､災害への対応強化と生産性の向上等に一体的に取り組むこととしました。

支援対策の周知に当たっては、新型コロナウイルス感染症の状況を踏まえつつ、市町村の被災状況に応じて Web 会議方式による説明会を開催するほか、参加者が大人数とならないよう被災市町村ごとに説明会を開催し、個々の被災者に寄り添いながら早期の営農再開まで継続してフォローアップを行いました。

被災した農地・農業用施設の復旧については、令和 3(2021)年１月末までに災害査定を完了するとともに、順次工事が発注されました。被災した農業用機械や農業用ハウスについては、強い農業・担い手づくり総合支援交付金の被災農業者支援型等のスキームを活用し、早期の営農再開に向けて、各地で事前着工が進められました。また、土砂流入や浸水の被害を受けた果樹園地については、山形県や熊本県で土砂の撤去、樹体洗浄、ゴミの撤去、病害の発生・蔓延防止に向けた取組が実施されました。

(3) 令和２年から３年までの冬期の大雪への対応

(令和２年から３年までの冬期の大雪からの復旧のため、被災農林漁業者への支援対策を実施)

令和２年から３年までの冬期の大雪について、令和 3(2021)年１月に農林水産大臣が現地調査を実施しました。同年２月に、「令和２年から３年までの冬期の大雪による被災農林漁業者への支援対策について」を決定しました。この支援対策に基づき、被災した農林漁業者の不安に応え、一日も早い経営再開に向け、(1)農業用ハウスや畜舎等の再建・修繕と併せて行う撤去、(2)果樹の枝折れに対する修復や、倒伏等に伴う植替え、(3) 被災に伴い必要となる追加的な種子・種苗・融雪剤等の確保等への支援を盛り込みました。

また、被災した農業用ハウス等の早期の復旧を支援するため、事業の計画承認等の前でも事業に着手できる事前着工の活用を促進しました。

現地調査する農林水産大臣
（令和２年から３年までの冬期の大雪）

第4節　防災・減災、国土強靭化と大規模自然災害への備え

自然災害が頻発化・激甚化する中、今後も発生し得る災害に備えるため、農業・農村の防災・減災、国土強靭《きょうじん》化対策の推進が喫緊の課題となっています。農林水産省では、「国土強靭化基本計画」に基づき、国土強靭化対策を推進するとともに、農業保険への加入等農業者自身が行うべき災害への備え等を行うよう取り組んでいます。本節では、これらの取組状況について紹介します。

(1) 防災・減災、国土強靭化対策の推進

(「防災・減災、国土強靭化のための3か年緊急対策」等を推進)

国土強靭化対策を推進するため、令和2(2020)年度は関係予算を6,287億円(3か年緊急対策に係る臨時・特別の措置1,008億円を含む。)確保し、「防災・減災、国土強靭化のための3か年緊急対策」(平成30(2018)年12月閣議決定)に基づき、農業水利施設[1]・ため池の整備や農業用ハウスの災害被害防止等に取り組みました。

また、令和3(2021)年度から実施する「防災・減災、国土強靭化のための5か年加速化対策」(令和2(2020)年12月閣議決定)の初年度予算として、令和2(2020)年度第3次補正予算において2,209億円を確保し、(1)流域治水対策(農業水利施設の整備、水田の貯留機能向上)、(2)防災重点農業用ため池の防災・減災対策、(3)農業水利施設等の老朽化、豪雨・地震対策、(4)園芸産地事業継続対策等に取り組むこととしています。

そのような中、農業者の減少に伴う管理体制の脆弱《ぜいじゃく》化や近年における豪雨・地震の頻発化・激甚化に早急に対応するため、令和2(2020)年10月に「防災重点農業用ため池に係る防災工事等の推進に関する特別措置法」を施行しました。

このほか、農地・農業水利施設が持つ洪水調節機能を活用するため、農林水産省では、関係省庁や地方公共団体、農業関係者等と連携しながら、大雨により水害が予測される際に、(1)事前に農業用ダムの水位を下げて雨水を貯留する「事前放流」、(2)水田に雨水を一時的に貯留させる「田んぼダム」、(3)ため池への雨水の一時的な貯留、(4)農作物への被害のみならず、市街地や集落の湛水被害も防止・軽減させる排水施設の整備等、流域治水の取組を通じた防災・減災対策を強化しています。

(2) 災害への備え

(農業者自身が行う自然災害への備え)

自然災害等の農業経営のリスクに備えるためには、農業用ハウスの保守管理、農業保険等の利用等に農業者自身が取り組んでいくことも重要です。

農林水産省では、近年、台風、大雪等により園芸施設の倒壊等の被害が多発している状況に鑑み、農業用ハウスの保守管理や補強等の台風や大雪による被害の防止に向けた技術指導のほか、農業用ハウスの資産価値に応じて新築時の資産価値の8割を上限に補償する園芸施設共済に加え、収量減少や価格低下等農業者の経営努力で避けられない収入減少を幅広く補償する収入保険への加入促進を重点的に行うなど、農業者自身が災害への備えを

---

[1] 用語の解説3(1)を参照

行うよう取り組んでいます。なお、園芸施設共済については、令和元(2019)年度の加入率は60%となっていますが、令和2(2020)年9月から、耐用年数を超えたハウスも新築時の資産価値まで補償できる特約を導入する等補償の充実を図るなど、農業者の幅広いニーズに応えられるよう見直しを行っています。

このほか、豪雨や台風等の風水害等に備えるための予防減災情報をWebサイト上で情報発信しています(**図表4-4-1**)。

図表4-4-1　豪雨や台風等の風水害に備えるための予防減災情報

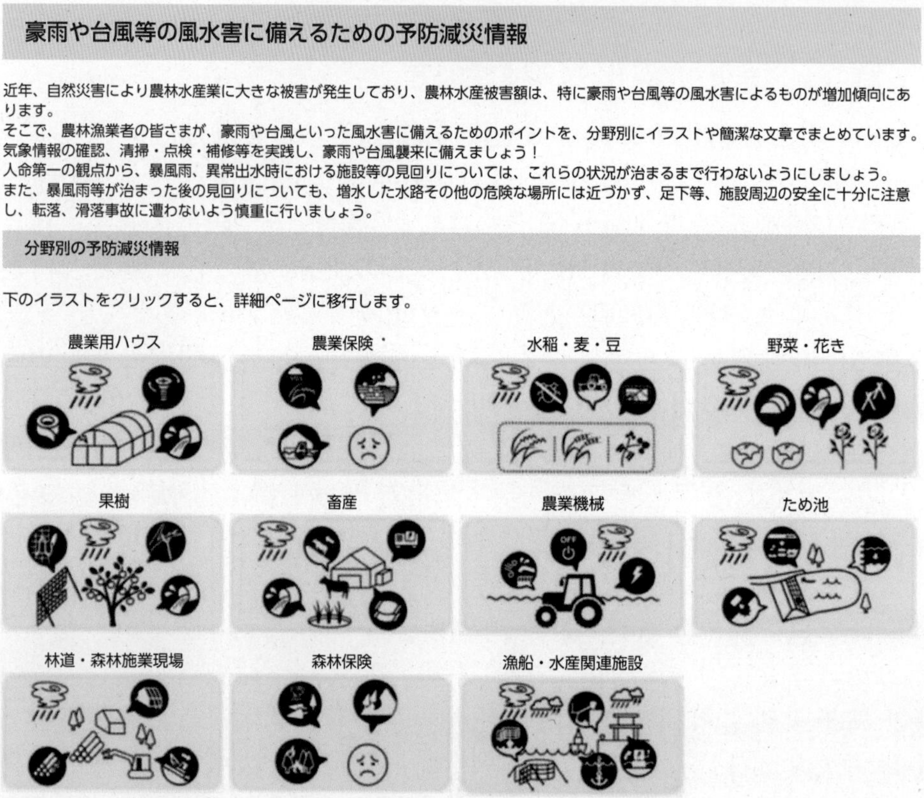

資料：農林水産省作成

また、MAFFアプリでは、台風の接近時等に、災害への備えに関する情報や、農業者が作業時に留意すべき事項、被災した農林漁業者向けの支援策の情報を、農業者等ユーザーのスマートフォンにプッシュ通知でお知らせしています。

(「自然災害等のリスクに備えるためのチェックリスト」と「農業版BCP(事業継続計画書)」のフォーマットを策定)

農業者自身が行う自然災害等への備えの取組の定着に資するよう、令和3(2021)年1月に「自然災害等のリスクに備えるためのチェックリスト」と「農業版BCP[1](事業継続計画書)」のフォーマットを策定しました(**図表4-4-2**)。

1　用語の解説3(2)を参照

図表 4-4-2 農業版 BCP のパンフレットとチェックリスト

リスクマネジメント編　**自然災害等のリスクに備えるためのチェックリスト**　耕種

事業者名	
チェック実施日	

分類			番号	質問内容	YES	NO	（NOの場合）対応期限
リスクの把握			1	自身の営農活動における、自然災害、その他のリスク（新型コロナウイルス感染症等）とその影響について考えたことはありますか？	□	□	までに対応する
リスクの把握			2	自身の地域の自然災害リスクについてハザードマップで確認したことはありますか？	□	□	までに対応する
リスクの把握			3	新型コロナウイルス感染症について、「農業関係者における新型コロナウイルス感染者が発生した時の対応及び事業継続に関する基本的なガイドライン」等のガイドラインを確認したことがありますか？	□	□	までに対応する
予防	リスク全般に対する事前の備え		1	MAFFアプリをインストールし、災害対策等の情報を活用していますか？	□	□	までに対応する
予防	リスク全般に対する事前の備え		2	地方自治体等を通じて発信される気象情報や防災情報を確認していますか？	□	□	までに対応する
予防	リスク全般に対する事前の備え		・・・	・・・	□	□	までに対応する
直前の対策	予見可能なリスクに対する事前の備え	台風等に対する直前の備え	情報収集等	最新の気象情報、警報、注意報をチェックしましたか？	□	□	までに対応する
直前の対策	予見可能なリスクに対する事前の備え	台風等に対する直前の備え	情報収集等	・・・	□	□	までに対応する
直前の対策	予見可能なリスクに対する事前の備え	台風等に対する直前の備え	ほ場等周辺対策	コンテナやプラスチックパレットなど飛来が予想されるものを片づけたり固定しましたか？また、燃料タンク・ガスボンベ等をしっかり固定しましたか？	□	□	までに対応する
直前の対策	予見可能なリスクに対する事前の備え	台風等に対する直前の備え	ほ場等周辺対策	・・・	□	□	までに対応する
直前の対策	予見可能なリスクに対する事前の備え	台風等に対する直前の備え	作物への対策	収穫可能な作物は早めに収穫しましたか？	□	□	までに対応する
直前の対策	予見可能なリスクに対する事前の備え	台風等に対する直前の備え	作物への対策	・・・	□	□	までに対応する
直前の対策	予見可能なリスクに対する事前の備え	台風等に対する直前の備え	停電対策	非常用発電機を準備し、必要な装置に接続しましたか？	□	□	までに対応する
直前の対策	予見可能なリスクに対する事前の備え	台風等に対する直前の備え	停電対策	・・・	□	□	までに対応する

資料：農林水産省作成

本チェックリストと農業版 BCP は、耕種、園芸、畜産の 3 種類から構成され、自然災害等のリスクに対する備えの意識や MAFF アプリ等自然災害等に係る注意喚起システムへの関心を高めるとともに、台風被害等の軽減のための取組事例等（災害の教訓）の提供や農業保険等セーフティネットへの加入の契機となることを目的としています。

チェックリストは、平時からのリスクに対する備えや台風等の自然災害への直前の備えに関するチェック事項であるリスクマネジメント編と、被災後の早期復旧・事業再開の観点から対策すべき事項(ヒト、モノ、カネ/セーフティネット、情報等)である事業継続編から構成されています。

農業版 BCP は、インフラや経営資源等について、被害を事前に想定し、被災後の早期復旧・事業再開に向けた計画を定めるものであり、決して難しいものではなく、農業者自身に経験として既に備わっていることも含め、「見える化」することで、自然災害に備えるためのものです。また、チェックリストや農業版 BCP の作成を通じて、平常時における自らの経営の見直しや、改善にもつながるものであり、今後、農業者自身が自然災害等の備えに活かせるよう、活用を促進していくこととしています。

(家庭で行う災害への備え)

家庭では、大規模な自然災害等の発生に備え、自身の身を守る上で当面必要となる食料や飲料水を用意しておくことが重要です。家庭における備蓄量は、最低3日分から1週間分の食品を人数分備蓄しておくことが望ましいと言われています。

農林水産省では、平成 31(2019)年 3 月に、ローリングストック[1]等、平時から食料の家庭備蓄を実践しやすくする方法や、乳幼児や高齢者、食物アレルギー等の要配慮者がいる家庭での実践方法をまとめた「災害時に備えた食品ストックガイド」と「要配慮者のための災害時に備えた食品ストックガイド」を作成したほか、Web サイト「家庭備蓄ポータル」や BUZZ MAFF の動画、SNS 等での情報発信を通して、家庭備蓄の定着に取り組んでいます(**図表 4-4-3**)。

図表 4-4-3　農林水産省「災害時に備えた食品ストックガイド」で紹介されている家庭での備蓄例

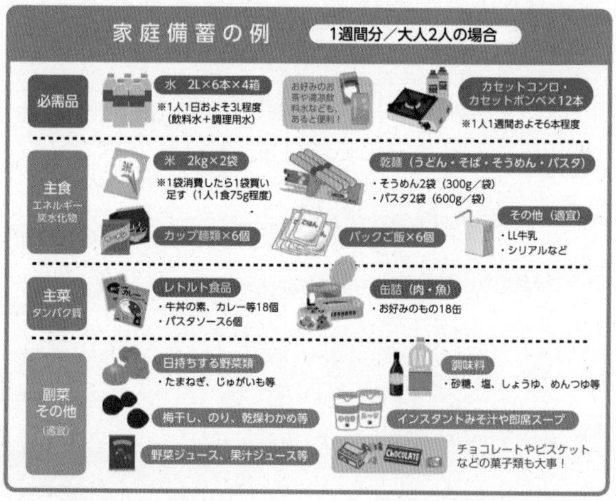

資料：農林水産省作成

1　普段の食品を少し多めに買い置きしておき、賞味期限を考えて古いものから消費し、消費した分を買い足すことで常に一定量の食品が家庭で備蓄されている状態を保つための方法

(コラム) 災害等は忘れる前にやってくる
～国はリスクに対して様々な支援を用意～

令和2(2020)年度は、令和2年7月豪雨や大雪等の自然災害、鳥インフルエンザ等の家畜伝染病が発生しました。

自然災害や家畜伝染病等の様々なリスクに対して、国は、現場の要望等を聴きながら、きめ細かな支援策を措置し、農業者の1日も早い経営再開に向けて対応しています。

今後も起こり得る様々なリスクに対し、平時から、農業者自身が農業用ハウスの保守管理・補強や、農業保険等への加入、飼養衛生管理基準の遵守等、取り組むべきことには取り組み、リスクに備えることが重要です。国としても、そうした農業者の営農継続の努力に対して全面的に協力していきます。

農林水産省 Webサイトの「災害に関する情報」や「逆引き辞典」から防災・減災に関する支援策をチェック

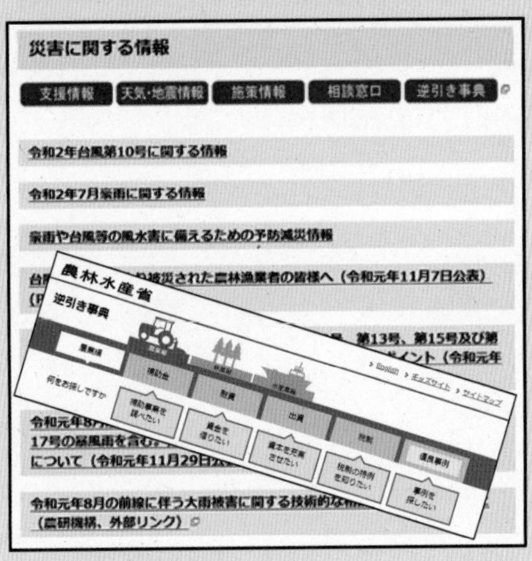

農業・農村の活性化を目指して

－令和 2(2020)年度農林水産祭天皇杯等受賞者事例紹介－

　農林水産業者の技術改善・経営発展の意欲の高揚を図るため、効率的な農業経営や地域住民によるむらづくり等を行っている事例のうち、その内容が優れており、広く社会の称賛に値するものについては、毎年度、秋に開催される農林水産祭式典において天皇杯等が授与されています[1]。ここでは、令和2(2020)年度の天皇杯等の受賞者を紹介します。

農林水産祭天皇杯受賞者

令和 2(2020)年度農林水産祭天皇杯受賞者

需要に対応した製販一貫の連携体制による高品質な茶生産を実現

○農産・蚕糸部門　○産物(茶)　○静岡県掛川市《かけがわし》
○農業生産法人掛川中央茶業《かけがわちゅうおうちゃぎょう》株式会社研究部会　(代表　佐々木《ささき》余志彦《よしひこ》さん)

　掛川中央茶業株式会社は、静岡県内最大級の茶園面積と荒茶工場を有しており、販売会社と連携し、生産から加工・販売までの一貫体制を構築しています。生葉品質の評価や荒茶成分分析等により高品質な茶生産を実現するとともに、茶園機械化の推進等により生産体制の強化を図り、生産量や単価は県平均を大きく上回っています。
　また、販売会社と連携した生産方針のタイムリーな共有・決定を価格維持につなげているほか、輸出に対応した防除体系の導入等により、一番茶ではほとんどの国への輸出を可能にしています。

伝統農法と細やかな労務管理で、ニーズに応じた花きの多品目生産を実現

○園芸部門　○経営(花壇苗)　○埼玉県川越市《かわごえし》
○山下《やました》 徳弥《とくや》さん・山下《やました》 笑子《えみこ》さん

　山下さんは、施設 1.3ha、露地 1.0ha の規模で、江戸時代からの落ち葉堆肥農法を継承しながら、花壇苗・鉢物約 60 品目を栽培しています。
　リアルタイムで入手した販売情報に基づいた商品提案を行っており、手頃な値段でボリューム感のある「ミックス植え」を商品化しました。売上高は毎年拡大し、新型コロナウイルス感染症禍においても、令和 2(2020)年１～７月の売上げはほぼ前年並を確保しました。また、全ハウスへ自動かん水装置の設置やスマートフォンを用いた作業進捗状況の共有化等を行い、年間で約 60 品目を組み合わせた周年出荷体系を確立しています。

---

1 過去１年間(令和元(2019)年７月～令和2(2020)年６月)の農林水産祭参加表彰行事において、農林水産大臣賞を受賞した465点の中から決定。選賞部門は、掲載５部門のほか、林産部門、水産部門を加えた７部門

離島のハンディキャップを放牧等で克服した高収益和牛繁殖経営を実践

○畜産部門　○経営(肉用牛繁殖)　○長崎県北松浦郡小値賀町《きたまつうらぐんおぢかちょう》
○松﨑《まつざき》 秀利《ひでとし》さん・松﨑《まつざき》 弘子《ひろこ》さん

松﨑さんは、五島列島《ごとうれっとう》北部に位置する離島において、耕作放棄地や遊休農地を再生し、放牧と自給飼料生産を取り入れながら、74 頭の肉用牛繁殖を行っています。父から継承した 20 頭の繁殖牛を育種改良しつつ、堅実に増頭を行っています。

施設投資を抑え、周年放牧に近い形態で管理することで足腰の強い健康な牛を作るとともに、自給飼料の増産で成牛の粗飼料自給率 100％を達成し、省力・低コスト生産を実現しています。

また、積極的な育種改良ときめ細かな飼養管理で、能力の高い繁殖牛群を作出・維持し、子牛販売価格も市場平均を上回っています。

部門間等の連携と乳製品の商品開発により“湖華舞《こかぶ》”ブランドを確立

○多角化経営部門　○経営（６次産業化）　○滋賀県蒲生郡竜王町《がもうぐんりゅうおうちょう》
○有限会社古株牧場《こかぶぼくじょう》　(代表 古株《こかぶ》 治明《はるあき》さん)

有限会社古株牧場は水稲、酪農、肉用牛肥育に自家生乳を用いた乳製品の加工・販売を加えた多角化経営を展開しています。

「牛ふん堆肥の水田への還元」、「収穫後の稲わらを乳用牛、肉用牛への粗飼料として活用」、「自社牧場の生乳を使用した乳製品の加工・販売」等、部門間や地域耕種部門との連携を推進してきました。

また、早くから乳製品を生かした６次産業化に着目し、ソフトクリームやチーズ等の加工販売や直売店舗の運営等を行っています。商品は自社ショップ「湖華舞」を始め、直売店２店舗のほか、有名ホテルや百貨店等でも販売され、古株牧場のブランドの確立とその位置付けを確固たるものにしています。

若者の目もキラキラ 世代を超えて自発的に取り組むむらづくりを実践

○むらづくり部門　○新潟県村上市《むらかみし》
○高根《たかね》フロンティアクラブ　(代表 鈴木《すずき》 信之《のぶゆき》さん)

山間農業地域である新潟県村上市高根地区で地域活性化の取組を行う高根フロンティアクラブは、20～60 歳代の地区の有志 43 人で地域外への情報発信や地域内外の交流促進を行っています。

取組の一つとして、空き家を活用した集落の子供の勉強や遊び場、高齢者のお茶飲み場づくりに意欲的に取り組んでいます。また、都会の人が高根の暮らしを体験できるプログラムを企画・実施し、これまで２人が定住して農林業の担い手となりました。さらに、首都圏の大学生や企業と連携して森づくりを行い、都市との新たな交流を創出することにより、移住する若者や地域おこし協力隊の増加に寄与しています。

令和2(2020)年度農林水産祭内閣総理大臣賞受賞者

部門	出品財	住所	氏名等
農産・蚕糸	経営(麦類)	愛知県西尾市《にしおし》	内田《うちだ》 修二《しゅうじ》さん、内田《うちだ》 聖子《せいこ》さん
園芸	経営 (担い手づくり)	長野県御代田町《みよたまち》	有限会社トップリバー (代表 嶋﨑《しまざき》 秀樹《ひでき》さん)
畜産	経営(酪農)	静岡県富士宮市《ふじのみやし》	佐々木《ささき》 剛《つよし》さん、佐々木《ささき》 千尋《ちひろ》さん
多角化経営	経営 (販売革新)	福岡県八女市《やめし》	農事組合法人八女美緑園製茶《やめみりょくえんせいちゃ》 (代表 江島《えしま》 一信《かずのぶ》さん)
むらづくり	むらづくり活動	宮城県七ヶ宿町《しちかしゅくまち》	湯原集落協定《ゆのはらしゅうらくきょうてい》 (代表 山田《やまだ》 益広《ますひろ》さん)

令和2(2020)年度農林水産祭日本農林漁業振興会会長賞受賞者

部門	出品財	住所	氏名等
農産・蚕糸	女性の活躍 (水稲、そば、園芸)	福井県あわら市《し》	長谷川《はせがわ》 信枝《のぶえ》さん、長谷川吉弘《はせがわよしひろ》さん
園芸	経営(かんきつ)	愛媛県松山市《まつやまし》	JA えひめ中央釣島《ちゅうおうつるしま》支部 (代表 池本《いけもと》 雄吉《ゆうきち》さん)
畜産	技術・ほ場 (放牧)	北海道枝幸町《えさしちょう》	石田《いしだ》 幸也《ゆきや》さん、石田美由紀《いしだみゆき》さん
多角化経営	経営(牛肉輸出)	宮崎県都城市《みやこのじょうし》	株式会社ミヤチク (代表 有馬《ありま》 慎吾《しんご》さん)
むらづくり	むらづくり活動	奈良県五條市《ごじょうし》	農事組合法人ゆめ野山《のやま》 (代表 松本《まつもと》 正之《まさゆき》さん)

令和2(2020)年度農林水産祭内閣総理大臣賞受賞者(女性の活躍)

部門	出品財	住所	氏名等
多角化経営	女性の活躍	福岡県大木町《おおきまち》	株式会社ビストロくるるん (代表 松藤《まつふじ》 富士子《ふじこ》さん)

令和2(2020)年度農林水産祭日本農林漁業振興会会長賞受賞者(女性の活躍)

部門	出品財	住所	氏名等
園芸	女性の活躍	静岡県御前崎市《おまえざきし》	栗本《くりもと》 めぐみさん

用語の解説

目次

1．　紛らわしい用語について

紛らわしい用語について

生産額・所得

目的	用語	統計値＜出典＞
国内で生産された農産物の売上げ相当額の総額を知りたいとき	農業総産出額	8.9兆円（令和元年） <生産農業所得統計>
国内で生産された農産物の売上げ相当額の総額から物的経費を引いた付加価値額を知りたいとき	生産農業所得	3.3兆円（令和元年） <生産農業所得統計>
GDP（国内総生産）のうち、農業が生み出した付加価値額を、他産業や外国と比較するとき	農業総生産	4.7兆円（令和元年） <国民経済計算>

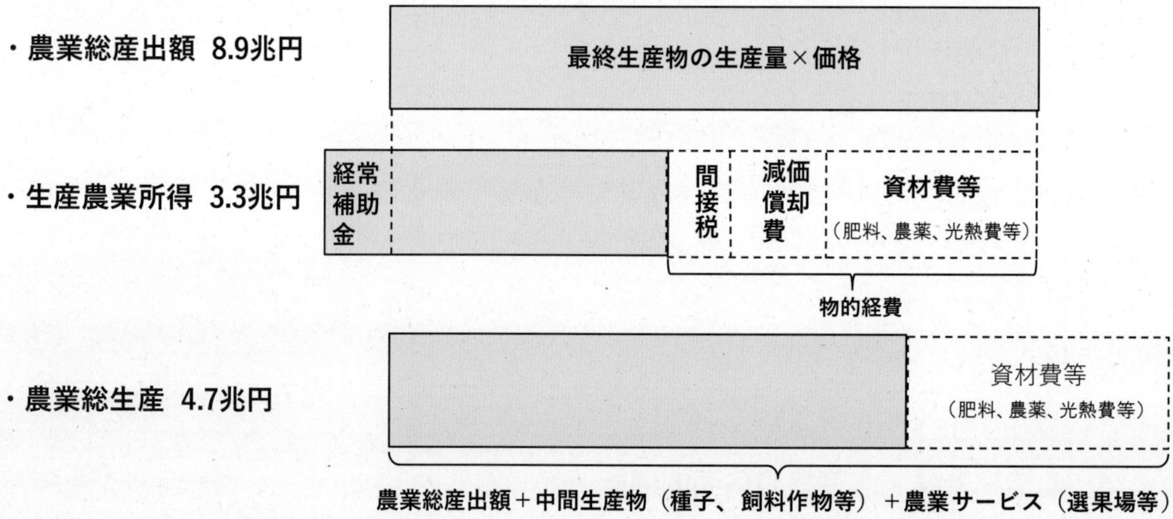

[redacted]

農業経営体

目的	用語	統計値＜出典＞
農業生産や農作業受託の事業を営む者の数を知りたいとき	農業経営体*1	108万経営体（令和２年）<2020年農林業センサス>
農業を営む個人(世帯)数を知りたいとき	個人経営体*1	104万経営体（令和２年）<2020年農林業センサス>
農業による所得が主である65歳未満の世帯員がいる世帯を知りたいとき	主業経営体*1	23万経営体（令和２年）<2020年農林業センサス>
農業を営む法人経営体や集落営農等の数を知りたいとき	団体経営体*1	4万経営体（令和２年）<2020年農林業センサス>

個人経営体の世帯員

目的	用語	統計値＜出典＞
年間１日以上自営農業に従事した世帯員数を知りたいとき	農業従事者*2	249万人（令和２年）<2020年農林業センサス>
ふだん仕事として、主に自営農業に従事した世帯員数を知りたいとき（家事や育児が主体の主婦や学生等は含まない）	基幹的農業従事者*2	136万人（令和２年）<2020年農林業センサス>

農業における被雇用者

目的	用語	統計値＜出典＞
長期（７か月以上）で雇われた人数を知りたいとき	常雇い*2	16万人（令和２年）<2020農林業センサス>
短期（臨時）で雇われた人数を知りたいとき	臨時雇い*2	95万人（令和２年）<2020農林業センサス>

*1：用語の解説2(1)を参照
*2：用語の解説2(5)を参照

2．基本統計用語の定義

(1) 農業経営体分類関係(2020 年農林業センサス)

用　　語	定　　　義
農業経営体	農産物の生産を行うか又は委託を受けて農作業を行い、(1)経営耕地面積が 30 a 以上、(2)農作物の作付面積又は栽培面積、家畜の飼養頭羽数又は出荷羽数等、一定の外形基準以上の規模(露地野菜 15 a 、施設野菜 350 ㎡、搾乳牛 1 頭等)、(3)農作業の受託を実施、のいずれかに該当するもの(1990 年、1995 年、2000 年センサスでは、販売農家、農家以外の農業事業体及び農業サービス事業体を合わせたものに相当する。)
個人経営体	個人(世帯)で事業を行う経営体をいう。なお、法人化して事業を行う経営体は含まない。
主業経営体	農業所得が主(世帯所得の 50%以上が農業所得)で、1 年間に自営農業に 60 日以上従事している 65 歳未満の世帯員がいる個人経営体
準主業経営体	農外所得が主(世帯所得の 50%未満が農業所得)で、1 年間に自営農業に 60 日以上従事している 65 歳未満の世帯員がいる個人経営体
副業的経営体	1 年間に自営農業に 60 日以上従事している 65 歳未満の世帯員がいない個人経営体
団体経営体	農業経営体のうち個人経営体に該当しない者
単一経営経営体	農産物販売金額のうち、主位部門の販売金額が 8 割以上の経営体
準単一複合経営経営体	単一経営経営体以外で、農産物販売金額のうち、主位部門の販売金額が 6 割以上 8 割未満の経営体
複合経営経営体	単一経営経営体以外で、農産物販売金額のうち、主位部門の販売金額が 6 割未満(販売のなかった経営体を除く。)の経営体

(2) 農業経営体分類関係(2005 年農林業センサスから 2015 年農林業センサスの定義)

用　　語	定　　　義
農業経営体	(1)に準ずる。
家族経営体	農業経営体のうち個人経営体及び 1 戸 1 法人
組織経営体	農業経営体のうち家族経営体に該当しない者

(3) 農家等分類関係

用　　語	定　　義
農家	経営耕地面積が 10 a 以上の農業を営む世帯又は農産物販売金額が年間 15 万円以上ある世帯
販売農家	経営耕地面積 30 a 以上又は農産物販売金額が年間 50 万円以上の農家
主業農家	農業所得が主(農家所得の 50%以上が農業所得)で、1 年間に 60 日以上自営農業に従事している 65 歳未満の世帯員がいる農家
準主業農家	農外所得が主(農家所得の 50%未満が農業所得)で、1 年間に 60 日以上自営農業に従事している 65 歳未満の世帯員がいる農家
副業的農家	1 年間に 60 日以上自営農業に従事している 65 歳未満の世帯員がいない農家(主業農家及び準主業農家以外の農家)
専業農家	世帯員の中に兼業従事者が 1 人もいない農家
兼業農家	世帯員の中に兼業従事者が 1 人以上いる農家
第 1 種兼業農家	農業所得の方が兼業所得よりも多い兼業農家
第 2 種兼業農家	兼業所得の方が農業所得よりも多い兼業農家
自給的農家	経営耕地面積が 30 a 未満かつ農産物販売金額が年間 50 万円未満の農家
農家以外の農業事業体	経営耕地面積が 10 a 以上又は農産物販売金額が年間 15 万円以上の農業を営む世帯(農家)以外の事業体
農業サービス事業体	委託を受けて農作業を行う事業所(農業事業体を除き、専ら苗の生産及び販売を行う事業所を含む。)
土地持ち非農家	農家以外で耕地及び耕作放棄地を 5 a 以上所有している世帯

注：1990 年世界農林業センサスから 2000 年世界農林業センサスの調査体系に即した定義

(4) 農家経済関係

用　語	定　義
農業所得	農業粗収益(農業経営によって得られた総収益額)－農業経営費(農業経営に要した一切の経費)
農業生産関連事業所得	農業生産関連事業収入(農業経営関与者が経営する農産加工、農家民宿、農家レストラン、観光農園等の農業に関連する事業の収入)－農業生産関連事業支出(同事業に要した雇用労賃、物財費等の支出)
農外所得	農外収入(農業経営関与者の自営兼業収入、給料・俸給)－農外支出(農業経営関与者の自営兼業支出、通勤定期代等)
生産費	農産物を生産するために消費した費用合計(物財費と労働費)から副産物価額を控除したもの
物財費	農産物を生産するために消費した流動財費(種苗費、肥料費、農業薬剤費、光熱動力費、その他の諸材料費等)＋固定財(建物、自動車、農機具、生産管理機器の償却資産)の減価償却費
家族労働費	家族労働時間に「毎月勤労統計調査」(厚生労働省)の「建設業」、「製造業」及び「運輸業、郵便業」に属する5人から29人規模の事業所における賃金データ(都道府県単位)を基に算出した単価を乗じて評価したもの

(5) 個人経営体世帯員の農業労働力関係

<table>
<tr><td rowspan="3" colspan="2"></td><td colspan="3">農業との関わり</td><td>世帯員</td></tr>
<tr><td colspan="2">農業に従事</td><td rowspan="2">農業には従事していない</td><td rowspan="4">原則として住居と生計を共にする者
(1) 基幹的農業従事者
15 歳以上の世帯員のうち、ふだん仕事として主に自営農業に従事している者
(2) 農業従事者
15 歳以上の世帯員で年間 1 日以上自営農業に従事した者</td></tr>
<tr><td>農業が主</td><td>その他が主</td></tr>
<tr><td rowspan="2">ふだんの主な状態</td><td>主に仕事</td><td colspan="3" rowspan="2">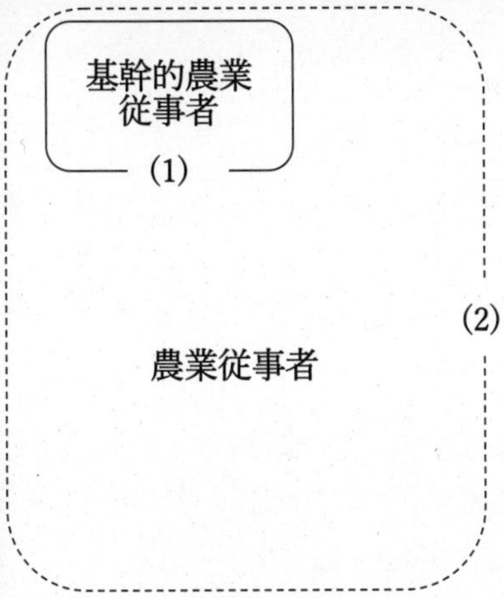</td></tr>
<tr><td>その他(家事、通学等)</td></tr>
<tr><td colspan="2">常雇い</td><td colspan="4">主として農業経営のために雇った人で、雇用契約(口頭の契約でもかまわない。)に際し、あらかじめ 7 か月以上の期間を定めて雇った人(期間を定めずに雇った人を含む。)のことをいう。</td></tr>
<tr><td colspan="2">臨時雇い</td><td colspan="4">日雇い、季節雇い等農業経営のために臨時雇いした人で、手間替え・ゆい(労働交換)、手伝い(金品の授受を伴わない無償の受入れ労働)を含む。
なお、農作業を委託した場合の労働は含まない。
また、主に農業経営以外の仕事のために雇っている人が農繁期等に農業経営のための農作業に従事した場合や、7 か月以上の契約で雇った人がそれ未満で辞めた場合を含む。</td></tr>
</table>

(6) 新規就農者関係(新規就農者調査の定義)

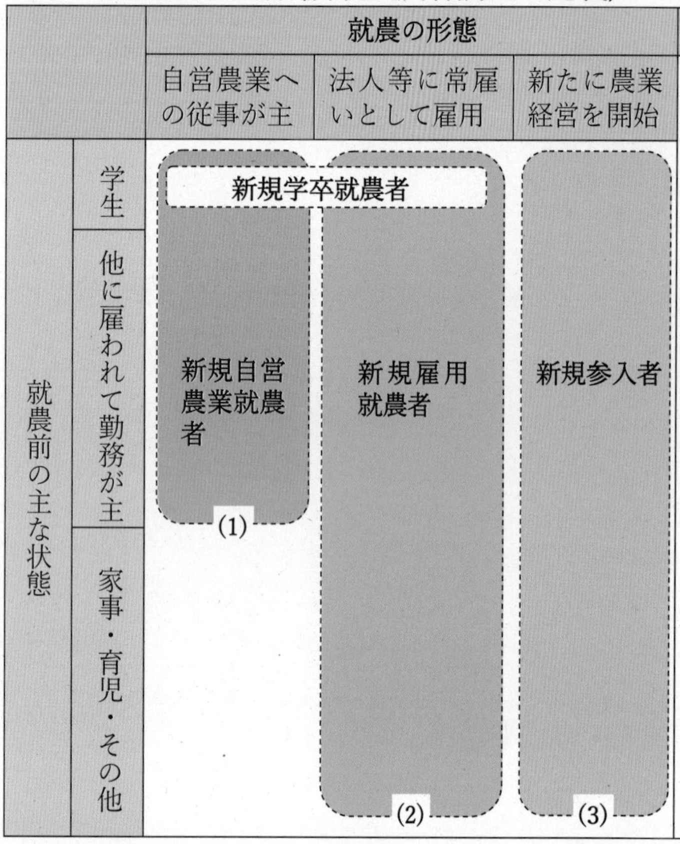

新規就農者

次のいずれかに該当する者

(1) 新規自営農業就農者

家族経営体の世帯員で、調査期日前1年間の生活の主な状態が、「学生」又は「他に雇われて勤務が主」から「自営農業への従事が主」になった者

(2) 新規雇用就農者

調査期日前1年間に新たに法人等に常雇い(年間7か月以上)として雇用され、農業に従事した者

(3) 新規参入者

土地や資金を独自に調達し、調査期日前1年間に新たに農業経営を開始した経営の責任者及び共同経営者

○新規学卒就農者

新規自営農業就農者で「学生」から「自営農業への従事が主」になった者及び新規雇用就農者で雇用される直前に学生であった者

(7) 農業地域類型区分

用　　語	定　　　　義
農業地域類型区分	地域農業の構造を規定する基盤的な条件(耕地や林野面積の割合、農地の傾斜度等)に基づき市区町村及び旧市区町村を区分したもの
区　　分	基準指標(下記のいずれかに該当するもの)
都市的地域	○可住地に占める DID 面積が 5 %以上で、人口密度 500 人／km² 以上又は DID 人口 2 万人以上の市区町村及び旧市区町村 ○可住地に占める宅地等率が 60%以上で、人口密度 500 人／km² 以上の市区町村及び旧市区町村。ただし、林野率 80%以上のものは除く。
平地農業地域	○耕地率 20%以上かつ林野率 50%未満の市区町村及び旧市区町村。ただし、傾斜 20 分の 1 以上の田と傾斜 8 度以上の畑との合計面積の割合が 90%以上のものを除く。 ○耕地率 20%以上かつ林野率 50%以上で、傾斜 20 分の 1 以上の田と傾斜 8 度以上の畑の合計面積の割合が 10%未満の市区町村及び旧市区町村
中間農業地域	○耕地率が 20%未満で、都市的地域及び山間農業地域以外の市区町村及び旧市区町村 ○耕地率が 20%以上で、都市的地域及び平地農業地域以外の市区町村及び旧市区町村
山間農業地域	○林野率 80%以上かつ耕地率 10%未満の市区町村及び旧市区町村

注：1) 決定順位：都市的地域→山間農業地域→平地農業地域・中間農業地域
2) DID とは Densely Inhabited District の略で人口集中地区のこと。原則として人口密度が 4 千人／km² 以上の国勢調査基本単位区等が市区町村内で互いに隣接して、それらの隣接した地域の人口が 5 千人以上を有する地区をいう。
3) 傾斜は 1 筆ごとの耕作面の傾斜ではなく、団地としての地形上の主傾斜をいう。
4) 農業地域類型区分の中間農業地域と山間農業地域を合わせた地域を中山間地域という。
5) 旧市区町村とは、昭和 25(1950)年 2 月 1 日時点での市区町村をいう。

(8) 全国農業地域区分

全国農業地域名	所属都道府県名	全国農業地域名	所属都道府県名
北　海　道	北海道	近　　畿	滋賀、京都、大阪、兵庫、奈良、和歌山
東　　北	青森、岩手、宮城、秋田、山形、福島	中　　国 山　陰 山　陽	 鳥取、島根 岡山、広島、山口
北　　陸	新潟、富山、石川、福井	四　　国	徳島、香川、愛媛、高知
関東・東山 北関東 南関東 東　山	 茨城、栃木、群馬 埼玉、千葉、東京、神奈川 山梨、長野	九　　州 北九州 南九州	 福岡、佐賀、長崎、熊本、大分 宮崎、鹿児島
東　　海	岐阜、静岡、愛知、三重	沖　　縄	沖縄

3．五十音順・アルファベット

(1) 五十音順

あ	
アフリカ豚熱	ASFウイルスによって引き起こされる豚やイノシシの伝染病であり、発熱や全身の出血性病変を特徴とする致死率の高い伝染病。有効なワクチン及び治療法はない。本病はアフリカでは常在しており、ロシア及びその周辺諸国でも発生が確認されている。平成30(2018)年8月には、中国においてアジアでは初となる発生が確認されて以降、アジアで発生が拡大した。我が国では、これまで本病の発生は確認されていない。なお、豚、イノシシの病気であり、ヒトに感染することはない。
遺伝資源	遺伝の機能的な単位を有する植物・動物・微生物等に由来し、顕在的または潜在的に利用価値のある素材。例えば、植物では登録品種・在来品種・野生種の種子・芋・苗木を含む。
エコフィード(ecofeed)	食品残さ等を有効活用した飼料のこと。環境にやさしい(ecological)や節約する(economical)等を意味するエコ(eco)と飼料を意味するフィード(feed)を併せた造語
温室効果ガス	地面から放射された赤外線の一部を吸収・放射することにより地表を暖める働きがあるとされるもの。京都議定書では、二酸化炭素(CO_2)、メタン(CH_4、水田や廃棄物最終処分場等から発生)、一酸化二窒素(N_2O、一部の化学製品原料製造の過程や家畜排せつ物等から発生)、ハイドロフルオロカーボン類(HFCs、空調機器の冷媒等に使用)、パーフルオロカーボン類(PFCs、半導体の製造工程等で使用)、六フッ化硫黄(SF_6、半導体の製造工程等で使用)、三フッ化窒素(NF_3、半導体の製造工程等で使用。第二約束期間から追加)を温室効果ガスとして削減の対象としている。
か	
家族経営協定	家族で営農を行っている農業経営において、家族間の話合いを基に経営計画、各世帯員の役割、就業条件等を文書にして取り決めたものをいう。この協定により、女性や後継者等の農業に従事する世帯員の役割が明確化され、農業者年金の保険料の優遇措置の対象となるほか、認定農業者制度の共同申請等が可能となる。
換地	区画整理や農用地の造成等の農用地の区画形質を変更する事業の実施に伴い、換地処分により、工事前の土地(従前の土地)とみなされる土地として定められる土地をいう。換地処分とは、区画整理、農用地の造成等の実施による農用地の区画形質の変更に伴い、工事前の土地(従前の土地)に対しその土地に代わる工事後の新たな土地(換地)を定め、一定の法手続を経た後、当該換地を工事前の土地(従前の土地)とみなす行政処分をいう。
供給熱量(摂取熱量)	食料における供給熱量とは、国民に対して供給される総熱量をいい、摂取熱量とは、国民に実際に摂取された総熱量をいう。一般には、前者は農林水産省「食料需給表」、後者は厚生労働省「国民健康・栄養調査」の数値が用いられる。両者の算出方法は全く異なり、供給熱量には、食品産業において加工工程でやむを得ず発生する食品残さや家庭での食べ残し等が含まれていることに留意が必要
ゲノム編集	酵素等を用い、ある生物がもともと持っている遺伝子を効率的に変化させる技術
荒廃農地	現に耕作に供されておらず、耕作の放棄により荒廃し、通常の農作業では作物の栽培が客観的に不可能となっている農地
高病原性鳥インフルエンザ	鳥インフルエンザのうち、家きんを高い確率で致死させるもの。家きんがこのウイルスに感染すると、神経症状、呼吸器症状、消化器症状等全身症状を起こし、大量に死ぬ。なお、我が国ではこれまで、鶏卵、鶏肉を食べることによりヒトが感染した例は報告されていない。

コーデックス委員会	消費者の健康の保護、食品の公正な貿易の確保等を目的として、昭和38(1963)年にFAO(国連食糧農業機関)及びWHO(世界保健機関)により設置された国際的な政府間機関。国際食品規格の策定等を行っている。我が国は昭和41(1966)年から同委員会に加盟
さ	
作況指数	米の作柄の良否を表す指標で、その年の10a当たり平年収量に対する10a当たり(予想)収量の比率で表す。10a当たり平年収量は、作物の栽培を開始する以前に、その年の気象の推移や被害の発生状況等を平年並とみなし、最近の栽培技術の進歩の度合いや作付変動等を考慮し、実収量のすう勢を基に作成したその年に予想される10a当たり収量をいう。
集落営農	集落等地縁的にまとまりのある一定の地域内の農家が農業生産を共同して行う営農活動をいう。転作田の団地化、共同購入した機械の共同利用、担い手が中心となって取り組む生産から販売までの共同化等、地域の実情に応じてその形態や取組内容は多様である。
食の外部化	共働き世帯や単身世帯の増加、高齢化の進行、生活スタイルの多様化等を背景に、家庭内で行われていた調理や食事を家庭外に依存する状況が見られる。これに伴い、食品産業においても、食料消費形態の変化に対応した調理食品、総菜、弁当といった「中食」の提供や市場開拓等に進展が見られている。こういった動向を総称して「食の外部化」という。→「中食」を参照
食料安全保障	我が国における食料安全保障については、食料・農業・農村基本法において、「国民が最低限度必要とする食料は、凶作、輸入の途絶等の不測の要因により国内における需給が相当の期間著しく逼迫《ひっぱく》し、又は逼迫《ひっぱく》するおそれがある場合においても、国民生活の安定及び国民経済の円滑な運営に著しい支障を生じないよう、供給の確保が図られなければならない。」とされている。他方、世界における食料安全保障(Food Security)については、FAO(国連食糧農業機関)で、全ての人が、いかなる時にも、活動的で健康的な生活に必要な食生活上のニーズと嗜好《しこう》を満たすために、十分で安全かつ栄養ある食料を、物理的にも社会的にも経済的にも入手可能であるときに達成されるとされている。また、食料安全保障には四つの要素があり、適切な品質の食料が十分に供給されているか(供給面)、栄養ある食料を入手するための合法的、政治的、経済的、社会的な権利を持ちうるか(アクセス面)、安全で栄養価の高い食料を摂取できるか(利用面)、いつ何時でも適切な食料を入手できる安定性があるか(安定面)とされている。
食料国産率	国内に供給される食料に対する国内生産の割合であり、飼料が国産か輸入かにかかわらず、畜産業の活動を反映し、国内生産の状況を評価する指標。輸入した飼料を使って国内で生産した分も国産に算入して計算

食料自給率	我が国の食料全体の供給に対する国内生産の割合を示す指標 ○　品目別自給率：以下の算定式により、各品目における自給率を重量ベースで算出 食料自給率の算定式 $\text{品目別自給率} = \frac{\text{国内生産量}}{\text{国内消費仕向量}} = \frac{\text{国内生産量}}{\text{国内生産量} + \text{輸入量} - \text{輸出量} \pm \text{在庫増減}}$ ○　総合食料自給率：食料全体における自給率を示す指標として、供給熱量(カロリー)ベース、生産額ベースの２通りの方法で算出。畜産物については、輸入した飼料を使って国内で生産した分は、国産には算入していない。 　なお、平成30(2018)年度以降の食料自給率は、イン(アウト)バウンドによる食料消費増減分を補正した数値としている。 ・供給熱量(カロリー)ベースの総合食料自給率：分子を１人・１日当たり国産供給熱量、分母を１人・１日当たり供給熱量として計算。供給熱量の算出に当たっては、「日本食品標準成分表 2015 年版(七訂)」に基づき、品目ごとに重量を供給熱量に換算した上で、各品目の供給熱量を合計 ・生産額ベースの総合食料自給率：分子を食料の国内生産額、分母を食料の国内消費仕向額として計算。金額の算出に当たっては、生産農業所得統計の農家庭先価格等に基づき、重量を金額に換算した上で、各品目の金額を合計 ○　飼料自給率：畜産物を生産する際に家畜に給与される飼料のうち、国産(輸入原料を利用して生産された分は除く。)でどの程度賄われているかを示す指標。「日本標準飼料成分表(2009 年版)」等に基づき、TDN(可消化養分総量)に換算し算出
食料自給力	国内農林水産業生産による食料の潜在生産能力を示す概念。その構成要素は、農産物は農地・農業用水等の農業資源、農業技術、農業就業者、水産物は潜在的生産量と漁業就業者 ○　食料自給力指標 　我が国の農地等の農業資源、農業者、農業技術といった潜在生産能力をフル活用することにより得られる食料の供給熱量を示す指標 　生産を以下の２パターンに分け、それぞれの熱量効率が最大化された場合の国内農林水産業生産による１人・１日当たり供給可能熱量により示す。加えて、各パターンの生産に必要な労働時間に対する現有労働力の延べ労働時間の充足率(労働充足率)を反映した供給可能熱量も示す。 ①栄養バランスを考慮しつつ、米・小麦を中心に熱量効率を最大化して作付け ②栄養バランスを考慮しつつ、いも類を中心に熱量効率を最大化して作付け

<table>
<tr><td>水田の汎用化</td><td>暗渠《あんきょ》排水等の排水対策を行うことにより、田畑の輪換方式による営農を可能とすること

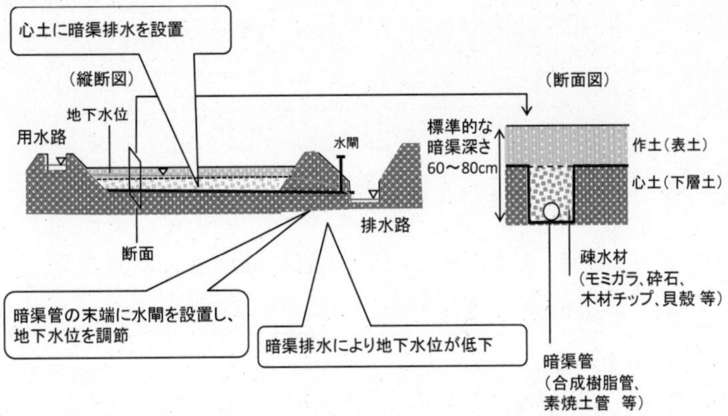

</td></tr>
<tr><td>総合化事業計画</td><td>「地域資源を活用した農林漁業者等による新事業の創出等及び地域の農林水産物の利用促進に関する法律」（六次産業化・地産地消法）に基づき、農林漁業経営の改善を図るため、農林漁業者等が農林水産物や副産物（バイオマス等）の生産とその加工又は販売を一体的に行う事業活動に関する計画</td></tr>
<tr><td colspan="2">た</td></tr>
<tr><td>地産地消</td><td>国内の地域で生産された農林水産物（食用に供されるものに限る。）を、その生産された地域内において消費する取組。食料自給率の向上に加え、直売所や加工の取組等を通じて、６次産業化にもつながるもの</td></tr>
<tr><td>直播《ちょくはん》栽培（水稲）</td><td>稲の種もみを直接田に播種《はしゅ》する栽培方法で、慣行栽培（移植栽培）で必要な育苗や移植の作業を省略できる。播種《はしゅ》の仕方等により様々な方法があるが、大別すると、耕起・代かき後の水を張った水田に播種する湛水直播《たんすいちょくはん》栽培と、水を張っていない状態の田に播種《はしゅ》する乾田直播《ちょくはん》栽培がある。</td></tr>
<tr><td colspan="2">な</td></tr>
<tr><td>中食</td><td>レストラン等へ出かけて食事をする「外食」と、家庭内で手づくり料理を食べる「内食」の中間にあって、市販の弁当や総菜、家庭外で調理・加工された食品を家庭や職場・学校等で、そのまま（調理加熱することなく）食べること。これら食品（日持ちしない食品）の総称としても用いられる。</td></tr>
<tr><td>認定農業者（制度）</td><td>農業経営基盤強化促進法に基づき、市町村が地域の実情に即して効率的・安定的な農業経営の目標等を内容とする基本構想を策定し、この目標を目指して農業者が作成した農業経営改善計画を認定する制度。認定農業者に対しては、スーパーL資金等の低利融資制度、農地流動化対策、担い手を支援するための基盤整備事業等の各種施策を実施</td></tr>
<tr><td>農業集落</td><td>市町村の区域の一部において、農作業や農業用水の利用を中心に、家と家とが地縁的、血縁的に結び付いた社会生活の基礎的な地域単位のこと。農業水利施設の維持管理、農機具等の利用、農産物の共同出荷等の農業生産面ばかりでなく、集落共同施設の利用、冠婚葬祭、その他生活面に及ぶ密接な結び付きの下、様々な慣習が形成されており、自治及び行政の単位としても機能している。</td></tr>
<tr><td>農業水利施設</td><td>農地へのかんがい用水の供給を目的とするかんがい施設と、農地における過剰な地表水及び土壌水の排除を目的とする排水施設に大別される。かんがい施設には、ダム等の貯水施設や、取水堰《せき》等の取水施設、用水路、揚水機場、分水工、ファームポンド等の送水・配水施設があり、排水施設には、排水路、排水機場等がある。このほか、かんがい施設や排水施設の監視や制御・操作を行う水管理施設がある。</td></tr>
</table>

農地の集積・集約化	農地の集積とは、農地を所有し、又は借り入れること等により、利用する農地面積を拡大することをいう。農地の集約化とは、農地の利用権を交換すること等により、農地の分散を解消することで農作業を連続的に支障なく行えるようにすることをいう。
は	
バイオマス	動植物に由来する有機性資源で、化石資源を除いたものをいう。バイオマスは、地球に降り注ぐ太陽のエネルギーを使って、無機物である水と二酸化炭素から、生物が光合成によって生成した有機物であり、ライフサイクルの中で、生命と太陽エネルギーがある限り持続的に再生可能な資源である。
バリューチェーン	生産から加工、流通、販売に至るまで、各事業が有機的につながり、それぞれの工程で付加価値を生み出していくプロセスのこと
ビッグデータ	ボリュームが膨大でかつ構造が複雑であるが、そのデータ間の関係性等を分析することで新たな価値を生み出す可能性のあるデータ群のこと
フードバンク	食品関連事業者その他の者から未利用食品等まだ食べることができる食品の寄附を受けて貧困、災害等により必要な食べ物を十分に入手することができない者にこれを無償で提供するための活動を行う団体
豚熱	CSF ウイルスによって引き起こされる豚やイノシシの伝染病であり、発熱、食欲不振、元気消失等の症状を示し、強い伝播《でんぱ》力と高い致死率が特徴。アジアを含め世界では本病の発生が依然として認められる。我が国は、平成 19(2007)年に清浄化を達成したが、平成 30(2018)年 9 月に 26 年ぶりに発生した。なお、豚、イノシシの病気であり、ヒトに感染することはない。
や	
遊休農地	以下の①、②のいずれかに該当する農地をいう。 ① 現に耕作の目的に供されておらず、かつ、引き続き耕作の目的に供されないと見込まれる農地 ② その農業上の利用の程度がその周辺の地域における農地の利用の程度に比し著しく劣っていると認められる農地（①に掲げる農地を除く。）
ら	
6 次産業化	農林漁業者等が必要に応じて農林漁業者等以外の者の協力を得て主体的に行う、1 次産業としての農林漁業と、2 次産業としての製造業、3 次産業としての小売業等の事業との総合的かつ一体的な推進を図り、地域資源を活用した新たな付加価値を生み出す取組
わ	
「和食；日本人の伝統的な食文化」	平成 25(2013)年 12 月に、「和食；日本人の伝統的な食文化」がユネスコ無形文化遺産に登録された。この「和食」は、「自然を尊重する」というこころに基づいた日本人の食慣習であり、①多様で新鮮な食材とその持ち味の尊重、②健康的な食生活を支える栄養バランス、③自然の美しさや季節のうつろいの表現、④正月等の年中行事との密接な関わり、という特徴を持つ。

(2) アルファベット順

A	
AI	Artificial Intelligence の略で、人工知能のこと。学習・推論・判断といった人間の知能の持つ機能を備えたコンピュータシステム
ASEAN《アセアン》	Association of South-East Asian Nations の略で、東南アジア諸国連合のこと。昭和42(1967)年、東南アジアにおける経済成長や社会・文化的発展の促進、政治・経済的安定の確保、その他諸問題に関する協力を目的として、タイのバンコクにおいて設立された。設立当初は、インドネシア、マレーシア、フィリピン、シンガポール、タイの5か国が加盟、その後、ブルネイ(昭和 59(1984)年加盟)、ベトナム(平成7(1995)年加盟)、ラオス、ミャンマー(平成9(1997)年加盟)、カンボジア(平成11(1999)年加盟)が加わり、10 か国となっている。また、平成9(1997)年のアジア通貨危機を契機に、我が国、中国、韓国の3か国が加わり、東アジアで地域協力をする「ASEAN＋3」の枠組みも進められている。
ASIAGAP《アジアギャップ》	JGAP/ASIAGAP を参照
B	
BCP	Business Continuity Plan の略で、災害等のリスクが発生したときに重要業務が中断しないための計画のこと。また、万一、事業活動が中断した場合でも、目標復旧時間内に重要な機能を再開させ、業務中断に伴うリスクを最低限にするために、平時から事業継続について戦略的に準備しておく計画
E	
EPA/FTA	EPA は Economic Partnership Agreement の略で、経済連携協定、FTA は Free Trade Agreement の略で、自由貿易協定のこと。物品の関税やサービス貿易の障壁等を削減・撤廃することを目的として特定国・地域の間で締結される協定を FTA という。FTA の内容に加え、投資ルールや知的財産の保護等も盛り込み、より幅広い経済関係の強化を目指す協定を EPA という。「関税及び貿易に関する一般協定」(GATT)等においては、最恵国待遇の例外として、一定の要件((1)「実質上の全ての貿易」について「関税その他の制限的通商規則を廃止」すること、(2)廃止は、妥当な期間内(原則10 年以内)に行うこと、(3)域外国に対して関税その他の通商障壁を高めないこと等)の下、特定の国々の間でのみ貿易の自由化を行うことも認められている(「関税及び貿易に関する一般協定」(GATT)第 24 条他)。
F	
FGAP《エフギャップ》	FGAP(ふくしま県 GAP)は福島県が策定している制度であり、農林水産省の「農業生産工程管理(GAP)の共通基盤に関するガイドライン」に準拠している。また、福島県独自の基準として、放射性物質対策を詳細に規定している。
G	
GAP《ギャップ》	Good Agricultural Practices の略で、農業において、食品安全、環境保全、労働安全等の持続可能性を確保するための生産工程管理の取組のこと
GFSI	Global Food Safety Initiative の略で、世界食品安全イニシアティブのこと。グローバルに展開する食品事業者が集まり、食品安全の向上と消費者の信頼強化に向け様々な取組を行う機関。平成 12(2000)年5月に、The Consumer Goods Forum(CGF：世界 70 か国、約 400 社のメーカー、小売事業者、サービス・プロバイダーによる国際的な組織)の下部組織として発足
GLOBALG.A.P.《グローバルギャップ》	ドイツの Food PLUS GmbH が策定した第三者認証の GAP。青果物及び水産養殖に関して GFSI 承認を受けており、主に欧州で普及

H	
HACCP《ハサップ》	Hazard Analysis and Critical Control Point の略で、危害要因分析及び重要管理点のこと。原料受入れから最終製品までの各工程で、微生物による汚染、金属の混入等の危害の要因を予測(危害要因分析：Hazard Analysis)した上で、危害の防止につながる特に重要な工程(重要管理点：Critical Control Point、例えば加熱・殺菌、金属探知機による異物の検出等の工程)を継続的に監視・記録する工程管理のシステム
I	
ICT	Information and Communication Technology の略。情報や通信に関する技術の総称
IoT	Internet of Things の略で、モノのインターネットのこと。世の中に存在する様々なモノがインターネットに接続され、相互に情報をやり取りして、自動認識や自動制御、遠隔操作等を行うこと
J	
JFS	一般財団法人食品安全マネジメント協会が策定した第三者認証の食品安全管理規格。なお、JFS は、平成 30(2018)年 10 月に、GFSI の承認を取得
JGAP《ジェイギャップ》/ASIAGAP《アジアギャップ》	一般財団法人日本 GAP 協会が策定した第三者認証の GAP。JGAP の対象は青果物、穀物、茶、家畜・畜産物。ASIAGAP の対象は青果物、穀物、茶。なお、ASIAGAP は、平成 30(2018)年 10 月に、GFSI の承認を取得
N	
NPO/NPO 法人	Non Profit Organization の略で、非営利団体のこと。様々な社会貢献活動を行い、団体構成員に対し収益を分配することを目的としない団体の総称である。様々な分野(福祉、教育・文化、まちづくり、環境、国際協力等)で、社会の多様化したニーズに応える重要な役割を果たすことが期待されている。NPO のうち、特定非営利活動促進法に基づき法人格を取得したものを特定非営利活動法人といい、銀行口座の開設や事務所の賃借等を法人名で行うことができる。
O	
OIE	国際獣疫事務局の発足当時の名称である Office International des Epizooties(フランス語)の略。現在の名称は World Organisation for Animal Health。大正 13(1924)年に発足した動物衛生の向上を目的とした政府間機関で、182 の国と地域が加盟(令和元(2019)年 5 月末時点)。我が国は昭和 5 (1930)年に加盟。主に、アフリカ豚熱等の動物疾病防疫や薬剤耐性対策等への技術的支援、動物・畜産物貿易、アニマルウェルフェア等に関する国際基準の策定等の活動を行っている。
S	
SDGs(持続可能な開発目標)	SDGs は Sustainable Development Goals の略。平成 27(2015)年 9 月の国連サミットにおいて全会一致で採択された、令和 12(2030)年を期限とする国際社会全体の開発目標。飢餓や貧困の撲滅、経済成長と雇用、気候変動対策等包括的な 17 の目標を設定。法的な拘束力はなく、各国の状況に応じた自主的な対応が求められる。我が国では、平成 28(2016)年 5 月に、SDGs の実施のために閣議決定で「持続可能な開発目標(SDGs)推進本部」を設置。同年 12 月に SDGs 実施のための我が国のビジョンや優先課題等を掲げた「持続可能な開発目標(SDGs)実施指針」を、平成 29(2017)年 12 月には我が国の SDGs モデルの発信に向けた方向性や主要な取組を盛り込んだ「SDGs アクションプラン 2018」を同本部で決定

W	
WCS 用稲	WCS は Whole Crop Silage の略で、実と茎葉を一体的に収穫し、乳酸発酵させた飼料のこと。WCS 用稲は、WCS として家畜に給与する目的で栽培する稲のことで、水田の有効活用と飼料自給率の向上に資する。
WTO	World Trade Organization の略で、世界貿易機関のこと。ウルグアイ・ラウンド合意を受け、「関税及び貿易に関する一般協定」(GATT)の枠組みを発展させるものとして、平成 7 (1995)年 1 月に発足した国際機関。本部はスイスのジュネーブにあり、貿易障壁の除去による自由貿易推進を目的とし、多角的貿易交渉の場を提供するとともに、国際貿易紛争を処理する。

4．農業・森林・水産業の多面的機能

(1) 農業

雨水の保水・貯留による洪水防止機能	畦畔《けいはん》に囲まれている水田や、耕された畑の土壌に雨水を一時的に貯留することで洪水を防止・軽減する機能
土砂崩壊防止機能	傾斜地農地において、農業の生産活動を通じて農地の崩壊を初期段階で発見し補修することにより、斜面の崩壊を未然に防ぐ機能。また、田畑を耕作することで、雨水を地下にゆっくりと浸透させ、地下水位が急上昇することを抑え、地すべりを防止する機能
土壌侵食防止機能	水田に水が張られたり、田畑の作物の葉や茎により雨水や風による土壌の侵食を防いだりする機能
水源涵養《かんよう》機能	水田で利用される農業用水や雨水が地下に浸透し、時間をかけて河川に還元されるとともに、より深く地下に浸透した水が流域の地下水を涵養《かんよう》する機能
水質浄化機能	水田や畑の水中や土中の微生物が水中の有機物を分解し、作物が窒素を吸収するほか、微生物の働きにより窒素分を取り除き、水質を浄化する機能
有機性廃棄物分解機能	水田や畑の土の中で、バクテリア等の微生物が家畜排せつ物や生ごみ等から作った堆肥を更に分解し、再び農作物が養分として吸収する機能
気候緩和機能	農地で栽培される作物の蒸発散によって熱を吸収し気温を下げることや水田の水面からの蒸発により気温が低下する機能
生物多様性保全機能	水田・畑等が適切かつ持続的に管理されることによって、植物や昆虫、動物等の豊かな生態系を持つ二次的な自然が形成・維持され、生物の多様性が確保される機能
良好な景観の形成機能	農業の営みを通じ、農地と農家の家屋、その周辺の水辺や里山等が一体となった良好な農村の景観を形成する機能
文化の伝承機能	我が国の年中行事や祭事の多くは、豊作を祈る祭事等に由来しており、このような行事や地域独自の祭り等の文化を、農業活動を通じて伝承する機能

(2) 森林

生物多様性保全機能	多くの野生動植物が生息・生育するなど、遺伝子や生物種、生態系の多様性を保全する機能
地球環境保全機能	温暖化の原因である二酸化炭素の吸収や蒸発散作用により、地球規模で自然環境を調節する機能
土砂災害防止機能／土壌保全機能	森林の下層植生や落枝落葉が地表の侵食を抑制するとともに、森林の樹木が根を張りめぐらすことによって土砂の崩壊を防止する機能
水源涵養《かんよう》機能	森林の土壌が雨水を貯留し、河川へ流れ込む水の量を平準化して洪水を緩和するとともに、川の流量を安定させる機能
快適環境形成機能	蒸発散作用等による気候緩和や、防風や防音、樹木の樹冠による塵埃《じんあい》の吸着、ヒートアイランド現象の緩和等により、快適な環境を形成する機能

保健・レクリエーション機能	フィトンチッドに代表される樹木からの揮発性物質による直接的な健康増進効果や、行楽やスポーツの場を提供する機能
文化機能	森林景観が、伝統文化伝承の基盤として日本人の自然観の形成に大きく関わるとともに、森林環境教育や体験学習の場を提供する機能
物質生産機能	木材のほか、各種の抽出成分、きのこ等を生産する機能

(3) 水産業

漁獲によるチッソ・リン循環の補完機能	適度な漁獲によって、食物連鎖によって海の生物に取り込まれたチッソ・リンを陸上へと回収し、チッソ・リンの循環を補完する機能
海域環境の保全機能	カキやアサリ等の二枚貝類が、海水をろ過し、プランクトンや有機懸濁物を餌とすることで海水を浄化するなど、海域環境を保全する機能
水質浄化機能	干潟、藻場及びそこに生育・生息する動植物が、水中の有機物を分解し、栄養塩類や炭酸ガスを吸収し、酸素を供給するなど海水を浄化する機能
生態系保全機能	適切な水産業の営みにより多くの水生生物に生息・生育の場を提供する干潟や藻場等の生態系が保全される機能
伝統漁法等の伝統的文化を継承する機能	漁村の人々の営みを通じて、伝統漁法等の伝統的文化を継承する機能
海難救助機能	沈没・転覆・座礁・漂流・衝突・火災等船が航海中に起こる海難事故の発生時に、漁業者が行う救助活動
災害救援機能	震災やタンカー事故等災害時の、漁業者が行う物資輸送や流出油の回収等の救援機能
海域環境モニタリング機能	赤潮・青潮やクラゲの大量発生等の漁業者による早期発見等、海域環境の異変の監視機能
国境監視機能	貴重な水産資源の密漁監視活動を通じて、密輸や密入国の防止等国益を守る機能
交流等の場を提供する機能	海洋性レクリエーション等のリフレッシュの場、自然の大切さを学べる交流の場を提供する機能

第2部

令和2年度
食料・農業・農村施策

概説

1　施策の重点

令和2（2020）年3月に閣議決定した新たな「食料・農業・農村基本計画」を指針として、食料自給率・食料自給力の維持向上に向けた施策、食料の安定供給の確保に関する施策、農業の持続的な発展に関する施策、農村の振興に関する施策及び食料・農業・農村に横断的に関係する施策等を総合的かつ計画的に展開しました。

また、令和2（2020）年12月に「農林水産業・地域の活力創造プラン」を改訂し、強い農業・農村を構築し、農業者の所得向上を実現するための施策を展開しました。

さらに、TPP11、日EU・EPA、日米貿易協定、日英EPA及びRCEP協定の効果を最大限に活用するため、令和2（2020）年12月に改訂された「総合的なTPP等関連政策大綱」に基づき、強い農林水産業の構築、経営安定・安定供給の備えに資する施策等を推進しました。また、東日本大震災及び東京電力福島第一原子力発電所（以下「東電福島第一原発」という。）事故からの復旧・復興に関係省庁が連携しながら取り組みました。

2　財政措置

（1）令和2（2020）年度農林水産関係予算額は、2兆3,109億円（このほか、臨時・特別の措置1,008億円）を計上しました。本予算は、「農林水産業・地域の活力創造プラン」等に基づき、「強い農林水産業」と「美しく活力ある農山漁村」を実現していくための施策として措置しました。具体的には、①農林水産物・食品の政府一体となった輸出力強化と高付加価値化、②「スマート農業」の実現と強い農業のための基盤づくり、③担い手への農地集積・集約化等による構造改革の推進、④水田フル活用と経営所得安定対策の着実な実施、⑤食の安全・消費者の信頼確保、⑥農山漁村の活性化、⑦林業の成長産業化と「林業イノベーション」の推進、⑧水産改革の実行による適切な資源管理と水産業の成長産業化、⑨災害からの復旧・復興と防災・減災、国土強靭《きょうじん》化に取り組みました。

また、令和2（2020）年度の農林水産関係補正予算額は、第1次補正予算で5,448億円（うち、ALIC事業950億円）、第2次補正予算で658億円（うち、ALIC事業108億円）、第3次補正予算で1兆519億円を計上しました。

（2）令和2（2020）年度の農林水産関連の財政投融資計画額は、5,268億円を計上しました。このうち主要なものは、株式会社日本政策金融公庫による借入れ5,200億円となりました。

3　立法措置

第201回国会及び第203回国会において、以下の法律が成立しました。

・「家畜改良増殖法の一部を改正する法律」（令和2年法律第21号）
・「家畜遺伝資源に係る不正競争の防止に関する法律」（令和2年法律第22号）
・「種苗法の一部を改正する法律」（令和2年法律第74号）

また、令和2（2020）年度において、以下の法律が施行されました。

・「厚生年金保険制度及び農林漁業団体職員共済組合制度の統合を図るための農林漁業団体職員共済組合法等を廃止する等の法律の一部を改正する法律」（令和2年4月施行）
・「農林水産物及び食品の輸出の促進に関する法律」（令和2年4月施行）
・「家畜伝染病予防法の一部を改正する法律」（令和2年7月施行）
・「家畜改良増殖法の一部を改正する法律」（令和2年10月施行）
・「家畜遺伝資源に係る不正競争の防止に関

する法律」（令和２年10月施行）
・「肥料取締法の一部を改正する法律」（令和２年12月施行）

4　税制上の措置

施策の総合的な推進を図るため、以下を始めとする税制措置を講じました。

（1）「人・農地プラン」の中心経営体として位置付けられた認定新規就農者に利用させるため、農業協同組合等が取得した一定の償却資産に係る課税標準の特例措置を創設しました（固定資産税）。

（2）「農業競争力強化支援法」（平成29年法律第35号）に基づく事業再編計画の認定を受けた場合の事業再編促進機械等の割増償却等の対象業種に農業資材の卸売・小売事業を追加しました（所得税・法人税、登録免許税）。

（3）農業経営基盤強化準備金制度を１年延長しました（所得税・法人税）。

（4）農林漁業用Ａ重油等に対する石油石炭税の免税・還付措置を３年延長しました（石油石炭税）。

（5）農地中間管理機構への貸付けによる農地の利用の効率化及び高度化の促進を図るための農地の保有に係る課税の軽減措置を２年延長しました（固定資産税・都市計画税）。

5　金融措置

政策と一体となった長期・低利資金等の融通による担い手の育成・確保等の観点から、農業経営の特性に応じた資金調達の円滑化を図るための支援措置である農業制度金融の充実を図りました。

（1）株式会社日本政策金融公庫の融資

ア　農業の成長産業化に向けて、民間金融機関と連携を強化し、農業者等への円滑な資金供給に取り組みました。

イ　農業経営基盤強化資金（スーパーＬ資金）については、実質化された「人・農地プラン」の中心経営体として位置付けられたなどの認定農業者を対象に貸付当初５年間実質無利子化する措置を講じました。

（2）民間金融機関の融資

ア　民間金融機関の更なる農業融資拡大に向けて株式会社日本政策金融公庫との業務連携・協調融資等の取組を強化しました。

イ　認定農業者が借り入れる農業近代化資金については、貸付利率をスーパーＬ資金の水準と同一にする金利負担軽減措置を実施しました。また、TPP協定等による経営環境変化に対応して、新たに規模拡大等に取り組む農業者が借り入れる農業近代化資金については、実質化された「人・農地プラン」の中心経営体として位置付けられたなどの認定農業者を対象に貸付当初５年間実質無利子化するなどの措置を講じました。

ウ　農業経営改善促進資金（スーパーＳ資金）を低利で融通できるよう、都道府県農業信用基金協会が民間金融機関に貸付原資を低利預託するために借り入れた借入金に対し利子補給金を交付しました。

（3）農業法人への出資

意欲のある農業法人の財務基盤の強化や経営展開を支援するため、「農業法人に対する投資の円滑化に関する特別措置法」（平成14年法律第52号）に基づき、農業法人に対する投資育成事業を行う株式会社又は投資事業有限責任組合の出資原資を株式会社日本政策金融公庫から出資しました。

（4）農業信用保証保険

農業者等の信用力を補完し、円滑な資金供給が行われるようにするため、農業信用保証保険制度に基づき、都道府県農業信用基金協会による債務保証及び当該保証に対し独立行政法人農林漁業信用基金が行う保証保険により補完等を行いました。

（5）被災農業者等支援対策

ア　甚大な自然災害等により被害を受けた

農業者等が借り入れる災害関連資金について、貸付当初5年間実質無利子化する措置を講じました。

イ　甚大な自然災害等により被害を受けた農業者等の経営の再建に必要となる農業近代化資金の借入れについて、都道府県農業信用基金協会の債務保証に係る保証料を保証当初5年間免除するために必要な補助金を交付しました。

I　食料自給率・食料自給力の維持向上に向けた施策

1　食料自給率・食料自給力の維持向上に向けた取組

食料自給率・食料自給力の維持向上に向けて、以下の取組を重点的に推進しました。

（1）食料消費

ア　消費者と食と農とのつながりの深化

食育や国産農産物の消費拡大、地産地消、和食文化の保護・継承、食品ロスの削減を始めとする環境問題への対応等の施策を個々の国民が日常生活で取り組みやすいよう配慮しながら推進しました。また、農業体験、農泊等の取組を通じ、国民が農業・農村を知り、触れる機会を拡大しました。

イ　食品産業との連携

食をめぐる市場において食の外部化・簡便化の進展に合わせ、中食・外食における国産農産物の需要拡大を図りました。

平成25（2013）年にユネスコ無形文化遺産に登録された和食文化については、その特徴の一つとされる健康有用性を国内外へ情報発信するために、和食の健康有用性に関する科学的エビデンスの蓄積等を進めました。

（2）農業生産

ア　国内外の需要の変化に対応した生産・供給

（ア）優良品種の開発等による高付加価値化や生産コストの削減を進めるほか、更なる輸出拡大を図るため、諸外国の規制やニーズにも対応できるグローバル産地づくりを進めました。

（イ）地域の生産者が新たなニーズを把握し、消費者が農業・農村に対する理解を深めるため、国や地方公共団体、農業団体等の後押しを通じて、生産者と消費者や事業者との交流、連携、協働等の機会を創出しました。

イ　国内農業の生産基盤の強化

（ア）農業者の経営課題に対し適切にアドバイスする相談体制を整備するとともに、農業の内外からの青年層の新規就農を促進しました。

（イ）優良農地を確保するとともに、農業水利施設の適切な保全管理等による農業用水の持続的な活用を推進しました。

また、農地中間管理機構の活用を促進し、農地の集積・集約化を進めるため、「農地中間管理事業の推進に関する法律等の一部を改正する法律」（令和元年法律第12号）に基づき、地域の徹底した話合いによる「人・農地プラン」の実質化などを進めました。さらに、相続未登記農地等についても農地中間管理機構を活用して集積・集約化に向けた取組を進めました。

（ウ）生産コストの低減を図るための省力栽培技術・新品種の導入等や、データを活用した施設園芸への転換等を推進するとともに、食品産業事業者との連携等を通じて、需要構造等の変化に対応した生産・供給体制の構築等を推進しました。

2　主要品目ごとの生産努力目標の実現に向けた施策

（1）米

ア　需要に応じた米の生産・販売の推進

（ア）需要に応じた生産・販売を推進するため、産地・生産者と実需者が結び付いた事前契約や複数年契約による安定取引の推進、水田活用の直接支払交付金や新市場開拓に向けた水田リノベーション事業による支援、都道府県産別、品種別等のきめ細かな需給・価格情報、販売進捗情報、在庫情報の提供、都道府県別・地域別の作付動向（中間的な取組状況）の公表等の環境整備を推進しました。

（イ）国が策定する需給見通し等を踏まえつつ生産者や集荷業者・団体が主体的に需要に応じた生産・販売を行うため、行政、生産者団体、現場が一体となって取り組みました。

（ウ）米の生産については、農地の集積・集約化による分散錯圃《さくほ》の解消や作付けの団地化、多収品種の導入やスマート農業技術等による省力栽培技術の普及、資材費の低減等による生産コストの低減等を推進しました。

イ　コメ・コメ加工品の輸出拡大

「コメ海外市場拡大戦略プロジェクト」を通じ、戦略的輸出事業者と戦略的輸出基地（産地）のマッチングの推進、両者が連携した輸出を拡大する国・地域における戦略的プロモーションの実施等に対する支援を通じて、海外の需要開拓を図るとともに、海外市場の求める品質や数量等に対応できる産地の育成等を推進しました。

（2）麦

ア　日本麺用、パン・中華麺用等の需要に応じた麦品種の生産拡大を推進しました。

イ　経営所得安定対策による支援を行うとともに、収量性や加工適性に優れた新品種、単収・品質向上技術等の導入の支援により、小麦、大麦、はだか麦の作付拡大を推進しました。

ウ　麦の需要に応じた生産拡大・品質向上に対応するため、診断に基づく栽培改善技術導入支援マニュアルの普及等を通じた栽培技術の導入や乾燥調製施設等の再編整備や高性能農業機械の導入等を推進しました。

（3）大豆

ア　経営所得安定対策や強い農業・担い手づくり総合支援交付金等による支援を行うとともに、診断に基づく栽培改善技術導入支援マニュアルの普及等を通じ、生産性向上に資する湿害や雑草対策技術等の導入や適正な輪作体系の構築等に取り組みました。

イ　実需者ニーズに対応した新品種や栽培技術の導入により、実需者の求める大豆の安定生産を支援し、需要拡大を推進しました。

ウ　「播種《はしゅ》前入札取引」の適切な運用等により、国産大豆の安定取引を推進しました。

（4）そば

ア　需要に応じた生産拡大を図るとともに、国産そばの需要拡大に向けて、実需者への安定的な供給を図るため、排水対策等の基本技術の徹底、湿害軽減技術の普及等を推進しました。

イ　高品質なそばの安定供給に向けた生産体制の強化に必要となる乾燥調製施設の整備等を支援しました。

ウ　国産そばを取り扱う製粉業者と農業者の連携を推進しました。

（5）かんしょ・ばれいしょ

ア　かんしょについては、生産コストの低減や品質の向上を図るため、共同利用施設の整備や省力化のための機械化一貫体系の確立等への取組を支援しました。特に、でん粉原料用かんしょについては、生産性の向上を図るため、多収新品種への転換や生分解性マルチの導入等の取組を支援しました。また、「サツマイモ基腐病《もとぐされびょう》」については、土壌消毒、健全な苗の調達等を支援するとともに、研究事業で得られた成果を踏まえつつ、防除技術の確立に向けた取組を推進しました。さらに、輸出用かんしょ加工品の開発を支援することにより輸出の拡大を目指しました。

イ　ばれいしょについては、生産コストの低減、品質の向上、労働力の軽減やジャガイモシストセンチュウの発生・まん延の防止を図るための共同利用施設の整備等を推進しました。また、収穫作業の省力化のための倉庫前集中選別への移行やコントラクター等の育成による作業の外部化への取組を支援しました。さらに、ジャガイモシストセンチュウ抵抗性を有する新品種への転換を促進しました。

ウ　種子用ばれいしょ生産については、罹病率の低減や小粒化への取組を支援するとともに、原原種生産・配布において、計画生産の強化や配布品種数の削減により効率的な生産を目指すとともに原原種の品質向上を図りました。

エ　国内産いもでん粉の加工食品用途等への販路拡大や収益性の向上を図るため、いもでん粉の高品質化に向けた品質管理の高度化等を支援しました。

オ　糖価調整制度に基づく交付金により、国内産いもでん粉の安定供給を推進しました。

（6）なたね

ア　良質ななたねの安定供給を図るため、播種《はしゅ》前契約の実施による国産なたねを取り扱う搾油事業者と農業者の連携を推進しました。

イ　なたねのダブルロー品種（食用に適さない脂肪酸であるエルシン酸と家畜等に甲状腺障害をもたらすグルコシノレートの含有量がともに低い品種）の普及を推進しました。

（7）野菜

ア　既存ハウスのリノベーションや、環境制御・作業管理等の技術習得に必要なデータ収集・分析機器の導入等、データを活用して生産性・収益向上につなげる体制づくり等を支援するとともに、より高度な生産が可能となる低コスト耐候性ハウスや高度環境制御栽培施設等の導入を支援しました。

イ　水田地帯における園芸作物の導入に向けた合意形成や試験栽培、園芸作物の本格生産に向けた機械・施設のリース導入等を支援しました。

ウ　複数の産地と協業して、加工・業務用等の新市場が求めるロット・品質での供給を担う拠点事業者による貯蔵・加工等の拠点インフラの整備や生育予測等を活用した安定生産の取組等を支援しました。

エ　地域農業者の減少や労働力不足等の生産構造の急速な変化に対応するため、農業者と協業しつつ、①生産安定・効率化機能、②供給調整機能、③実需者ニーズ対応機能の３つの全ての機能を具備又は強化するモデル性の高い生産事業体の育成を支援しました。

（8）果樹

ア　優良品目・品種への改植・新植及びそれに伴う未収益期間における幼木の管理経費を支援しました。

イ　労働生産性の向上を図るため、平坦《へいたん》で作業性の良い水田等への新植や省力樹形の導入に対する支援を強化するとともに、まとまった面積での省力樹形及び機械作業体系の導入等による労働生産性を抜本的に高めたモデル産地の育成を支援しました。

ウ　省力樹形の導入等に必要となる優良苗木や、国産花粉の安定供給に向けて、育苗圃場《ほじょう》の設置や花粉専用樹の植栽等を支援しました。

（9）甘味資源作物

ア　てんさいについては、労働力不足に対応するため、省力化や作業の共同化、労働力の外部化や直播《ちょくはん》栽培体系の確立・普及等を推進しました。

イ　さとうきびについては、自然災害からの回復に向けた取組を支援するとともに、地域ごとの「さとうきび増産計画」に定めた、地力の増進や新品種の導入、機械化一貫体系の確立等特に重要な取組を推進しました。また、分みつ糖工場における「働き方改革」への対応に向けて、工場診断や人員配置の改善の検討、施設整備等労働効率を高める取組を支援しました。

ウ　糖価調整制度に基づく交付金により、国内産糖の安定供給を推進しました。

(10) 茶

産地の生産性向上と収益力の強化を図るため、改植等による優良品種等への転換や茶園の若返り、有機栽培への転換、てん茶（抹茶の原料）等の栽培に適した棚施設を利用した栽培法への転換や直接被覆栽培への転換、担い手への集積等に伴う茶園整理（茶樹の抜根）、荒茶加工施設の整備を推進しました。また、海外ニーズに応じた茶の生産・加工技術や低コスト生産・加工技術の導入、新たな抹茶加工技術の実証や、緑茶生産において使用される主要な農薬について輸出相手国・地域に対し我が国と同等の基準を新たに設定申請する取組を支援しました。

(11) 畜産物

肉用牛については、高品質な牛肉を安定的に供給できる生産体制を構築するため、肉用繁殖雌牛の増頭、受精卵の増産・利用等を推進しました。酪農については、都府県における牛舎の空きスペースも活用した増頭・増産に加え、性判別技術の活用による乳用後継牛の確保、高品質な生乳の生産による多様な消費者ニーズに対応した牛乳乳製品の供給等を推進しました。また、労働力負担軽減・省力化に資するロボット、AI、IoT 等の先端技術の普及・定着、外部支援組織等の役割分担・連携強化等を図りました。さらに、子牛や国産畜産物の生産・流通の円滑化に向けた家畜市場や食肉処理施設及び生乳の処理・貯蔵施設の再編等の取組を推進しました。

(12) 飼料作物等

輸入飼料に過度に依存した畜産から国産飼料生産基盤に立脚した畜産に転換するため、不安定な気象に対応したリスク分散の取組等による生産性の高い草地への改良、国産濃厚飼料（子実用とうもろこし等）の増産、ICT 等を活用した飼料生産組織の作業の効率化、放牧を活用した肉用牛・酪農基盤強化、飼料用米等の利活用の取組等を推進しました。

Ⅱ　食料の安定供給の確保に関する施策

1　新たな価値の創出による需要の開拓

（１）新たな市場創出に向けた取組

ア　地場産農林水産物等を活用した介護食品の開発を支援しました。また、パンフレットや映像等の教育ツールを用いてスマイルケア食の普及を図りました。さらに、スマートミール（病気の予防や健康寿命を延ばすことを目的とした、栄養バランスのとれた食事）の普及等を支援しました。

イ　地域の農林水産物・食品において、機能性の科学的エビデンスを得るためのヒト試験、栽培・加工技術等の研究開発を推進しました。また、腸内マイクロバイオームを始めとする健康情報や食習慣等に関するデータの集積等、健康に資する食生活のビッグデータ収集・活用のための基盤整備を推進しました。

（２）需要に応じた新たなバリューチェーンの創出

都道府県及び市町村段階に、行政、農林漁業、商工、金融機関等の関係機関で構成される６次産業化・地産地消推進協議会を設置し、６次産業化等戦略を策定する取組を支援しました。

また、６次産業化等に取り組む農林漁業者等に対するサポート体制を整備するとともに、業務用需要に対応した BtoB（事業者向けビジネス）の取組、農泊と連携した観光消費の促進等に資する新商品開発・販路開拓の取組や加工・販売施設等の整備を支援しました。

(3) 食品産業の競争力の強化

ア 食品流通の合理化等

(ア) 「食品等の流通の合理化及び取引の適正化に関する法律」(平成3年法律第59号) に基づき、食品等流通合理化計画の認定を行うことにより、新たな流通技術を活用してデータの共有・活用や省人化・省力化を図るなど、食品等の流通の合理化を図る取組を支援しました。特に、トラックドライバーを始めとする食品流通に係る人手不足等の問題に対応するため、「農業生産基盤強化プログラム」に基づき、サプライチェーン全体での合理化を推進しました。

また、令和2 (2020) 年6月に施行された改正後の「卸売市場法」(昭和46年法律第35号) に基づき、中央卸売市場の認定を行うとともに、施設整備に対する助成や卸売市場に対する指導監督を行いました。さらに、食品等の取引の適正化のため、取引状況に関する調査を行い、その結果に応じて関係事業者に対する指導・助言を実施しました。

(イ) 商品先物市場の健全な運営を確保するため、「商品先物取引法」(昭和25年法律第239号) に基づき、商品先物市場の監視及び監督を行うとともに、顧客の保護及び取引の適正化を図るため、同法を迅速かつ適正に執行しました。

イ 労働力不足への対応

食品産業における労働力不足に対応するため、食品製造等の現場におけるロボット、AI、IoT 等の先端技術の活用実証や、その成果の情報発信により、食品産業におけるイノベーションの創出や、業界全体の生産性向上に向けた取組を支援しました。

また、食品製造業の就業者の安全を確保するため、労働安全に係る研修等を推進しました。さらに、食品産業の現場で特定技能制度による外国人材を円滑に受け入れるため、試験の実施や外国人が働きやすい環境の整備に取り組みました。

ウ 規格・認証の活用

産品の品質や特色、事業者の技術や取組について、説明・証明、信頼の獲得を容易にし、取引の円滑化に資するよう、訴求力の高いJASの制定・活用等を進めるとともに、JAS の国内外への普及、JAS と調和のとれた国際規格の制定等を推進しました。

また、輸出促進に資するよう、GFSI (世界食品安全イニシアティブ) の承認を受けた JFS 規格 (日本発の食品安全管理規格) の国内外での普及を推進しました。

(4) 食品ロス等をはじめとする環境問題への対応

ア 食品ロスの削減

「食品循環資源の再生利用等の促進に関する法律」(平成12年法律第116号) に基づく基本方針において設定した事業系食品ロスを 2000 年度比で 2030 年度までに半減させる目標の達成に向けて、令和2 (2020) 年3月に閣議決定した「食品ロスの削減の推進に関する法律」(令和元年法律第 19 号) に基づく基本方針に則して、事業者、消費者、地方公共団体等と連携した取組を進めました。

また、個別企業等では解決が困難な商慣習の見直しに向けたフードチェーン全体の取組、新技術を活用した需要予測や未利用食品と購入希望者とのマッチングを図る「フードシェアリング」等の効果的な取組、食品産業から発生する未利用食品をフードバンクが適切に管理・提供するためのマッチングシステムを実証・構築する取組等を推進しました。

さらに、食品ロス削減月間 (10月) 等の機会を捉えて、食品ロス削減に取り組む食品関連事業者等の積極的な公表を行いました。

加えて、食品流通の川下における食品循環資源の再生利用等を促進するため、下水汚泥との混合利用の取組を支援するとともに、メタン発酵消化液等の肥料利用に関する調査・実証等の取組を通じて、メタン発酵消化液等の地域での有効利用を行うための取組を支援しました。

イ　食品産業分野におけるプラスチックごみ問題への対応

「容器包装に係る分別収集及び再商品化の促進等に関する法律」（平成７年法律第112号）に基づく、義務履行の促進、容器包装廃棄物の排出抑制のための取組として、食品関連事業者への点検指導、食品小売事業者からの定期報告の提出の促進を実施しました。

また、プラスチック製買物袋の有料化義務化の円滑な導入等を進めました。さらに、使用済みペットボトルの100％有効利用に向けた回収体制の構築を推進するなど、農林水産・食品産業で利活用されるプラスチック資源の循環を促進しました。

ウ　気候変動リスクへの対応

（ア）TCFD提言（気候変動リスク・機会に関する情報開示のフレームワークを取りまとめた最終報告書）のガイダンス、取組事例等を踏まえた食品関連事業者による気候関連の情報開示の取組を推進しました。

（イ）食品産業の持続可能な発展に寄与する地球温暖化防止・省エネルギー等の優れた取組を表彰するとともに、低炭素社会実行計画の進捗状況の点検等を実施しました。

２　グローバルマーケットの戦略的な開拓

（１）農林水産物・食品の輸出促進

ア　輸出阻害要因の解消等による輸出環境の整備

（ア）「農林水産物及び食品の輸出の促進に関する法律」（令和元年法律第57号）に基づき、令和２（2020）年４月に農林水産省に創設した農林水産物・食品輸出本部の下で、輸出阻害要因に対応して輸出拡大を図る体制を強化し、同本部で作成した実行計画に従い、放射性物質や動植物検疫に関する輸入規制の緩和・撤廃を始めとした食品安全等の規制等に対する輸出先国との協議の加速化、国際基準や輸出先国の基準の策定プロセスへの戦略的な対応、輸出証明書発行・区域指定・施設認定の手続の一本化、輸出向けの施設整備と登録認定機関制度を活用した施設認定の迅速化、輸出手続の迅速化、意欲ある輸出事業者の支援、輸出証明書の申請・発行の一元化、輸出相談窓口の利便性向上、輸出先国の衛生基準や残留基準への対応強化等、貿易交渉による関税撤廃・削減を速やかに輸出拡大につなげるための環境整備を進めました。

（イ）東電福島第一原発事故を受けて、諸外国・地域において日本産食品に対する輸入規制が行われていることから、関係省庁が協力し、各種資料・データを提供しつつ輸入規制の緩和・撤廃に向けた働き掛けを実施しました。

（ウ）日本産食品等の安全性や魅力に関する情報を諸外国・地域に発信したほか、海外におけるプロモーション活動の実施により、日本産食品等の輸出回復に取り組みました。

（エ）我が国の実情に沿った国際基準の速やかな策定及び策定された国際基準の輸出先国での適切な実施を促進するため、国際機関の活動支援やアジア・太平洋地域の専門家の人材育成等を行いました。

（オ）輸出先となる事業者等から求められるHACCPを含む食品安全マネジメント規格、GAP（農業生産工程管理）等の認証取得を促進しました。また、国際的な取引にも通用する、コーデックス委員会が定めるHACCPをベースとしたJFS規格の仕組みを充実し、その国際標準化に向けた取組を支援しました。さらに、JFS規格及びASIAGAPの国内外への普及に向けた取組を推進しました。

(カ) ニーズに応じた専門家を産地に派遣し、輸出先国・地域の残留農薬基準や植物防疫条件を満たす栽培方法、選果等の技術的指導を行うなど、輸出に取り組もうとする産地を支援しました。

(キ) 輸出先のニーズに対応したHACCP等の基準を満たすため、食品製造事業者等の施設の改修及び新設、機器の整備に対して支援しました。

(ク) 加工食品については、食品製造業における輸出拡大に必要な施設・設備の整備、我が国の農林水産物を活用した海外のニーズに応える新商品の開発等により、輸出拡大を図りました。

(ケ) 輸出植物解禁協議を迅速化するため、園地管理等の産地が取り組みやすい検疫措置の調査・実証を進めるとともに、国際基準の策定に向けて、害虫の殺虫効果に関するデータを蓄積して検疫処理技術を確立する取組を推進しました。

(コ) 輸出先国の検疫条件に則した防除体系、栽培方法、選果等の技術を確立するためのサポート体制を整備するとともに、卸売市場や集荷地等での輸出検査を行うことにより、産地等の輸出への取組を支援しました。

イ 海外への商流構築、プロモーションの促進

(ア) 農林水産物・食品の輸出拡大に向けて官民一体となって「農林水産業の輸出力強化戦略」(平成28(2016)年5月策定。以下「輸出力強化戦略」という。)の着実な実行のため、以下の取組を行いました。また、令和7(2025)年に2兆円、令和12(2030)年に5兆円の輸出額目標を達成するため、「農林水産物・食品の輸出拡大実行戦略」(令和2(2020)年12月決定。以下「輸出拡大実行戦略」という。)を決定し、マーケットインの体制整備を図るとともに、輸出重点品目を定め、品目ごとに輸出目標を設定しました。

a 農林水産物・食品輸出プロジェクト(GFP)のコミュニティサイトを通じ、農林水産省が輸出の可能性を診断する輸出診断、そのフォローアップや、輸出に向けた情報の提供、登録者同士の交流イベントの開催等を行いました。また、相手国のニーズや規制等に対応したグローバル産地の形成を進めるため、輸出事業計画の策定、生産・加工体制の構築、事業効果の検証・改善等の取組を支援しました。輸出拡大実行戦略に基づき、重点品目について、輸出産地をリスト化しました。

b 国・地域及び品目を絞り込み、売り込むべきメッセージを明確にした日本食品海外プロモーションセンター(JFOODO)による重点的・戦略的プロモーションを支援しました。水産物、米・米加工品、林産物、青果物、花き、畜産物、茶(荒茶を含む)及び加工食品(菓子)の品目別輸出団体に対し、オールジャパンで取り組む日本産品の情報発信や販路開拓の取組を支援しました。

c 国内外の商談会の開催、海外見本市への出展支援、セミナー開催、専門家による相談対応、様々な国内支援機関が参画する新輸出大国コンソーシアムによる支援等、独立行政法人日本貿易振興機構(JETRO)による総合的支援を実施しました。

d 輸出拡大が期待される具体的な分野・テーマについて、団体・民間事業者等による海外市場の開拓・拡大への取組をJETROを通じて支援しました。

(イ) 海外の市場拡大を目指して日本食・食文化の魅力を適切かつ効果的に発信する取組を推進しました。

a 日本食・食文化の海外普及を通じて、

日本産農林水産物・食品の輸出拡大につなげるため、外国人料理人等に対する日本料理講習会や日本料理コンテストを開催するなど、日本食・食文化の普及活動を担う人材の育成を推進しました。また、日本食・食文化の発信拠点である日本産食材サポーター店については、日本産食材の取扱いの増加を図る取組を推進するなど、輸出拠点としての活用を強化しました。

b　日本人の日本食料理人等が海外展開するために必要な研修の実施や、日本食レストランが海外進出するための取組を支援しました。

c　訪日外国人旅行者を国産農林水産物・食品の需要拡大や農山漁村の活性化につなげていくため、農泊と連携しながら、地域の「食」や農林水産業、景観等の観光資源を活用して訪日外国人旅行者をもてなす取組を「SAVOR《セイバー》 JAPAN《ジャパン》」として認定し、一体的に海外に発信しました。また、コロナ禍を踏まえオンライントリップによる情報発信の手法に取り組みました。

d　訪日外国人旅行者の主な観光目的である「食」と滞在中の多様な経験を組み合わせ、「食」の多様な価値を創出するとともに、帰国後もレストランや越境ECサイトでの購入等を通じて我が国の食を再体験できるような機会を提供することで、輸出拡大につなげていくため、「食かけるプロジェクト」の取組を推進しました。

ウ　食産業の海外展開の促進

（ア）海外展開による事業基盤の強化

a　我が国の食文化・食産業の海外展開を促進するため、海外展開における阻害要因の解決を図るとともに、グローバル人材の確保、我が国の規格・認証の普及・浸透に向け、食関連企業及びASEAN各国の大学と連携し、食品加工・流通、分析等に関する教育を行う取組等を推進しました。

b　輸出力強化戦略に沿った取組を円滑に進めるために、JETROにおいて、商品トレンドや消費者動向等を踏まえた現場目線の情報提供やその活用ノウハウを通じたサポートを行うとともに、輸出先国バイヤーの発掘・関心喚起等輸出環境整備に取り組みました。

（イ）生産者等の所得向上につながる海外需要の獲得

我が国の技術やノウハウを活用したグローバル・フードバリューチェーンの構築等を通じた食産業（食品産業や農業等）の海外展開等、生産者等の所得向上につながる海外需要の獲得のための取組を、食料安全保障の確立や我が国農業の持続的発展の観点から推進しました。具体的には、令和元（2019）年12月に策定された「グローバル・フードバリューチェーン構築推進プラン」に基づき、各国・地域の発展段階と主要課題を踏まえた企業支援の取組の重点化、企業コンソーシアムづくりの支援、地方企業の進出促進、輸出と投資の一体的促進、スマート農業技術の海外展開の推進等に取り組みました。

（ウ）食品産業における国際標準への戦略的対応

我が国の食品事業者の国際的な取引における競争力を確保し、消費者に対してより安全な食品を供給するため、JFS規格の充実とその国際的普及に向けた取組を官民が連携して推進しました。あわせて、JFS規格の海外発信を行うとともに、将来的に国際的な基準の策定等の過程に参画できる人材の育成を見据え、産学官の実務者レベルで議論を行いました。

（２）知的財産等の保護・活用

ア　品質等の特性が産地と結び付いている我が国の伝統的な農林水産物・食品等を登録・保護する地理的表示（GI）保護制度の円滑な運用を図るとともに、登録申請に係る支援や制度の周知と理解の促進に取り組みました。また、GIの活用を促すため、全国のGI産地・GI産品を消費者等に紹介するフェア等を開催し、制度の普及・活用を推進しました。さらに、制度の適切な運用を図るため、登録生産者団体等に対する定期検査を行いました。

イ　各地域・産品の実情に応じた知的財産の保護・活用を図るため、農林水産省と特許庁が協力しながら、巡回特許庁において、出願者に有益な情報や各制度の普及・啓発を行うとともに、独立行政法人工業所有権情報・研修館（INPIT）が各都道府県に設置する知財総合支援窓口において、特許、商標、営業秘密のほか、地方農政局等と連携してGI及び植物品種の育成者権等の相談に対応しました。

ウ　我が国種苗の海外への流出を防止するため、登録品種の海外への持ち出しの制限、登録品種の自家増殖を行う場合における育成者権者の許諾制の導入を内容とする「種苗法の一部を改正する法律」(令和2年法律第74号）が第203回国会で成立しました。

また、海外における品種登録（育成者権取得）や侵害対策に対して支援するとともに、品種保護に必要となる検査手法・DNA品種識別法の開発等の技術課題の解決や、東アジアにおける品種保護制度の整備を促進するための協力活動等を推進しました。

エ　家畜遺伝資源の適正な流通・利用を確保し、知的財産としての価値を保護するため、「家畜改良増殖法の一部を改正する法律」（令和2年法律第21号）及び「家畜遺伝資源に係る不正競争の防止に関する法律」(令和2年法律第22号)が、令和2（2020）年10月に施行されました。

また、家畜遺伝資源の適正な流通管理の徹底や知的財産としての価値の保護強化を推進するため、新たな仕組みについて周知徹底を図ったほか、全国の家畜人工授精所への立入検査、家畜遺伝資源の利用者の範囲等について制限を付す売買契約の普及や家畜人工授精用精液等の流通を全国的に管理するシステムの構築等を推進しました。

オ　我が国のGI産品の海外での保護を図るため、国際協定による諸外国とのGIの相互保護を推進するとともに、相互保護を受けた海外での執行の確保を図りました。また、海外における我が国のGIの使用状況調査の実施、生産者団体によるGIに対する侵害対策等の支援により、海外における知的財産侵害対策の強化を図りました。

カ　知的財産に関する意識を高め、施策を一体的に推進するため、新たな農林水産省知的財産戦略の検討に着手しました。

3　消費者と食・農とのつながりの深化

（1）食育や地産地消の推進と国産農産物の消費拡大

ア　国民運動としての食育の推進

（ア）「第3次食育推進基本計画」（平成28（2016）年3月策定）等に基づき、関係府省庁が連携しつつ、様々な分野において国民運動として食育を推進しました。

（イ）朝ごはんを食べること等、子供の基本的な生活習慣を育成するための「早寝早起き朝ごはん」国民運動を推進しました。

イ　地域における食育の推進

郷土料理等地域の食文化の継承や農林漁業体験機会の提供、和食給食の普及、共食機会の提供、地域で食育を推進するリーダーの育成等、地域で取り組む食育活動を支援しました。

ウ　学校における食育の推進

家庭や地域との連携を図るとともに、学校給食を活用しつつ、学校における食育の推進を図りました。

エ　国産農産物の消費拡大の促進

（ア）食品関連事業者と生産者団体、国が一体となって、食品関連事業者等における国産農産物の利用促進の取組等を後押しするなど、国産農産物の消費拡大に向けた取組を実施しました。

（イ）消費者と生産者の結び付きを強化し、我が国の「食」と「農林漁業」についてのすばらしい価値を国内外にアピールする取組を支援しました。

（ウ）地域の生産者等と協働し、日本産食材の利用拡大や日本食文化の海外への普及等に貢献した料理人を顕彰する制度である「料理マスターズ」を実施しました。

（エ）生産者と実需者のマッチング支援を通じて、中食・外食向けの米の安定取引の推進を図りました。また、米飯学校給食の推進・定着やごはん食推進の普及・啓発に加え、米の消費拡大に資する飲食店情報の提供や、消費拡大に取り組む企業・団体の応援等、業界による主体的取組を応援する運動「やっぱりごはんでしょ！」の充実を図り、米消費が多く見込まれる消費者層や訪日外国人旅行者を含む新たな需要の取り込みを進めました。

（オ）生産者等と中食・外食・加工業者等のマッチング及び新商品開発・プロモーションの支援を通じて、砂糖の需要拡大の推進を図りました。また、砂糖に関する正しい知識の普及・啓発に加え、砂糖の需要拡大に資するスイーツ店情報の提供や、需要拡大に取り組む企業・団体の応援等、業界による主体的取組を応援する運動「ありが糖運動」の充実を図りました。

（カ）地産地消の中核的施設である農産物直売所の運営体制強化のための検討会の開催及び観光需要向けの商品開発や農林水産物の加工・販売のための機械・施設等の整備を支援するとともに、学校給食等の食材として地場産農産物を安定的に生産・供給する体制の構築に向けた取組やメニュー開発等の取組を支援しました。

（2）和食文化の保護・継承

和食文化を国民全体で保護・継承するため、地域固有の多様な食文化を地域で保護・継承していくための体制を各都道府県に構築し、各地域が選定した郷土料理の調査・データベース化及び普及等を行いました。また、子供たちや子育て世代に対して和食文化の普及活動を行う中核的な人材を育成するとともに、子供たちを対象とした和食文化普及のための取組を通じて和食文化の次世代への継承を図りました。さらに、味覚が形成される子供のうちに身近・手軽に健康的な「和ごはん」を食べる機会を増やしてもらうため、官民協働の「Let's！和ごはんプロジェクト」の取組を推進しました。

（3）消費者と生産者の関係強化

フード・アクション・ニッポン（アワード、味の匠プロジェクト、ジャパンハーヴェスト）の取組でEC（電子商取引）サイトやSNS（ソーシャル・ネットワーキング・サービス）の活用等により産地と消費者とが結び付く取組を推進しました。

4　国際的な動向等に対応した食品の安全確保と消費者の信頼の確保

（1）科学の進展等を踏まえた食品の安全確保の取組の強化

食品の安全を確保するため、科学的知見に基づき、国際的な枠組みによるリスク評価、リスク管理及びリスクコミュニケーションを実施しました。

（ア）食品安全に関するリスク管理を一貫した考え方で行うための標準手順書に基づき、農畜水産物や加工食品、飼料中の有害化学物質・有害微生物の調査や安全性向上対策の策定に向けた試験研究を実施しました。

（イ）試験研究や調査結果の科学的解析に基

づき、施策・措置に関する企画や立案を行い、生産者・食品事業者に普及するとともに、その効果を検証し、必要に応じて見直しました。

(ウ) 情報の受け手を意識して、食品安全に関する施策の情報を発信しました。

(エ) 食品中に残留する農薬等に関するポジティブリスト制度導入時に残留基準を設定した農薬等や新たに登録等の申請があった農薬等について、食品健康影響評価結果を踏まえた残留基準の設定、見直しを推進しました。

(オ) 食品の安全性等に関する国際基準の策定作業への積極的な参画や、国内における情報提供や意見交換を実施しました。

(カ) 食品の摂取による人の健康への重大な被害が拡大することを防止するため、関係府省庁の消費者安全情報総括官等による情報の集約及び共有を図るとともに、食品安全に関する緊急事態等における対応体制を点検・強化しました。

2020年東京オリンピック競技大会・東京パラリンピック競技大会における食品への意図的な毒物等の混入を防止するため、同大会において飲食提供を行う事業者に対して、食品防御対策について助言を行いました。

(キ) 食品関係事業者の自主的な企業行動規範等の策定を促すなど食品関係事業者のコンプライアンス（法令の遵守及び倫理の保持等）確立のための各種取組を促進しました。

ア　生産段階における取組

生産資材（肥料、飼料・飼料添加物、農薬、動物用医薬品）の適正使用を推進するとともに、科学的データに基づく生産資材の使用基準、有害物質等の基準値の設定・見直し、薬剤耐性菌のモニタリングに基づくリスク低減措置等を行い、安全な農畜水産物の安定供給を確保しました。

(ア) 肥料については、「肥料取締法の一部を改正する法律」(令和元年法律第62号)の施行に向けて、堆肥と化学肥料の配合を可能とする配合規制の見直し等の新たな制度の周知と具体的な運用ルールの確定を進めました。

(イ) 農薬については、平成30（2018）年に施行された改正後の「農薬取締法」（昭和23年法律第82号）に基づき、農薬の使用者や蜜蜂への影響について新たな評価を導入するなど、農薬の安全性に関する審査の充実を図りました。また、蜜蜂の被害件数及び都道府県による被害軽減対策等を把握するとともに、国内外の知見を収集し、これらに基づき必要な措置を検討しました。

(ウ) 飼料・飼料添加物については、輸入飼料の調達先の多様化への対応として、家畜の健康影響や畜産物を摂取した人の健康影響のリスクが高い有害化学物質等の汚染実態データ等を優先的に収集し、有害化学物質等の基準値の設定・見直し等を行い、飼料の安全を確保しました。

(エ) 動物用医薬品については、動物用抗菌剤の農場単位での使用実態を把握できる仕組みの開発を検討するとともに、動物用抗菌剤の予防的な投与を限定的にするよう、獣医師に指導を行いました。また、薬剤耐性菌の全ゲノム解析結果を活用し、伝播経路の解明に取り組みました。

イ　製造段階における取組

(ア)「食品衛生法等の一部を改正する法律」（平成30年法律第46号）に基づき、令和3（2021）年6月から原則として全ての食品等事業者にHACCPに沿った衛生管理の実施が求められていることを踏まえ、中小規模の食品等事業者が円滑に対応できるよう、手引書を使ったHACCP導入のモデル的な実証やオンライン学習教材の作成等への支援、「食品の製造過程の管理の高度化に関する臨時措置法」（平成10年法律第59号）による施設整備に対する金融措置等の支援を実施しました。

（イ）食品等事業者に対する監視指導や事業者による自主的な衛生管理を推進しました。

（ウ）食品衛生監視員の資質向上や検査施設の充実等を推進しました。

（エ）長い食経験を考慮し使用が認められている既存添加物については、毒性試験等を実施し、安全性の検討を推進しました。

（オ）国際的に安全性が確認され、かつ、汎用されている食品添加物については、国が主体的に指定に向けて検討しました。

（カ）保健機能食品（特定保健用食品、栄養機能食品及び機能性表示食品）を始めとしたいわゆる「健康食品」について、事業者の安全性の確保の取組を推進するとともに、保健機能食品制度の普及・啓発に取り組みました。

（キ）SRM（特定危険部位）の除去・焼却、BSE（牛海綿状脳症）検査の実施等により、食肉の安全を確保しました。

ウ　輸入に関する取組

輸出国政府との二国間協議や在外公館を通じた現地調査等の実施、情報等を入手するための関係府省の連携の推進、監視体制の強化等により、輸入食品の安全性の確保を図りました。

（２）食品表示情報の充実や適切な表示等を通じた食品に対する消費者の信頼の確保

ア　食品表示の適正化等

（ア）「食品表示法」（平成25年法律第70号）及び「不当景品類及び不当表示防止法」（昭和37年法律第134号）に基づき、関係府省が連携した監視体制の下、適切な表示を推進しました。また、外食・中食における原料原産地表示については、「外食・中食における原料原産地情報提供ガイドライン」（平成31（2019）年３月策定）に基づく表示の普及を図りました。

（イ）輸入品以外の全ての加工食品に対して、原料原産地表示を行うことが義務付けられた新たな原料原産地表示制度については、消費者、事業者等への普及・啓発を行い、理解促進を図りました。

（ウ）米穀等については、「米穀等の取引等に係る情報の記録及び産地情報の伝達に関する法律」（平成21年法律第26号。以下「米トレーサビリティ法」という。）により産地情報伝達の徹底を図りました。

イ　食品トレーサビリティの普及啓発

（ア）食品事故等発生時の原因究明や商品回収等の円滑化に資するため、食品のトレーサビリティに関し、「実践的なマニュアル」の活用及びフードチェーンを通じた具体的な取組モデルの提供等新たな推進方策の策定等により、その普及・啓発に取り組みました。

（イ）米穀等については、米トレーサビリティ法に基づき、制度の適正な運用に努めました。

（ウ）国産牛肉については、「牛の個体識別のための情報の管理及び伝達に関する特別措置法」（平成15年法律第72号）による制度の適正な実施が確保されるようDNA分析技術を活用した監視等を実施しました。

ウ　消費者への情報提供等

（ア）消費者の「食」に対する信頼向上に向けた食品関係事業者の主体的な活動を促すため、フードチェーンの各段階で事業者間のコミュニケーションを円滑に行い、食品関係事業者の取組を消費者まで伝えていくためのツールの普及等を進めました。

（イ）「消費者の部屋」等において、消費者からの相談を受け付けるとともに、特別展示等を開催し、農林水産行政や食生活に関する情報を幅広く提供しました。

5　食料供給のリスクを見据えた総合的な食料安全保障の確立

（1）不測時に備えた平素からの取組

主要な農林水産物の供給に影響を与える可能性のあるリスクについて、その影響度合い等を平時から分析し、影響を軽減するための対応策を検討、実施したほか、新型コロナウイルスの世界的な感染拡大等、食料供給を脅かす新たなリスクに適切に対応するため、外部の有識者を交えて、今後講じるべき食料安全保障施策について検討を開始しました。

また、実際に不測の事態が生じた場合に食料供給の確保が迅速に図られるよう、平成24（2012）年に策定した「緊急事態食料安全保障指針」について、食料供給を取り巻く新たなリスクへの対応を強化するため、我が国の食料供給に影響を及ぼす緊急の要因の追加や、平時からの関係府省との連携を強化するための事務レベルの会合の設置等について令和3（2021）年1月に改正を行いました。さらに、大規模災害に備えた家庭備蓄の重要性の普及啓発を通じて、食料安全保障に関する理解の醸成を図りました。

（2）国際的な食料需給の把握、分析

省内外において収集した国際的な食料需給に係る情報を一元的に集約するとともに、我が国独自の短期的な需給変動要因の分析や、中長期の需給見通しを策定し、これらを国民に分かりやすく発信しました。また、衛星データを活用し、食料輸出国や発展途上国等における気象及び主要農作物の作柄の把握・モニタリングに向けた研究を行いました。

（3）輸入穀物等の安定的な確保

ア　輸入穀物の安定供給の確保

（ア）麦の輸入先国との緊密な情報交換等を通じ、安定的な輸入を確保しました。

（イ）政府が輸入する米麦について、残留農薬等の検査を実施しました。

（ウ）輸入依存度の高い小麦について、港湾スト等により輸入が途絶した場合に備え、外国産食糧用小麦需要量の2.3か月分を備蓄し、そのうち政府が1.8か月分の保管料を助成しました。

（エ）輸入依存度の高い飼料穀物について、不測の事態における海外からの供給遅滞・途絶、国内の配合飼料工場の被災に伴う配合飼料の急激な逼迫《ひっぱく》等に備え、配合飼料メーカー等が事業継続計画（BCP）に基づいて実施する飼料穀物の備蓄、不測の事態により配合飼料の供給が困難となった地域への配合飼料の緊急運搬、災害に強い配合飼料輸送等の検討の取組に対して支援しました。

イ　国際港湾の機能強化

（ア）ばら積み貨物の安定的かつ安価な輸入を実現するため、大型船に対応した港湾機能の拠点的確保や企業間連携の促進等による効率的な海上輸送網の形成に向けた取組を推進しました。

（イ）国際海上コンテナターミナル、国際ターミナルの整備等、国際港湾の機能強化を推進しました。

ウ　遺伝資源の収集・保存・提供機能の強化

食料の安定供給と輸出拡大に資する品種の育成・改良に貢献するため、国内外の遺伝資源を収集・保存するとともに、有用特性等のデータベース化に加え、幅広い遺伝変異をカバーした代表的品種群（コアコレクション）の整備を進めることで、植物・微生物・動物遺伝資源の更なる充実と利用者への提供を促進しました。

特に、海外植物遺伝資源については、二国間共同研究等を実施する中で、ITPGR（食料及び農業のための植物遺伝資源に関する国際条約）を活用した相互利用を推進することで、アクセス環境を整備しました。

（４）国際協力の推進

ア　世界の食料安全保障に係る国際会議への参画等

G20 サミット及びその関連会合、APEC（アジア太平洋経済協力）関連会合、ASEAN+３（日中韓）農林大臣会合、FAO（国際連合食糧農業機関）アジア・太平洋地域総会、OECD（経済協力開発機構）農業委員会等の世界の食料安全保障に係る国際会議に積極的に参画し、持続可能な農業生産の増大、生産性の向上及び多様な農業の共存に向けて国際的な議論に貢献しました。

また、フードバリューチェーンの構築が農産物の付加価値を高め、農家・農村の所得向上と食品ロス削減に寄与し、食料安全保障を向上させる上で重要であることを発信しました。

イ　飢餓、貧困、栄養不良への対策

（ア）開発途上国・新興国における栄養不良人口の削減に貢献するため、研究開発、栄養改善のためのセミナーの開催や情報発信等を支援しました。

（イ）飢餓・貧困の削減に向け、米等の生産性向上及び高付加価値化のための研究を支援しました。

ウ　アフリカへの農業協力

TICAD ７（第７回アフリカ開発会議）で発表された「横浜行動計画 2019」等の着実な推進に向け、アフリカからの農業協力要請に対応した専門家派遣に引き続き取り組んだほか、ICT 技術を活用した農業者の組織化及び共同購入・共同販売等のための農業デジタル化基盤の構築等、対象国のニーズに対応した企業の海外展開を推進しました。

エ　気候変動や越境性動物疾病等の地球規模の課題への対策

（ア）パリ協定を踏まえた森林減少・劣化抑制、農地土壌における炭素貯留等に関する途上国の能力向上、干ばつ等に適応した生産性向上システムや GHG（温室効果ガス）削減につながる栽培技術の開発等の気候変動対策を推進しました。また、地球温暖化緩和策に資する研究及び越境性病害の我が国への侵入防止に資する研究並びにアジアにおける口蹄疫、高病原性鳥インフルエンザ、アフリカ豚熱等の越境性動物疾病及び薬剤耐性対策等を推進しました。

（イ）東アジア地域（ASEAN10 か国、日本、中国及び韓国）における食料安全保障の強化と貧困の撲滅を目的とし、近年の気候変動により、頻繁に発生している強大な台風や洪水等、大規模災害等の緊急時に備えるため、ASEAN＋３緊急米備蓄（APTERR）の取組を推進しました。我が国拠出事業については、新型コロナウイルス感染症の影響を受けた人々を支援対象に追加する運用改善を行いました。

（５）動植物防疫措置の強化

ア　世界各国における口蹄疫、高病原性鳥インフルエンザ、アフリカ豚熱及び植物病害虫等の発生状況を踏まえ、国内における家畜の伝染性疾病や植物の病害虫の発生予防及びまん延防止対策、発生時の危機管理体制の整備等を実施しました。また、国際的な連携を強化し、アジア地域における防除能力の向上を支援しました。

豚熱については、発生予防・まん延防止のため、早期通報や野生動物の侵入防止等、飼養衛生管理基準の遵守徹底に取り組むとともに、円滑なワクチン接種を進めました。また、野生イノシシの対策として、捕獲強化や野生イノシシ向け経口ワクチンの散布を実施しました。さらに、平成 28（2016）年以来３シーズンぶりに発生した、高病原性鳥インフルエンザについては、迅速な防疫措置の実施に必要な人的・物的支援を行うとともに、飼養衛生管理の徹底について、都道府県を通じた指導等を行いました。

イ　家畜防疫官・植物防疫官の適切な配置及び動植物検疫探知犬の増頭等の検査体制の整備・強化により、円滑で確実な水際対策を講ずるとともに、家畜の伝染性疾病及び植物の病害虫の侵入・まん延防止のための取組を推進しました。

ウ　地域の産業動物獣医師への就業を志す獣医大学の地域枠入学者・獣医学生に対する修学資金の貸与、獣医学生を対象とした産業動物獣医師の業務について理解を深めるための臨床実習、産業動物獣医師を対象とした技術向上のための臨床研修を支援しました。また、産業動物分野における獣医師の中途採用者を確保するための就業支援や女性獣医師等を対象とした職場復帰・再就職に向けたスキルアップのための研修等の実施による産業動物獣医師の育成、情報通信機器を活用した産業動物診療の効率化等を支援しました。

6　TPP等新たな国際環境への対応、今後の国際交渉への戦略的な対応

「成長戦略フォローアップ」（令和元（2019）年6月策定）等に基づき、グローバルな経済活動のベースとなる経済連携を進めました。

また、日英EPA、RCEP（地域的な包括的経済連携）協定等の経済連携交渉やWTO農業交渉等の農産物貿易交渉において、我が国農産品のセンシティビティに十分配慮しつつ、我が国の農林水産業が、今後とも国の基《もとい》として重要な役割を果たしていけるよう、交渉を行うとともに、交渉妥結した日英EPA及びRCEP協定において、我が国農産品の輸出拡大につながる交渉結果を獲得しました。

さらに、TPP11、日EU・EPA、日米貿易協定、日英EPA及びRCEP協定の効果を最大限に活かすために改訂された「総合的なTPP等関連政策大綱」に基づき、体質強化対策や経営安定対策を着実に実施しました。

Ⅲ　農業の持続的な発展に関する施策

1　力強く持続可能な農業構造の実現に向けた担い手の育成・確保

（1）認定農業者制度や法人化等を通じた経営発展の後押し

ア　担い手への重点的な支援の実施

（ア）認定農業者等の担い手が主体性と創意工夫を発揮して経営発展できるよう、担い手に対する農地の集積・集約化の促進や経営所得安定対策、出資や融資、税制等、経営発展の段階や経営の態様に応じた支援を行いました。

（イ）その際、既存経営基盤では現状の農地引受けが困難な担い手も現れていることから、地域の農業生産の維持への貢献という観点から、こうした担い手への支援の在り方について検討しました。

イ　農業経営の法人化の加速と経営基盤の強化

（ア）経営意欲のある農業者が創意工夫を活かした農業経営を展開できるよう、都道府県段階に設置した農業経営相談所を通じた経営相談・経営診断や専門家派遣等の支援等により、農業経営の法人化を促進しました。

（イ）担い手が少ない地域においては、地域における農業経営の受皿として、集落営農の組織化を推進するとともに、これを法人化に向けての準備・調整期間と位置付け、法人化を推進しました。また、地域外の経営体や販売面での異業種との連携等を促進しました。さらに、農業法人等が法人幹部や経営者となる人材を育成するために実施する実践研修への支援等を行いました。

（ウ）集落営農について、法人化に向けた取組の加速化や地域外からの人材確保、地域外の経営体との連携や統合・再編等に向けた方策について、検討を開始しまし

た。

ウ　青色申告の推進

農業経営の着実な発展を図るためには、自らの経営を客観的に把握し経営管理を行うことが重要であることから、農業者年金の政策支援、農業経営基盤強化準備金制度、収入保険への加入推進等を通じ、農業者による青色申告を推進しました。

（２）経営継承や新規就農、人材の育成・確保等

ア　次世代の担い手への円滑な経営継承

（ア）次世代の担い手への円滑な経営継承を進めるため、農業経営相談所の専門家による相談対応、継承計画の策定支援等を推進しました。

（イ）園芸施設、樹園地等の経営資源について、第三者機関・組織も活用しつつ、再整備・改修等のための支援により、円滑な継承を促進しました。

イ　農業を支える人材の育成のための農業教育の充実

（ア）将来的に農業を職業として選択する人材を育成するため、農業高校や農業大学校等の農業教育機関において、先進的な農業経営者等による出前授業や現場研修、実践的なGAP教育等、就農意欲を喚起する取組を推進しました。また、民間企業や研究機関等と連携し、スマート農業に関する教育内容の充実を図るとともに、農業教育の高度化のために必要な施設・設備等の整備を推進しました。

（イ）地域農業のリーダーとして活躍する経営感覚に優れた農業経営者の育成に向けて、農業大学校等への新たなカリキュラム導入等、農業教育機関の高度化を推進しました。

（ウ）国際感覚を持つ農業人材の育成に向けて、国内の農業高校と海外の農業高校の農業分野の交流プログラムを推進しました。

（エ）就職氷河期世代を始めとした幅広い世代の新規就農希望者に対する農業教育機関での実践的なリカレント教育の実施を支援しました。

ウ　青年層の新規就農と定着促進

（ア）青年層の農業内外からの新規就農と定着促進のため、次世代を担う農業者となることを志向する者に対し、就農前の研修（２年以内）の後押しと就農直後（５年以内）の経営確立に資する資金の交付を行いました。

（イ）初期投資の負担を軽減するため、農業機械等の取得に対する補助や無利子資金の貸付けを行いました。

（ウ）就農準備段階から経営開始後まで、地方公共団体や農業協同組合、農業者、農地中間管理機構、民間企業等の関係機関が連携し一貫して支援する地域の就農受入体制を充実しました。

（エ）農業法人等における実践研修への支援に当たり、労働時間の管理、休日・休憩の確保、男女別トイレの整備、キャリアパスの提示やコミュニケーションの充実等、誰もがやりがいを持って働きやすい職場環境整備を行う農業法人等を支援することで、農業の「働き方改革」を推進しました。

（オ）ライフスタイルも含めた様々な魅力的な農業の姿や就農に関する情報について、民間企業等とも連携して、Webサイトや SNS、就農イベント等を通じた情報発信を強化しました。

（カ）自営や法人就農、短期雇用等様々な就農相談等にワンストップで対応できるよう新規就農相談センターの相談員の研修を行い、相談体制を強化しました。

（キ）農業者の生涯所得の充実の観点から、農業者年金への加入を推進しました。

エ　女性が能力を発揮できる環境整備

（ア）女性農業者が、その能力を最大限に発揮し、農業経営や６次産業化を展開することができる環境を整備するため、経営

体向け補助事業について女性農業者等による積極的な活用を促進しました。また、地域農業における次世代のリーダーとなり得る女性農業経営者を育成するため、経営力向上や地域農業の発展のための問題意識を持った女性農業者を対象とした研修等を実施しました。

さらに、農業界で女性が能力を発揮し活躍できる環境整備を促進するため、女性農業者の託児や農作業代替を地域で一体的にサポートするネットワークの構築を支援しました。加えて、女性農業者の知恵と民間企業の技術、ノウハウ、アイデア等を結び付け、新たな商品やサービス開発等を行う「農業女子プロジェクト」における企業や教育機関との連携強化、地域活動の推進により女性農業者が活動しやすい環境を作るとともに、これらの活動を発信し、若い女性新規就農者の増加につなげました。

（イ）平成28（2016）年に施行された改正後の「農業委員会等に関する法律」（昭和26年法律第88号）及び「農業協同組合法」（昭和22年法律第132号）において、農業委員や農業協同組合役員について、年齢及び性別に著しい偏りが生じないように配慮しなければならない旨の規定が置かれたことを踏まえ、委員・役員の任命・選出に当たっては、男女共同参画の視点に配慮が行われるよう、女性の参画拡大に向けた取組を促進しました。

オ　企業の農業参入

企業の農業参入につなげていくことを目的とした農業参入フェアを開催し、企業の参入を促進しました。

2　農業現場を支える多様な人材や主体の活躍

（1）中小・家族経営など多様な経営体による地域の下支え

農業現場においては、中小・家族経営等多様な経営体が農業生産を支えている現状と、地域において重要な役割を果たしていることに鑑み、現状の規模にかかわらず、生産基盤の強化に取り組むとともに、品目別対策や多面的機能支払制度、中山間地域等直接支払制度等と併せて、産業政策と地域政策の両面から支援しました。

（2）次世代型の農業支援サービスの定着

生産現場における人手不足や生産性向上等の課題に対応し、農業者が営農活動の外部委託等様々な農業支援サービスを活用することで経営の継続や効率化を図ることができるよう、ドローンや自動走行農機等の先端技術を活用した作業代行やシェアリング・リース、食品事業者と連携した収穫作業の代行等の次世代型の農業支援サービスの育成・普及を推進しました。

（3）多様な人材が活躍できる農業の「働き方改革」の推進

ア　農業法人等が労働環境を改善しつつ行う実践研修を支援することにより、農業経営者が、労働時間の管理、休日・休憩の確保、男女別トイレの整備、キャリアパスの提示やコミュニケーションの充実等、誰もがやりがいがあり、働きやすい環境づくりに向けて計画を作成し、従業員と共有することを推進しました。

イ　農繁期等における産地の短期労働力を確保するため、他産業、大学、他地域との連携等による多様な人材とのマッチングと、労働環境整備等の農業の「働き方改革」を一体的に行う産地の取組を支援し、先進的な取組事例の発信・普及を図りました。

ウ　こうした取組を進めてもなお不足する人材を確保するため、特定技能制度による農業現場での外国人材の円滑な受入れに向けて、技能試験を実施するとともに、就労する外国人材が働きやすい環境の整備等を支援しました。

エ　地域人口の急減に直面している地域において、「地域人口の急減に対処するための特定地域づくり事業の推進に関する法律」（令和元年法律第64号）の仕組みを活用し、地域内の様々な事業者をマルチワーク（一つの仕事のみに従事するのではなく、複数の仕事に携わる働き方）により支える人材の確保及びその活躍を推進することにより、地域社会の維持及び地域経済の活性化を図るために、モデルを示しつつ、本制度の周知を図りました。

3　担い手等への農地集積・集約化と農地の確保

（1）担い手への農地集積・集約化の加速化

ア　「人・農地プラン」の実質化の推進

各地域の人と農地の問題を解決していくため、地域の農業者と、地方公共団体、農業委員会、農業協同組合、土地改良区といったコーディネーター役を担う組織、農地中間管理機構が一体となって「人・農地プラン」の実質化を推進しました。特に、中山間地域等においては中山間地域等直接支払制度で作成する集落協定・集落戦略、果樹産地においては果樹産地構造改革計画等地域農業に関する計画との連携を進めました。また、地域における話合いへの女性農業者の参画を促進しました。

イ　農地中間管理機構のフル稼働

農地中間管理機構の活用を促進し、農地の集積・集約化を進めるため、「農地中間管理事業の推進に関する法律等の一部を改正する法律」（令和元年法律第12号）により、地域の徹底した話合いによる「人・農地プラン」の実質化などを進めました。

ウ　所有者不明農地への対応の強化

所有者不明農地への対応について、「農業経営基盤強化促進法等の一部を改正する法律」（平成30年法律第23号）に基づき創設した制度の利用を促したほか、民事基本法制の見直しの議論に参画しました。

（2）荒廃農地の発生防止・解消、農地転用許可制度等の適切な運用

ア　多面的機能支払制度及び中山間地域等直接支払制度による地域・集落の共同活動や、農地中間管理事業による集積・集約化の促進、基盤整備の活用等による荒廃農地の発生防止・解消に努めました。また、有機農業や放牧・飼料生産等多様な農地利用方策とそれを実施する仕組みについて、プロジェクト及び有識者から成る検討会を開催して総合的に検討しました。

イ　農地の転用規制及び農業振興地域制度の適正な運用を通じ、優良農地の確保に努めました。

4　農業経営の安定化に向けた取組の推進

（1）収入保険制度や経営所得安定対策等の着実な推進

ア　収入保険の普及促進・利用拡大

自然災害や価格下落等の様々なリスクに対応し、農業経営の安定化を図るため、収入保険の普及促進・利用拡大を図りました。具体的には、現場ニーズ等を踏まえた改善等を行うとともに、地域において、農業共済組合や農業協同組合等の関係団体等が連携して推進体制を構築し、加入促進の取組を進めました。

イ　経営所得安定対策等の着実な実施

「農業の担い手に対する経営安定のための交付金の交付に関する法律」（平成18年法律第88号）に基づく畑作物の直接支払交付金及び米・畑作物の収入減少影響緩和交付金、「畜産経営の安定に関する法律」（昭和36年法律第183号）に基づく肉用牛肥育・肉豚経営安定交付金（牛・豚マルキン）及び加工原料乳生産者補給金、「肉用子牛生産安定等特別措置法」（昭和63年法律第98号）に基づく肉用子牛生産者補給金、「野菜生産出荷安定法」（昭和41年法律第103号）に基づく野菜価格安定対策等の措置を安定的に実施しました。

（2）総合的かつ効果的なセーフティネット対策の在り方の検討等

ア　総合的かつ効果的なセーフティネット対策の在り方の検討

収入保険においては、「災害等のリスクに強い農業プロジェクト」を設置し、農業保険以外の制度も含め、収入減少を補塡する関連施策全体の検証を行い、農業者のニーズ等を踏まえ、総合的かつ効果的なセーフティネット対策の在り方について検討しました。

イ　手続の電子化、申請データの簡素化等の推進

農業保険や経営所得安定対策等の類似制度について、申請内容やフローの見直し等の業務改革を実施しつつ、手続の電子化の推進、申請データの簡素化等を進めるとともに、利便性向上・事務負担軽減を図るため、総合的なセーフティネットの窓口体制の改善・集約化を検討しました。

5　農業の成長産業化や国土強靭《きょうじん》化に資する農業生産基盤整備

農業の成長産業化や農村の振興、農業・農村の強靭化に向けて、令和3（2021）年度から令和7（2025）年度までを対象年度とする新たな土地改良長期計画を策定しました。

（1）農業の成長産業化に向けた農業生産基盤整備

ア　担い手への農地の集積・集約化や生産コストの削減を進め、農業の競争力を強化するため、農地中間管理機構等との連携を図りつつ、農地の大区画化等を推進しました。

イ　高収益作物の導入による新たな産地の形成を促進し、産地収益力を向上させるために、関係部局と連携しつつ、高収益作物に転換するための水田の汎用化や畑地化、畑地や樹園地の高機能化を推進しました。

ウ　農業構造や営農形態の変化に対応するため、ICT水管理等の営農の省力化等に資する技術の活用を可能にする農業生産基盤の整備の展開を図るとともに、関係府省と連携し、農業・農村におけるICT利活用に必要な情報通信環境の整備を検討しました。

（2）農業水利施設の戦略的な保全管理

ア　点検、機能診断及び監視を通じた適切なリスク管理の下での計画的かつ効率的な補修、更新等により、施設の徹底した長寿命化とライフサイクルコストの低減を図りました。

イ　農業者の減少や高齢化が進む中でも、農業水利施設の機能が安定的に発揮されるよう、農業水利施設を更新する際、施設の集約や再編、統廃合等によるストックの適正化を推進しました。

ウ　施設の点検や機能診断等を省力化・高度化するため、ロボットやAI等の利用に関する研究開発や実証調査を推進しました。

（3）農業・農村の強靭《きょうじん》化に向けた防災・減災対策

ア　基幹的な農業水利施設やため池等の耐震診断、耐震対策や豪雨対策等のソフト面とハード面を組み合わせた防災・減災対策を実施しました。特に、ため池については、防災重点ため池を中心に、防災・減災対策の一層の推進を図りました。

イ　「農業用ため池の管理及び保全に関する法律」（平成31年法律第17号）に基づき、ため池の決壊による周辺地域への被害の防止に必要な措置を進めました。

ウ　防災重点農業用ため池に係る防災工事等を集中的かつ計画的に推進する「防災重点農業用ため池に係る防災工事等の推進に関する特別措置法」（令和2年法律第56号）が令和2（2020）年10月に施行されました。同法に基づく都道府県の推進計画により防災工事等が集中的かつ計画的に推進できるよう、補助制度の拡充や地方財政措置の充実を図りました。

エ　気候変動による降雨量の増大や水害の激甚化・頻発化が予測されるなど水災害リ

スクの増大に備えるため、流域全体の治水対策を検討する流域治水協議会に農業関係者と連携して参画するとともに、大雨により水害が予測される際に、①事前に農業用ダムの水位を下げて雨水を貯留する「事前放流」、②水田に雨水を一時的に貯留させる「田んぼダム」、③ため池への雨水の一時的な貯留、④農作物への被害のみならず、市街地や集落の湛水《たんすい》被害も防止・軽減させる排水施設の整備等流域治水の取組を通じた防災・減災対策を強化しました。

オ　平成31（2019）年4月に改定した排水の計画基準に基づき、農業水利施設等の排水対策を推進しました。

カ　津波、高潮、波浪その他海水又は地盤の変動による被害等から農地等を防護するため、海岸保全施設の整備等を実施しました。

（4）農業・農村の構造の変化等を踏まえた土地改良区の体制強化

土地改良区の組合員の減少、ICT水管理等の新技術、管理する土地改良施設の老朽化に対応するため、准組合員制度の導入、土地改良区連合の設立、貸借対照表を活用した施設更新に必要な資金の計画的な積立の促進等、「土地改良法の一部を改正する法律」（平成30年法律第43号）の改正事項の定着を図り、土地改良区の運営基盤の強化を推進しました。

6　需要構造等の変化に対応した生産基盤の強化と流通・加工構造の合理化

（1）肉用牛・酪農の生産拡大など畜産の競争力強化

ア　生産基盤の強化

（ア）牛肉・牛乳乳製品等畜産物の国内需要への対応と輸出拡大に向けて、肉用牛については、高品質な牛肉を安定的に供給できる生産体制を構築するため、肉用繁殖雌牛の増頭、受精卵の増産・利用等を推進しました。酪農については、都府県酪農の生産基盤の維持・回復と北海道酪農の持続的成長を目指し、酪農経営の持続的展開を図るため、都府県における牛舎の空きスペースも活用した増頭・増産に加え、性判別技術の活用による乳用後継牛の確保、高品質な生乳の生産による多様な消費者ニーズに対応した牛乳乳製品の供給を推進しました。

（イ）労働力負担軽減・省力化に資するロボット、AI、IoT等の先端技術の普及・定着、生産関連情報等のデータに基づく家畜改良や飼養管理技術の高度化、農業者と外部支援組織等の役割分担・連携の強化、GAP、アニマルウェルフェアの普及・定着を図りました。

（ウ）子牛や国産畜産物の生産・流通の円滑化に向けた家畜市場や食肉処理施設及び生乳の処理・貯蔵施設の再編等の取組を推進し、肉用牛・酪農等の生産基盤を強化しました。あわせて、米国・EU並みの衛生水準を満たす輸出認定施設の増加を推進しました。

（エ）畜産農家等の経営安定を図るため、以下の施策等を実施しました。

a　畜種ごとの経営安定対策

（a）酪農関係では、①加工原料乳に対する加工原料乳生産者補給金及び集送乳調整金の交付、②加工原料乳の取引価格が低落した場合の補塡金の交付等の対策

（b）肉用牛関係では、①肉用子牛対策として、子牛価格が保証基準価格を下回った場合に補給金を交付する肉用子牛生産者補給金制度、②肉用牛肥育対策として、標準的販売価格が標準的生産費を下回った場合に交付金を交付する肉用牛肥育経営安定交付金（牛マルキン）

（c）養豚関係では、標準的販売価格が標準的生産費を下回った場合に交付金を交付する肉豚経営安定交付金（豚マル

キン）

（d）養鶏関係では、鶏卵の取引価格が補塡基準価格を下回った場合に補塡金を交付するなどの鶏卵生産者経営安定対策事業

b　飼料価格安定対策

配合飼料価格の大幅な変動に対応するための配合飼料価格安定制度を適切に運用するとともに、国産濃厚飼料の増産や地域の飼料化可能な未利用資源を飼料として利用する取組等を推進しました。

イ　生産基盤強化を支える環境整備

（ア）増頭に伴う家畜排せつ物の土づくりへの活用を促進するため、家畜排せつ物処理施設の機能強化・堆肥のペレット化等を推進しました。飼料生産については、草地整備・草地改良、放牧、公共牧場の利用、水田を活用した飼料生産、子実用とうもろこし、エコフィード等の生産・利用の拡大等、国産飼料の生産・利用を推進しました。

（イ）和牛は、我が国固有の財産であり、家畜遺伝資源の不適正な流通は、我が国の畜産振興に重大な影響を及ぼすおそれがあることから、家畜遺伝資源の流通管理の徹底、知的財産としての価値の保護強化を推進するため、新たな仕組みについて周知徹底を図ったほか、全国の家畜人工授精所への立入検査、家畜遺伝資源の利用者の範囲等について制限を付す売買契約の普及や家畜人工授精用精液等の流通を全国的に管理するシステムの構築等を推進しました。

（ウ）畜舎等の利用実態を踏まえた安全基準やその執行体制等を検討し、生産コストの低減に資するよう「建築基準法」（昭和25年法律第201号）の適用の対象から除外する「畜舎等の建築等及び利用の特例に関する法律案」を第204回国会に提出しました。

（2）新たな需要に応える園芸作物等の生産体制の強化

ア　野菜

（ア）既存ハウスのリノベーションや、環境制御・作業管理等の技術習得に必要なデータ収集・分析機器の導入等、データを活用して生産性・収益向上につなげる体制づくり等を支援するとともに、より高度な生産が可能となる低コスト耐候性ハウスや高度環境制御栽培施設等の導入を支援しました。

（イ）水田地帯における園芸作物の導入に向けた合意形成や試験栽培、園芸作物の本格生産に向けた機械・施設のリース導入等を支援しました。

（ウ）複数の産地と協業して、加工・業務用等の新市場が求めるロット・品質での供給を担う拠点事業者による貯蔵・加工等の拠点インフラの整備や生育予測等を活用した安定生産の取組等を支援しました。

（エ）地域農業者の減少や労働力不足等の生産構造の急速な変化に対応するため、農業者と協業しつつ、①生産安定・効率化機能、②供給調整機能、③実需者ニーズ対応機能の三つの全ての機能を具備又は強化するモデル性の高い生産事業体の育成を支援しました。

イ　果樹

（ア）優良品目・品種への改植・新植及びそれに伴う未収益期間における幼木の管理経費を支援しました。

（イ）労働生産性の向上を図るため、平坦《へいたん》で作業性の良い水田等への新植や省力樹形の導入に対する支援を強化するとともに、まとまった面積で省力樹形及び機械作業体系の導入等による労働生産性を抜本的に高めたモデル産地の育成を支援しました。

（ウ）省力樹形の導入等に必要となる優良苗木や、国産花粉の安定供給に向けて、育苗圃場《ほじょう》の設置や花粉専用樹の植栽等を

支援しました。

ウ　花き

（ア）地域毎に設定した戦略品目について、ニーズの高い品種への転換や省力生産の実証、新たな需要の創出・拡大に向けたプロモーション活動等を支援するとともに、生産性の飛躍的向上が期待される新技術の実証を支援しました。

（イ）輸出等の新市場の獲得に向けた切り花の暑熱対策技術の実証やコールドチェーンの整備、輸出向けの生産拡大に必要な技術導入実証等を支援しました。

エ　茶、甘味資源作物等の地域特産物

（ア）茶

令和２(2020)年４月に公表した「茶業及びお茶の文化の振興に関する基本方針」に基づき、消費者ニーズへの対応や輸出の促進等に向け、新たな茶商品の生産・加工技術や機能性成分等の特色を持つ品種の導入、有機栽培への転換、てん茶等の栽培に適した棚施設を利用した栽培法への転換や直接被覆栽培への転換、新たな抹茶加工技術の実証、残留農薬分析等を支援しました。

（イ）砂糖及びでん粉

「砂糖及びでん粉の価格調整に関する法律」（昭和 40 年法律第 109 号）に基づき、さとうきび・でん粉原料用かんしょ生産者及び国内産糖・国内産いもでん粉の製造事業者に対して、経営安定のための支援を行いました。

（ウ）薬用作物

薬用作物の産地形成を加速化させるため、地域の取組として、産地と実需者（漢方薬メーカー等）とが連携した栽培技術の確立のための実証《じっしょう》圃《ほ》の設置、省力化のための農業機械の改良及び収穫まで複数年を要する薬用作物の新植を支援しました。また、全国的な取組として、事前相談窓口の設置や技術アドバイザーの派遣等の栽培技術の指導体制の確立に向けた取組を支援しました。

（エ）こんにゃくいも等

こんにゃくいも等の特産農産物については、付加価値の創出、新規用途開拓、機械化・省力作業体系の導入等を推進するとともに、新たな需要の創出・拡大を図るため、生産者、実需者等が一体となって取り組む、安定的な生産に向けた体制の整備等を支援しました。

（オ）繭・生糸

蚕糸業の再生と持続的発展を図るため、養蚕・製糸業と絹織物業者等が提携して取り組む、輸入品と差別化された高品質な純国産絹製品づくり・ブランド化を推進するとともに、新たな需要の創出・拡大を図るため、生産者、実需者等が一体となって取り組む、安定的な生産に向けた体制の整備等を支援しました。

（カ）葉たばこ

葉たばこ審議会の意見を尊重した種類別・品種別価格により、日本たばこ産業株式会社（JT）が買い入れました。

（キ）いぐさ

輸入品との差別化・ブランド化に取り組むいぐさ生産者の経営安定を図るため、国産畳表の価格下落影響緩和対策の実施、実需者や消費者のニーズを踏まえた、産地の課題を解決するための技術実証等の取組を支援しました。

（３）米政策改革の着実な推進と水田における高収益作物等への転換

ア　消費者・実需者の需要に応じた多様な米の安定供給

（ア）需要に応じた米の生産・販売の推進

ａ　需要に応じた生産・販売を推進するため、産地・生産者と実需者が結び付いた事前契約や複数年契約による安定取引の推進、水田活用の直接支払交付金や新市場開拓に向けた水田リノベーション事業による支援、都道府県産別、品種別等のきめ細かな需給・価格情報、販売進捗情報、在庫情報の提供、都道府県別・地域別の作付動向（中間的な取組状況）の公表等の環境整備を推進しました。

b　国が策定する需給見通し等を踏まえつつ生産者や集荷業者・団体が主体的に需要に応じた生産・販売を行うため、行政、生産者団体、現場が一体となって取り組みました。

（イ）戦略作物の生産拡大、高収益作物への転換

a　食料自給率・食料自給力の維持向上を図るため、麦、大豆、飼料用米等、戦略作物の本作化を進めるとともに、地域の特色のある魅力的な産品の産地づくりに向けた取組を支援することにより、水田のフル活用を図りました。具体的には、地域が作成する「水田フル活用ビジョン」に基づき、地域の特色のある魅力的な産品の産地を創造するため、地域の裁量で活用可能な産地交付金により、産地づくりに向けた取組を支援しました。

b　野菜や果樹等の高収益作物の導入・定着を図るため、「水田農業高収益化推進計画」に基づき、国のみならず地方公共団体等の関係部局が連携し、水田における高収益作物への転換、水田の畑地化・汎用化のための基盤整備、栽培技術や機械・施設の導入、販路確保等の取組を計画的かつ一体的に推進しました。

（ウ）コメ・コメ加工品の輸出拡大

「コメ海外市場拡大戦略プロジェクト」を通じ、戦略的輸出事業者と戦略的輸出基地（産地）のマッチングの推進、両者が連携した輸出を拡大する国・地域における戦略的プロモーションの実施等に対する支援を通じて、海外の需要開拓を図るとともに、海外市場の求める品質や数量等に対応できる産地の育成等を推進しました。

（エ）米の消費拡大

米の消費拡大に資する飲食店情報の提供や、消費拡大に取り組む企業・団体の応援等、業界による主体的取組を応援する運動「やっぱりごはんでしょ！」の充実を図り、米消費が多く見込まれる消費者層や訪日外国人旅行者を含む新たな需要の取り込みを進めました。

（オ）米粉用米・飼料用米

実需者の求める安定的な供給に応えるため、生産と実需の複数年契約による長期安定的な取引の拡大を推進しました。

a　米粉用米

近年の訪日外国人旅行者の急増等により、グルテンを含まない特性を持つ米粉に注目が集まる状況が見込まれることから、国産米粉の優位性の情報発信等の需要拡大に向けた取組の推進や生産と実需の複数年契約による長期安定的な取引の拡大等を推進するとともに、輸出の拡大を図るため、ノングルテン米粉の製造工程管理JASを制定しました。

b　飼料用米

地域に応じた省力・多収栽培技術の確立・普及を通じた生産コストの低減やバラ出荷による流通コストの低減に向けた取組を支援しました。また、飼料用米を活用した豚肉、鶏卵等のブランド化を推進するための付加価値向上等に向けた新たな取組生産と実需の複数年契約による長期安定的な取引の拡大等を推進しました。

（カ）中食・外食需要への対応

生産者と実需者のマッチング支援を通じて、中食・外食向けの米の安定取引の推進を図りました。

（キ）米の生産コスト

米の生産については、農地の集積・集約化による分散錯圃《さくほ》の解消や作付けの団地化、多収品種の導入やスマート農業技術等による省力栽培技術の普及、資材費の低減、新市場開拓に向けた水田リノベーション事業の活用等による生産コスト

の低減等を推進しました。

イ　麦・大豆

短期的な変動はあるものの需要が中長期的に安定・堅調に推移している国産麦・大豆については、「麦・大豆増産プロジェクト」を設置し、実需の求める量・品質・価格に応えるための産地の生産性の向上、生産体制の強化、安定生産の実現等に向けた課題の整理と対策の検討を行いました。

ウ　米・麦・大豆等の流通

「農業競争力強化支援法」等に基づき、農産物流通・加工の合理化を図るため、流通・加工業界の再編に係る取組の支援等を実施しました。また、米・麦・大豆等の物流合理化を進めるため、生産者や関係事業者等と協議を行い、課題を特定し、それらの課題解決に取り組みました。特に米については、玄米輸送のフレキシブルコンテナバッグ利用の推進、精米物流の合理化に向けた商慣行の見直し等によるホワイト物流運動の推進に取り組みました。

（4）農業生産工程管理の推進と効果的な農作業安全対策の展開

ア　農業生産工程管理の推進

農産物においては、令和12（2030）年までにほぼ全ての国内の産地における国際水準の GAP の実施を目指し、「国際水準GAP ガイドライン（試行版）」を公表するとともに、国際水準 GAP の普及に向けた必要な取組を実施しました。また、畜産物においては、JGAP 家畜・畜産物やGLOBALG.A.P.の認証取得の拡大を図りました。

イ　農作業等安全対策の展開

（ア）都道府県段階、市町村段階の関係機関が参画した推進体制を整備するとともに、農業機械作業に係る死亡事故が全体の６割を占めていることを踏まえ、以下の取組を強化しました。

a　乗用型トラクターについて、安全フレームやシートベルトの装備、作業機を付けた状態での公道走行に必要な灯火器等の装備の促進

b　乗用型トラクター乗車時におけるシートベルト・ヘルメットの着用の促進

c　農業機械の定期的な点検・整備の励行

（イ）都道府県、農機メーカーや農機販売店等を通じた事故情報の収集を強化するとともに、その分析を通じた農業機械の安全設計の促進等を図りました。

（ウ）GAP の団体認証取得による農作業事故等産地リスクの低減効果の実証を行うとともに、暑熱対策の実践を通じた熱中症対策の推進、労災保険特別加入団体の設置と農業者の加入促進を図りました。

（エ）農林水産業・食品産業の作業安全対策について、「農林水産業・食品産業の現場の新たな作業安全対策に関する有識者会議」での議論を踏まえ、関係者の意識啓発に活用するための「農林水産業・食品産業の作業安全のための規範」を策定しました。

（5）良質かつ低廉な農業資材の供給や農産物の生産・流通・加工の合理化

ア　「農業競争力強化プログラム」（平成 28（2016）年 11 月策定）及び「農業競争力強化支援法」に基づき、良質で低価格な資材の供給拡大や農産物流通等の合理化に向けて以下の取組等を推進しました。

（ア）肥料のパレット流通体制の構築に向け、パレットの規格や合理的な管理体制の検討を進めました。

（イ）「農業競争力強化支援法」に基づく支援措置の活用等を通じ、生産性が低い肥料等の製造事業者や小規模で後継者不足が顕在化している卸売・小売事業者、農産物流通等の合理化の実現に資する流通等事業者の再編、スマート農業技術の普及が期待される農業機械の製造事業者等の参入を促進しました。

イ　農産物規格・検査の見直しを検討するため、平成31（2019）年１月より開催してい

る「農産物規格・検査に関する懇談会」において取りまとめた中間論点整理に基づき、告示改正等を行うとともに、以下の取組等を推進しました。

（ア）農産物検査の高度化を進めるため、一部項目は目視に代えて穀粒判別器による鑑定を可能とする見直しを行いました。

（イ）玄米物流の合理化につながるフレキシブルコンテナバッグに推奨規格の設定を行いました。

（ウ）着色粒等の規格に関する検討を進めるため、生産・流通・消費の現状に関するアンケート調査を行いました。

また、令和2（2020）年7月に閣議決定した規制改革実施計画を踏まえ、同年9月に「農産物検査規格・米穀の取引に関する検討会」を設置し、更なる検討を開始しました。この結果、令和3(2021)年3月までに、以下の結論を得ました。

（ア）機械鑑定を前提とした農産物検査規格の策定

（イ）サンプリング方法の見直し

（ウ）農産物検査証明における「皆掛重量」の廃止

（エ）穀粒判別器等科学的検査の更なる精度向上を図るため、AI画像分析等による次世代穀粒判別器の開発を推進

（オ）スマートフードチェーンとこれを活用したJAS規格の制定

7　情報通信技術等の活用による農業生産・流通現場のイノベーションの促進

（1）スマート農業の加速化など農業現場でのデジタル技術の利活用の推進

ア　スマート農業を実現するため、ロボット、AI、IoT等の先端技術を活用したスマート農業の生産現場における実証に取り組み、これまでに開発された先端技術の社会実装を推進しました。

イ　農機メーカー、金融、保険等民間企業が参画して令和2(2020)年4月に設立されたプラットフォームにおいて、農機のリース・シェアリングやドローン操作の代行サービスなど新たな農業支援サービスの創出が進むよう、先行事例に関する情報共有等を行いました。

ウ　明確な開発目標の下で現場での実装までを視野に入れた技術開発を進めるとともに、先端技術を活用した高度なロボット農機等による新しい技術体系を創造するための研究開発等を実施し、「圃場《ほじょう》間での移動を含む遠隔監視による無人自動走行システム」の実演を行い、「日本再興戦略2016」（平成28（2016）年6月閣議決定）で掲げた目標を達成しました。また、現場実装に際して安全上の課題解決が必要なロボット技術の安全性の検証やルールづくりに取り組みました。

エ　関係府省協力の下、大学や民間企業等と連携して、農業データ連携基盤(WAGRI)の機能を生産部分だけでなく、加工・流通・消費まで含めたフードチェーン全体に機能拡充するための研究開発に取り組むとともに、市況データ等のニーズの高いオープンデータの実装を進めました。また、農業者の利便性向上のため、複数の機器・システム間におけるデータ連携の実現に向けて、農業機械メーカー、ICT ベンダー、農業者、学識経験者等から構成される検討会を立ち上げて検討を重ね、「農業分野におけるオープン API 整備に関するガイドライン ver1.0」を策定しました。

オ　農林水産省内に部局横断的な「スマート農業プロジェクト」を立ち上げ、スマート農業の実証を進めていく中で明らかになってきた様々な課題の解決とスマート農業の加速化に向けた施策の方向性を令和2（2020）年10月に「スマート農業推進総合パッケージ(令和3(2021)年2月改訂)」として取りまとめました。

カ　農業者と連携しデジタル技術の開発・普

及に取り組む企業が活躍できる環境整備や、農産物の生産・流通・消費に至る様々なデータの連携による生産技術の改善、農村地域の多様なビジネス創出等の推進に向けた検討を行いました。

（2） 農業施策の展開におけるデジタル化の推進

ア　農業現場と農林水産省が切れ目なくつながり、行政手続にかかる農業者等の負担を大幅に軽減し、経営に集中できるよう、法令や補助金等の手続をオンラインでできる農林水産省共通申請サービス（eMAFF）の構築や、これと併せて徹底した行政手続の簡素化の促進を行いました。

イ　農業者向けスマートフォンアプリ（MAFF アプリ）を開発し、eMAFF と連動しつつ、個々の農業者の属性・関心に応じた営農・政策情報を提供しました。

ウ　eMAFF の利用を進めながら、デジタル地図を活用して、農地台帳、水田台帳等の農地の現場情報を統合し、農地の利用状況の現地確認等の抜本的な効率化・省力化を図るための「農林水産省地理情報共通管理システム」の開発に向けた検討を行いました。

エ　農業現場における取組を含め、デジタル技術を活用した様々なプロジェクトを取りまとめ、デジタル技術の進展に合わせて随時プロジェクトを追加・修整しながら機動的に実行し、デジタル技術を活用し、自らの能力を存分に発揮して経営展開できる農業者が大宗を担う農業構造への転換を目指しました。

（3）イノベーション創出・技術開発の推進

先端技術のみならず、現場のニーズに即した様々な課題に対応した研究開発を推進していくため、国主導で実施すべき重要な研究分野について、戦略的な研究開発を推進するとともに、異分野のアイデア・技術等を農林水産分野に導入し、革新的な技術・商品サービスを生み出す研究を支援しました。

ア　研究開発の推進

研究開発を推進するため、重点事項や目標を定める「農林水産研究イノベーション戦略」を策定するとともに、内閣府の「戦略的イノベーション創造プログラム（SIP）」や「官民研究開発投資拡大プログラム（PRISM）」等を活用して研究開発を推進しました。

また、総合科学技術・イノベーション会議が決定したムーンショット目標５「2050年までに、未利用の生物機能等のフル活用により、地球規模でムリ・ムダのない持続的な食料供給産業を創出」を実現するため、困難だが実現すれば大きなインパクトが期待される挑戦的な研究開発（ムーンショット型研究開発）を開始しました。

さらに、Society5.0 の実現に向け、産学官と農業の生産現場が一体となって、オープンイノベーションを促進するとともに、人材・知・資金が循環するよう農林水産業分野での更なるイノベーション創出を計画的・戦略的に推進しました。

加えて、スマート農業等における研究開発の国際競争力の強化につながるよう、海外における我が国の位置付けを把握しながら、研究成果の海外展開を目指し技術シーズと海外におけるニーズとのマッチングや現地政府機関と連携した取組を推進しました。また、民間企業等の研究成果を確実に利益につなげていくため、知的財産の公開、秘匿、権利化を使い分け、戦略的な海外市場の獲得を推進しました。

イ　国際農林水産業研究の推進

気候変動に伴う食料・水資源問題、越境性家畜伝染病の防疫等地球規模の課題に対応するため、国立研究開発法人農業・食品産業技術総合研究機構及び国立研究開発法人国際農林水産業研究センターにおける海外研究機関等との積極的な MOU（研究協定覚書）の締結や拠点整備の取組を支援しました。また、海外の農業研究機関や国際農業研究機関の優れた知見や技術を活用し、戦略的に国際共同研究を実施しました。

ウ　科学に基づく食品安全、動物衛生、植物防疫等の施策に必要な研究の更なる推進

（ア）「レギュラトリーサイエンス研究推進計画」（平成27（2015）年6月策定）で明確化した取り組むべき調査研究の内容や課題について、その進捗状況の検証・見直しを行うとともに、所管法人、大学、民間企業、関係学会等への情報提供や研究機関との意見交換を行い、研究者の認識や理解の醸成とレギュラトリーサイエンスに属する研究の拡大を促進しました。

（イ）研究開発部局と規制担当部局とが連携して食品中の危害要因の分析及び低減技術の開発、家畜の伝染性疾病を防除・低減する技術や資材の開発、植物病害虫等侵入及びまん延防止のための検査技術の開発や防除体系の確立等、リスク管理に必要な調査研究を推進しました。

（ウ）レギュラトリーサイエンスに属する研究事業の成果を国民に分かりやすい形で公表しました。また、行政施策・措置とその検討・判断に活用された科学的根拠となる研究成果を紹介する機会を設け、レギュラトリーサイエンスへの理解の醸成を推進しました。

（エ）行政施策・措置の検討・判断に当たり、その科学的根拠となる優れた研究成果を挙げた研究者を表彰しました。

エ　戦略的な研究開発を推進するための環境整備

（ア）「農林水産研究における知的財産に関する方針」（平成28（2016）年2月策定）を踏まえ、農林水産業・食品産業に関する研究に取り組む国立研究開発法人や都道府県の公設試験場等における知的財産マネジメントの強化を図るため、専門家による指導・助言等を行うとともに、知的財産マネジメントに関するマニュアルの充実・普及を行いました。

（イ）最先端技術の研究開発及び実用化に向けて、国民への分かりやすい情報発信、意見交換を行い、国民に受け入れられる環境づくりを進めました。特に、ゲノム編集技術等の育種利用は、飛躍的な生産性の向上等が期待される一方、国民の理解を得ていくことが重要であることから、より理解が深まるような方策を取り入れながらサイエンスコミュニケーション等の取組を強化しました。

（ウ）我が国の「強み」である技術力を活かした新たな品種や技術の開発・普及を進め、かつ、知的財産を総合的に活用することにより、日本各地で品質やブランド力等「強み」のある農畜産物を実需者と連携して生み出すため、「新品種・新技術の開発・保護・普及の方針」（平成25（2013）年12月策定）に基づく取組等を推進しました。

a　実需者や産地が参画したコンソーシアムを構築し、ニーズに対応した新品種の開発等の取組を推進しました。また、実需者等の多様なニーズに対応するため、従来の育種では困難だった収量性や品質等の形質の改良等を短期間で実現するスマート育種システムの開発を推進しました。

b　新品種やICT等の新技術等を活用した「強み」のある産地形成を図るため、実需者、生産者等が連携して新たな産地形成を行う取組を総合的に支援しました。また、実需者等とも連携した新品種・新技術の確立、種苗の機動的な供給体制の整備、農業機械のリース導入、産地基幹施設整備等の取組を支援しました。

c　海外遺伝資源を戦略的に確保するため、締約国として食料・農業植物遺伝資源条約の運営に必要な資金拠出を行うとども

に、遺伝資源保有国における制度等の調査、遺伝資源の保全の促進、遺伝資源の取得・利用に関する手続・実績の確立とその活用に向けた周知活動等を実施しました。また、二国間共同研究による海外植物遺伝資源の特性情報の解明等を推進することにより、海外植物遺伝資源へのアクセス環境を整備しました。

オ　開発技術の迅速な普及・定着

（ア）「橋渡し」機能の強化

a　「知」の集積と活用の場による技術革新

（a）産学官を結び付ける研究開発プラットフォーム作りのため、「知」の集積と活用の場の産学官連携協議会において、Webを活用したポスターセッション、セミナー等を開催し、技術シーズ・ニーズに関する情報交換、意見交換を行いました。

（b）研究開発プラットフォームから形成された研究コンソーシアムの研究開発を、国と民間企業等が資金を出し合うマッチングファンド方式等により重点的に支援しました。

b　異分野融合研究の強化

工学・医学等異分野の技術を農林水産分野に導入・活用するための共同研究を進めるとともに、これまでの研究成果を社会実装につなげるための講演・セミナーの開催や試作物の展示等を行う機会を設けるなど、研究開発を推進しました。

c　研究開発・普及・生産現場の連携による技術開発・普及

（a）農林水産業・食品産業等におけるイノベーションにつながる革新的な技術の実用化に向けて、基礎から実用化段階までの研究開発を切れ目なく推進しました。

（b）研究開発から産業化までを一貫して支援するため、大学、民間企業等の地域の関係者による技術開発から改良、開発実証試験までの取組を切れ目なく支援しました。

（c）全国に配置されたコーディネーターが、技術開発ニーズ等を収集するとともに、マッチング支援や商品化・事業化に向けた支援等を行い、研究の企画段階から産学が密接に連携し、早期に成果を実現できるよう支援しました。

（d）農業技術に関する近年の研究成果のうち、生産現場への導入が期待されるものを「最新農業技術・品種」として紹介しました。

（イ）効果的・効率的な技術・知識の普及指導

国と都道府県が協同して、高度な技術・知識を持つ普及指導員を設置し、普及指導員が試験研究機関や民間企業等と連携して農業者に直接接して行う技術・経営指導等を推進しました。これに当たって、普及指導員による新技術や新品種の導入等に係る地域の合意形成、新規就農者の支援、地球温暖化及び自然災害への対応等、公的機関が担うべき分野について取組を強化しました。また、普及指導員に求められる役割を発揮し、農業・農村の課題に的確に対応するため、計画的に研修等を実施し、普及指導員の資質向上を推進しました。

8　気候変動への対応等環境政策の推進

食料・農林水産業の生産力向上と持続性の両立をイノベーションで実現させるため、中長期的な観点から戦略的に取り組む政策方針として「みどりの食料システム戦略」を検討し、令和３（2021）年３月に中間取りまとめを決定しました。

（1）気候変動に対する緩和・適応策の推進

ア　「農林水産省地球温暖化対策計画」（平成29（2017）年３月策定）に基づき、農林水産分野における地球温暖化対策技術の開発、マニュアル等を活用した省エネ型の生産管理の普及・啓発や省エネ設備の導入等による施設園芸の省エネルギー対策、施肥の適正化を推進しました。

イ　農地からのGHGの排出・吸収量の国連への報告に必要な農地土壌中の炭素量等のデータを収集する調査を行いました。また、家畜由来のGHG排出量の国連への報告の算出に必要な消化管由来のメタン量等のデータを収集するための基礎調査を行いました。

ウ　環境保全型農業直接支払制度により、堆肥の施用やカバークロップ等、地球温暖化防止等に効果の高い営農活動に対して支援しました。

エ　バイオマスの変換・利用施設等の整備等を支援し、農山漁村地域におけるバイオマス等の再生可能エネルギーの利用を推進しました。

オ　廃棄物系バイオマスの利活用については、「廃棄物処理施設整備計画」（平成30（2018）年6月策定）に基づく施設整備を推進するとともに、市町村等における生ごみのメタン化等の活用方策の導入検討を支援しました。

カ　気候変動の緩和に資するため、国際連携の下、各国の水田におけるGHG排出削減を実現する総合的栽培管理技術及び農産廃棄物を有効活用したGHG排出削減に関する影響評価手法の開発を推進しました。

キ　食品関連事業者のTCFD提言に基づく気候リスク・機会に関する情報開示のための手引きの作成、農林漁業関係の脱炭素技術紹介資料の作成、カーボンフットプリントのニーズ調査等を実施し、フードサプライチェーンにおける脱炭素化の実践とその可視化（見える化）を推進しました。

ク　「気候変動適応計画」（平成30（2018）年11月策定）及び「農林水産省気候変動適応計画」（平成30（2018）年11月改定）等に基づき、農林水産分野における気候変動の影響への適応に関する取組を推進するため、以下の取組を実施しました。

（ア）中長期的な視点に立った我が国の農林水産業に与える気候変動の影響評価や適応技術の開発を行うとともに、各国の研究機関等との連携により気候変動適応技術の開発を推進しました。

（イ）「強み」のある産地形成に向け、生産者・実需者等が一体となって地球温暖化に対応する品種・技術を活用する取組を支援しました。

（ウ）農業者等自らが気候変動に対するリスクマネジメントを行う際の参考となる手引きを作成しました。

（エ）地方公共団体による農林水産分野の地域気候変動適応計画の策定及び適応策の実践を促進するために、科学的知見等の情報提供、農林漁業関係者とのコミュニケーション等を支援しました。

ケ　国連気候変動枠組条約等の地球環境問題に係る国際会議に参画し、農林水産分野における国際的な地球環境問題に対する取組を推進しました。

（2）生物多様性の保全及び利用

ア　「農林水産省生物多様性戦略」（平成24（2012）年2月改定）に基づき、田園地域や里地・里山の保全・管理を推進しました。

イ　食料生産が生物多様性に及ぼす影響に鑑み、原材料や資材調達を含めた持続可能な生産・消費の達成に向けてグローバルなフードサプライチェーン全体における生物多様性保全の視点を取り込み、「農林水産省生物多様性戦略」を改定するため、有識者検討会を開催しました。

ウ　企業等による生物多様性保全活動への支援等について取りまとめた農林漁業者及び企業等向け手引き・パンフレット並びにUNDB-J（国連生物多様性の10年日本委員会）のMy行動宣言の更なる促進につながる農林水産関係アクション（エコツーリズム、森林ボランティア、藻場の再生等）の普及・啓発資料を活用し、農林水産分野における生物多様性保全活動を推進しました。

エ　環境保全型農業直接支払制度により、有機農業や冬期湛水《たんすい》管理等、生物多様性保全等に効果の高い営農活動に対して支援しました。

オ　遺伝子組換え農作物に関する取組として、「遺伝子組換え生物等の使用等の規制による生物の多様性の確保に関する法律」（平成15年法律第97号）に基づき、生物多様性に及ぼす影響についての科学的な評価、生態系への影響の監視等を継続するとともに、未承認の遺伝子組換え農作物の輸入防止を図るため、栽培用種苗を対象に、輸入時のモニタリング検査及び特定の生産地及び植物種について、輸入者に対し輸入に先立つ届出や検査を義務付ける「生物検査」を実施しました。

カ　海外遺伝資源を戦略的に確保するため、締約国として食料・農業植物遺伝資源条約の運営に必要な資金拠出を行うとともに、遺伝資源保有国における制度等の調査、遺伝資源の保全の促進、遺伝資源の取得・利用に関する手続・実績の確立とその活用に向けた周知活動等を実施しました。

（3）有機農業の更なる推進

ア　有機農業指導員の育成や新たに有機農業に取り組む農業者の技術習得等による人材育成、オーガニックビジネス実践拠点づくり等による産地づくりを推進しました。

イ　流通・加工・小売事業者等と連携した需要喚起の取組を支援し、バリューチェーンの構築を進めました。

ウ　耕作放棄地等を活用した農地の確保とともに、有機農業を活かして地域振興につなげている市町村等のネットワークづくりを進めました。

エ　有機食品の輸出を促進するため、有機JAS認証の取得を支援するとともに、諸外国との有機同等性の取得等を推進しました。また、有機JASについて、消費者がより合理的な選択ができるよう必要な見直しを行いました。

（4）土づくりの推進

ア　全国的な土づくりを推進するため、都道府県の土壌調査結果の共有を進めるとともに、堆肥等の活用を促進しました。また、収量向上効果を含めた土壌診断データベースの構築に向けて、都道府県とともに、土壌専門家を活用しつつ、農業生産現場における土壌診断の取組と診断結果のデータベース化の取組を推進するとともに、ドローン等を用いた簡便かつ広域的な診断手法や土壌診断の新たな評価軸としての生物性評価手法の検証・評価を推進しました。

イ　「家畜排せつ物の管理の適正化及び利用の促進に関する法律」（平成11年法律第112号）の趣旨を踏まえ、家畜排せつ物の適正な管理に加え、その広域流通・利活用を図るため、ペレット化や化学肥料との配合等による堆肥の高品質化等を推進しました。

（5）農業分野におけるプラスチックごみ問題への対応

農業分野のプラスチックごみ問題に対応するため、施設園芸及び畜産における廃プラスチック対策の推進、生分解性マルチ導入の推進、プラスチックを使用した被覆肥料の実態調査を行いました。

（6）農業の自然循環機能の維持増進とコミュニケーション

ア　有機農業を消費者に分かりやすく伝える取組を推進しました。

イ　気候変動や生物多様性等環境に配慮した生産を後押しするため、令和2（2020）年6月に官民協働のプラットフォームである「あふの環（わ）2030プロジェクト～食と農林水産業のサステナビリティを考える～」を立ち上げ、持続可能な消費を促進するためのサステナウィーク等を実施しました。

Ⅳ　農村の振興に関する施策

1　地域資源を活用した所得と雇用機会の確保

（1）中山間地域等の特性を活かした複合経営等の多様な農業経営の推進

ア　中山間地域等直接支払制度により生産条件を補正しつつ、中山間地農業ルネッサンス事業等により、多様で豊かな農業と美しく活力ある農山村の実現や、地域コミュニティによる農地等の地域資源の維持・継承に向けた取組を総合的に支援しました。

イ　米、野菜及び果樹等の作物の栽培や畜産、林業も含めた多様な経営の組合せにより所得を確保する複合経営を推進するため、経営モデルの検討等を行いました。

ウ　中山間地域等の特色を活かした営農の確立と所得の確保に向けて、地域のニーズに応じて、農業生産を支える水路、圃場《ほじょう》等の総合的な基盤整備と、生産・販売施設等との一体的な整備を推進しました。

（2）地域資源の発掘・磨き上げと他分野との組合せ等を通じた所得と雇用機会の確保

ア　農村発イノベーションをはじめとした地域資源の高付加価値化の推進

（ア）業務用需要に対応したBtoBの取組の推進、農泊と連携した観光消費の促進等に資する新商品開発、農林水産物の加工・販売施設の整備等の取組を支援しました。

（イ）農林水産業・農山漁村に豊富に存在する資源を活用した革新的な産業の創出に向け、農林漁業者等と異業種の事業者との連携による新技術等の研究開発成果の利用を促進するための導入実証や試作品の製造・評価等の取組を支援しました。

（ウ）農林漁業者と中小企業者が有機的に連携して行う新商品・新サービスの開発や販路開拓等に係る取組を支援しました。

（エ）農村を舞台として新たな価値を創出し、所得と雇用機会の増大を図るため、「農村発イノベーション」（活用可能な農村の地域資源を発掘し、磨き上げた上で、これまでにない他分野と組み合わせる取組）が進むよう、農村で活動する起業者等が情報交換を通じてビジネスプランの磨き上げが行えるプラットフォームの運営等、多様な人材が農村の地域資源を活用して新たな事業に取り組みやすい環境を整備し、現場の創意工夫を促しました。また、現場発の新たな取組を抽出し、全国で応用できるよう積極的に情報提供しました。

（オ）地域の伝統的農林水産業の継承や地域経済の活性化等につながる世界農業遺産及び日本農業遺産の認知度向上、維持・保全及び新規認定に向けた取組を推進しました。また、歴史的・技術的・社会的価値を有する世界かんがい施設遺産の認知度向上及び新規認定に向けた取組を推進しました。

イ　農泊の推進

（ア）農泊の推進による農山漁村の所得向上を実現するため、農泊をビジネスとして実施するための体制整備や、地域資源を活かして魅力ある観光コンテンツを開発するための専門家派遣等の取組、農家民宿や古民家等を活用した滞在施設等の整備の一体的な支援を行うとともに、日本政府観光局（JNTO）等と連携して国内外へのプロモーションを行いました。

（イ）観光を通じた地域振興を図るため、地域の関係者が連携し、地域の幅広い資源を活用し地域の魅力を高めることにより、国内外の観光客が2泊3日以上の滞在交流型観光を行うことができる「観光圏」の整備を促進しました。

（ウ）農山漁村が有する教育的効果に着目し、

農山漁村を教育の場として活用するため、関係府省が連携し、子供の農山漁村宿泊体験等を推進するとともに、農山漁村を都市部の住民との交流の場等として活用する取組を支援しました。

ウ　ジビエ利活用の拡大

（ア）鳥獣被害防止にも資する、捕獲鳥獣を地域資源として利活用する取組を拡大するため、処理加工施設や移動式解体処理車等の整備、ジビエ利用に適した捕獲・搬入技術を習得した捕獲者及び処理加工現場における人材の育成、ペットフード等の多様な用途での利用、ジビエの全国的な需要拡大のためのプロモーション等の取組を推進しました。

（イ）安全・安心なジビエの供給体制を整備するため、「野生鳥獣肉の衛生管理に関する指針（ガイドライン）」（平成26年（2014）11月策定）の遵守による野生鳥獣肉の安全性確保、国産ジビエ認証制度等の普及を推進するとともに、捕獲から処理加工段階までの情報を関係者が共有できるネットワークの構築に向けた実証を実施しました。

エ　農福連携の推進

「農福連携等推進ビジョン」（令和元年（2019）６月策定）に基づき、障害者雇用等を通じ農業経営を改善・発展しようとする際に必要となる農業生産施設等の整備、農業経営体と障害者就労施設のニーズをマッチングする仕組みや、農業経営体が障害者就労施設に農作業委託等を短期間行う「お試しノウフク」の仕組みの構築、ワンストップ相談窓口の設置、戦略的プロモーション等を推進しました。また、障害者の農業分野での定着を支援する専門人材である「農福連携技術支援者」の育成のための研修を実施しました。

オ　農村への農業関連産業の導入等

（ア）「農村地域への産業の導入の促進等に関する法律」（昭和46年法律第112号）、「地域経済牽引事業の促進による地域の成長発展の基盤強化に関する法律」（平成19年法律第40号）を活用した農村への産業の立地・導入を促進するため、これらの法律による基本計画等の策定や税制等の支援施策の積極的な活用を推進しました。

（イ）農村で活動する起業者等が情報交換を通じてビジネスプランを磨き上げることができるプラットフォームの運営等、多様な人材が農村の地域資源を活用して新たな事業に取り組みやすい環境の整備等により、現場の創意工夫を促進しました。

（ウ）農村の多くは地域資源として豊かな森林を有していることから、健康、観光等の多様な分野で森林空間を活用して、新たな雇用と収入機会を確保する「森林サービス産業」の創出・推進に向けた活動を支援しました。

（３）地域経済循環の拡大

ア　バイオマス・再生可能エネルギーの導入、地域内活用

（ア）バイオマスを基軸とする新たな産業の振興

ａ「バイオマス活用推進基本計画」（平成28（2016）年９月策定）に基づき、素材、熱、電気、燃料等への変換技術を活用し、より経済的な価値の高い製品等を生み出す高度利用等の取組を推進しました。また、関係府省の連携の下、地域のバイオマスを活用した産業化を推進し、地域循環型の再生可能エネルギーの強化と環境に優しく災害に強いまち・むらづくりを目指すバイオマス産業都市の構築に向けた取組を支援しました。

ｂ　バイオマスの効率的な利用システムの構築を進めることとし、以下の取組を実施しました。

（ａ）農林漁業に由来するバイオマスのバイオ燃料向け利用の促進を図り、国産

バイオ燃料の生産拡大に資するため、「農林漁業有機物資源のバイオ燃料の原材料としての利用の促進に関する法律」（平成20年法律第45号）に基づく事業計画の認定を行い支援しました。

（b）家畜排せつ物等の畜産バイオマスを活用し、エネルギーの地産地消を推進するため、バイオガスプラントの導入を支援しました。

（c）下水道を核とした資源・エネルギーの循環のため、バイオマスである下水汚泥等の利活用を図り、下水汚泥等のエネルギー利用、リン回収・利用等を推進しました。

（d）バイオマス由来の新素材開発を推進しました。

（イ）農村における地域が主体となった再生可能エネルギーの生産・利用

a　「農林漁業の健全な発展と調和のとれた再生可能エネルギー電気の発電の促進に関する法律」（平成25年法律第81号）を積極的に活用し、農林地等の利用調整を適切に行いつつ、再生可能エネルギーの導入と併せて、地域農業の健全な発展に資する取組や農山漁村における再生可能エネルギーの地産地消の取組を促進しました。

b　農山漁村における再生可能エネルギーの導入等に向けた事業計画策定、営農型太陽光発電の電気を農業に活用する取組、小水力等発電施設の整備に係る調査設計及び施設整備等の取組を支援しました。

イ　農畜産物や加工品の地域内消費

農村に安定的な所得や雇用機会を確保するため、学校給食等の食材として地場産農産物を安定的に生産・供給する体制の構築やメニュー開発等の取組を支援するとともに、農産物直売所の運営体制強化のための検討会の開催及び観光需要向けの商品開発や農林水産物の加工・販売のための機械・施設等の整備を支援しました。

ウ　農村におけるSDGsの達成に向けた取組の推進

（ア）農山漁村の豊富な資源をバイオマス発電や小水力発電等の再生可能エネルギーとして活用し、農林漁業経営の改善や地域への利益還元を進め、農山漁村の活性化に資する取組を推進しました。

（イ）森林資源をマテリアルやエネルギーとして地域内で持続的に活用するため、市町村が中心となって、地域産業、地域住民が参画し、担い手確保から発電・熱利用に至るまで、低コスト化や森林関係者への利益還元を図る「地域内エコシステム」の構築に向け、技術者の現地派遣や相談対応等の技術的サポートを行う体制の確立、関係者による協議会の運営、小規模な技術開発等に対する支援を行いました。

（ウ）農村におけるSDGsの達成に向けた取組事例を動画コンテストやパンフレットの作成を通じて普及することにより、環境と調和した活動に取り組む地方公共団体や企業等の連携を強化しました。

（4）多様な機能を有する都市農業の推進

新鮮な農産物の供給、農作業体験の場や防災空間の確保等、都市農業が有する多様な機能を発揮するため、都市住民の理解の促進を図りつつ、都市農業の振興に向けた取組を推進しました。また、都市農地の貸借の円滑化に関する制度が現場で円滑かつ適切に活用されるよう、農地所有者と都市農業者、新規就農者等の多様な主体とのマッチング体制の構築を促進しました。

さらに、都市農業の安定的な継続や多様な機能の発揮のため、計画的な都市農地の保全を図る生産緑地、田園住居地域等の積極的な活用を促進しました。

2　中山間地域等をはじめとする農村に人が

住み続けるための条件整備

（1）地域コミュニティ機能の維持や強化

ア　世代を超えた人々による地域のビジョンづくり

中山間地域等直接支払制度の活用により農用地や集落の将来像の明確化を支援したほか、農村が持つ豊かな自然や食を活用した地域の活動計画づくり等を支援しました。その際、計画の策定等に係る地域の事務負担の軽減を進めました。

また、地域で共同した耕作・維持活動に加え、放牧や飼料生産等、少子高齢化・人口減少にも対応した多様な農地利用方策とそれを実施する仕組みについて、プロジェクト及び有識者から成る検討会を開催して総合的に検討しました。

イ　「小さな拠点」の形成の推進

（ア）生活サービス機能等を基幹集落へ集約した「小さな拠点」の形成に資する地域の活動計画づくりや実証活動を支援しました。また、「小さな拠点」の更なる形成拡大と質的向上を図るため、農産物販売施設、廃校施設等、特定の機能を果たすために設置された施設を多機能化（地域づくり、農業振興、観光、文化、福祉、防犯等）し、地域活性化の拠点等として活用していくための支援の在り方を検討しました。

（イ）地域の実情を踏まえつつ、小学校区等複数の集落が集まる地域において、生活サービス機能等を集約・確保し、周辺集落との間をネットワークで結ぶ「小さな拠点」の形成に向けた取組を推進しました。

ウ　地域コミュニティ機能の形成のための場づくり

地域コミュニティの形成や交流のための場づくりを推進するため、公民館が NPO 法人や企業、農業協同組合等多様な主体と連携して地域の人材の育成・活用や地域活性化を図るための取組を支援しました。

（2）多面的機能の発揮の促進

農業の有する多面的機能の発揮を促進するため、日本型直接支払制度（多面的機能支払制度、中山間地域等直接支払制度、環境保全型農業直接支払制度）、森林・山村多面的機能発揮対策を推進しました。

ア　多面的機能支払制度

（ア）地域共同で行う、農業・農村の有する多面的機能を支える活動や、地域資源（農地、水路、農道等）の質的向上を図る活動を支援しました。

（イ）農村地域の高齢化等に伴い集落機能が一層低下する中、広域化や土地改良区との連携による活動組織の体制強化や事務の簡素化・効率化を進めました。

イ　中山間地域等直接支払制度

（ア）条件不利地域において、引き続き農業生産活動の維持を通じて多面的機能を確保するため、中山間地域等直接支払制度に基づく直接支払を実施しました。

（イ）中山間地域等における高齢化や人材不足の深刻化等の課題を踏まえ、今後も安心して営農に取り組めるよう交付金返還措置の見直しとともに、棚田地域における振興活動や集落の地域運営機能の強化等、将来に向けた活動を支援しました。

ウ　環境保全型農業直接支払制度

（ア）化学肥料・化学合成農薬の使用を原則５割以上低減する取組と合わせて行う地球温暖化防止や生物多様性保全等に効果の高い営農活動に対して支援しました。

（イ）多くの農業者が交付金の取組を実施できるよう、リビングマルチ等の取組を全国共通取組に追加するとともに、地域特認取組の運用を見直し、都道府県の裁量を拡大するなどの見直しを実施しました。

エ　森林・山村多面的機能発揮対策

地域住民等が集落周辺の里山林におい

て行う、中山間地域における農地等の維持保全にも資する森林の保全管理活動等を推進しました。

（3）生活インフラ等の確保

ア　住居、情報基盤、交通等の生活インフラ等の確保

（ア）住居等の生活環境の整備

a　住居・宅地等の整備

（a）高齢化や人口減少が進行する農村において、住みやすい生活環境を整備するため、農業・生活関連施設の再編・整備を推進しました。

（b）農山漁村における定住や都市と農山漁村の二地域居住を促進する観点から、関係府省が連携しつつ、計画的な生活環境の整備を推進しました。

（c）優良田園住宅による良質な住宅・宅地供給を促進し、質の高い居住環境整備を推進しました。

（d）地方定住促進に資する地域優良賃貸住宅の供給を促進しました。

（e）令和2（2020）年1月に施行された改正後の「地域再生法」（平成17年法律第24号）に基づき、「農地付き空き家」に関する情報提供や取得の円滑化を推進しました。

（f）都市計画区域の定めのない町村において、スポーツ、文化、地域交流活動の拠点となり、生活環境の改善を図る特定地区公園の整備を推進しました。

b　汚水処理施設の整備

（a）地方創生等の取組を支援する観点から、地方公共団体が策定する「地域再生計画」に基づき、関係府省が連携して道路や汚水処理施設の整備を効率的・効果的に推進しました。

（b）下水道、農業集落排水施設及び浄化槽等について、未整備地域の整備とともに、より一層の効率的な汚水処理施設整備のために、社会情勢の変化を踏まえた都道府県構想の見直しの取組について、関係府省が密接に連携して支援しました。

（c）下水道、農業集落排水施設においては、既存施設について、長寿命化や老朽化対策を適時・適切に進めるための地方公共団体による機能診断等の取組や更新整備を支援しました。

（d）農村における汚水処理施設整備を効率的に推進するため、農業集落排水施設と下水道との連携等による施設の再編や、農業集落排水施設と浄化槽との一体的な整備を推進しました。

（e）農村地域における適切な資源循環を確保するため、農業集落排水施設から発生する汚泥や処理水の循環利用を推進しました。

（f）下水道を含む汚水処理の広域化・共同化に係る計画策定から施設整備まで総合的に支援する下水道広域化推進総合事業や従来の技術基準にとらわれず地域の実情に応じた低コスト、早期かつ機動的な整備が可能な新たな整備手法の導入を図る「下水道クイックプロジェクト」等により、効率的な汚水処理施設の整備を推進しました。

（g）地方部において、より効率的な汚水処理施設である浄化槽の整備を推進しました。特に、循環型社会・低炭素社会・自然共生社会の同時実現を図るとともに、単独処理浄化槽から合併処理浄化槽への転換を促進するため、環境配慮型の浄化槽（省エネルギータイプに更なる環境性能を追加した浄化槽）整備や、公的施設に設置されている単独処理浄化槽の集中的な転換を推進しました。

（イ）情報通信環境の整備

高度情報通信ネットワーク社会の実現に向けて、河川、道路、下水道において公共施設管理の高度化を図るため、光ファイバ及びその収容空間を整備するとと

もに、民間事業者等のネットワーク整備の更なる円滑化を図るため、施設管理に支障のない範囲で国の管理する河川・道路管理用光ファイバやその収容空間の開放を推進しました。

（ウ）交通の整備

a　交通事故の防止、交通の円滑化を確保するため、歩道の整備や交差点改良等を推進しました。

b　生活の利便性向上や地域交流に必要な道路、都市まで安全かつ快適な移動を確保するための道路の整備を推進しました。

c　日常生活の基盤としての市町村道から国土構造の骨格を形成する高規格幹線道路に至る道路ネットワークの強化を推進しました。

d　多様な関係者の連携により、地方バス路線、離島航路・航空路等の生活交通の確保・維持を図るとともに、バリアフリー化や地域鉄道の安全性向上に資する設備の整備等、快適で安全な公共交通の構築に向けた取組を支援しました。

e　地域住民の日常生活に不可欠な交通サービスの維持・活性化、輸送の安定性の確保等のため、島しょ部等における港湾整備を推進しました。

f　農産物の海上輸送の効率化を図るため、船舶の大型化等に対応した複合一貫輸送ターミナルの整備を推進しました。

g　「道の駅」の整備により、休憩施設と地域振興施設を一体的に整備し、地域の情報発信と連携・交流の拠点形成を支援しました。

h　食料品の購入や飲食に不便や苦労を感じる「食料品アクセス問題」に対する市町村独自の取組や民間事業者と連携した取組を推進しました。

（エ）教育活動の充実

地域コミュニティの核としての学校の役割を重視しつつ、地方公共団体における学校規模の適正化や小規模校の活性化等に関する更なる検討を促すとともに、各市町村における検討に資する「公立小学校・中学校の適正規模・適正配置等に関する手引」の更なる周知、優れた先行事例の普及等による取組モデルの横展開等、活力ある学校づくりに向けたきめ細やかな取組を推進しました。

（オ）医療・福祉等のサービスの充実

a　「第７次医療計画」に基づき、へき地診療所等による住民への医療提供等農村を含めたへき地における医療の確保を推進しました。

b　介護・福祉サービスについて、地域密着型サービス拠点等の整備等を推進しました。

（カ）安全な生活の確保

a　山腹崩壊、土石流等の山地災害を防止するための治山施設の整備や、流木被害の軽減・防止を図るための流木捕捉式治山ダムの設置、農地等を飛砂《ひさ》害や風害、潮害から守るなど重要な役割を果たす海岸防災林の整備等を通じて地域住民の生命・財産及び生活環境の保全を図りました。特に、「防災・減災、国土強靱《きょうじん》化のための３か年緊急対策」（平成30（2018）年12月策定）に基づき、治山施設の設置等の対策を速やかに実施しました。

b　山地災害による被害を軽減するため、治山施設の設置等のハード対策と併せて、地域における避難体制の整備等の取組と連携して、山地災害危険地区を地図情報として住民に提供するなどのソフト対策を推進しました。

c　高齢者や障害者等の自力避難の困難な者が入居する要配慮者利用施設に隣接する山地災害危険地区等において治山事業を計画的に実施しました。

d　激甚な水害の発生や床上浸水の頻発により、国民生活に大きな支障が生じた地域等において、被害の防止・軽減を目的として、治水事業を実施しました。

e　土砂災害の発生のおそれのある箇所において、砂防堰堤《えんてい》等の土砂災害防止施設の整備や警戒避難体制の充実・強化等、ハード・ソフト一体となった総合的な土砂災害対策を推進しました。また、近年、死者を出すなど甚大な土砂災害が発生した地域の再度災害防止対策を推進しました。

f　南海トラフ地震や首都直下地震等による被害の発生及び拡大、経済活動への甚大な影響の発生等に備え、防災拠点、重要交通網、避難路等に影響を及ぼすほか、孤立集落発生の要因となり得る土砂災害の発生のおそれのある箇所において、土砂災害防止施設の整備を戦略的に推進しました。

g　社会福祉施設、医療施設等の要配慮者利用施設が存在する土砂災害の発生のおそれのある箇所において、土砂災害防止施設を重点的に整備しました。

h　土砂災害から人命を保護するため、「土砂災害警戒区域等における土砂災害防止対策の推進に関する法律」（平成12年法律第57号）に基づき、土砂災害警戒区域等の指定を促進し、土砂災害のおそれのある区域についての危険の周知、警戒避難体制の整備及び特定開発行為の制限を実施しました。

i　農地災害等を防止するため、ハード対策に加え、防災情報を関係者が共有するシステムの整備や減災のための指針づくり等のソフト対策を推進し、地域住民の安全な生活の確保を図りました。

j　橋梁《きょうりょう》の耐震対策、道路斜面や盛土等の防災対策、災害のおそれのある区間を回避する道路整備を推進しました。また、冬期の道路ネットワークを確保するため、道路の除雪、防雪、凍雪害防止を推進しました。

イ　定住条件整備のための総合的な支援

（ア）定住条件が不十分な地域（中山間・離島等）においては、生活面の対応を強化しなければ若い農業者が住み続けられず、こうした地域の主産業である農業を継続できなくなるおそれがあることから、農村地域の医療、交通、買い物等の生活サービスを強化するため、ICTを活用した定住条件の整備のための取組を支援しました。

（イ）中山間地域等において、必要な地域に対して、農業生産基盤の総合的な整備と農村振興に資する施設の整備を一体的に推進し、定住条件を整備しました。

（ウ）水路等への転落防止用の安全施設の整備等の農業水利施設の安全対策を推進しました。

（4）鳥獣被害対策等の推進

ア　「鳥獣による農林水産業等に係る被害の防止のための特別措置に関する法律」（平成19年法律第134号）に基づき、市町村による被害防止計画の作成及び鳥獣被害対策実施隊の設置・体制強化を推進しました。

イ　鳥獣の急速な個体数増加や分布拡大により、被害が拡大するおそれがあることから、関係府省庁が連携・協力し、個体数等の削減に向けて、被害防止対策を推進しました。特にシカ・イノシシについては、令和5（2023）年度までに平成23（2011）年度比で生息頭数を半減させる目標の達成に向けて、狩猟期間における広域での集中的な捕獲を行う「集中捕獲キャンペーン」を展開するなど、関係府省庁等と連携しながら、捕獲の強化を推進しました。

ウ　野生鳥獣被害の深刻化・広域化に対応するため、市町村が作成する被害防止計画に基づく、鳥獣の捕獲体制の整備、捕獲機材の導入、侵入防止柵の設置、鳥獣の捕獲・追払い、緩衝帯の整備を推進しました。

エ　東日本大震災や東電福島第一原発事故に伴う捕獲活動の低下による鳥獣被害の拡大を抑制するための侵入防止柵の設置

等を推進しました。

オ　鳥獣の生息環境にも配慮した森林の整備・保全活動等を推進しました。

カ　鳥獣被害対策のアドバイザーを登録・紹介する取組を推進するとともに、鳥獣被害対策の担い手となる人材の掘り起こしや、市町村等とのマッチングを目的としたセミナーを実施しました。

キ　ICT 等を活用した効率的なスマート捕獲の技術の開発・普及を推進しました。

3　農村を支える新たな動きや活力の創出

（1）地域を支える体制及び人材づくり

ア　地域運営組織の形成等を通じた地域を持続的に支える体制づくり

（ア）地域運営組織の形成等を通じた地域を持続的に支える体制づくりについて検討しました。

（イ）中山間地域等直接支払制度の集落機能強化加算、集落協定広域化加算により、地域づくり団体の設立や集落協定の広域化等を支援しました。

イ　地域内の人材の育成及び確保

地域人口の急減に直面している地域において、「地域人口の急減に対処するための特定地域づくり事業の推進に関する法律」（令和元年法律第 64 号）の仕組みを活用し、地域内の様々な事業者をマルチワークにより支える人材の確保及びその活躍を推進することにより、地域社会の維持及び地域経済の活性化を図るために、モデルを示しつつ、本制度の周知を図りました。

ウ　関係人口の創出・拡大や関係の深化を通じた地域の支えとなる人材の裾野の拡大

（ア）農山漁村において、就職氷河期世代を含む潜在的就農希望者を対象に農林水産業の体験研修を行うとともに、地域における様々な社会活動にも参加し、農山漁村への理解を深めてもらうことにより、農山漁村に関心を持つ人材を発掘する取組を支援しました。

（イ）関係人口の拡大や関係の深化を通じた地域の支えとなる人材の裾野の拡大を図るための仕組みについて検討を行いました。

（ウ）子供の農山漁村での宿泊による農林漁業体験等を行うための受入環境の整備を行いました。

（エ）居住・就農を含む就労・生活支援等の総合的な情報をワンストップで提供する相談窓口の整備を推進しました。

エ　多様な人材の活躍による地域課題の解決

「農泊」をビジネスとして実施する体制を整備するため、地域外の人材の活用に対して支援しました。また、民間事業者と連携し、技術を有する企業や志ある若者等の斬新な発想を採り入れた取組、特色ある農業者や地域課題の把握、対策の検討等を支援する取組等を推進しました。

（2）農村の魅力の発信

ア　副業・兼業などの多様なライフスタイルの提示

農村で副業・兼業等の多様なライフスタイルを実現するための支援の在り方について検討しました。

イ　棚田地域の振興と魅力の発信

棚田の保全と棚田地域の振興を図るため、地域の創意工夫を活かした取組を、「棚田地域振興法」（令和元年法律第 42 号）に基づき、関係府省で連携して総合的に支援しました。

ウ　様々な特色ある地域の魅力の発信

（ア）「「子どもの水辺」再発見プロジェクト」の推進、水辺整備等により、河川における交流活動の活性化を支援しました。

（イ）「歴史的砂防施設の保存活用ガイドライン」（平成 15（2003）年 5 月策定）に基づき、景観整備・散策路整備等の周辺整備等を推進しました。また、歴史的砂防施設及びその周辺環境一帯を地域の観光資源の核に位置付けるなど、新たな交流の場の形成を推進しました。

（ウ）「エコツーリズム推進法」（平成19年法律第105号）に基づき、エコツーリズム推進全体構想の認定・周知、技術的助言、情報の収集、普及・啓発、広報活動等を総合的に実施しました。

（エ）自然観光資源を活用したエコツーリズムを推進するため、エコツーリズム推進全体構想の作成、魅力あるプログラムの開発、ガイド等の人材育成等、地域における活動の支援を行いました。

（オ）良好な農村景観の再生・保全を図るため、農用地や水路等の適切な保全管理により、良好な景観形成や生態系保全を推進しました。

（カ）河川においては、湿地の保全・再生や礫《れき》河原の再生等、自然再生事業を推進しました。

（キ）魚類等の生息環境改善等のため、河川等に接続する水路との段差解消により水域の連続性の確保、生物の生息・生育環境を整備・改善する魚のすみやすい川づくりを推進しました。

（ク）「景観法」（平成16年法律第110号）に基づく景観農業振興地域整備計画、「地域における歴史的風致の維持及び向上に関する法律」（平成20年法律第40号）に基づく歴史的風致維持向上計画の制度の活用を通じ、特色ある地域の魅力の発信を推進しました。

（ケ）「文化財保護法」（昭和25年法律第214号）に基づき、農村に継承されてきた民俗文化財に関して、特に重要なものを重要有形民俗文化財や重要無形民俗文化財に指定するとともに、その修理や伝承事業等を支援しました。

（コ）保存及び活用が特に必要とされる有形の民俗文化財について登録有形民俗文化財に登録するとともに、保存箱等の修理・新調を支援しました。

（サ）棚田や里山等の文化的景観や歴史的集落等の伝統的建造物群のうち、特に重要なものをそれぞれ重要文化的景観、重要伝統的建造物群保存地区として選定し、修理・防災等の保存及び活用に対して支援しました。

（シ）地域の歴史的魅力や特色を通じて我が国の文化・伝統を語るストーリーを「日本遺産」として認定し、コンテンツ制作やガイド育成等に対して必要な支援を行いました。

（3）多面的機能に関する国民の理解の促進等

地域の伝統的農林水産業の継承や地域経済の活性化等につながる世界農業遺産及び日本農業遺産の認知度向上、維持・保全及び新規認定に向けた取組を推進しました。また、歴史的・技術的・社会的価値を有する世界かんがい施設遺産の認知度向上及び新規認定に向けた取組を推進しました。さらに、農村のポテンシャルを引き出して地域の活性化や所得向上に取り組む優良事例を選定し、全国へ発信することを通じて、国民への理解の促進・普及等を図るとともに、農業の多面的機能の評価に関する調査、研究等を進めました。

4　Ⅳ１～３に沿った施策を継続的に進めるための関係府省で連携した仕組みづくり

農村の実態や要望について、農林水産省が中心となって、都道府県や市町村、関係府省や民間とともに、現場に出向いて直接把握し、把握した内容を調査・分析した上で、課題の解決を図る取組を継続的に実施するための仕組みについて、地域振興施策を担う都道府県や市町村等の人材育成等の点も含めて検討を行いました。

Ⅴ　東日本大震災からの復旧・復興と大規模自然災害への対応に関する施策

1　東日本大震災からの復旧・復興

「「復興・創生期間」における東日本大震災からの復興の基本方針」（平成31（2019）年３月改定）に沿った復興に向けた支援として、「農業・農村の復興マスタープラン」（平成29（2017）年６月改定）や「避難指示解除準備区域等における公共インフラ復旧の工程表」に沿って、農地の大区画化等の取組を推進するとともに、被害が甚大な農地や避難指示区域内の農地の復旧と早期の営農再開に向けた支援を行いました。

また、「東日本大震災復興特別区域法」（平成23年法律第122号）に沿って、関係府省が連携し、津波被災地域等の円滑かつ迅速な復興を図りました。

（1）地震・津波災害からの復旧・復興

ア　農地等の生産基盤の復旧・整備

（ア）被災した農地や農業用施設等の着実な復旧を進めました。

（イ）地震により損壊のおそれがある農業水利施設の改修・整備等を実施しました。

（ウ）福島県（避難区域を除く。）においては、個々の市町村の状況に応じて、災害廃棄物等の処理を進めることが必要であり、災害廃棄物処理代行事業により、市町への支援を継続しました。避難区域については、「対策地域内廃棄物処理計画」（平成25（2013）年12月改定）に基づき、国が災害廃棄物等の処理を着実に進めました。

イ　経営の継続・再建

（ア）東日本大震災により被災した農業者等に対して、速やかな復旧・復興のために必要となる資金が円滑に融通されるよう利子助成金等を交付しました。

（イ）海水が流入した浸水農地においても、除塩により収穫が可能と見込まれる農地については、現地調査を行い、水稲等の生育状況を踏まえて共済引受を行いました。

ウ　東日本大震災農業生産対策交付金による生産手段の回復

震災の影響により低下した被災地の生産力の回復、農畜産物の販売力の回復等に向けた取組を支援するため、都道府県向け交付金を交付しました。

エ　再生可能エネルギーの導入

被災地域に存在する再生可能エネルギーを活用し小水力等発電施設の整備に係る調査設計等の取組を支援しました。

オ　農山漁村対策

被災産地の復興・創生のため、状況変化等に起因して新たに現場が直面している課題を対象に先端技術の現地実証を行うとともに、実用化された技術体系の速やかな社会実装を促進しました。

カ　東日本大震災復興交付金

（ア）被災市町村が農業用施設・機械を整備し、被災農業者に貸与等することにより、被災農業者の農業経営の再開を支援しました。

（イ）震災によって著しい被害を受けた地域において、畦畔《けいはん》除去等による区画拡大や暗渠《あんきょ》排水等の農地の整備、老朽施設の更新等の農業水利施設の整備をきめ細かく支援しました。

（ウ）被災地域における農地・農業用施設や集落道等の整備を推進しました。

（エ）被災地域の復旧・復興のため、生産施設、地域間交流拠点施設等の整備を支援しました。

（2）原子力災害からの復旧・復興

ア　食品中の放射性物質の検査体制及び食品の出荷制限

（ア）食品中の放射性物質の基準値を踏まえ、検査結果に基づき、都道府県に対して食品の出荷制限・摂取制限の設定・解除を行いました。

（イ）都道府県等に食品中の放射性物質の検査を要請しました。また、都道府県の検査計画策定の支援、都道府県等からの依頼に応じた民間検査機関での検査の実施、検査機器の貸与・導入等を行いました。さらに、都道府県等が行った検査の結果を集約し、公表しました。

（ウ）消費者の安全・安心を一層確保するため、独立行政法人国民生活センターと共同して、希望する地方公共団体に放射性物質検査機器を貸与し、消費サイドで食品の放射性物質を検査する体制の整備を支援しました。

イ　稲の作付再開に向けた支援

令和 2（2020）年産稲の作付制限区域及び農地保全・試験栽培区域における稲の試験栽培、作付再開準備区域における実証栽培等の取組を支援しました。

ウ　放射性物質の吸収抑制対策

放射性物質の農作物への吸収抑制を目的とした資材の施用、品種・品目転換等の取組を支援しました。

エ　農業系副産物循環利用体制の再生・確立

放射性物質の影響から、利用可能であるにもかかわらず循環利用が寸断されている農業系副産物の循環利用体制の再生・確立を支援しました。

オ　避難区域等の営農再開支援

（ア）避難区域等において、除染完了後から営農が再開されるまでの間の農地等の保全管理、鳥獣被害防止緊急対策、放れ畜対策、営農再開に向けた作付け・飼養実証、避難先からすぐに帰還できない農家の農地の管理耕作、収穫後の汚染防止対策、水稲の作付再開、新たな農業への転換及び農業用機械・施設、家畜等の導入を支援しました。

（イ）福島相双復興官民合同チームの営農再開グループが、農業者を個別に訪問して、要望調査や支援策の説明を行いました。

（ウ）原子力被災 12 市町村に対し、福島県や農業協同組合と連携して人的支援を行い、営農再開を加速化しました。

カ　農産物等輸出回復

諸外国・地域において日本産食品に対する輸入規制が行われていることから、関係省庁が協力し、各種資料・データを提供しつつ輸入規制の緩和・撤廃に向けた働き掛けを実施しました。

キ　福島県産農産物等の風評の払拭

福島県の農業の再生に向けて、生産から流通・販売に至るまで、風評の払拭を総合的に支援しました。

ク　農産物等消費拡大推進

被災地及び周辺地域で生産された農林水産物及びそれらを活用した食品の消費の拡大を促すため、生産者や被災地の復興を応援する取組を情報発信するとともに、被災地産食品の販売促進等、官民の連携による取組を推進しました。

ケ　農地土壌等の放射性物質の分布状況等の推移に関する調査

今後の営農に向けた取組を進めるため、農地土壌等の放射性核種の濃度を測定し、農地土壌の放射性物質濃度の推移を把握しました。

コ　放射性物質対策技術の開発

被災地の営農再開のため、放射性セシウム吸収抑制対策としてのカリウム施肥の適正化、除染作業に伴い低下した農地の生産力の回復、農地の省力的維持管理のための技術開発等を行いました。

サ　ため池等の放射性物質のモニタリング調査、ため池等の放射性物質対策

ため池等における水質・底質の放射性物質の経年変化等を把握するため、放射性物質のモニタリング調査等を行いました。また、市町村等がため池の放射性物質対策を効果的・効率的に実施できるよう技術的助言等を行いました。

シ　東電福島第一原発事故で被害を受けた農林漁業者への賠償等

東電福島第一原発事故により農林漁業者等が受けた被害については、東京電力ホ

ールディングス株式会社から適切かつ速やかな賠償が行われるよう、関係省庁、東京電力ホールディングス株式会社等との連絡を密にし、必要な情報提供や働き掛けを実施しました。

ス　食品と放射能に関するリスクコミュニケーション

食品中の放射性物質に関する消費者の理解を深めるため、関係府省、各地方公共団体及び消費者団体等が連携した意見交換会等のリスクコミュニケーションの取組を促進しました。

セ　福島再生加速化交付金

（ア）農地・農業用施設の整備や農業水利施設の保全管理、ため池の放射性物質対策等を支援しました。

（イ）生産施設、地域間交流拠点施設等の整備を支援しました。

（ウ）地域の実情に応じ、農地の畦畔《けいはん》除去による区画拡大や暗渠《あんきょ》排水整備等の簡易な基盤整備を支援しました。

（エ）被災市町村が農業用施設・機械を整備し、被災農業者に貸与等することにより、被災農業者の農業経営の再開を支援しました。

（オ）木質バイオマスや小水力等再生可能エネルギー供給施設、木造公共建築物等の整備を支援しました。

２　大規模自然災害への備え

（１）災害に備える農業経営の取組の全国展開等

ア　自然災害等の農業経営へのリスクに備えるため、農業用ハウスの保守管理の徹底や補強、低コスト耐候性ハウスの導入、農業保険等の普及促進・利用拡大、農業版BCP の策定等、災害に備える農業経営に向けた取組を全国展開しました。

イ　地域において、農業共済組合や農業協同組合等の関係団体等による推進体制を構築し、作物ごとの災害対策に係る農業者向けの研修やリスクマネジメントの取組事例の普及、農業高校、農業大学校等における就農前の啓発の取組等を推進しました。

ウ　卸売市場における電源確保対策や業務継続のための施設整備等を推進しました。

エ　基幹的な畜産関係施設等における非常用電源確保対策を推進しました。

（２）異常気象などのリスクを軽減する技術の確立・普及

地球温暖化に対応する品種・技術を活用し、「強み」のある産地形成に向け、生産者・実需者等が一体となって先進的・モデル的な実証や事業者のマッチング等に取り組む産地を支援しました。

（３）農業・農村の強靭《きょうじん》化に向けた防災・減災対策

「防災・減災、国土強靭化のための３か年緊急対策」等に基づき、農業水利施設・ため池の整備や農業用ハウスの災害被害防止等に取り組むとともに、令和３（2021）年度以降の対策として中長期的に取り組むべき国土強靭化施策を加速化・深化させるため「防災・減災、国土強靭化のための５か年加速化対策」を閣議決定しました。

ア　基幹的な農業水利施設やため池等の耐震診断、耐震対策や豪雨対策等のソフト面とハード面を組み合わせた防災・減災対策を実施しました。特に、ため池については、防災重点ため池を中心に、防災・減災対策の一層の推進を図りました。

イ　「農業用ため池の管理及び保全に関する法律」に基づき、ため池の決壊による周辺地域への被害の防止に必要な措置を進めました。

ウ　防災重点農業用ため池に係る防災工事等を集中的かつ計画的に推進する「防災重点農業用ため池に係る防災工事等の推進に関する特別措置法」（令和２年法律第56号）が令和２（2020）年10月に施行されました。同法に基づく都道府県の推進計画により防災工事等が集中的かつ計画的に推進できるよう、補助事業制度の拡充や地方財政措置の充実を図りました。

エ　気候変動による降雨量の増大や水害の激甚化・頻発化が予測されるなど水災害リスクの増大に備えるため、流域全体の治水対策を検討する流域治水協議会に農業関係者と連携して参画するとともに、大雨により水害が予測される際に、①事前に農業用ダムの水位を下げて雨水を貯留する「事前放流」、②水田に雨水を一時的に貯留させる「田んぼダム」、③ため池への雨水の一時的な貯留、④農作物への被害のみならず、市街地や集落の湛水《たんすい》被害も防止・軽減させる排水施設の整備等流域治水の取組を通じた防災・減災対策を強化しました。

オ　平成31(2019)年4月に改定した排水の計画基準に基づき、農業水利施設等の排水対策を推進しました。

カ　津波、高潮、波浪その他海水又は地盤の変動による被害等から農地等を防護するため、海岸保全施設の整備等を実施しました。

(4) 初動対応をはじめとした災害対応体制の強化

ア　災害対応体制の強化のため、地方農政局等と農林水産本省との連携体制の構築を促進するとともに、地方農政局等の体制を強化しました。

イ　地方公共団体における災害対応職員の不足に対応するため、国からの派遣人員（MAFF-SAT）の充実等、国の応援体制の充実を図りました。

ウ　被災地のニーズの変化を的確に捉え、被災者に寄り添った丁寧な対応を行うため、被災者支援のフォローアップ体制の充実を図りました。

(5) 不測時における食料安定供給のための備えの強化

ア　食料のサプライチェーンの機能を維持するため、食品産業事業者によるBCPの策定や事業者、地方公共団体等の連携・協力体制を構築しました。また、卸売市場における電源確保対策や業務継続のための施設整備等を促進しました。

イ　米の備蓄運営について、米の供給が不足する事態に備え、国民への安定供給を確保するため、100万t程度（令和2（2020）年6月末時点）の備蓄保有を行いました。

ウ　輸入依存度の高い小麦について、大規模自然災害の発生時にも安定供給を確保するため、外国産食糧用小麦需要量の2.3か月分を備蓄し、そのうち政府が1.8か月分の保管料を助成しました。

エ　輸入依存度の高い飼料穀物について、不測の事態における海外からの供給遅滞・途絶、国内の配合飼料工場の被災に伴う配合飼料の急激な逼迫《ひっぱく》等に備え、配合飼料メーカー等がBCPに基づいて実施する飼料穀物の備蓄、災害に強い配合飼料輸送等の検討の取組に対して支援しました。

オ　食品の家庭備蓄の定着に向けて、企業、地方公共団体や教育機関と連携しつつ、ローリングストック等による日頃からの家庭備蓄の重要性や、乳幼児、高齢者、食物アレルギー等への配慮の必要性に関する普及啓発を行いました。

3　大規模自然災害からの復旧

令和2(2020)年度は、令和2年7月豪雨、令和2年から3年までの冬期の大雪等により、農作物、農業用機械、農業用ハウス、農林水産関係施設等に大きな被害が発生したことから、以下の施策を講じました。

(1) 災害復旧事業の早期実施

ア　被災した地方公共団体等へMAFF-SATを派遣し、迅速な被害の把握や被災地の早期復旧を支援しました。

イ　農地・農業用施設、共同利用施設、山林施設、漁港施設等の被害に対して、災害復旧事業等により早期復旧を図りました。また、被災した農業者の早期の営農再開を図るため、図面の簡素化等、災害査定の効率化を進めるとともに、査定前着工制度の活用を促進しました。

（２）激甚災害指定

被害が特に大きかった「令和２年５月 15 日から７月 31 日までの間の豪雨による災害（令和２年梅雨前線豪雨等）」については、激甚災害に指定し、災害復旧事業費に対する地方公共団体等の負担の軽減を図りました。

（３）被災農林漁業者等の資金需要への対応

被災農林漁業者等に対する資金の円滑な融通及び既貸付金の償還猶予等が図られるよう、関係機関に対して依頼通知を発出しました。また、７月豪雨等により被災した農業者等が借り入れる災害関連資金について、貸付当初５年間実質無利子化する措置等を講じました。

（４）共済金の迅速かつ確実な支払

迅速かつ適切な損害評価の実施及び共済金の早期支払体制の確立並びに収入保険に係るつなぎ融資の実施等が図られるよう、農業共済団体を指導しました。

（５）特別対策の実施

ア　令和２年７月豪雨による被災農林漁業者への支援

令和２年７月豪雨により、九州地方を中心に全国各地域で、果樹・水稲・葉たばこの浸水被害、農業用ハウス・機械・施設の損壊、林地荒廃等、農林水産関係に多大な被害が発生したことから、農林水産省では、令和２（2020）年７月５日、「緊急自然災害対策本部」を設置し、被災した農林漁業者が営農意欲を失わず一日も早く経営再建できるように、令和２（2020）年７月 30 日に「令和２年７月豪雨による農林水産関係被害への支援対策について」を決定・公表しました。

具体的には、①災害復旧事業等の促進、②農業用ハウス、農業用機械、共同利用施設等の導入等の支援、③共済金の早期支払等、④災害関連資金の特例措置、⑤営農再開に向けた支援、⑥被災農業者の就労機会の確保、被災農業法人等の雇用の維持のための支援、⑦農地・農業用施設の早期復旧等の支援及び災害への対応強化と生産性の向上等を一体的に図る取組等への支援、⑧林野関係被害に対する支援、⑨水産関係被害に対する支援、⑩停電への対応、⑪災害廃棄物処理事業の周知、⑫地方財政措置による支援等を行いました。また、予備費、補正予算において、災害復旧に必要な予算を措置しました。

イ　令和２年から３年までの冬期の大雪による被災農林漁業者への支援

令和２年 12 月からの大雪により、東北及び北陸地方を中心に、農業用ハウスや畜舎等の倒壊、果樹の枝折れ、倒伏等、多くの被害が発生したことから、農林水産省では、令和２（2020）年 12 月 17 日、「緊急自然災害対策本部」を設置し、被災した農林漁業者の不安に応え、一日も早く経営再開できるように、令和３（2021）年２月２日に「令和２年から３年までの冬期の大雪による被災農林漁業者への支援対策について」を決定・公表しました。

具体的には、①共済金等の早期支払、②災害関連資金の措置、③農業用ハウス、共同利用施設等の導入の支援、④経営再開、経営継続に向けた支援、⑤災害復旧事業等の促進、⑥鳥獣被害防止施設の復旧等の支援、⑦林野関係被害に対する支援、⑧水産関係被害に対する支援、⑨災害廃棄物処理事業の周知、⑩地方財政措置による支援等を行いました。

（６）その他の施策

地方農政局等を通じ、台風等の暴風雨、高温、大雪等による農作物等の被害防止に向けた農業者等への適切な技術指導が行われるための通知の発出や、MAFF アプリや SNS 等を活用し農林漁業者等に向けて予防減災に必要な情報を発信しました。

Ⅵ　団体に関する施策

ア　農業協同組合系統組織

平成28（2016）年に施行された改正後の「農業協同組合法」に基づき、農業者の所得向上に向けた自己改革を進めていくための取組を促進しました。

イ　農業委員会系統組織

平成28（2016）年に施行された改正後の「農業委員会等に関する法律」に基づく取組状況を定期的に点検し、制度の円滑な運用を推進しました。また、担い手への農地集積等、農地利用の最適化を推進するため、同法による「人・農地プラン」の実質化の取組に、農地利用最適化推進委員の積極的な参加を促進しました。

ウ　農業共済団体

農業保険について、行政機関、農業協同組合等の関係団体、農外の専門家等と連携した推進体制を構築しました。また、農業保険を普及する職員の能力強化、全国における１県１組合化の実現、農業被害の防止に係る情報・サービスの農業者への提供及び広域被害等の発生時における円滑な保険事務等の実施体制の構築を推進しました。

エ　土地改良区

土地改良区の組織運営基盤の強化を図るため、広域的な合併や土地改良区連合の設立に対する支援等を行いました。また、「土地改良法の一部を改正する法律」（平成30年法律第43号）に基づき、土地改良区の業務運営の適正化を図る取組を推進しました。

Ⅶ　食と農に関する国民運動の展開等を通じた国民的合意の形成に関する施策

食と環境を支える農業・農村への国民の理解の醸成を図るため、消費者・食品関連事業者・生産者団体を含めた官民協働による、食と農とのつながりの深化に着目した新たな国民運動のために必要な措置を講じました。

Ⅷ　新型コロナウイルス感染症をはじめとする新たな感染症への対応

国民への食料の安定供給を最優先に、新型コロナウイルス感染症の影響を受けた農林漁業者・食品事業者が生産を継続していくための施策を実施しました。

（1）経営継続補助金により、新型コロナウイルス感染症の影響を克服するために、感染拡大防止対策を行いつつ、販路回復・開拓や事業継続・転換のための機械・設備の導入や人手不足解消の取組を総合的に支援することによって、地域を支える農林漁業者の経営の継続を図りました。

（2）インバウンドや外食需要の減少、輸出の停滞等により、在庫の滞留や価格の低下、売上げの減少等の影響が顕著な国産農林水産物等（牛肉、花き、果物、林水産物等）について、農林漁業団体等が行う販売促進等の取組を支援しました。また、このような取組を一層推進するため、対策全体を「#（ハッシュタグ）元気いただきますプロジェクト」とし、消費者に対し、国産農林水産物等を食べて生産者を応援することを呼びかけました。

（3）インバウンド需要の減少、外出自粛等の影響が生じている事業等に対し、官民一体型の需要喚起キャンペーンの一環として、飲食店の需要喚起に取り組む「Go To Eat キャンペーン」を実施しました。

（4）肉用牛の計画的出荷に伴う追加費用や肉用牛肥育生産におけるコスト低減等の取組、在庫が高水準にある脱脂粉乳やバターを需要のある分野で活用する取組を支援するほか、新型コロナウイルス感染症が発生した畜産農場等の事業継続のための代替要員の派遣等を支援しました。

（5）入国制限による外国人材の不足等に対応するため、労働力の確保や農業生産を支える人材の育成・確保に向けた取組を支援しました。

（6）農林漁業者の資金繰りに支障が生じないよう、金融機関に対する適時・適切な貸出、担保徴求の弾力化等の対応の要請、農林漁業セーフティネット資金等の経営維持・再建に必要な資金の実質無利子・無担保化等の措置、また食品関連事業者の債務保証に必要な資金の支援を実施しました。

（7）野菜価格が著しく低落した場合に補給金を交付する野菜価格安定対策事業の安定的な運用に必要な資金を追加するとともに、生産者負担金の納付猶予を行いました。

（8）新型コロナウイルス感染症の影響による需要の減少により市場価格が低落する等の影響を受けた野菜・花き・果樹・茶等の高収益作物について、次期作に前向きに取り組む生産者を支援し、国内外の新たな需要促進につなげました。

（9）家庭食の輸出増加や新規・有望市場シェア獲得等、輸出の維持・促進を図るため、製造設備等の整備・導入等について支援しました。新型コロナウイルス感染症の影響を受け、海外での見本市の開催や商談会等の実施が延期・中止となる中で、輸出に取り組む事業者と海外バイヤーのマッチングを推進するため、JETRO によるオンライン商談会の実施やバーチャル見本市への出展等を支援しました。

（10）産地や実需者が連携し、輸入農畜産物から国産に切り替え、継続的・安定的な供給を図るための体制整備を支援しました。

（11）国内外における日本酒需要の減退の状況を踏まえ、その原料である酒造好適米の保管経費等を支援しました。

（12）新型コロナウイルス感染症対策に伴う休業等により発生する未利用食品の有効活用を図るため、代替販路の確保が困難な場合に、フードバンクに寄附する際の輸配送やフードバンクの受入能力向上に必要となる経費、再生利用（飼料化・肥料化等）する際の輸配送費や処理費を支援しました。

（13）農林漁業者や食品関連事業者、農泊関連事業者等に対し、新型コロナウイルス感染症に関する支援策や事業継続ガイドライン等の内容を周知するとともに、国民に対し、食料品の供給状況等の情報を農林水産省 Web サイトで提供しました。

Ⅸ　食料、農業及び農村に関する施策を総合的かつ計画的に推進するために必要な事項

1　国民視点や地域の実態に即した施策の展開

（1）幅広い国民の参画を得て施策を推進するため、国民との意見交換等を実施しました。

（2）農林水産省 Web サイト等の媒体による意見募集を実施しました。

（3）農林水産省本省の意図・考え方等を地方機関に浸透させるとともに、地方機関が把握している現場の状況を適時に本省に吸い上げ施策立案等に反映させるため、地方農政局長等会議を開催しました。

2　EBPM と施策の進捗管理及び評価の推進

（1）施策の企画・立案に当たっては、達成すべき政策目的を明らかにした上で、合理的根拠に基づく施策の立案（EBPM）を推進しました。

（2）「行政機関が行う政策の評価に関する法律」（平成13年法律第86号）に基づき、主要な施策について達成すべき目標を設定し、定期的に実績を測定すること等により評価を行い、結果を施策の改善等に反映しました。行政事業レビューの取組により、事業等について実態把握及び点検を実施し、結果を予算要求等に反映しました。ま

た、政策評価書やレビューシート等については、農林水産省 Web サイトで公表しました。

（3）施策の企画・立案段階から決定に至るまでの検討過程において、施策を科学的・客観的に分析し、その必要性や有効性を明らかにしました。

（4）農政の推進に不可欠な情報インフラを整備し、的確に統計データを提供しました。

ア　農家等の経営状況や作物の生産に関する実態を的確に把握するため、農業経営統計調査、作物統計調査等を実施しました。

イ　統計調査の基礎となる筆ポリゴンを活用し各種農林水産統計調査を効率的に実施するとともに、オープンデータとして提供している筆ポリゴンについて、利用者の利便性向上に向けた取組を実施しました。

ウ　6次産業化に向けた取組状況を的確に把握するため、農業経営体等を対象とした調査を実施しました。

エ「2020 年農林業センサス」において農林業経営体調査の取りまとめ及び農山村地域調査の実査・取りまとめを行い、その概要について公表しました。

オ　専門調査員の導入による調査の外部化を推進し、質の高い信頼性のある統計データの提供体制を確保しました。また、市場化テスト（包括的民間委託）を導入した統計調査を実施しました。

3　効果的かつ効率的な施策の推進体制

（1）地方農政局等の各都道府県拠点を通じて、地方公共団体や関係団体等と連携強化を図り、各地域の課題やニーズを捉えた的確な農林水産施策の推進を実施しました。

（2）SNS 等のデジタル媒体をはじめとする複数の広報媒体を効果的に組み合わせた広報活動を推進しました。

4　行政のデジタルトランスフォーメーションの推進

農業のデジタルトランスフォーメーション（農業 DX）を実現するため、以下の取組を通じて、農業政策や行政手続等の事務についてもデジタルトランスフォーメーションを推進しました。

（1）eMAFF の構築と併せた法令に基づく手続や補助金・交付金の手続における添付書類の削減、デジタル技術の活用を前提とした業務の抜本見直し及び行政関係データの連携等を促進しました。

（2）データサイエンスを推進する職員の養成・確保等職員の能力向上を図るとともに、得られたデータを活用した EBPM や政策評価を積極的に実施しました。

5　幅広い関係者の参画と関係府省の連携による施策の推進

食料自給率の向上に向けた取組を始め、政府一体となって実効性のある施策を推進しました。

6　SDGs に貢献する環境に配慮した施策の展開

「農林水産省環境政策の基本方針」（令和2（2020）年３月策定）を踏まえ、①環境負荷低減への取組と、環境も経済も向上させる環境創造型産業への進化、②生産から廃棄までのサプライチェーンを通じた取組と、これを支える政策のグリーン化及び研究開発の推進、③事業体としての農林水産省の環境負荷低減の取組と自己改革に配慮しつつ施策を実施しました。

7　財政措置の効率的かつ重点的な運用

厳しい財政事情の下で予算を最大限有効に活用する観点から、既存の予算を見直した上で「農林水産業・地域の活力創造プラン」に基づき、新たな農業・農村政策を着実に実行するための予算に重点化を行い、財政措置を効率的に運用しました。

令和３年度
食料・農業・農村施策

第204回国会（常会）提出

目次

令和３年度　食料・農業・農村施策

概説

1　施策の重点

令和２（2020）年３月に閣議決定した新たな「食料・農業・農村基本計画」を指針として、食料自給率・食料自給力の維持向上に向けた施策、食料の安定供給の確保に関する施策、農業の持続的な発展に関する施策、農村の振興に関する施策及び食料・農業・農村に横断的に関係する施策等を総合的かつ計画的に展開します。

また、令和２（2020）年12月に改訂された「農林水産業・地域の活力創造プラン」に基づき、これまでの農政全般にわたる改革に加えて、ポストコロナに向けた農林水産政策の強化の検討も進め、強い農業・農村を構築し、農業者の所得向上を実現するための施策を展開します。

さらに、TPP11、日EU・EPA、日米貿易協定、日英EPA及びRCEP協定の効果を最大限に活用するため、令和２（2020）年12月に改訂された「総合的なTPP等関連政策大綱」に基づき、強い農林水産業の構築、経営安定・安定供給の備えに資する施策等を推進します。また、東日本大震災及び東京電力福島第一原子力発電所（以下「東電福島第一原発」という。）事故からの復旧・復興に関係省庁が連携しながら取り組みます。

2　財政措置

（１）令和３（2021）年度農林水産関係予算額は、２兆3,050億円を計上しています。本予算においては、①生産基盤の強化と経営所得安定対策の着実な実施、②スマート農業・DX・技術開発の推進、食と農に対する理解の醸成、農林水産物の需要喚起、③５兆円目標の実現に向けた農林水産物・食品の輸出力強化と高付加価値化、④農業農村整備、農地集積・集約化、担い手確保・経営継承の推進、⑤食の安全と消費者の信頼確保、⑥農山漁村の活性化、⑦森林資源の適切な管理と林業の成長産業化の実現、⑧水産資源の適切な管理と水産業の成長産業化の実現、⑨防災・減災、国土強靱《きょうじん》化と災害復旧の推進に取り組みます。

（２）令和３（2021）年度の農林水産関連の財政投融資計画額は、7,061億円を計上しています。このうち主要なものは、株式会社日本政策金融公庫による借入れ7,000億円となっています。

3　立法措置

第204回国会に以下の法律案を提出したところです。

・「農業法人に対する投資の円滑化に関する特別措置法の一部を改正する法律案」

・「畜舎等の建築等及び利用の特例に関する法律案」

・「農水産業協同組合貯金保険法の一部を改正する法律案」

4　税制上の措置

施策の総合的な推進を図るため、以下を始めとする税制措置を講じます。

（１）農業経営基盤強化準備金制度について、対象者の要件として人・農地プランの中心経営体であることを加えた上、２年延長します（所得税・法人税）。

（２）「農業競争力強化支援法」（平成29年法律第35号）に基づく事業再編計画の認定を受けた場合の事業再編促進機械等の割増償却等を２年延長します（所得税・法人税、登録免許税）。

（３）軽油引取税の課税免除の特例措置について、木材加工業のうち、木材注薬業を営む者を適用対象から除外した上、３年延長します（軽油引取税）。

（４）利用権設定等促進事業により農用地等を取得した場合の所有権の移転登記の税率の軽減措置等を２年延長します（登録免許税、不動産取得税）。

（5）福島復興再生特別措置法による被災 12 市町村における農地の集積等の促進のための税制上の所要の措置を講じます（複数税目）。

5　金融措置

政策と一体となった長期・低利資金等の融通による担い手の育成・確保等の観点から、農業経営の特性に応じた資金調達の円滑化を図るための支援措置である農業制度金融の充実を図ります。

（1）株式会社日本政策金融公庫の融資

ア　農業の成長産業化に向けて、民間金融機関と連携を強化し、農業者等への円滑な資金供給に取り組みます。

イ　農業経営基盤強化資金（スーパーＬ資金）については、実質化された「人・農地プラン」の中心経営体として位置付けられたなどの認定農業者を対象に貸付当初５年間実質無利子化する措置を講じます。

（2）民間金融機関の融資

ア　民間金融機関の更なる農業融資拡大に向けて株式会社日本政策金融公庫との業務連携・協調融資等の取組を強化します。

イ　認定農業者が借り入れる農業近代化資金については、貸付利率をスーパーＬ資金の水準と同一にする金利負担軽減措置を実施します。また、TPP 協定等による経営環境変化に対応して、新たに規模拡大等に取り組む農業者が借り入れる農業近代化資金については、実質化された「人・農地プラン」の中心経営体として位置付けられたなどの認定農業者を対象に貸付当初５年間実質無利子化するなどの措置を講じます。

ウ　農業経営改善促進資金（スーパーＳ資金）を低利で融通できるよう、都道府県農業信用基金協会が民間金融機関に貸付原資を低利預託するために借り入れた借入金に対し利子補給金を交付します。

（3）農業法人への出資

意欲のある農業法人の財務基盤の強化や経営展開を支援するため、「農業法人に対する投資の円滑化に関する特別措置法」（平成 14 年法律第 52 号）に基づき、農業法人に対する投資育成事業を行う株式会社又は投資事業有限責任組合の出資原資を株式会社日本政策金融公庫から出資します。

（4）農業信用保証保険

農業者等の信用力を補完し、円滑な資金供給が行われるようにするため、農業信用保証保険制度に基づき、都道府県農業信用基金協会による債務保証及び当該保証に対し独立行政法人農林漁業信用基金が行う保証保険により補完等を行います。

（5）被災農業者等支援対策

ア　甚大な自然災害等により被害を受けた農業者等が借り入れる災害関連資金について、貸付当初５年間実質無利子化する措置を講じます。

イ　甚大な自然災害等により被害を受けた農業者等の経営の再建に必要となる農業近代化資金の借入れについて、都道府県農業信用基金協会の債務保証に係る保証料を保証当初５年間免除するために必要な補助金を交付します。

Ⅰ　食料自給率・食料自給力の維持向上に向けた施策

1　食料自給率・食料自給力の維持向上に向けた取組

食料自給率・食料自給力の維持向上に向けて、以下の取組を重点的に推進します。

（1）食料消費

ア　消費者と食と農とのつながりの深化

食育や国産農産物の消費拡大、地産地消、和食文化の保護・継承、食品ロスの削減を始めとする環境問題への対応等の施策を個々の国民が日常生活で取り組みやすいよう配慮しながら推進します。また、農業体験、農泊等の取組を通じ、国民が農業・農村を知り、触れる機会を拡大します。

イ　食品産業との連携

食をめぐる市場において食の外部化・簡便化の進展に合わせ、中食・外食における国産農産物の需要拡大を図ります。

平成25(2013)年にユネスコ無形文化遺産に登録された和食文化については、その健康有用性も特徴の一つとされていることから、和食の健康有用性に関する科学的エビデンスの蓄積等を進めるとともに、その国内外への情報発信を強化します。

（2）農業生産

ア　国内外の需要の変化に対応した生産・供給

（ア）優良品種の開発等による高付加価値化や生産コストの削減を進めるほか、更なる輸出拡大を図るため、諸外国の規制やニーズにも対応できるグローバル産地づくりを進めます。

（イ）地域の生産者が新たなニーズを把握し、消費者が農業・農村に対する理解を深めるため、国や地方公共団体、農業団体等の後押しを通じて、生産者と消費者や事業者との交流、連携、協働等の機会を創出します。

イ　国内農業の生産基盤の強化

（ア）持続可能な農業構造の実現に向けた担い手の育成・確保と農地の集積・集約化の加速化、経営発展の後押しや円滑な経営継承を進めます。

（イ）農業生産基盤の整備やスマート農業の社会実装の加速化による生産性の向上、各品目ごとの課題の克服、生産・流通体制の改革等を進めます。

（ウ）中山間地域等で耕作放棄も危惧される農地も含め、地域で徹底した話合いを行った上で、放牧等少子高齢化・人口減少に対応した多様な農地利用方策も含め農地の有効活用や適切な維持管理を進めます。

2　主要品目ごとの生産努力目標の実現に向けた施策

（1）米

ア　需要に応じた米の生産・販売の推進

（ア）需要に応じた生産・販売を推進するため、産地・生産者と実需者が結び付いた事前契約や複数年契約による安定取引の推進、水田活用の直接支払交付金による支援、都道府県産別、品種別等のきめ細かな需給・価格情報、販売進捗情報、在庫情報の提供、都道府県別・地域別の作付動向（中間的な取組状況）の公表等の環境整備を推進します。

（イ）国が策定する需給見通し等を踏まえつつ生産者や集荷業者・団体が主体的に需要に応じた生産・販売を行うため、行政、生産者団体、現場が一体となって取り組みます。

（ウ）米の生産については、農地の集積・集約化による分散錯圃《さくほ》の解消や作付けの団地化、多収品種の導入やスマート農業技術等による省力栽培技術の普及、資材費の低減等による生産コストの低減等を推進します。

イ　コメ・コメ加工品の輸出拡大

「農林水産物・食品の輸出拡大実行戦略」（令和2（2020）年12月策定。以下「輸出拡大実行戦略」という。）で掲げた輸出額目標の達成に向けて、輸出ターゲット国・地域である香港、アメリカ、中国、シンガポールを中心とする輸出拡大が見込まれる国・地域での海外需要開拓・プロモーションや海外規制に対応する取組に対して支援するとともに、大ロットで輸出用米の生産・供給に取り組む産地の育成等の取組を推進します。

（2）麦

ア　経営所得安定対策や強い農業・担い手づくり総合支援交付金等による支援を行う

とともに、作付けの団地化の推進や営農技術の導入を通じた産地の生産体制の強化・生産の効率化等を推進します。

イ　実需者ニーズに対応した新品種や栽培技術の導入により、実需者の求める量・品質・価格の安定を支援し、国産麦の需要拡大を推進します。

（3）大豆

ア　経営所得安定対策や強い農業・担い手づくり総合支援交付金等による支援を行うとともに、作付けの団地化の推進や営農技術の導入を通じた産地の生産体制の強化・生産の効率化等を推進します。

イ　実需者ニーズに対応した新品種や栽培技術の導入により、実需者の求める量・品質・価格の安定を支援し、国産大豆の需要拡大を推進します。

ウ　「播種《はしゅ》前入札取引」の適切な運用等により、国産大豆の安定取引を推進します。

（4）そば

ア　需要に応じた生産拡大を図るとともに、国産そばの需要拡大に向けて、実需者への安定的な供給を図るため、排水対策等の基本技術の徹底、湿害軽減技術の普及等を推進します。

イ　高品質なそばの安定供給に向けた生産体制の強化に必要となる乾燥調製施設の整備等を支援します。

ウ　国産そばを取り扱う製粉業者と農業者の連携を推進します。

（5）かんしょ・ばれいしょ

ア　かんしょについては、生産コストの低減や品質の向上を図るため、共同利用施設の整備や省力化のための機械化一貫体系の確立等への取組を支援します。特に、でん粉原料用かんしょについては、生産性の向上を図るため、多収新品種への転換や生分解性マルチの導入等の取組を支援します。また、「サツマイモ基腐病《もとぐされびょう》」については、土壌消毒、健全な苗の調達等を支援するとともに、研究事業で得られた成果を踏まえつつ、防除技術の確立に向けた取組を推進します。さらに、安定的な出荷に向けた集出荷貯蔵施設の整備を支援することにより輸出の拡大を目指します。

イ　ばれいしょについては、生産コストの低減、品質の向上、労働力の軽減やジャガイモシストセンチュウの発生・まん延の防止を図るための共同利用施設の整備等を推進します。また、収穫作業の省力化のための倉庫前集中選別への移行やコントラクター等の育成による作業の外部化への取組を支援します。さらに、ジャガイモシストセンチュウ抵抗性を有する新品種への転換を促進します。

ウ　種子用ばれいしょ生産については、罹病率の低減や小粒化への取組を支援するとともに、原原種生産・配布において、計画生産の強化や配布品種数の削減により効率的な生産を目指すとともに原原種の品質向上を図ります。

エ　国内産いもでん粉の加工食品用途等への販路拡大や収益性の向上を図るため、いもでん粉の高品質化に向けた品質管理の高度化等を支援します。

オ　糖価調整制度に基づく交付金により、国内産いもでん粉の安定供給を推進します。

（6）なたね

ア　良質ななたねの安定供給を図るため、播種《はしゅ》前契約の実施による国産なたねを取り扱う搾油事業者と農業者の連携を推進します。

イ　なたねの生産拡大に伴い必要となる乾燥調製施設の整備等を支援します。

ウ　なたねのダブルロー品種（食用に適さない脂肪酸であるエルシン酸と家畜等に甲状腺障害をもたらすグルコシノレートの含有量がともに低い品種）の普及を推進します。

（7）野菜

ア　既存ハウスのリノベーションや、環境制御・作業管理等の技術習得に必要なデータ収集・分析機器の導入等、データを活用して生産性・収益向上につなげる体制づくり等を支援するとともに、より高度な生産が可能となる低コスト耐候性ハウスや高度環境制御栽培施設等の導入を支援します。

イ　水田地帯における園芸作物の導入に向けた合意形成や試験栽培、園芸作物の本格生産に向けた機械・施設のリース導入等を支援します。

ウ　複数の産地と協業して、加工・業務用等の新市場が求めるロット・品質での供給を担う拠点事業者による貯蔵・加工等の拠点インフラの整備や生育予測等を活用した安定生産の取組等を支援します。

エ　地域農業者の減少や労働力不足等の生産構造の急速な変化に対応するため、農業者と協業しつつ、①生産安定・効率化機能、②供給調整機能、③実需者ニーズ対応機能の三つの全ての機能を具備又は強化するモデル性の高い生産事業体の育成を支援します。

（8）果樹

ア　優良品目・品種への改植・新植及びそれに伴う未収益期間における幼木の管理経費を支援します。

イ　労働生産性の向上を図るため、平坦《へいたん》で作業性の良い水田等への新植や、労働生産性向上が見込まれる省力樹形の導入を推進するとともに、まとまった面積での省力樹形及び機械作業体系の導入等による労働生産性を抜本的に高めたモデル産地の育成を支援します。

ウ　省力樹形の導入推進のため、省力樹形用苗木の安定生産に向けたモデル的な取組を支援します。

（9）甘味資源作物

ア　てんさいについては、生産コストの低減を図るため、省力化や作業の共同化、労働力の外部化や直播《ちょくはん》栽培体系の確立・普及等を推進します。

イ　さとうきびについては、自然災害からの回復に向けた取組を支援するとともに、地域ごとの「さとうきび増産計画」に定めた、地力の増進や新品種の導入、機械化一貫体系の確立を前提とした作業受託組織の育成・強化等特に重要な取組を推進します。また、分みつ糖工場における「働き方改革」への対応に向けて、工場診断や人員配置の改善の検討、施設整備等労働効率を高める取組を支援します。

ウ　糖価調整制度に基づく交付金により、国内産糖の安定供給を推進します。

（10）茶

産地の生産性向上と収益力の強化を図るため、改植等による優良品種等への転換や茶園の若返り、輸出向け栽培体系や有機栽培への転換、てん茶（抹茶の原料）等の栽培に適した棚施設を利用した栽培法への転換や直接被覆栽培への転換、担い手への集積等に伴う茶園整理（茶樹の抜根、酸度矯正）、荒茶加工施設の整備を推進します。また、海外ニーズに応じた茶の生産・加工技術や低コスト生産・加工技術の導入、新たな抹茶加工技術の実証や、緑茶生産において使用される主要な農薬について輸出相手国・地域に対し我が国と同等の基準を新たに設定申請する取組を支援します。

（11）畜産物

肉用牛については、高品質な牛肉を安定的に供給できる生産体制を構築するため、肉用繁殖雌牛の増頭、繁殖性の向上による分娩間隔の短縮等の取組等を推進します。酪農については、都府県における牛舎の空きスペースも活用した増頭・増産に加え、性判別技術の活用による乳用後継牛の確保、高品質な生乳の生産による多様な消費者ニーズに対応した牛乳乳製品の供給等を推進します。

また、労働力負担軽減・省力化に資するロボット、AI、IoT等の先端技術の普及・定着、外部支援組織等の役割分担・連携強化等を図ります。

さらに、子牛や国産畜産物の生産・流通の円滑化に向けた家畜市場や食肉処理施設及び生乳の処理・貯蔵施設の再編等の取組を推進します。

(12) 飼料作物等

輸入飼料に過度に依存した畜産から国産飼料生産基盤に立脚した畜産に転換するため、草地の基盤整備や不安定な気象に対応したリスク分散の取組等による生産性の高い草地への改良、国産濃厚飼料（子実用とうもろこし等）の増産、飼料生産組織の作業効率化・運営強化、放牧を活用した肉用牛・酪農基盤強化、飼料用米等の利活用の取組等を推進します。

Ⅱ　食料の安定供給の確保に関する施策

１　新たな価値の創出による需要の開拓

（１）新たな市場創出に向けた取組

ア　地場産農林水産物等を活用した介護食品の開発を支援します。また、パンフレットや映像等の教育ツールを用いてスマイルケア食の普及を図ります。さらに、スマートミール（病気の予防や健康寿命を延ばすことを目的とした、栄養バランスのとれた食事）の普及等を支援します。

イ　腸内マイクロバイオームを始めとする健康情報や食習慣等に関するデータの集積等、健康に資する食生活のビッグデータ収集・活用のための基盤整備を推進します。また、農産物等の免疫機能等への効果に関する科学的エビデンス取得や食生活の適正化に資する研究開発を推進します。

ウ　実需者や産地が参画したコンソーシアムを構築し、ニーズに対応した新品種の開発等の取組を推進します。また、実需者等の多様なニーズに対応するため、従来の育種では困難だった収量性や品質等の形質の改良等を短期間で実現するスマート育種システムの開発を推進します。

エ　国立研究開発法人、公設試験場、大学等が連携し、輸出先国の規制等にも対応しうる防除等の栽培技術等の開発・実証を推進するとともに、輸出促進に資する品種開発を推進します。

オ　令和３（2021）年４月から施行される新たな日本版 SBIR 制度を活用し、フードテック等の新たな技術・サービスの事業化を目指すスタートアップが行う研究開発等を切れ目なく支援します。

（２）需要に応じた新たなバリューチェーンの創出

都道府県及び市町村段階に、行政、農林漁業、商工、金融機関等の関係機関で構成される６次産業化・地産地消推進協議会を設置し、６次産業化等戦略を策定する取組を支援します。

また、６次産業化等に取り組む農林漁業者等に対するサポート体制を整備するとともに、業務用需要に対応した BtoB（事業者向けビジネス）の取組、農泊と連携した観光消費の促進等に資する新商品開発・販路開拓の取組や加工・販売施設等の整備を支援します。

（３）食品産業の競争力の強化

ア　食品流通の合理化等

（ア）「食品等の流通の合理化及び取引の適正化に関する法律」（平成３年法律第 59 号）に基づき、食品等流通合理化計画の認定を行うことにより、新たな流通技術を活用してデータの共有・活用や省人化・省力化を図るなど、食品等の流通の合理化を図る取組を支援します。特に、トラックドライバーを始めとする食品流通に係る人手不足等の問題に対応するため、サプライチェーン全体での合理化を推進します。

また、令和２（2020）年６月に施行された改正後の「卸売市場法」（昭和 46 年法律第 35 号）に基づき、中央卸売市場の認定を行うとともに、施設整備に対する助成や卸売市場に対する指導監督を行います。さらに、食品等の取引の適正化のため、取引状況に関する調査を行い、その結果に応じて関係事業者に対する指導・助言を実施します。

（イ）商品先物市場の健全な運営を確保するため、「商品先物取引法」（昭和25年法律第239号）に基づき、商品先物市場の監視及び監督を行うとともに、顧客の保護及び取引の適正化を図るため、同法を迅速かつ適正に執行します。

イ　労働力不足への対応

食品製造業における労働力不足に対応するため、食品製造等の現場におけるAI、ロボット、IoT等の先端技術の活用実証や、その成果の情報発信により、食品産業におけるイノベーションの創出や、業界全体の生産性向上に向けた取組を支援します。

また、「農林水産業・食品産業の作業安全のための規範」の普及等により、食品産業の現場における作業安全対策を推進します。さらに、食品産業の現場で特定技能制度による外国人材を円滑に受け入れるため、試験の実施や外国人が働きやすい環境の整備に取り組むなど、食品産業特定技能協議会等を活用し、地域の労働力不足克服に向けた有用な情報等を発信します。

ウ　規格・認証の活用

産品の品質や特色、事業者の技術や取組について、説明・証明、信頼の獲得を容易にし、取引の円滑化に資するよう、訴求力の高いJASの制定・活用等を進めるとともに、JASの国内外への普及、JASと調和のとれた国際規格の制定等を推進します。

また、輸出促進に資するよう、GFSI（世界食品安全イニシアティブ）の承認を受けたJFS規格（日本発の食品安全管理規格）の国内外での普及を推進します。

（4）食品ロス等をはじめとする環境問題への対応

ア　食品ロスの削減

令和2（2020）年3月に閣議決定した「食品ロスの削減の推進に関する法律」（令和元年法律第19号）に基づく基本方針に則して、事業系食品ロスを平成12（2000）年度比で令和12（2030）年度までに半減させる目標の達成に向けて、事業者、消費者、地方公共団体等と連携した取組を進めます。

また、個別企業等では解決が困難な商慣習の見直しに向けたフードチェーン全体の取組、食品産業から発生する未利用食品をフードバンクが適切に管理・提供するためのマッチングシステムを実証・構築する取組や寄附金付き未利用食品の販売により利益の一部をフードバンク活動の支援等に活用する新たな仕組み構築のための検討等を推進します。

さらに、飲食店及び消費者の双方での食べきりや食べきれずに残した料理の自己責任の範囲での持ち帰りの取組など、食品関連事業者と連携した消費者への働きかけを推進します。

加えて、食品流通の川下における食品循環資源の再生利用等を促進するため、下水汚泥との混合利用の取組を支援するとともに、メタン発酵消化液等の肥料利用に関する調査・実証等の取組を通じて、メタン発酵消化液等の地域での有効利用を行うための取組を支援します。

イ　食品産業分野におけるプラスチックごみ問題への対応

「容器包装に係る分別収集及び再商品化の促進等に関する法律」（平成7年法律第112号）に基づく、義務履行の促進、容器包装廃棄物の排出抑制のための取組として、食品関連事業者への点検指導、食品小売事業者からの定期報告の提出の促進を実施します。

また、「プラスチック資源循環戦略」（令

和元（2019）年５月策定）及び「今後のプラスチック資源循環施策のあり方について」等に基づき、食品産業におけるプラスチック資源循環等の取組や、PETボトルの新たな回収・リサイクルモデルを構築する取組を推進します。

ウ　気候変動リスクへの対応

（ア）TCFD提言（気候変動リスク・機会に関する情報開示のフレームワークを取りまとめた最終報告書）のガイダンス、取組事例等を踏まえた食品関連事業者による気候関連の情報開示の取組を推進します。

（イ）食品産業の持続可能な発展に寄与する地球温暖化防止・省エネルギー等の優れた取組を表彰するとともに、低炭素社会実行計画の進捗状況の点検等を実施します。

２　グローバルマーケットの戦略的な開拓

（１）農林水産物・食品の輸出促進

農林水産物・食品の輸出額を令和７（2025）年に２兆円、令和12（2030）年に５兆円とする目標の達成に向けて、輸出拡大実行戦略に基づき、マーケットインの体制整備を行います。重点品目について、輸出産地の育成・展開や、大ロットの輸出物流の構築などを支援します。さらに、官民一体となって輸出拡大実行戦略を着実に実行するため、以下の取組を行います。

ア　輸出阻害要因の解消等による輸出環境の整備

（ア）「農林水産物及び食品の輸出の促進に関する法律」（令和元年法律第57号）に基づき、令和２（2020）年４月に農林水産省に創設した「農林水産物・食品輸出本部」の下で、輸出阻害要因に対応して輸出拡大を図る体制を強化し、同本部で作成した実行計画に従い、放射性物質や動植物検疫に関する輸入規制の緩和・撤廃を始めとした食品安全等の規制等に対する輸出先国との協議の加速化、国際基準や輸出先国の基準の策定プロセスへの戦略的な対応、輸出向けの施設整備と登録認定機関制度を活用した施設認定の迅速化、輸出手続の迅速化、意欲ある輸出事業者の支援、輸出証明書の申請・発行の一元化、輸出相談窓口の利便性向上、輸出先国の衛生基準や残留基準への対応強化等、貿易交渉による関税撤廃・削減を速やかに輸出拡大につなげるための環境整備を進めます。

（イ）東電福島第一原発事故を受けて、諸外国・地域において日本産食品に対する輸入規制が行われていることから、関係省庁が協力し、各種資料・データを提供しつつ輸入規制の緩和・撤廃に向けた働き掛けを実施します。

（ウ）日本産食品等の安全性や魅力に関する情報を諸外国・地域に発信するほか、海外におけるプロモーション活動の実施により、日本産食品等の輸出回復に取り組みます。

（エ）我が国の実情に沿った国際基準の速やかな策定及び策定された国際基準の輸出先国での適切な実施を促進するため、国際機関の活動支援やアジア・太平洋地域の専門家の人材育成等を行います。

（オ）輸出先となる事業者等から求められるHACCPを含む食品安全マネジメント規格、GAP（農業生産工程管理）等の認証取得を促進します。また、国際的な取引にも通用する、コーデックス委員会が定めるHACCPをベースとしたJFS規格の国際標準化に向けた取組を支援します。さらに、JFS規格及びASIAGAPの国内外への普及に向けた取組を推進します。

（カ）ニーズに応じた専門家を産地に派遣し、輸出先国・地域の残留農薬基準や植物防疫条件を満たす栽培方法、選果等の技術的指導を行うなど、輸出に取り組もうとする産地を支援します。

（キ）輸出先のニーズに対応したHACCP等の基準を満たすため、食品製造事業者等の施設の改修及び新設、機器の整備に対して支援します。

（ク）加工食品については、食品製造業における輸出拡大に必要な施設・設備の整備、海外のニーズに応える新商品の開発等により、輸出拡大を図ります。

（ケ）輸出植物解禁協議を迅速化するため、園地管理等の産地が取り組みやすい検疫措置の調査・実証を進めるとともに、国際基準の策定に向けて、害虫の殺虫効果に関するデータを蓄積して検疫処理技術を確立する取組を推進します。

（コ）輸出先国の検疫条件に則した防除体系、栽培方法、選果等の技術を確立するためのサポート体制を整備するとともに、卸売市場や集荷地等での輸出検査を行うことにより、産地等の輸出への取組を支援します。

（サ）輸出に取り組む事業者等への資金供給を後押しするため、農業法人投資育成事業の投資対象を、農業法人だけでなく、輸出、製造、加工等のフードバリューチェーンに携わる全ての事業者とすること等を内容とする「農業法人に対する投資の円滑化に関する特別措置法の一部を改正する法律案」を第204回国会に提出したところです。

イ　海外への商流構築、プロモーションの促進

（ア）GFP等を通じた輸出促進

a　農林水産物・食品輸出プロジェクト（GFP）のコミュニティサイトを通じ、農林水産省が輸出の可能性を診断する輸出診断、そのフォローアップや、輸出に向けた情報の提供、登録者同士の交流イベントの開催等を行います。また、相手国のニーズや規制等に対応したグローバル産地の形成を進めるため、輸出事業計画の策定、生産・加工体制の構築、事業効果の検証・改善等の取組を支援します。

b　日本食品海外プロモーションセンター（JFOODO）による、海外市場分析に基づく戦略的プロモーション、新たなマーケット開拓の取組を支援します。

c　独立行政法人日本貿易振興機構（JETRO）による、国内外の商談会の開催、海外見本市への出展、セミナー開催、専門家による相談対応、日本産食材サポーター店等と連携した日本産食材キャンペーンの実施を支援します。

d　輸出拡大が期待される具体的な分野・テーマについて、マーケティングの専門家を活用した上で、数値目標を定めて取り組む団体・民間事業者等による海外販路の開拓・拡大を支援します。

（イ）日本食・食文化の魅力の発信

a　日本食・食文化の海外普及を通じて、日本産農林水産物・食品の輸出拡大につなげるため、外国人料理人等に対する日本料理講習会や日本料理コンテストを開催するなど、日本食・食文化の普及活動を担う人材の育成を推進します。また、日本食・食文化の発信拠点である日本産食材サポーター店については、日本産食材の取扱いの増加を図る取組を推進するなど、輸出拠点としての活用を強化します。

b　日本人の日本食料理人等が海外展開するために必要な研修の実施や、日本食レストランが海外進出するための取組を支援します。

c　訪日外国人旅行者を国産農林水産物・食品の需要拡大や農山漁村の活性化につなげていくため、農泊と連携しながら、地域の「食」や農林水産業、景観等の観光資源を活用して訪日外国人旅行者をもてなす取組を「SAVOR《セイバー》 JAPAN《ジャパン》」として認定し、一体的に海外に発信します。

d　訪日外国人旅行者の主な観光目的である「食」と滞在中の多様な経験を組み合

わせ、「食」の多様な価値を創出するとともに、帰国後もレストランや越境 EC サイトでの購入等を通じて我が国の食を再体験できるような機会を提供することで、輸出拡大につなげていくため、「食かけるプロジェクト」の取組を推進します。

ウ　食産業の海外展開の促進

（ア）海外展開による事業基盤の強化

a　我が国の食文化・食産業の海外展開を促進するため、海外展開における阻害要因の解決を図るとともに、グローバル人材の確保、我が国の規格・認証の普及・浸透に向け、食関連企業及び ASEAN 各国の大学と連携し、食品加工・流通、分析等に関する教育を行う取組等を推進します。

b　輸出拡大実行戦略に沿った取組を円滑に進めるために、JETRO において、商品トレンドや消費者動向等を踏まえた現場目線の情報提供やその活用ノウハウを通じたサポートを行うとともに、輸出先国バイヤーの発掘・関心喚起等輸出環境整備に取り組みます。

（イ）生産者等の所得向上につながる海外需要の獲得

令和元（2019）年 12 月に策定された「グローバル・フードバリューチェーン構築推進プラン」に基づき、各国・地域の発展段階と主要課題を踏まえた企業支援の取組の重点化、企業コンソーシアムづくりの支援、地方企業の進出促進、輸出と投資の一体的促進、スマート農業技術の海外展開の推進等に取り組みます。また、輸出拡大実行戦略に基づき、ノウハウの流出防止等に留意しつつ、我が国の農林水産業・食品産業の利益となる海外展開の方策について検討します。

（ウ）食品産業における国際標準への戦略的対応

我が国の食品事業者の国際的な取引における競争力を確保し、消費者に対してより安全な食品を供給するため、JFS 規格の充実とその国際的普及に向けた取組を官民が連携して推進します。あわせて、JFS 規格の海外発信を行うとともに、将来的に国際的な基準の策定等の過程に参画できる人材の育成を見据え、産学官の実務者レベルで議論を行います。

（2）知的財産等の保護・活用

ア　品質等の特性が産地と結び付いている我が国の伝統的な農林水産物・食品等を登録・保護する地理的表示（GI）保護制度の円滑な運用を図るとともに、登録申請に係る支援や制度の周知と理解の促進に取り組みます。また、GI の活用を促すため、全国の GI 産地・GI 産品を流通関係者や消費者等に紹介する展示会等を開催し、制度の普及・活用を推進します。さらに、制度の適切な運用を図るため、登録生産者団体等に対する定期検査を行います。

イ　各地域・産品の実情に応じた知的財産の保護・活用を図るため、農林水産省と特許庁が協力しながら、セミナー等において、出願者に有益な情報や各制度の普及・啓発を行うとともに、独立行政法人工業所有権情報・研修館（INPIT）が各都道府県に設置する知財総合支援窓口において、特許、商標、営業秘密のほか、地方農政局等と連携して GI 及び植物品種の育成者権等の相談に対応します。

ウ　令和２(2020）年 12 月に成立した「種苗法の一部を改正する法律」（令和２年法律第 74 号）に基づき、我が国の優良な植物品種の流出を防止するとともに、同法の円滑な施行により育成者権の保護・活用を図ります。また、海外における品種登録（育成者権取得）や侵害対策に対して支援するとともに、品種保護に必要となる検査手法・DNA 品種識別法の開発等の技術課題の解決や、東アジアにおける品種保護制度の整備を促進するための協力活動等を推進します。

エ　令和2(2020)年10月に施行された、改正後の「家畜改良増殖法」(昭和25年法律第219号)及び「家畜遺伝資源に係る不正競争の防止に関する法律」(令和2年法律第22号)に基づき、家畜遺伝資源の適正な流通管理の徹底や知的財産としての価値の保護強化を推進するため、その仕組みについて周知徹底を図るほか、全国の家畜人工授精所への立入検査を実施するとともに、家畜遺伝資源の利用者の範囲等について制限を付す売買契約の普及や家畜人工授精用精液等の流通を全国的に管理するシステムの構築・運用等を推進します。

オ　我が国のGI産品の海外での保護を図るため、国際協定による諸外国とのGIの相互保護を推進するとともに、相互保護を受けた海外での執行の確保を図ります。また、海外における我が国のGIの使用状況調査の実施、生産者団体によるGIに対する侵害対策等の支援により、海外における知的財産侵害対策の強化を図ります。

カ　知的財産に関する意識を高め、施策を一体的に推進するため、新たな農林水産省知的財産戦略を策定します。

3　消費者と食・農とのつながりの深化

（1）食育や地産地消の推進と国産農産物の消費拡大

ア　国民運動としての食育の推進

（ア）「第4次食育推進基本計画」（令和3（2021）年3月策定）等に基づき、関係府省庁が連携しつつ、様々な分野において国民運動として食育を推進します。

（イ）朝ごはんを食べること等、子供の基本的な生活習慣を育成するための「早寝早起き朝ごはん」国民運動を推進します。

イ　地域における食育の推進

郷土料理等地域の食文化の継承や農林漁業体験機会の提供、和食給食の普及、共食機会の提供、地域で食育を推進するリーダーの育成等、地域で取り組む食育活動を支援します。

ウ　学校における食育の推進

家庭や地域との連携を図るとともに、学校給食を活用しつつ、学校における食育の推進を図ります。

エ　国産農産物の消費拡大の促進

（ア）食品関連事業者と生産者団体、国が一体となって、食品関連事業者等における国産農産物の利用促進の取組等を後押しするなど、国産農産物の消費拡大に向けた取組を実施します。

（イ）消費者と生産者の結び付きを強化し、我が国の「食」と「農林漁業」についてのすばらしい価値を国内外にアピールする取組を支援します。

（ウ）地域の生産者等と協働し、日本産食材の利用拡大や日本食文化の海外への普及等に貢献した料理人を顕彰する制度である「料理マスターズ」を実施します。

（エ）生産者と実需者のマッチング支援を通じて、中食・外食向けの米の安定取引の推進を図ります。また、米飯学校給食の推進・定着やごはん食推進の普及・啓発に加え、米の消費拡大に資する飲食店情報の提供や、消費拡大に取り組む企業・団体の応援等、業界による主体的取組を応援する運動「やっぱりごはんでしょ！」の充実を図り、米消費が多く見込まれる消費者層や訪日外国人旅行者を含む新たな需要の取り込みを進めます。

（オ）砂糖に関する正しい知識の普及・啓発に加え、砂糖の需要拡大に資するスイーツ店情報の提供や、需要拡大に取り組む企業・団体の応援等、業界による主体的取組を応援する運動「ありが糖運動」の充実を図ります。

（カ）地産地消の中核的施設である農産物直売所の運営体制強化のための検討会の開催及び観光需要向けの商品開発や農林水産物の加工・販売のための機械・施

設等の整備を支援するとともに、学校給食等の食材として地場産農産物を安定的に生産・供給する体制の構築に向けた取組やメニュー開発等の取組を支援します。

（２）和食文化の保護・継承

和食文化を国民全体で保護・継承するため、地域固有の多様な食文化を地域で保護・継承していくための体制を各都道府県に構築し、各地域が選定した郷土料理の調査・データベース化及び普及等を行います。また、子供たちや子育て世代に対して和食文化の普及活動を行う中核的な人材を育成するとともに、子供たちを対象とした和食文化普及のための取組を通じて和食文化の次世代への継承を引き続き図ります。さらに、健康有用性や持続可能性など和食の良さを伝え、味覚が形成される子供のうちに身近・手軽に健康的な「和ごはん」を食べる機会を増やしてもらうため、官民協働の「Let's！和ごはんプロジェクト」の取組を推進するとともに、文化庁における食の文化的価値の可視化の取組と連携し、和食が持つ文化的価値の発信を進めます。

加えて、外食・中食事業者におけるスマートミールの導入を推進するともに、ブランド野菜・畜産物等の地場産食材の活用促進を図ります。

（３）消費者と生産者の関係強化

消費者・食品関連事業者・生産者団体を含めた官民協働による、食と農とのつながりの深化に着目した新たな国民運動として、地域の農業・農村の価値や生み出される農林水産物の魅力を伝える交流イベント等、消費者と生産者の関係強化に資する取組を実施します。

４　国際的な動向等に対応した食品の安全確保と消費者の信頼の確保

（１）科学の進展等を踏まえた食品の安全確保の取組の強化

食品の安全を確保するため、科学的知見に基づき、国際的な枠組みによるリスク評価、リスク管理及びリスクコミュニケーションを実施します。

（ア）食品安全に関するリスク管理を一貫した考え方で行うための標準手順書に基づき、農畜水産物や加工食品、飼料中の有害化学物質・有害微生物の調査や安全性向上対策の策定に向けた試験研究を実施します。

（イ）試験研究や調査結果の科学的解析に基づき、施策・措置に関する企画や立案を行い、生産者・食品事業者に普及するとともに、その効果を検証し、必要に応じて見直します。

（ウ）情報の受け手を意識して、食品安全に関する施策の情報を発信します。

（エ）食品中に残留する農薬等に関するポジティブリスト制度導入時に残留基準を設定した農薬等や新たに登録等の申請があった農薬等について、食品健康影響評価結果を踏まえた残留基準の設定、見直しを推進します。

（オ）食品の安全性等に関する国際基準の策定作業への積極的な参画や、国内における情報提供や意見交換を実施します。

（カ）食品の摂取による人の健康への重大な被害が拡大することを防止するため、関係府省庁の消費者安全情報総括官等による情報の集約及び共有を図るとともに、食品安全に関する緊急事態等における対応体制を点検・強化します。

2020年東京オリンピック競技大会・東京パラリンピック競技大会における食品への意図的な毒物等の混入を防止するため、同大会において飲食提供を行う事業者に対して、食品防御対策について助言を行います。

（キ）食品関係事業者の自主的な企業行動規範等の策定を促すなど食品関係事業者の

コンプライアンス（法令の遵守及び倫理の保持等）確立のための各種取組を促進します。

ア　生産段階における取組

生産資材（肥料、飼料・飼料添加物、農薬、動物用医薬品）の適正使用を推進するとともに、科学的データに基づく生産資材の使用基準、有害物質等の基準値の設定・見直し、薬剤耐性菌のモニタリングに基づくリスク低減措置等を行い、安全な農畜水産物の安定供給を確保します。

（ア）肥料については、「肥料取締法の一部を改正する法律」（令和元年法律第62号）の施行に向けて、堆肥と化学肥料の配合を可能とする配合規制の見直し等の新たな制度の周知と具体的な運用ルールの確定を進めます。

（イ）農薬については、その安全性をより一層向上するため、平成30（2018）年に施行された改正後の「農薬取締法」（昭和23年法律第82号）に基づき、農薬の使用者や蜜蜂への影響等の安全性に関する審査を充実したことを踏まえ、全ての農薬について順次、最新の科学的知見に基づく再評価を開始します。

（ウ）飼料・飼料添加物については、輸入飼料の調達先の多様化への対応として、家畜の健康影響や畜産物を摂取した人の健康影響のリスクが高い有害化学物質等の汚染実態データ等を優先的に収集し、有害化学物質等の基準値の設定・見直し等を行い、飼料の安全を確保します。飼料のGMP（適正製造規範）については、ロードマップの作成や技術的支援等を実施し、飼料関係事業者におけるGMP導入の一層の推進、定着を図ります。

（エ）動物用医薬品については、動物用抗菌剤の農場単位での使用実態を把握できる仕組みの開発を検討するとともに、動物用抗菌剤の予防的な投与を限定的にするよう、獣医師に指導を行います。また、薬剤耐性菌の全ゲノム解析結果を活用し、伝播経路の解明に取り組みます。

イ　製造段階における取組

（ア）HACCPに沿った衛生管理を行う事業者が輸出に取り組むことができるよう、HACCPの導入に必要な一般衛生管理の徹底や、輸出先国ごとに求められる食品安全管理に係る個別条件への理解促進及びHACCPに係る民間認証の取得等のための研修会の開催、「食品の製造過程の管理の高度化に関する臨時措置法」（平成10年法律第59号）による施設整備に対する金融措置等の支援を実施します。

（イ）食品等事業者に対する監視指導や事業者による自主的な衛生管理を推進します。

（ウ）食品衛生監視員の資質向上や検査施設の充実等を推進します。

（エ）長い食経験を考慮し使用が認められている既存添加物については、毒性試験等を実施し、安全性の検討を推進します。

（オ）国際的に安全性が確認され、かつ、汎用されている食品添加物については、国が主体的に指定に向けて検討します。

（カ）保健機能食品（特定保健用食品、栄養機能食品及び機能性表示食品）を始めとしたいわゆる「健康食品」について、事業者の安全性の確保の取組を推進するとともに、保健機能食品制度の普及・啓発に取り組みます。

（キ）SRM（特定危険部位）の除去・焼却、BSE（牛海綿状脳症）検査の実施等により、食肉の安全を確保します。

ウ　輸入に関する取組

輸出国政府との二国間協議や在外公館を通じた現地調査等の実施、情報等を入手するための関係府省の連携の推進、監視体制の強化等により、輸入食品の安全性の確保を図ります。

（２）食品表示情報の充実や適切な表示等を通じた食品に対する消費者の信頼の確保

ア　食品表示の適正化等

（ア）「食品表示法」（平成 25 年法律第 70 号）及び「不当景品類及び不当表示防止法」（昭和 37 年法律第 134 号）に基づき、関係府省が連携した監視体制の下、適切な表示を推進します。また、外食・中食における原料原産地表示については、「外食・中食における原料原産地情報提供ガイドライン」（平成 31（2019）年３月策定）に基づく表示の普及を図ります。

（イ）輸入品以外の全ての加工食品に対して、原料原産地表示を行うことが義務付けられた新たな原料原産地表示制度については、消費者、事業者等への普及・啓発を行い、理解促進を図ります。

（ウ）米穀等については、「米穀等の取引等に係る情報の記録及び産地情報の伝達に関する法律」(平成21年法律第26号。以下「米トレーサビリティ法」という。）により産地情報伝達の徹底を図ります。

（エ）栄養成分表示についての普及啓発を進め、健康づくりに役立つ情報源としての理解促進を図ります。

イ　食品トレーサビリティの普及啓発

（ア）食品事故等発生時の原因究明や商品回収等の円滑化に資するため、食品のトレーサビリティに関し、「実践的なマニュアル」の活用及びフードチェーンを通じた具体的な取組モデルの提供等新たな推進方策に加え、原材料の入荷から出荷・販売するまでの各段階で作成される、各種帳票等を一元的に管理し、複雑化する食品表示の適正化に資するため、実践的食品表示モデルを策定します。あわせて、分かりやすい動画により解説し、普及・啓発に取り組みます。

（イ）米穀等については、米トレーサビリティ法に基づき、制度の適正な運用に努めます。

（ウ）国産牛肉については、「牛の個体識別のための情報の管理及び伝達に関する特別措置法」（平成 15 年法律第 72 号）による制度の適正な実施が確保されるよう DNA 分析技術を活用した監視等を実施します。

ウ　消費者への情報提供等

（ア）消費者の「食」に対する信頼向上に向けた食品関係事業者の主体的な活動を促すため、フードチェーンの各段階で事業者間のコミュニケーションを円滑に行い、食品関係事業者の取組を消費者まで伝えていくためのツールの普及等を進めます。

（イ）「消費者の部屋」等において、消費者からの相談を受け付けるとともに、特別展示等を開催し、農林水産行政や食生活に関する情報を幅広く提供します。

5　食料供給のリスクを見据えた総合的な食料安全保障の確立

（１）不測時に備えた平素からの取組

主要な農林水産物の供給に影響を与える可能性のあるリスクについて、その影響度合い等を平時から分析し、影響を軽減するための対応策を検討、実施します。

また、新型コロナウイルスの世界的な感染拡大等、食料供給を脅かす新たなリスクに適切に対応するため、外部の有識者を交えて、今後講じるべき食料安全保障施策について検討を行うとともに、実際に不測の事態が生じた場合に食料供給の確保が迅速に図られるよう、「緊急事態食料安全保障指針」（令和３（2021）年１月改正）に即して、事態ごとのシナリオによるシミュレーションを実施し、対応手順の実効性の検証、必要に応じた見直しや更なる充実を行います。さらに、大規模災害に備えた家庭備蓄の重要性の普及啓発を通じて、食料安全保障に関する理解の醸成を図ります。

（2）国際的な食料需給の把握、分析

省内外において収集した国際的な食料需給に係る情報を一元的に集約するとともに、我が国独自の短期的な需給変動要因の分析や、中長期の需給見通しを策定し、これらを国民に分かりやすく発信します。

また、衛星データを活用し、食料輸出国や発展途上国等における気象や主要農作物の作柄の把握・モニタリングに向けた研究を行います。

さらに、海外の食料の需要や生産の状況、新型コロナウイルス感染症による食料供給への影響の実態も踏まえた新たなリスクについて調査・分析を行い、我が国の食料安全保障の観点から中長期的な課題や取り組むべき方向性を議論し、関係者で共有します。

加えて、新型コロナウイルスの世界的な感染拡大等、食料供給を脅かす新たなリスクへの対応としては、外部の有識者を交えて、今後講じるべき食料安全保障施策の検討を行い、検討結果を取りまとめます。

（3）輸入穀物等の安定的な確保

ア　輸入穀物の安定供給の確保

（ア）麦の輸入先国との緊密な情報交換等を通じ、安定的な輸入を確保します。

（イ）政府が輸入する米麦について、残留農薬等の検査を実施します。

（ウ）輸入依存度の高い小麦について、港湾スト等により輸入が途絶した場合に備え、外国産食糧用小麦需要量の2.3か月分を備蓄し、そのうち政府が1.8か月分の保管料を助成します。

（エ）輸入依存度の高い飼料穀物について、不測の事態における海外からの供給遅滞・途絶、国内の配合飼料工場の被災に伴う配合飼料の急激な逼迫《ひっぱく》等に備え、配合飼料メーカー等が事業継続計画（BCP）に基づいて実施する飼料穀物の備蓄、不測の事態により配合飼料の供給が困難となった地域への配合飼料の緊急運搬、災害に強い配合飼料輸送等の検討の取組に対して支援します。

イ　国際港湾の機能強化

（ア）ばら積み貨物の安定的かつ安価な輸入を実現するため、大型船に対応した港湾機能の拠点的確保や企業間連携の促進等による効率的な海上輸送網の形成に向けた取組を推進します。

（イ）国際海上コンテナターミナル、国際ターミナルの整備等、国際港湾の機能強化を推進します。

ウ　遺伝資源の収集・保存・提供機能の強化

食料の安定供給と輸出拡大に資する品種の育成・改良に貢献するため、国内外の遺伝資源を収集・保存するとともに、有用特性等のデータベース化に加え、幅広い遺伝変異をカバーした代表的品種群（コアコレクション）の整備を進めることで、植物・微生物・動物遺伝資源の更なる充実と利用者への提供を促進します。

特に、海外植物遺伝資源については、二国間共同研究等を実施する中で、ITPGR（食料及び農業のための植物遺伝資源に関する国際条約）を活用した相互利用を推進することで、アクセス環境を整備します。また、国内植物遺伝資源については、公的研究機関等が管理する国内在来品種を含む我が国の遺伝資源をワンストップで検索できる統合データベースを整備するなど、オールジャパンで多様な遺伝資源を収集・保存・提供する体制を強化します。

（4）国際協力の推進

ア　世界の食料安全保障に係る国際会議への参画等

国連食料システムサミット、G7サミット、G20サミット及びその関連会合、APEC（アジア太平洋経済協力）関連会合、ASEAN+3（日中韓）農林大臣会合、FAO（国際連合食糧農業機関）総会、OECD（経済協力開発機構）農業委員会等の世界の食料安全保障に係る国際会議に積極的に参

画し、持続可能な農業生産の増大、生産性の向上及び多様な農業の共存に向けて国際的な議論に貢献します。

また、フードバリューチェーンの構築が農産物の付加価値を高め、農家・農村の所得向上と食品ロス削減に寄与し、食料安全保障を向上させる上で重要であることを発信します。

イ　飢餓、貧困、栄養不良への対策

（ア）開発途上国・新興国における栄養不良人口の削減に貢献するため、研究開発、栄養改善のためのセミナーの開催や情報発信等を支援します。また、東京栄養サミット2021を開催します。

（イ）飢餓・貧困の削減に向け、米等の生産性向上及び高付加価値化のための研究を支援します。

ウ　アフリカへの農業協力

TICAD 7（第７回アフリカ開発会議）で発表された「横浜行動計画2019」等の着実な推進に向け、アフリカの農業の発展に対して人的貢献を継続していくほか、ICT技術を活用した農業者の組織化及び共同購入・共同販売等のための農業デジタル化基盤の構築等、対象国のニーズに対応した企業の海外展開を引き続き推進します。

エ　気候変動や越境性動物疾病等の地球規模の課題への対策

（ア）パリ協定を踏まえた森林減少・劣化抑制、農地土壌における炭素貯留等に関する途上国の能力向上、干ばつ等に適応した生産性向上システムやGHG（温室効果ガス）削減につながる栽培技術の開発等の気候変動対策を推進します。また、気候変動緩和策に資する研究及び越境性病害の我が国への侵入防止に資する研究並びにアジアにおける口蹄疫、高病原性鳥インフルエンザ、アフリカ豚熱等の越境性動物疾病及び薬剤耐性対策等を推進します。

（イ）東アジア地域（ASEAN10か国、日本、中国及び韓国）における食料安全保障の強化と貧困の撲滅を目的とし、近年の気候変動により、頻繁に発生している強大な台風や洪水等、大規模災害等の緊急時に備えるため、ASEAN＋３緊急米備蓄（APTERR）の取組を推進します。

（５）動植物防疫措置の強化

ア　世界各国における口蹄疫、高病原性鳥インフルエンザ、アフリカ豚熱等の発生状況、新たな植物病害虫の発生等を踏まえ、国内における家畜の伝染性疾病や植物の病害虫の発生予防及びまん延防止対策、発生時の危機管理体制の整備等を実施します。また、国際的な連携を強化し、アジア地域における防除能力の向上を支援します。

豚熱や高病原性鳥インフルエンザ等の家畜の伝染性疾病については、発生予防・まん延防止のため、早期通報や野生動物の侵入防止等、生産者による飼養衛生管理の徹底がなされるよう、都道府県と連携して指導を行います。特に、豚熱については、円滑なワクチン接種を進めるとともに、野生イノシシの対策として、捕獲強化や経口ワクチンの散布を実施します。

イ　家畜防疫官・植物防疫官や検疫探知犬の適切な配置等による検査体制の整備・強化により、水際対策を適切に講ずるとともに、家畜の伝染性疾病及び植物の病害虫の侵入・まん延防止のための取組を推進します。

ウ　地域の産業動物獣医師への就業を志す獣医大学の地域枠入学者・獣医学生に対する修学資金の給付、獣医学生を対象とした産業動物獣医師の業務について理解を深めるための臨床実習、産業動物獣医師を対象とした技術向上のための臨床研修を支援します。また、産業動物分野における獣医師の中途採用者を確保するための就業支援、女性獣医師等を対象とした職場復帰・再就職に向けたスキルアップのための研修や中高生等を対象とした産業動物獣医師の業務について理解を深めるセミナー等の実施による産業動物獣医師の育成、情報通信機器を活用した産業動物診療の効率化等を支援します。

6　TPP等新たな国際環境への対応、今後の国際交渉への戦略的な対応

「成長戦略フォローアップ」(令和2(2020)年7月策定) 等に基づき、グローバルな経済活動のベースとなる経済連携を進めます。

また、日中韓FTA、日トルコEPA等の経済連携交渉やWTO農業交渉等の農産物貿易交渉において、我が国農産品のセンシティビティに十分配慮しつつ、我が国の農林水産業が、今後とも国の基《もとい》として重要な役割を果たしていけるよう、交渉を行うとともに、我が国農産品の輸出拡大につながる交渉結果の獲得を目指します。

さらに、TPP11、日EU・EPA、日米貿易協定、日英EPA及びRCEP(地域的な包括的経済連携)協定の効果を最大限に活かすために改訂された「総合的なTPP等関連政策大綱」に基づき、体質強化対策や経営安定対策を着実に実施します。

Ⅲ　農業の持続的な発展に関する施策

1　力強く持続可能な農業構造の実現に向けた担い手の育成・確保

(1) 認定農業者制度や法人化等を通じた経営発展の後押し

ア　担い手への重点的な支援の実施

(ア) 認定農業者等の担い手が主体性と創意工夫を発揮して経営発展できるよう、担い手に対する農地の集積・集約化の促進や経営所得安定対策、出資や融資、税制等、経営発展の段階や経営の態様に応じた支援を行います。

(イ) その際、既存経営基盤では現状の農地引受けが困難な担い手も現れていることから、地域の農業生産の維持への貢献という観点から、こうした担い手への支援の在り方について検討します。

イ　農業経営の法人化の加速と経営基盤の強化

(ア) 経営意欲のある農業者が創意工夫を活かした農業経営を展開できるよう、都道府県段階に設置した農業経営相談所を通じた経営相談・経営診断や専門家派遣等の支援等により、農業経営の法人化を促進します。

(イ) 担い手が少ない地域においては、地域における農業経営の受皿として、集落営農の組織化を推進するとともに、これを法人化に向けての準備・調整期間と位置付け、法人化を推進します。また、地域外の経営体や販売面での異業種との連携等を促進します。さらに、農業法人等が法人幹部や経営者となる人材を育成するために実施する実践研修への支援等を行います。

(ウ) 集落営農について、法人化に向けた取組の加速化や地域外からの人材確保、地域外の経営体との連携や統合・再編等を推進します。

ウ　青色申告の推進

農業経営の着実な発展を図るためには、自らの経営を客観的に把握し経営管理を行うことが重要であることから、農業者年金の政策支援、農業経営基盤強化準備金制度、収入保険への加入推進等を通じ、農業者による青色申告の推進を引き続き行います。

(2) 経営継承や新規就農、人材の育成・確保等

ア　次世代の担い手への円滑な経営継承

(ア) 次世代の担い手への円滑な経営継承を進めるため、農業経営相談所の専門家による相談対応、継承計画の策定支援等を推進するとともに地域の中心となる担い手の後継者による経営継承後の経営発展に向けた取組を支援します。

(イ) 園芸施設・畜産関連施設、樹園地等の

経営資源について、第三者機関・組織も活用しつつ、再整備・改修等のための支援により、円滑な継承を促進します。

イ　農業を支える人材の育成のための農業教育の充実

（ア）将来的に農業を職業として選択する人材を育成するため、農業高校や農業大学校等の農業教育機関において、先進的な農業経営者等による出前授業や現場研修等、就農意欲を喚起するための取組を推進します。また、スマート農業に関する教育の推進を図るとともに、農業教育の高度化に必要な農業機械・設備等の整備を推進します。

（イ）地域農業のリーダーとして活躍する経営感覚に優れた農業経営者の育成に向けて、農業高校や農業大学校等における教育カリキュラムの強化や教員の指導力向上等、農業教育の高度化を推進します。

（ウ）国際感覚を持つ農業人材の育成に向け、国内の農業高校と海外の農業高校の交流を推進するとともに、海外農業研修の実施を支援します。

（エ）就職氷河期世代を始めとした幅広い世代の新規就農希望者に対し、農業教育機関における実践的なリカレント教育の実施を支援します。

ウ　青年層の新規就農と定着促進

（ア）青年層の農業内外からの新規就農と定着促進のため、次世代を担う農業者となることを志向する者に対し、就農前の研修（２年以内）の後押しと就農直後（５年以内）の経営確立に資する資金の交付を行います。

（イ）初期投資の負担を軽減するため、農業機械等の取得に対する補助や無利子資金の貸付けを行います。

（ウ）就農準備段階から経営開始後まで、地方公共団体や農業協同組合、農業者、農地中間管理機構、民間企業等の関係機関が連携し一貫して支援する地域の就農受入体制を充実します。

（エ）農業法人等における実践研修への支援にあたり、労働時間の管理、休日・休憩の確保、男女別トイレの整備、キャリアパスの提示やコミュニケーションの充実等、誰もがやりがいを持って働きやすい職場環境整備を行う農業法人等を支援することで、農業の「働き方改革」を推進します。

（オ）ライフスタイルも含めた様々な魅力的な農業の姿や就農に関する情報について、民間企業等とも連携して、Webサイトや SNS、就農イベント等を通じた情報発信を強化します。

（カ）自営や法人就農、短期雇用等様々な就農相談等にワンストップで対応できるよう新規就農相談センターの相談員の研修を行い、相談体制を強化します。

（キ）農業者の生涯所得の充実の観点から、農業者年金への加入を推進します。

エ　女性が能力を発揮できる環境整備

（ア）女性農業者が、その能力を最大限に発揮し、農業経営や６次産業化を展開することができる環境を整備するため、経営体向け補助事業について女性農業者等による積極的な活用を促進します。

（イ）子育て世代の女性農業者の育児の負担を軽減し、農業経営力向上や働きやすい環境整備を促進するため、託児・農作業代替活動を地域で一体的にサポートする体制づくりを支援します。

（ウ）農業現場の方針策定に参加する女性を増やすため、農業委員、農業協同組合役員等に必要な知識やスキル習得を支援します。

（エ）平成 28（2016）年に施行された改正後の「農業委員会等に関する法律」（昭和 26 年法律第 88 号）及び「農業協同組合法」（昭和 22 年法律第 132 号）において、農業委員や農業協同組合役員について、年齢及び性別に著しい偏りが生じないように配慮しなければならない旨の規定が置かれたことを踏まえ、委員・役員の任命・選出に当たっては、女性の参画拡大に向けた取組を促進します。

(オ) 女性農業者グループによる女性活躍に向けた活動の活性化を図るため、女性グループに対し、組織力・経営力向上のための研修会を支援します。

(カ) 女性農業者の知恵と民間企業の技術、ノウハウ、アイデア等を結び付け、新たな商品やサービス開発等を行う「農業女子プロジェクト」における企業や教育機関との連携強化、地域活動の推進により女性農業者が活動しやすい環境を作るとともに、これらの活動を発信し、若い女性新規就農者の増加につなげます。

オ　企業の農業参入

企業の農業参入は、地域における農地の受皿として期待されていることから、農地中間管理機構を中心としてリース方式による企業の参入を促進します。

2　農業現場を支える多様な人材や主体の活躍

(1) 中小・家族経営など多様な経営体による地域の下支え

農業現場においては、中小・家族経営等多様な経営体が農業生産を支えている現状と、地域において重要な役割を果たしていることに鑑み、現状の規模にかかわらず、生産基盤の強化に取り組むとともに、品目別対策や多面的機能支払制度、中山間地域等直接支払制度等により、産業政策と地域政策の両面から支援します。

(2) 次世代型の農業支援サービスの定着

生産現場における人手不足や生産性向上等の課題に対応し、農業者が営農活動の外部委託等様々な農業支援サービスを活用することで経営の継続や効率化を図ることができるよう、ドローンや自動走行農機等の先端技術を活用した作業代行やシェアリング・リース、食品事業者と連携した収穫作業の代行等の次世代型の農業支援サービスの育成・普及を推進します。

(3) 多様な人材が活躍できる農業の「働き方改革」の推進

ア　農業法人等が労働環境を改善しつつ行う実践研修を支援することにより、農業経営者が、労働時間の管理、休日・休憩の確保、男女別トイレの整備、キャリアパスの提示やコミュニケーションの充実等、誰もがやりがいがあり、働きやすい環境づくりに向けて計画を作成し、従業員と共有することを推進します。

イ　農繁期等における産地の短期労働力を確保するため、他産業、大学、他地域との連携等による多様な人材とのマッチングを行う産地の取組や、農業法人等における労働環境の改善を推進する取組を支援し、労働環境整備等の農業の「働き方改革」の先進的な取組事例の発信・普及を図ります。

ウ　こうした取組を進めてもなお人材が不足する場合に対応するためにも、特定技能制度による農業現場での外国人材の円滑な受入れに向けて、技能試験を実施するとともに、就労する外国人材が働きやすい環境の整備等を支援します。

エ　地域人口の急減に直面している地域において、「地域人口の急減に対処するための特定地域づくり事業の推進に関する法律」(令和元年法律第64号)の仕組みを活用し、地域内の様々な事業者をマルチワーク(一つの仕事のみに従事するのではなく、複数の仕事に携わる働き方)により支える人材の確保及びその活躍を推進することにより、地域社会の維持及び地域経済の活性化を図るために、モデルを示しつつ、本制度の周知を図ります。

3　担い手等への農地集積・集約化と農地の確

保

（1）担い手への農地集積・集約化の加速化

ア　実質化された「人・農地プラン」の実行

地域の徹底した話合いにより「人・農地プラン」の実質化の取組を推進し、実質化されたプランの実行を通じて、担い手への農地の集積・集約化を加速化します。

また、新型コロナウイルス感染症の影響により、実質化の取組が遅れている地域については引き続き実質化を推進します。

イ　農地中間管理機構のフル稼働

「農地中間管理事業の推進に関する法律等の一部を改正する法律」（令和元年法律第 12 号）に基づき、地域の徹底した話合いによる「人・農地プラン」の実質化などを進め、農地中間管理機構の活用を促進することで、当該プランに位置付けられた担い手への農地の集積・集約化を進めます。

ウ　所有者不明農地への対応の強化

所有者不明農地への対応を強化するため、「農業経営基盤強化促進法等の一部を改正する法律」（平成 30 年法律第 23 号）に基づき創設した制度の利用を促すほか、法務省が第 204 回国会に提出している「民法等の一部を改正する法律案」及び「相続等により取得した土地所有権の国庫への帰属に関する法律案」による民事基本法制の見直しの成案を踏まえ、関係省庁と連携して所有者不明農地の有効利用を図ります。

（2）荒廃農地の発生防止・解消、農地転用許可制度等の適切な運用

ア　多面的機能支払制度及び中山間地域等直接支払制度による地域・集落の共同活動や、農地中間管理事業による集積・集約化の促進、基盤整備の活用等による荒廃農地の発生防止・解消に努めます。また、有機農業や放牧・飼料生産等多様な農地利用方策とそれを実施する仕組みについて、プロジェクト及び有識者から成る検討会において総合的に検討します。

イ　農地の転用規制及び農業振興地域制度の適正な運用を通じ、優良農地の確保に努めます。

４　農業経営の安定化に向けた取組の推進

（1）収入保険制度や経営所得安定対策等の着実な推進

ア　収入保険の普及促進・利用拡大

自然災害や価格下落等の様々なリスクに対応し、農業経営の安定化を図るため、収入保険の普及促進・利用拡大を図ります。このため、現場ニーズ等を踏まえた改善等を行うとともに、地域において、農業共済組合や農業協同組合等の関係団体等が連携して推進体制を構築し、加入促進の取組を引き続き進めます。

イ　経営所得安定対策等の着実な実施

「農業の担い手に対する経営安定のための交付金の交付に関する法律」（平成 18 年法律第 88 号）に基づく畑作物の直接支払交付金及び米・畑作物の収入減少影響緩和交付金、「畜産経営の安定に関する法律」（昭和 36 年法律第 183 号）に基づく肉用牛肥育・肉豚経営安定交付金（牛・豚マルキン）及び加工原料乳生産者補給金、「肉用子牛生産安定等特別措置法」（昭和 63 年法律第 98 号）に基づく肉用子牛生産者補給金、「野菜生産出荷安定法」（昭和 41 年法律第 103 号）に基づく野菜価格安定対策等の措置を安定的に実施します。

（2）総合的かつ効果的なセーフティネット対策の在り方の検討等

ア　総合的かつ効果的なセーフティネット対策の在り方の検討

収入保険については、農業保険以外の制度も含め、収入減少を補填する関連施策全体の検証を行い、農業者のニーズ等を踏まえ、総合的かつ効果的なセーフティネット対策の在り方について検討します。

イ　手続の電子化、申請データの簡素化等の

推進

農業保険や経営所得安定対策等の類似制度について、申請内容やフローの見直し等の業務改革を実施しつつ、手続の電子化の推進、申請データの簡素化等を進めるとともに、利便性向上・事務負担軽減を図るため、総合的なセーフティネットの窓口体制の改善・集約化を引き続き検討します。

5　農業の成長産業化や国土強靭《きょうじん》化に資する農業生産基盤整備

（1）農業の成長産業化に向けた農業生産基盤整備

ア　担い手への農地の集積・集約化や生産コストの削減を進め、農業の競争力を強化するため、農地中間管理機構等との連携を図りつつ、農地の大区画化等を推進します。

イ　高収益作物の導入による新たな産地の形成を促進し、産地収益力を向上させるために、関係部局と連携しつつ、高収益作物に転換するための水田の汎用化や畑地化、畑地や樹園地の高機能化を推進します。

ウ　農業構造や営農形態の変化に対応するため、ICT水管理等の営農の省力化等に資する技術の活用を可能にする農業生産基盤の整備の展開を図るとともに、農業農村インフラの管理の省力化・高度化や地域活性化、スマート農業の実装促進のための情報通信環境の整備を推進します。

（2）農業水利施設の戦略的な保全管理

ア　点検、機能診断及び監視を通じた適切なリスク管理の下での計画的かつ効率的な補修、更新等により、施設の徹底した長寿命化とライフサイクルコストの低減を図ります。

イ　農業者の減少や高齢化が進む中でも、農業水利施設の機能が安定的に発揮されるよう、農業水利施設を更新する際、施設の集約や再編、統廃合等によるストックの適正化を推進します。

ウ　施設の点検や機能診断等を省力化・高度化するため、ロボットやAI等の利用に関する研究開発や実証調査を推進します。

（3）農業・農村の強靭《きょうじん》化に向けた防災・減災対策

ア　基幹的な農業水利施設の改修等のハード対策と機能診断等のソフト対策を組み合わせた防災・減災対策を実施します。

イ　「農業用ため池の管理及び保全に関する法律」（平成31年法律第17号）に基づき、ため池の決壊による周辺地域への被害の防止に必要な措置を進めます。

ウ　「防災重点農業用ため池に係る防災工事等の推進に関する特別措置法」（令和2年法律第56号）の規定により都道府県が策定した推進計画に基づき、優先度の高いものから防災工事等に取り組むとともに、防災工事等が実施されるまでの間についても、ハザードマップの作成や監視・管理体制の強化等を行うなど、これらの対策を適切に組み合わせて、ため池の防災・減災対策を推進します。

エ　気候変動による降雨量の増大や水害の激甚化・頻発化が予測されるなど水災害リスクの増大に備えるため、大雨により水害が予測される際に、①事前に農業用ダムの水位を下げて雨水を貯留する「事前放流」、②水田に雨水を一時的に貯留させる「田んぼダム」、③ため池への雨水の一時的な貯留、④農作物への被害のみならず、市街地や集落の湛水《たんすい》被害も防止・軽減させる排水施設の整備等流域治水の取組を通じた防災・減災対策の強化に取り組みます。

オ　平成31（2019）年4月に改定した排水の計画基準に基づき、農業水利施設等の排水対策を推進します。

カ　津波、高潮、波浪その他海水又は地盤の変動による被害等から農地等を防護するため、海岸保全施設の整備等を実施します。

（4）農業・農村の構造の変化等を踏まえた土地改良区の体制強化

土地改良区の組合員の減少、ICT水管理

等の新技術、管理する土地改良施設の老朽化に対応するため、准組合員制度の導入、土地改良区連合の設立、貸借対照表を活用した施設更新に必要な資金の計画的な積立の促進等、「土地改良法の一部を改正する法律」（平成 30 年法律第 43 号）の改正事項の定着を図り、土地改良区の運営基盤の強化を推進します。また、多様な人材の参画を図る取組を加速的に推進します。

６　需要構造等の変化に対応した生産基盤の強化と流通・加工構造の合理化

（１）肉用牛・酪農の生産拡大など畜産の競争力強化

ア　生産基盤の強化

（ア）牛肉・牛乳乳製品等畜産物の国内需要への対応と輸出拡大に向けて、肉用牛については、高品質な牛肉を安定的に供給できる生産体制を構築するため、肉用繁殖雌牛の増頭、繁殖性の向上による分娩間隔の短縮等の取組等を推進します。酪農については、都府県酪農の生産基盤の維持・回復と北海道酪農の持続的成長を目指し、酪農経営の持続的展開を図るため、都府県における牛舎の空きスペースも活用した増頭・増産に加え、性判別技術の活用による乳用後継牛の確保、高品質な生乳の生産による多様な消費者ニーズに対応した牛乳乳製品の供給を推進します。

（イ）労働力負担軽減・省力化に資するロボット、AI、IoT 等の先端技術の普及・定着、生産関連情報等のデータに基づく家畜改良や飼養管理技術の高度化、農業者と外部支援組織等の役割分担・連携の強化、GAP、アニマルウェルフェアの普及・定着を図ります。

（ウ）子牛や国産畜産物の生産・流通の円滑化に向けた家畜市場や食肉処理施設及び生乳の処理・貯蔵施設の再編等の取組を推進し、肉用牛・酪農等の生産基盤を強化します。あわせて、米国・EU 並みの衛生水準を満たす輸出認定施設の増加を推進します。

（エ）畜産農家等の経営安定を図るため、以下の施策等を実施します。

ａ　畜種ごとの経営安定対策

（ａ）酪農関係では、①加工原料乳に対する加工原料乳生産者補給金及び集送乳調整金の交付、②加工原料乳の取引価格が低落した場合の補塡金の交付等の対策

（ｂ）肉用牛関係では、①肉用子牛対策として、子牛価格が保証基準価格を下回った場合に補給金を交付する肉用子牛生産者補給金制度、②肉用牛肥育対策として、標準的販売価格が標準的生産費を下回った場合に交付金を交付する肉用牛肥育経営安定交付金（牛マルキン）

（ｃ）養豚関係では、標準的販売価格が標準的生産費を下回った場合に交付金を交付する肉豚経営安定交付金（豚マルキン）

（ｄ）養鶏関係では、鶏卵の取引価格が補塡基準価格を下回った場合に補塡金を交付するなどの鶏卵生産者経営安定対策事業

ｂ　飼料価格安定対策

配合飼料価格の大幅な変動に対応するための配合飼料価格安定制度を適切に運用するとともに、国産濃厚飼料の増産や地域の飼料化可能な未利用資源を飼料として利用する取組等を推進します。

イ　生産基盤強化を支える環境整備

（ア）増頭に伴う家畜排せつ物の土づくりへの活用を促進するため、家畜排せつ物処理施設の機能強化・堆肥のペレット化等を推進します。飼料生産については、草地整備・草地改良、放牧、公共牧場の利用、水田を活用した飼料生産、子実用とうもろこし、国産飼料増産や安定確保に

向けた指導・研修、飼料用種子の備蓄、エコフィード等の利活用及び高品質化等、国産飼料の生産・利用を推進します。

（イ）和牛は、我が国固有の財産であり、家畜遺伝資源の不適正な流通は、我が国の畜産振興に重大な影響を及ぼすおそれがあることから、家畜遺伝資源の流通管理の徹底、知的財産としての価値の保護強化を推進するため、その仕組みについて周知徹底を図るほか、全国の家畜人工授精所への立入検査を実施するとともに、家畜遺伝資源の利用者の範囲等について制限を付す売買契約の普及を図ります。また、家畜人工授精用精液等の流通を全国的に管理するシステムの構築・運用等を推進するとともに、和牛の血統の信頼を確保するため、遺伝子型の検査によるモニタリング調査を推進する取組を支援します。

（ウ）畜舎等の利用実態を踏まえた安全基準やその執行体制等を検討し、生産コストの低減に資するよう「建築基準法」（昭和 25 年法律第 201 号）の適用の対象から除外する「畜舎等の建築等及び利用の特例に関する法律案」を第 204 回国会に提出したところです。

（2）新たな需要に応える園芸作物等の生産体制の強化

ア　野菜

（ア）既存ハウスのリノベーションや、環境制御・作業管理等の技術習得に必要なデータ収集・分析機器の導入等、データを活用して生産性・収益向上につなげる体制づくり等を支援するとともに、より高度な生産が可能となる低コスト耐候性ハウスや高度環境制御栽培施設等の導入を支援します。

（イ）水田地帯における園芸作物の導入に向けた合意形成や試験栽培、園芸作物の本格生産に向けた機械・施設のリース導入等を支援します。

（ウ）複数の産地と協業して、加工・業務用等の新市場が求めるロット・品質での供給を担う拠点事業者による貯蔵・加工等の拠点インフラの整備や生育予測等を活用した安定生産の取組等を支援します。

（エ）地域農業者の減少や労働力不足等の生産構造の急速な変化に対応するため、農業者と協業しつつ、①生産安定・効率化機能、②供給調整機能、③実需者ニーズ対応機能の三つの全ての機能を具備又は強化するモデル性の高い生産事業体の育成を支援します。

イ　果樹

（ア）優良品目・品種への改植・新植及びそれに伴う未収益期間における幼木の管理経費を支援します。

（イ）労働生産性の向上を図るため、平坦《へいたん》で作業性の良い水田等への新植や、労働生産性向上が見込まれる省力樹形の導入を推進するとともに、まとまった面積での省力樹形及び機械作業体系の導入等による労働生産性を抜本的に高めたモデル産地の育成を支援します。

（ウ）省力樹形の導入推進のため、省力樹形用苗木の安定生産に向けたモデル的な取組を支援します。

ウ　花き

（ア）地域毎に設定した戦略品目について、ニーズの高い品種への転換や省力生産の実証、新たな需要の創出・拡大に向けたプロモーション活動等を支援するとともに、生産性の飛躍的向上が期待される新技術の実証を支援します。

（イ）需要構造の変化に対応した流通体制を構築するため、コールドチェーン整備、川上と川下が連携した情報伝達のデジタル化の実証等を支援します。

エ　茶、甘味資源作物等の地域特産物

（ア）茶

令和２(2020)年４月に公表した「茶業

及びお茶の文化の振興に関する基本方針」に基づき、消費者ニーズへの対応や輸出の促進等に向け、新たな茶商品の生産・加工技術や機能性成分等の特色を持つ品種の導入、有機栽培への転換、てん茶等の栽培に適した棚施設を利用した栽培法への転換や直接被覆栽培への転換、新たな抹茶加工技術の実証、残留農薬分析等を支援します。

（イ）砂糖及びでん粉

「砂糖及びでん粉の価格調整に関する法律」（昭和 40 年法律第 109 号）に基づき、さとうきび・でん粉原料用かんしょ生産者及び国内産糖・国内産いもでん粉の製造事業者に対して、経営安定のための支援を行います。

（ウ）薬用作物

薬用作物の産地形成を加速化させるため、地域の取組として、産地と実需者（漢方薬メーカー等）とが連携した栽培技術の確立のための実証《じっしょう》圃《ほ》の設置、省力化のための農業機械の改良及び収穫まで複数年を要する薬用作物の新植を支援します。また、全国的な取組として、事前相談窓口の設置や技術アドバイザーの派遣等の栽培技術の指導体制の確立に向けた取組を支援します。

（エ）こんにゃくいも等

こんにゃくいも等の特産農産物については、付加価値の創出、新規用途開拓、機械化・省力作業体系の導入等を推進するとともに、新たな需要の創出・拡大を図るため、安定的な生産に向けた体制の整備等を支援します。

（オ）繭・生糸

蚕糸業の再生と持続的発展を図るため、養蚕・製糸業と絹織物業者等が提携して取り組む、輸入品と差別化された高品質な純国産絹製品づくり・ブランド化を推進するとともに、新たな需要の創出・拡大を図るため、生産者、実需者等が一体となって取り組む、安定的な生産に向けた体制の整備等を支援します。

（カ）葉たばこ

葉たばこ審議会の意見を尊重した種類別・品種別価格により、日本たばこ産業株式会社（JT）が買い入れます。

（キ）いぐさ

輸入品との差別化・ブランド化に取り組むいぐさ生産者の経営安定を図るため、国産畳表の価格下落影響緩和対策の実施、実需者や消費者のニーズを踏まえた、産地の課題を解決するための技術実証等の取組を支援します。

（３）米政策改革の着実な推進と水田における高収益作物等への転換

ア　消費者・実需者の需要に応じた多様な米の安定供給

（ア）需要に応じた米の生産・販売の推進

a　需要に応じた生産・販売を推進するため、産地・生産者と実需者が結び付いた事前契約や複数年契約による安定取引の推進、水田活用の直接支払交付金による支援、都道府県産別、品種別等のきめ細かな需給・価格情報、販売進捗情報、在庫情報の提供、都道府県別・地域別の作付動向（中間的な取組状況）の公表等の環境整備を推進します。

b　国が策定する需給見通し等を踏まえつつ生産者や集荷業者・団体が主体的に需要に応じた生産・販売を行うため、行政、生産者団体、現場が一体となって取り組みます。

c　米の生産については、農地の集積・集約化による分散錯圃《さくほ》の解消や作付けの団地化、多収品種の導入やスマート農業技術等による省力栽培技術の普及、資材費の低減等による生産コストの低減等を推進します。

（イ）戦略作物の生産拡大

食料自給率・食料自給力の維持向上を図るため、水田活用の直接支払交付金により、麦、大豆、飼料用米等、戦略作物の本作化を進めるとともに、地域の特色のある魅力的な産品の産地づくりに向けた取組を支援することにより、水田のフル活用を図ります。

（ウ）コメ・コメ加工品の輸出拡大

「輸出拡大実行戦略」で掲げた、コメ・パックご飯・米粉及び米粉製品の輸出額目標の達成に向けて、輸出ターゲット国・地域である香港、アメリカ、中国、シンガポールを中心とする輸出拡大が見込まれる国・地域での海外需要開拓・プロモーションや海外規制に対応する取組に対して支援するとともに、大ロットで輸出用米の生産・供給に取り組む産地の育成等の取組を推進します。

（エ）米の消費拡大

米の消費拡大に資する飲食店情報の提供や、消費拡大に取り組む企業・団体の応援等、業界による主体的取組を応援する運動「やっぱりごはんでしょ！」の充実を図り、米消費が多く見込まれる消費者層や訪日外国人旅行者を含む新たな需要の取り込みを進めます。

イ　麦・大豆

短期的な変動はあるものの需要が中長期的に安定・堅調に推移している国産麦・大豆については、「麦・大豆増産プロジェクト」における検討結果を踏まえ、作付けの団地化の推進や営農技術の導入を通じた産地の生産体制の強化・生産の効率化や、実需の求める量・品質・価格の安定に向けた取組を支援します。

ウ　高収益作物への転換

野菜や果樹等の高収益作物の導入・定着を図るため、「水田農業高収益化推進計画」に基づき、国のみならず地方公共団体等の関係部局が連携し、水田における高収益作物への転換、水田の畑地化・汎用化のための基盤整備、栽培技術や機械・施設の導入、販路確保等の取組を計画的かつ一体的に推進します。

エ　米粉用米・飼料用米

実需者の求める安定的な供給に応えるため、生産と実需の複数年契約による長期安定的な取引の拡大を推進するとともに、「米穀の新用途への利用の促進に関する法律」（平成21年法律第25号）に基づき、米粉用米、飼料用米の利用促進を図るため、米粉用米、飼料用米の生産・利用拡大や必要な機械・施設の整備等を総合的に支援します。

（ア）米粉用米

近年の訪日外国人旅行者の急増等により、グルテンを含まない特性を持つ米粉に注目が集まる状況が見込まれることから、国産米粉の優位性の情報発信等の需要拡大に向けた取組の推進や、米粉用米生産者と米粉製造事業者とのマッチングを目的とした情報交換会を開催し生産と実需の複数年契約による長期安定的な取引の拡大等を推進するとともに、輸出の拡大を図るため、ノングルテン米粉の製造工程管理JASの普及を推進します。

（イ）飼料用米

地域に応じた省力・多収栽培技術の確立・普及を通じた生産コストの低減やバラ出荷による流通コストの低減に向けた取組を支援します。また、飼料用米を活用した豚肉、鶏卵等のブランド化を推進するための付加価値向上等に向けた新たな取組や、生産と実需の複数年契約による長期安定的な取引の拡大等を推進します。

オ　米・麦・大豆等の流通

「農業競争力強化支援法」等に基づき、農産物流通・加工の合理化を図るため、流通・加工業界の再編に係る取組の支援等を実施します。また、米・麦・大豆等の物流合理化を進めるため、生産者や関係事業者等と協議を行い、課題を特定し、それらの課題解決に取り組みます。特に米については、玄米輸送のフレキシブルコンテナバッグ利用の推進、精米物流の合理化に向けた商慣行の見直し等によるホワイト物流運動の推進に取り組みます。

（4）農業生産工程管理の推進と効果的な農作業安全対策の展開

ア　農業生産工程管理の推進

農産物においては、令和 12（2030）年までにほぼ全ての国内の産地における国際水準の GAP の実施を目指し、国際水準 GAP ガイドラインを活用した指導や産地単位の取組等を推進します。

畜産物においては、JGAP 家畜・畜産物や GLOBALG.A.P.の認証取得の拡大を図ります。

また、農業高校や農業大学校等における教育カリキュラムの強化等により、農業教育機関における GAP に関する教育の充実を図ります。

イ　農作業等安全対策の展開

（ア）都道府県段階、市町村段階の関係機関が参画した推進体制を整備するとともに、農業機械作業に係る死亡事故が全体の７割を占めていることを踏まえ、以下の取組を強化します。

a　乗用型トラクターについて、安全フレーム及びシートベルトの装備や作業機を付けた状態での公道走行に必要な灯火器等の装備の促進

b　乗用型トラクター乗車時におけるシートベルト・ヘルメットの着用の促進

c　農業機械の定期的な点検・整備の励行

（イ）都道府県、農機メーカーや農機販売店等を通じた事故情報の収集を強化するとともに、その分析を通じた農業機械の安全設計の促進等を図ります。

（ウ）GAP の団体認証取得による農作業事故等産地リスクの低減効果の実証を行うとともに、暑熱対策の実践を通じた熱中症対策の推進、労災保険特別加入団体の設置と農業者の加入促進を図ります。

（エ）農林水産業・食品産業の作業安全対策について、「農林水産業・食品産業の作業安全のための規範」も活用し、効果的な作業安全対策の検討や普及、関係者の意識啓発のための取組を実施します。

（5）良質かつ低廉な農業資材の供給や農産物の生産・流通・加工の合理化

ア　「農業競争力強化プログラム」（平成 28（2016）年 11 月策定）及び「農業競争力強化支援法」に基づき、良質で低価格な資材の供給拡大や農産物流通等の合理化に向けて以下の取組等を推進します。

（ア）肥料のパレット流通体制の構築に向け、パレットの規格や合理的な管理体制の検討を進めます。

（イ）「農業競争力強化支援法」に基づく支援措置の活用等を通じ、生産性が低い肥料等の製造事業者や小規模で後継者不足が顕在化している卸売・小売事業者、農産物流通等の合理化の実現に資する流通等事業者の再編、スマート農業技術の普及が期待される農業機械の製造事業者等の参入を促進します。

イ　引き続き、農産物検査規格の見直しに向けて、令和２(2020)年７月に閣議決定した規制改革実施計画を踏まえ、多様化する米の流通ルートや消費者ニーズに即したものとすべく、同年９月より開催している「農産物検査規格・米穀の取引に関する検討会」において、産地品種銘柄や包装規格などについても、令和３(2021)年度上期までに結論を得るよう検討を進めます。

また、令和２(2020)年度で結論が得られた以下の項目については、速やかに規格設定等の技術的事項について、検討・整理を進めます。

（ア）機械鑑定を前提とした農産物検査規格の策定

（イ）サンプリング方法の見直し

（ウ）農産物検査証明における「皆掛重量」の廃止

（エ）穀粒判別器等科学的検査の更なる精度向上を図るため、AI画像分析等による次世代穀粒判別器の開発を推進

（オ）スマートフードチェーンとこれを活用したJAS規格の制定

7　情報通信技術等の活用による農業生産・流通現場のイノベーションの促進

（1）スマート農業の加速化など農業現場でのデジタル技術の利活用の推進

ア　スマート農業を実現するため、ロボット、AI、IoT等の先端技術を活用したスマート農業の生産現場における実証に取り組み、これまでに開発された先端技術の社会実装を推進します。実証に当たっては、輸出重点品目の産地強化やシェアリング等の新たな農業支援サービス等のテーマに基づいた実証に取り組みます。

イ　農機メーカー、金融、保険等民間企業が参画して令和2（2020）年4月に設立されたプラットフォームにおいて、農機のリース・シェアリングやドローン操作の代行サービスなど新たな農業支援サービスの創出が進むよう、業者間の情報共有やマッチングなどを進めます。

ウ　明確な開発目標の下で現場での実装までを視野に入れた技術開発を進めるとともに、先端技術を活用した高度なロボット農機等による新しい技術体系を創造するための研究開発等を実施します。また、現場実装に際して安全上の課題解決が必要なロボット技術の安全性の検証やルールづくりに取り組みます。

エ　関係府省協力の下、大学や民間企業等と連携して、農業データ連携基盤(WAGRI)の機能を生産部分だけでなく、加工・流通・消費まで含めたフードチェーン全体に機能拡充するための研究開発に取り組みます。また、事業者間でデータ連携するためのオープンAPI整備・活用に必要となるルールづくりへの支援や、生育・出荷等の予測モデルの実装等による農業データ連携基盤の活用促進によりデータを活用した農業を推進します。

オ　「スマート農業推進総合パッケージ」（令和3（2021）年2月改訂）を踏まえ、関係者協力の下、スマート農業の様々な課題の解決や加速化に必要な施策を総合的に展開します。

カ　農業者と連携しデジタル技術の開発・普及に取り組む企業が活躍できる環境整備や、農産物の生産・流通・消費に至る様々なデータの連携による生産技術の改善、農村地域の多様なビジネス創出等を推進します。

（2）　農業施策の展開におけるデジタル化の推進

ア　農業現場と農林水産省が切れ目なくつながり、行政手続に係る農業者等の負担を大幅に軽減し、経営に集中できるよう、法令や補助金等の手続をオンラインでできる農林水産省共通申請サービス（eMAFF）の構築や、これと併せて徹底した行政手続の簡素化の促進を行います。

イ　農業者向けスマートフォンアプリ（MAFFアプリ）のeMAFF等との連動を進め、個々の農業者の属性・関心に応じた営農・政策情報を提供します。

ウ　eMAFFの利用を進めながら、デジタル地図を活用して、農地台帳、水田台帳等の農地の現場情報を統合し、農地の利用状況の現地確認等の抜本的な効率化・省力化を図るための「農林水産省地理情報共通管理システム」の開発に向けた取組を進めます。

エ　農業現場における取組を含め、デジタル技術を活用した様々なプロジェクトを取りまとめ、デジタル技術の進展に合わせて随時プロジェクトを追加・修整しながら機動的に実行し、デジタル技術を活用し、自らの能力を存分に発揮して経営展開できる農業者が大宗を担う農業構造への転換を目指します。

（3）イノベーション創出・技術開発の推進

先端技術のみならず、現場のニーズに即した様々な課題に対応した研究開発を推進していくため、国主導で実施すべき重要な研究分野について、戦略的な研究開発を推進するとともに、異分野のアイデア・技術等を農林水産分野に導入し、革新的な技術・商品サービスを生み出す研究を支援します。

ア　研究開発の推進

研究開発を推進するため、重点事項や目標を定める「農林水産研究イノベーション戦略」を策定するとともに、内閣府の「戦略的イノベーション創造プログラム（SIP）」や「官民研究開発投資拡大プログラム（PRISM）」等を活用して研究開発を推進します。

また、総合科学技術・イノベーション会議が決定したムーンショット目標５「2050年までに、未利用の生物機能等のフル活用により、地球規模でムリ・ムダのない持続的な食料供給産業を創出」を実現するため、困難だが実現すれば大きなインパクトが期待される挑戦的な研究開発（ムーンショット型研究開発）を推進します。

さらに、Society5.0の実現に向け、産学官と農業の生産現場が一体となって、オープンイノベーションを促進するとともに、人材・知・資金が循環するよう農林水産業分野での更なるイノベーション創出を計画的・戦略的に推進します。

イ　国際農林水産業研究の推進

気候変動に伴う食料・水資源問題、越境性家畜伝染病の防疫等地球規模の課題に対応するため、国立研究開発法人農業・食品産業技術総合研究機構及び国立研究開発法人国際農林水産業研究センターにおける海外研究機関等との積極的なMOU（研究協定覚書）の締結や拠点整備の取組を支援します。また、海外の農業研究機関や国際農業研究機関の優れた知見や技術を活用し、戦略的に国際共同研究を実施します。

ウ　科学に基づく食品安全、動物衛生、植物防疫等の施策に必要な研究の更なる推進

（ア）「レギュラトリーサイエンス研究推進計画」（平成27（2015）年６月策定）で明確化した取り組むべき調査研究の内容や課題について、その進捗状況の検証・見直しを行うとともに、所管法人、大学、民間企業、関係学会等への情報提供や研究機関との意見交換を行い、研究者の認識や理解の醸成とレギュラトリーサイエンスに属する研究の拡大を促進します。

（イ）研究開発部局と規制担当部局とが連携して食品中の危害要因の分析及び低減技術の開発、家畜の伝染性疾病を防除・低減する技術や資材の開発、植物病害虫等侵入及びまん延防止のための検査技術の開発や防除体系の確立等、リスク管理に必要な調査研究を推進します。

（ウ）レギュラトリーサイエンスに属する研究事業の成果を国民に分かりやすい形で公表します。また、行政施策・措置とその検討・判断に活用された科学的根拠となる研究成果を紹介する機会を設け、レギュラトリーサイエンスへの理解の醸成を推進します。

（エ）行政施策・措置の検討・判断に当たり、その科学的根拠となる優れた研究成果を挙げた研究者を表彰します。

エ　戦略的な研究開発を推進するための環境整備

（ア）「農林水産研究における知的財産に関する方針」（平成28（2016）年２月策定）を踏まえ、農林水産業・食品産業に関する研究に取り組む国立研究開発法人や都道府県の公設試験場等における知的財産マネジメントの強化を図るため、専門家による指導・助言等を行います。また、知的財産マネジメントに係る取組の

高度化のため、国際標準化に係る助言やセミナー、マニュアル整備等を実施します。

（イ）海外遺伝資源を戦略的に確保するため、締約国として食料・農業植物遺伝資源条約の運営に必要な資金拠出を行うとともに、遺伝資源保有国における制度等の調査、遺伝資源の保全の促進、遺伝資源の取得・利用に関する手続・実績の確立とその活用に向けた周知活動等を実施します。また、二国間共同研究による海外植物遺伝資源の特性情報の解明等を推進することにより、海外植物遺伝資源へのアクセス環境を整備します。

（ウ）最先端技術の研究開発及び実用化に向けて、国民への分かりやすい情報発信、意見交換を行い、国民に受け入れられる環境づくりを進めます。特に、ゲノム編集技術等の育種利用は、飛躍的な生産性の向上等が期待される一方、国民の理解を得ていくことが重要であることから、より理解が深まるような方策を取り入れながらサイエンスコミュニケーション等の取組を強化します。

オ　開発技術の迅速な普及・定着

（ア）「橋渡し」機能の強化

a　異分野のアイデア・技術等を農林水産業・食品産業等の分野に導入し、イノベーションにつながる革新的な技術の実用化に向けて、基礎から実用化段階までの研究開発を切れ目なく推進します。

また、創出された成果について海外で展開する際の市場調査や現地における開発、実証試験を支援します。

b　研究開発から産業化までを一貫して支援するため、大学、民間企業等の地域の関係者による技術開発から改良、開発実証試験までの取組を切れ目なく支援します。

c　農林水産業・食品産業分野において、サービス事業体の創出やフードテック等の新たな技術の事業化を目指すスタートアップが行う研究開発等を切れ目なく支援します。

d　産学官を結び付ける研究開発プラットフォーム作りのため、「知」の集積と活用の場の産学官連携協議会において、ポスターセッション、セミナー、ワークショップ等を開催し、技術シーズ・ニーズに関する情報交換、意見交換を行うとともに、研究成果の海外展開を支援します。

e　研究成果の展示会、相談会・商談会等により、研究機関、生産者、社会実装の担い手等がイノベーション創出に向けた技術交流を推進します。

f　全国に配置されたコーディネーターが、技術開発ニーズ等を収集するとともに、マッチング支援や商品化・事業化に向けた支援等を行い、研究の企画段階から産学が密接に連携し、早期に成果を実現できるよう支援します。

g　農業技術に関する近年の研究成果のうち、生産現場への導入が期待されるものを「最新農業技術・品種」として紹介します。

（イ）効果的・効率的な技術・知識の普及指導

国と都道府県が協同して、高度な技術・知識を持つ普及指導員を設置し、普及指導員が試験研究機関や民間企業等と連携して農業者に直接接して行う技術・経営指導等を推進します。これに当たって、普及指導員による新技術や新品種の導入等に係る地域の合意形成、新規就農者の支援、地球温暖化及び自然災害への対応等、公的機関が担うべき分野についての取組を強化します。また、普及指導員に求められる役割を発揮し、農業・農村の課題に的確に対応するため、計画的に研修等を実施し、普及指導員の資質向上を推進します。

8　気候変動への対応等環境政策の推進

食料・農林水産業の生産力向上と持続性の両立をイノベーションで実現させるため、中長期的な観点から戦略的に取り組む政策方針として「みどりの食料システム戦略」を令和３（2021）年５月までに策定することとしています。

本戦略に基づき、生産から消費のサプライチェーン全体について、労力軽減・生産性向上、地域資源の最大活用、脱炭素（温暖化防止）、化学農薬・化学肥料の低減の点から目指す姿として、

・　令和 22（2040）年までに、革新的な技術・生産体系を順次開発（技術開発目標）
・　令和 32（2050）年までに、革新的な技術・生産体系の開発を踏まえ、今後、「政策手法のグリーン化」（補助・投融資・税・制度等の政策誘導の手法に環境の観点を盛り込むことで、環境配慮の取組を促すもの）を推進し、その社会実装を実現（社会実装目標）

という２段階の目標を掲げるとともに、従来の施策の延長ではない形で、サプライチェーンの各段階における環境負荷の低減と労働安全性・労働生産性の大幅な向上をイノベーションにより実現していくための道筋を示します。本戦略の推進に当たっては、生産現場を始めとする関係者の理解を得ることが最も重要であることから、そのことに最大限配慮しつつ、意欲的な取組を引き出すことを基本に社会実装を進めます。

本戦略を、各種政府方針等に反映するとともに、アジアモンスーン地域の持続的な食料システムの取組モデルとして、令和３（2021）年９月開催予定の国連食料システムサミット等において、我が国から積極的に打ち出し、国際ルールメーキングに参画します。

（1）気候変動に対する緩和・適応策の推進

ア　「農林水産省地球温暖化対策計画」（平成29（2017）年３月策定）を改定するとともに、同計画に基づき、農林水産分野における地球温暖化対策技術の開発、マニュアル等を活用した省エネ型の生産管理の普及・啓発や省エネ設備の導入等による施設園芸の省エネルギー対策、施肥の適正化を推進します。

イ　農地からの GHG の排出・吸収量の国連への報告に必要な農地土壌中の炭素量等のデータを収集する調査を行います。また、家畜由来の GHG 排出量の国連への報告の算出に必要な消化管由来のメタン量等のデータを収集する調査を行います。

ウ　環境保全型農業直接支払制度により、堆肥の施用やカバークロップ等、地球温暖化防止等に効果の高い営農活動に対して支援します。また、バイオ炭の農地施用に伴う影響評価、炭素貯留効果と土壌改良効果を併せ持つバイオ炭資材の開発等に取り組みます。

エ　バイオマスの変換・利用施設等の整備等を支援し、農山漁村地域におけるバイオマス等の再生可能エネルギーの利用を推進します。

オ　廃棄物系バイオマスの利活用については、「廃棄物処理施設整備計画」（平成 30（2018）年６月策定）に基づく施設整備を推進するとともに、市町村等における生ごみのメタン化等の活用方策の導入検討を支援します。

カ　気候変動の緩和に資するため、国際連携の下、各国の水田における GHG 排出削減を実現する総合的栽培管理技術及び農産廃棄物を有効活用した GHG 排出削減に関する影響評価手法の開発を推進します。

キ　食品関連事業者の TCFD 提言に基づく気候リスク・機会に関する情報開示のための手引きの作成、農林漁業関係の脱炭素技術紹介資料の作成、ESG 投資のための事例調査等を実施し、フードサプライチェーンにおける脱炭素化の実践とその可視化（見える化）を推進します。

ク　気候変動影響評価に関する最新の科学

的知見等を踏まえ、「農林水産省気候変動適応計画」(平成30(2018)年11月改定)等を見直し、農林水産分野における気候変動の影響への適応に関する取組を推進するため、以下の取組を実施します。

(ア)中長期的な視点に立った我が国の農林水産業に与える気候変動の影響評価や適応技術の開発を行うとともに、各国の研究機関等との連携により気候変動適応技術の開発を推進します。

(イ)農業者等自らが気候変動に対するリスクマネジメントを行う際の参考となる手引き(農業生産における気候変動適応ガイド)を、都道府県普及指導員等を通じて、農業者への普及啓発に努めます。

(ウ)地方公共団体による農林水産分野の地域気候変動適応計画の策定及び適応策の実践を推進するために、科学的知見等の情報提供、農林漁業関係者とのコミュニケーション等を支援します。

ケ　科学的なエビデンスに基づいた緩和策の導入・拡大に向けて、研究者、農業者、自治体等の連携による技術の開発・最適化を推進するとともに、農業者等の地球温暖化適応行動・温室効果ガス削減行動を促進するための政策措置に関する研究を実施します。

コ　国連気候変動枠組条約等の地球環境問題に係る国際会議に参画し、農林水産分野における国際的な地球環境問題に対する取組を推進します。

(2)生物多様性の保全及び利用

ア　「農林水産省生物多様性戦略」(平成24(2012)年2月改定)に基づき、田園地域や里地・里山の保全・管理を推進します。

イ　食料生産が生物多様性に及ぼす影響に鑑み、原材料や資材調達を含めた持続可能な生産・消費の達成に向け「農林水産省生物多様性戦略」を改定し、グローバルなフードサプライチェーン全体における生物多様性保全の視点を取り込みます。

ウ　企業等による生物多様性保全活動への支援等について取りまとめた農林漁業者及び企業等向け手引き・パンフレット並びにエコツーリズム、森林ボランティア、藻場の再生等の普及・啓発資料を活用し、農林水産分野における生物多様性保全活動を推進します。

エ　環境保全型農業直接支払制度により、有機農業や冬期湛水《たんすい》管理等、生物多様性保全等に効果の高い営農活動に対して支援します。

オ　遺伝子組換え農作物に関する取組として、「遺伝子組換え生物等の使用等の規制による生物の多様性の確保に関する法律」(平成15年法律第97号)に基づき、生物多様性に及ぼす影響についての科学的な評価、生態系への影響の監視等を継続するとともに、未承認の遺伝子組換え農作物の輸入防止を図るため、栽培用種苗を対象に、輸入時のモニタリング検査及び特定の生産地及び植物種について、輸入者に対し輸入に先立つ届出や検査を義務付ける「生物検査」を実施します。

カ　海外遺伝資源を戦略的に確保するため、締約国として食料・農業植物遺伝資源条約の運営に必要な資金拠出を行うとともに、遺伝資源保有国における制度等の調査、遺伝資源の保全の促進、遺伝資源の取得・利用に関する手続・実績の確立とその活用に向けた周知活動等を実施します。

(3)有機農業の更なる推進

ア　有機農業指導員の育成や新たに有機農業に取り組む農業者の技術習得等による人材育成、オーガニックビジネス実践拠点づくり等による産地づくりを推進します。

イ　流通・加工・小売事業者等と連携した需要喚起の取組を支援し、バリューチェーンの構築を進めます。

ウ　耕作放棄地等を活用した農地の確保とともに、有機農業を活かして地域振興につなげている市町村等のネットワークづくりを進めます。

エ　有機食品の輸出を促進するため、有機JAS認証の取得を支援するとともに、諸外国との有機同等性の取得等を推進します。また、有機JASについて、消費者がより合理的な選択ができるよう必要な見直しを行います。

（4）土づくりの推進

ア　全国的な土づくりを推進するため、都道府県の土壌調査結果の共有を進めるとともに、堆肥等の活用を促進します。また、収量向上効果を含めた土壌診断データベースの構築に向けて、都道府県とともに、土壌専門家を活用しつつ、農業生産現場における土壌診断の取組と診断結果のデータベース化の取組を推進するとともに、ドローン等を用いた簡便かつ広域的な診断手法や土壌診断の新たな評価軸としての生物性評価手法の検証・評価を推進します。

イ　「家畜排せつ物の管理の適正化及び利用の促進に関する法律」（平成11年法律第112号）の趣旨を踏まえ、家畜排せつ物の適正な管理に加え、その広域流通・利活用を図るため、ペレット化や化学肥料との配合等による堆肥の高品質化等を推進します。

（5）農業分野におけるプラスチックごみ問題への対応

農業分野のプラスチックごみ問題に対応するため、施設園芸及び畜産における廃プラスチック対策の推進、生分解性マルチ導入の推進、プラスチックを使用した被覆肥料の実態調査を行います。

（6）農業の自然循環機能の維持増進とコミュニケーション

ア　有機農業を消費者に分かりやすく伝える取組を推進します。

イ　気候変動や生物多様性等環境に配慮した生産を後押しするため、令和２(2020)年６月に立ち上げた官民協働のプラットフォームである「あふの環（わ）2030プロジェクト～食と農林水産業のサステナビリティを考える～」での活動を通じて、持続可能な消費を促進します。

Ⅳ　農村の振興に関する施策

1　地域資源を活用した所得と雇用機会の確保

（1）中山間地域等の特性を活かした複合経営等の多様な農業経営の推進

ア　中山間地域等直接支払制度により生産条件を補正しつつ、中山間地農業ルネッサンス事業等により、多様で豊かな農業と美しく活力ある農山村の実現や、地域コミュニティによる農地等の地域資源の維持・継承に向けた取組を総合的に支援します。

イ　米、野菜及び果樹等の作物の栽培や畜産、林業も含めた多様な経営の組合せにより所得を確保する複合経営を推進するため、地域の取組を支援します。

ウ　中山間地域等の特色を活かした営農の確立と所得の確保に向けて、地域のニーズに応じて、農業生産を支える水路、圃場《ほじょう》等の総合的な基盤整備と、生産・販売施設等との一体的な整備を推進します。

（2）地域資源の発掘・磨き上げと他分野との組合せ等を通じた所得と雇用機会の確保

ア　農村発イノベーションをはじめとした地域資源の高付加価値化の推進

（ア）業務用需要に対応したBtoBの取組の推進、農泊と連携した観光消費の促進等に資する新商品開発、農林水産物の加工・販売施設の整備等の取組を支援します。

（イ）農林水産業・農山漁村に豊富に存在する資源を活用した革新的な産業の創出に向け、農林漁業者等と異業種の事業者との連携による新技術等の研究開発成果の利用を促進するための導入実証や試作品の製造・評価等の取組を支援します。

（ウ）農林漁業者と中小企業者が有機的に連携して行う新商品・新サービスの開発や販路開拓等に係る取組を支援します。

（エ）農村を舞台として新たな価値を創出し、所得と雇用機会の増大を図るため、「農村発イノベーション」（活用可能な農村の地域資源を発掘し、磨き上げた上で、これまでにない他分野と組み合わせる取組）が進むよう、農村で活動する起業者等が情報交換を通じてビジネスプランの磨き上げが行えるプラットフォームの運営等、多様な人材が農村の地域資源を活用して新たな事業に取り組みやすい環境を整備し、現場の創意工夫を促します。また、現場発の新たな取組を抽出し、全国で応用できるよう積極的に情報提供します。

（オ）地域の伝統的農林水産業の継承や地域経済の活性化等につながる世界農業遺産及び日本農業遺産の認知度向上、維持・保全及び新規認定に向けた取組を推進します。また、歴史的・技術的・社会的価値を有する世界かんがい施設遺産の認知度向上及び新規認定に向けた取組を推進します。

イ　農泊の推進

（ア）農泊の推進による農山漁村の所得向上を実現するため、農泊をビジネスとして実施するための体制整備や、地域資源を魅力ある観光コンテンツとして磨き上げるための専門家派遣等の取組、農家民宿や古民家等を活用した滞在施設等の整備の一体的な支援を行うとともに、日本政府観光局（JNTO）等と連携して国内外へのプロモーションを行います。

（イ）観光を通じた地域振興を図るため、地域の関係者が連携し、地域の幅広い資源を活用し地域の魅力を高めることにより、国内外の観光客が2泊3日以上の滞在交流型観光を行うことができる「観光圏」の整備を促進します。

（ウ）農山漁村が有する教育的効果に着目し、農山漁村を教育の場として活用するため、関係府省が連携し、子供の農山漁村宿泊体験等を推進するとともに、農山漁村を都市部の住民との交流の場等として活用する取組を支援します。

ウ　ジビエ利活用の拡大

（ア）鳥獣被害防止にも資する、捕獲鳥獣を地域資源として利活用する取組を拡大するため、ジビエ未利用地域への処理加工施設や移動式解体処理車等の整備等の優先的な支援、従来の協議会方式の取組に加え、コンソーシアム方式による、より柔軟な取組への支援、ジビエ利用に適した捕獲・搬入技術を習得した捕獲者及び処理加工現場における人材の育成、ペットフード等の多様な用途での利用、ジビエの全国的な需要拡大のためのプロモーション等の取組を推進します。

（イ）安全・安心なジビエの供給体制を整備するため、「野生鳥獣肉の衛生管理に関する指針（ガイドライン）」（平成26（2014）年11月策定）の遵守による野生鳥獣肉の安全性確保、国産ジビエ認証制度等の普及を推進します。

エ　農福連携の推進

「農福連携等推進ビジョン」（令和元（2019）年6月策定）に基づき、農福・林福・水福連携の一層の推進に向け、障害者等の農林水産業に関する技術習得、障害者等の雇用・就労に配慮した生産・加工・販売施設の整備、全国的な展開に向けた普及啓発、現場の課題に即した都道府県の取組等を支援します。また、障害者の農業分野での定着を支援する専門人材である「農福連携技術支援者」の育成のための研修を実施します。

オ　農村への農業関連産業の導入等

（ア）「農村地域への産業の導入の促進等に関する法律」（昭和46年法律第112号）、「地域経済牽引事業の促進による地域の成長発展の基盤強化に関する法律」（平成19年法律第40号）を活用した農村への産業の立地・導入を促進するため、これらの法律による基本計画等の策定や税制等の支援施策の積極的な活用を推進します。

（イ）農村で活動する起業者等が情報交換を通じてビジネスプランを磨き上げることができるプラットフォームの運営等、多様な人材が農村の地域資源を活用して新たな事業に取り組みやすい環境の整備等により、現場の創意工夫を促進します。

（ウ）農村の多くは地域資源として豊かな森林を有していることから、健康、観光等の多様な分野で森林空間を活用して、新たな雇用と収入機会を確保する「森林サービス産業」の創出・推進に向けた活動を支援します。

（3）地域経済循環の拡大

ア　バイオマス・再生可能エネルギーの導入、地域内活用

（ア）バイオマスを基軸とする新たな産業の振興

a　「バイオマス活用推進基本計画」（平成28（2016）年9月策定）に基づき、素材、熱、電気、燃料等への変換技術を活用し、より経済的な価値の高い製品等を生み出す高度利用等の取組を推進します。また、関係府省の連携の下、地域のバイオマスを活用した産業化を推進し、地域循環型の再生可能エネルギーの強化と環境に優しく災害に強いまち・むらづくりを目指すバイオマス産業都市の構築に向けた取組を支援します。

b　バイオマスの効率的な利用システムの構築を進めることとし、以下の取組を実施します。

（a）農林漁業に由来するバイオマスのバイオ燃料向け利用の促進を図り、国産バイオ燃料の生産拡大に資するため、「農林漁業有機物資源のバイオ燃料の原材料としての利用の促進に関する法律」（平成20年法律第45号）に基づく事業計画の認定を行い支援します。

（b）家畜排せつ物等の畜産バイオマスを活用し、エネルギーの地産地消を推進するため、バイオガスプラントの導入を支援します。

（c）下水道を核とした資源・エネルギーの循環のため、バイオマスである下水汚泥等の利活用を図り、下水汚泥等のエネルギー利用、リン回収・利用等を推進します。

（d）バイオマス由来の新素材開発を推進します。

（イ）農村における地域が主体となった再生可能エネルギーの生産・利用

a　「農林漁業の健全な発展と調和のとれた再生可能エネルギー電気の発電の促進に関する法律」（平成25年法律第81号）を積極的に活用し、農林地等の利用調整を適切に行いつつ、再生可能エネルギーの導入と併せて、地域農業の健全な発展に資する取組や農山漁村における再生可能エネルギーの地産地消の取組を促進します。

b　農山漁村における再生可能エネルギーの導入等に向けた相談対応や地域内活用の体制構築に関する取組、営農型太陽光発電の電気を農業に活用する取組、小水力等発電施設の整備に係る調査設計及び施設整備等の取組を支援します。

イ　農畜産物や加工品の地域内消費

農村に安定的な所得や雇用機会を確保するため、学校給食等の食材として地場産農産物を安定的に生産・供給する体制の構築やメニュー開発等の取組を支援するとともに、農産物直売所の運営体制強化のための検討会の開催及び観光需要向けの商品開発や農林水産物の加工・販売のための機械・施設等の整備を支援します。

ウ　農村におけるSDGsの達成に向けた取組の推進

（ア）農山漁村の豊富な資源をバイオマス発電や小水力発電等の再生可能エネルギーとして活用し、農林漁業経営の改善や地域への利益還元を進め、農山漁村の活性化に資する取組を推進します。

（イ）森林資源をマテリアルやエネルギーとして地域内で持続的に活用するため、市町村が中心となって、地域産業、地域住民が参画し、担い手確保から発電・熱利用に至るまで、低コスト化や森林関係者への利益還元を図る「地域内エコシステム」の構築に向け、技術者の現地派遣や相談対応等の技術的サポートを行う体制の確立、関係者による協議会の運営、小規模な技術開発等に対する支援を行います。

（ウ）農村におけるSDGsの達成に向けた取組事例を普及することにより、環境と調和した活動に取り組む地方公共団体や企業等の連携を強化します。

（4）多様な機能を有する都市農業の推進

新鮮な農産物の供給、農作業体験の場や防災空間の確保等、都市農業が有する多様な機能を発揮するため、都市住民の理解の促進を図りつつ、都市農業の振興に向けた取組を推進します。

また、都市農地の貸借の円滑化に関する制度が現場で円滑かつ適切に活用されるよう、農地所有者と都市農業者、新規就農者等の多様な主体とのマッチング体制の構築を促進します。

さらに、都市農業の安定的な継続や多様な機能の発揮のため、計画的な都市農地の保全を図る生産緑地、田園住居地域等の積極的な活用を促進します。

2　中山間地域等をはじめとする農村に人が住み続けるための条件整備

（1）地域コミュニティ機能の維持や強化

ア　世代を超えた人々による地域のビジョンづくり

中山間地域等直接支払制度の活用により農用地や集落の将来像の明確化を支援するほか、農村が持つ豊かな自然や食を活用した地域の活動計画づくり等を支援します。

また、地域で共同した耕作・維持活動に加え、放牧や飼料生産等、少子高齢化・人口減少にも対応した多様な農地利用方策とそれを実施する仕組みについて、プロジェクト及び有識者から成る検討会において総合的に検討します。

イ　「小さな拠点」の形成の推進

（ア）生活サービス機能等を基幹集落へ集約した「小さな拠点」の形成に資する地域の活動計画づくりや実証活動を支援します。また、「小さな拠点」の更なる形成拡大と質的向上を図るため、農産物販売施設、廃校施設等、特定の機能を果たすために設置された施設を多機能化（地域づくり、農業振興、観光、文化、福祉、防犯等）し、地域活性化の拠点等として活用していくための支援の在り方を検討します。

（イ）地域の実情を踏まえつつ、小学校区等複数の集落が集まる地域において、生活サービス機能等を集約・確保し、周辺集落との間をネットワークで結ぶ「小さな拠点」の形成に向けた取組を推進します。

ウ　地域コミュニティ機能の形成のための場づくり

地域コミュニティの形成や交流のための場づくりを推進するため、公民館がNPO法人や企業、農業協同組合等多様な主体と連携して地域の人材の育成・活用や地域活性化を図るための取組を支援します。

（2）多面的機能の発揮の促進

農業の有する多面的機能の発揮を促進

するため、日本型直接支払制度（多面的機能支払制度、中山間地域等直接支払制度、環境保全型農業直接支払制度）、森林・山村多面的機能発揮対策を推進します。

ア　多面的機能支払制度

（ア）地域共同で行う、農業・農村の有する多面的機能を支える活動や、地域資源（農地、水路、農道等）の質的向上を図る活動を支援します。

（イ）農村地域の高齢化等に伴い集落機能が一層低下する中、広域化や土地改良区との連携による活動組織の体制強化や事務の簡素化・効率化を進めます。

イ　中山間地域等直接支払制度

（ア）条件不利地域において、引き続き農業生産活動の維持を通じて多面的機能を確保するため、中山間地域等直接支払制度に基づく直接支払を実施します。

（イ）中山間地域等における高齢化や人材不足の深刻化等の課題を踏まえ、引き続き、棚田地域における振興活動や集落の地域運営機能の強化等、将来に向けた活動を支援します。

ウ　環境保全型農業直接支払制度

化学肥料・化学合成農薬の使用を原則５割以上低減する取組と合わせて行う地球温暖化防止や生物多様性保全等に効果の高い営農活動に対して支援します。

エ　森林・山村多面的機能発揮対策

地域住民等が集落周辺の里山林において行う、中山間地域における農地等の維持保全にも資する森林の保全管理活動等を推進します。

（３）生活インフラ等の確保

ア　住居、情報基盤、交通等の生活インフラ等の確保

（ア）住居等の生活環境の整備

ａ　住居・宅地等の整備

（ａ）高齢化や人口減少が進行する農村において、住みやすい生活環境を整備するため、農業・生活関連施設の再編・整備を推進します。

（ｂ）農山漁村における定住や都市と農山漁村の二地域居住を促進する観点から、関係府省が連携しつつ、計画的な生活環境の整備を推進します。

（ｃ）優良田園住宅による良質な住宅・宅地供給を促進し、質の高い居住環境整備を推進します。

（ｄ）地方定住促進に資する地域優良賃貸住宅の供給を促進します。

（ｅ）令和２（2020）年１月に改正された「地域再生法」（平成 17 年法律第 24 号）に基づき、「農地付き空き家」に関する情報提供や取得の円滑化を推進します。

（ｆ）都市計画区域の定めのない町村において、スポーツ、文化、地域交流活動の拠点となり、生活環境の改善を図る特定地区公園の整備を推進します。

ｂ　汚水処理施設の整備

（ａ）地方創生等の取組を支援する観点から、地方公共団体が策定する「地域再生計画」に基づき、関係府省が連携して道路や汚水処理施設の整備を効率的・効果的に推進します。

（ｂ）下水道、農業集落排水施設及び浄化槽等について、未整備地域の整備とともに、より一層の効率的な汚水処理施設整備のために、社会情勢の変化を踏まえた都道府県構想の見直しの取組について、関係府省が密接に連携して支援します。

（ｃ）下水道、農業集落排水施設においては、既存施設について、長寿命化や老朽化対策を適時・適切に進めるための地方公共団体による機能診断等の取組や更新整備を支援します。

（ｄ）農村における汚水処理施設整備を効率的に推進するため、農業集落排水施設と下水道との連携等による施設の再編や、農業集落排水施設と浄化槽との

一体的な整備を推進します。

（e）農村地域における適切な資源循環を確保するため、農業集落排水施設から発生する汚泥や処理水の循環利用を推進します。

（f）下水道を含む汚水処理の広域化・共同化に係る計画策定から施設整備まで総合的に支援する下水道広域化推進総合事業や従来の技術基準にとらわれず地域の実情に応じた低コスト、早期かつ機動的な整備が可能な新たな整備手法の導入を図る「下水道クイックプロジェクト」等により、効率的な汚水処理施設の整備を推進します。

（g）地方部において、より効率的な汚水処理施設である浄化槽の整備を推進します。特に、循環型社会・低炭素社会・自然共生社会の同時実現を図るとともに、単独処理浄化槽から合併処理浄化槽への転換を促進するため、環境配慮型の浄化槽（省エネルギータイプに更なる環境性能を追加した浄化槽）整備や、公的施設に設置されている単独処理浄化槽の集中的な転換を推進します。

(イ) 情報通信環境の整備

高度情報通信ネットワーク社会の実現に向けて、河川、道路、下水道において公共施設管理の高度化を図るため、光ファイバ及びその収容空間を整備するとともに、民間事業者等のネットワーク整備の更なる円滑化を図るため、施設管理に支障のない範囲で国の管理する河川・道路管理用光ファイバやその収容空間の開放を推進します。

(ウ) 交通の整備

a　交通事故の防止、交通の円滑化を確保するため、歩道の整備や交差点改良等を推進します。

b　生活の利便性向上や地域交流に必要な道路、都市まで安全かつ快適な移動を確保するための道路の整備を推進します。

c　日常生活の基盤としての市町村道から国土構造の骨格を形成する高規格幹線道路に至る道路ネットワークの強化を推進します。

d　多様な関係者の連携により、地方バス路線、離島航路・航空路等の生活交通の確保・維持を図るとともに、バリアフリー化や地域鉄道の安全性向上に資する設備の整備等、快適で安全な公共交通の構築に向けた取組を支援します。

e　地域住民の日常生活に不可欠な交通サービスの維持・活性化、輸送の安定性の確保等のため、島しょ部等における港湾整備を推進します。

f　農産物の海上輸送の効率化を図るため、船舶の大型化等に対応した複合一貫輸送ターミナルの整備を推進します。

g　「道の駅」の整備により、休憩施設と地域振興施設を一体的に整備し、地域の情報発信と連携・交流の拠点形成を支援します。

h　食料品の購入や飲食に不便や苦労を感じる「食料品アクセス問題」に対する市町村独自の取組や民間事業者と連携した取組を推進します。

(エ) 教育活動の充実

地域コミュニティの核としての学校の役割を重視しつつ、地方公共団体における学校規模の適正化や小規模校の活性化等に関する更なる検討を促すとともに、各市町村における検討に資する「公立小学校・中学校の適正規模・適正配置等に関する手引」の更なる周知、優れた先行事例の普及等による取組モデルの横展開等、活力ある学校づくりに向けたきめ細やかな取組を推進します。

(オ) 医療・福祉等のサービスの充実

a　「第７次医療計画」に基づき、へき地診療所等による住民への医療提供等農村を含めたへき地における医療の確保を推進します。

b　介護・福祉サービスについて、地域密着型サービス拠点等の整備等を推進します。

（カ）安全な生活の確保

a　山腹崩壊、土石流等の山地災害を防止するための治山施設の整備や、流木被害の軽減・防止を図るための流木捕捉式治山ダムの設置、農地等を飛砂《ひさ》害や風害、潮害から守るなど重要な役割を果たす海岸防災林の整備等を通じて地域住民の生命・財産及び生活環境の保全を図ります。これらの施策の実施に当たっては、流域治水の取組との連携を図ります。

b　山地災害による被害を軽減するため、治山施設の設置等のハード対策と併せて、地域における避難体制の整備等の取組と連携して、山地災害危険地区を地図情報として住民に提供するなどのソフト対策を推進します。

c　高齢者や障害者等の自力避難の困難な者が入居する要配慮者利用施設に隣接する山地災害危険地区等において治山事業を計画的に実施します。

d　激甚な水害の発生や床上浸水の頻発により、国民生活に大きな支障が生じた地域等において、被害の防止・軽減を目的として、治水事業を実施します。

e　防災拠点、重要交通網、ライフライン施設等が存在する土砂災害の発生のおそれのある箇所において、砂防堰堤《えんてい》等の土砂災害防止施設の整備や警戒避難体制の充実・強化等、ハード・ソフト一体となった総合的な土砂災害対策を推進します。また、近年、死者を出すなど甚大な土砂災害が発生した地域の再度災害防止対策を推進します。

f　南海トラフ地震や首都直下地震等による被害の発生及び拡大、経済活動への甚大な影響の発生等に備え、防災拠点、重要交通網、避難路等に影響を及ぼすほか、孤立集落発生の要因となり得る土砂災害の発生のおそれのある箇所において、土砂災害防止施設の整備を戦略的に推進します。

g　土砂災害から人命を保護するため、「土砂災害警戒区域等における土砂災害防止対策の推進に関する法律」（平成12年法律第57号）に基づき、土砂災害警戒区域等の指定を促進し、土砂災害のおそれのある区域についての危険の周知、警戒避難体制の整備及び特定開発行為の制限を実施します。

h　農地災害等を防止するため、ハード対策に加え、防災情報を関係者が共有するシステムの整備や減災のための指針づくり等のソフト対策を推進し、地域住民の安全な生活の確保を図ります。

i　橋梁《きょうりょう》の耐震対策、道路斜面や盛土等の防災対策、災害のおそれのある区間を回避する道路整備を推進します。また、冬期の道路ネットワークを確保するため、道路の除雪、防雪、凍雪害防止を推進します。

イ　定住条件整備のための総合的な支援

（ア）定住条件が不十分な地域（中山間・離島等）においては、生活面の対応を強化しなければ若い農業者が住み続けられず、こうした地域の主産業である農業を継続できなくなるおそれがあることから、農村地域の医療、交通、買い物等の生活サービスを強化するため、ICTを活用した定住条件の整備のための取組を支援します。

（イ）中山間地域等において、必要な地域に対して、農業生産基盤の総合的な整備と農村振興に資する施設の整備を一体的に推進し、定住条件を整備します。

（ウ）水路等への転落防止用の安全施設の整備等の農業水利施設の安全対策を推進します。

（4）鳥獣被害対策等の推進

ア　「鳥獣による農林水産業等に係る被害の

防止のための特別措置に関する法律」（平成19年法律第134号）に基づき、市町村による被害防止計画の作成及び鳥獣被害対策実施隊の設置・体制強化を推進します。

イ　鳥獣の急速な個体数増加や分布拡大により、被害が拡大するおそれがあることから、関係府省庁が連携・協力し、個体数等の削減に向けて、被害防止対策を推進します。特にシカ・イノシシについては、令和5（2023）年度までに平成23（2011）年度比で生息頭数を半減させる目標の達成に向けて、引き続き、関係府省庁等と連携しながら、捕獲の強化を推進します。

ウ　野生鳥獣被害の深刻化・広域化に対応するため、市町村が作成する被害防止計画に基づく、鳥獣の捕獲体制の整備、捕獲機材の導入、侵入防止柵の設置、鳥獣の捕獲・追払い、緩衝帯の整備を推進します。

エ　東日本大震災や東電福島第一原発事故に伴う捕獲活動の低下による鳥獣被害の拡大を抑制するための侵入防止柵の設置等を推進します。

オ　鳥獣の生息環境にも配慮した森林の整備・保全活動等を推進します。

カ　鳥獣被害対策のアドバイザーを登録・紹介する取組を推進するとともに、地域における技術指導者の育成を図るため研修を実施します。

キ　ICT 等を活用した効率的なスマート捕獲の技術の開発・普及を推進します。

3　農村を支える新たな動きや活力の創出

（1）地域を支える体制及び人材づくり

ア　地域運営組織の形成等を通じた地域を持続的に支える体制づくり

（ア）地域運営組織の形成等を通じた地域を持続的に支える体制づくりについて推進します。

（イ）中山間地域等直接支払制度における集落戦略の推進や加算措置等により、集落協定の広域化や地域づくり団体の設立に資する取組等を支援します。

イ　地域内の人材の育成及び確保

令和2（2020）年度から始まった、学びを通じた人づくり・つながりづくり・地域づくりの専門人材である「社会教育士」について、地域の人材や資源等をつなぐ人材としての専門性が適切に評価され、行政やNPO 等の各所で活躍するよう、その専門性や活躍の場、モデルケースについて広く広報し、本制度の周知を図ります。

また、地域人口の急減に直面している地域において、「地域人口の急減に対処するための特定地域づくり事業の推進に関する法律」（令和元年法律第64号）の仕組みを活用し、地域内の様々な事業者をマルチワークにより支える人材の確保及びその活躍を推進することにより、地域社会の維持及び地域経済の活性化を図るために、モデルを示しつつ、本制度の周知を図ります。

ウ　関係人口の創出・拡大や関係の深化を通じた地域の支えとなる人材の裾野の拡大

（ア）農山漁村において、就職氷河期世代を含む潜在的就農希望者を対象に農林水産業の体験研修を行うとともに、地域における様々な社会活動にも参加し、農山漁村への理解を深めてもらうことにより、農山漁村に関心を持つ人材を発掘する取組を支援します。

（イ）関係人口の拡大や関係の深化を通じた地域の支えとなる人材の裾野の拡大を図るための仕組みについて検討を行います。

（ウ）関係人口の創出・拡大等に取り組む市町村について、新たに地方交付税措置を行います。

（エ）子供の農山漁村での宿泊による農林漁業体験等を行うための受入環境の整備を行います。

（オ）居住・就農を含む就労・生活支援等の総合的な情報をワンストップで提供する相談窓口の整備を推進します。

エ　多様な人材の活躍による地域課題の解決

「農泊」をビジネスとして実施する体制を整備するため、地域外の人材の活用に対して支援します。また、民間事業者と連携し、技術を有する企業や志ある若者等の斬新な発想を採り入れた取組、特色ある農業者や地域課題の把握、対策の検討等を支援する取組等を推進します。

（2）農村の魅力の発信

ア　副業・兼業などの多様なライフスタイルの提示

農村で副業・兼業等の多様なライフスタイルを実現するための支援の在り方について検討します。また、地方での「お試し勤務」の受入れを通じて、都市部の企業等のサテライトオフィスの誘致に取り組む地方公共団体を支援します。

イ　棚田地域の振興と魅力の発信

棚田の保全と棚田地域の振興を図るため、地域の創意工夫を活かした取組を、「棚田地域振興法」（令和元年法律第42号）に基づき、関係府省で連携して総合的に支援します。

ウ　様々な特色ある地域の魅力の発信

（ア）「「子どもの水辺」再発見プロジェクト」の推進、水辺整備等により、河川における交流活動の活性化を支援します。

（イ）「歴史的砂防施設の保存活用ガイドライン」（平成15（2003）年5月策定）に基づき、景観整備・散策路整備等の周辺整備等を推進します。また、歴史的砂防施設及びその周辺環境一帯を地域の観光資源の核に位置付けるなど、新たな交流の場の形成を推進します。

（ウ）「エコツーリズム推進法」（平成19年法律第105号）に基づき、エコツーリズム推進全体構想の認定・周知、技術的助言、情報の収集、普及・啓発、広報活動等を総合的に実施します。

（エ）自然観光資源を活用したエコツーリズムを推進するため、エコツーリズム推進全体構想の作成、魅力あるプログラムの開発、ガイド等の人材育成等、地域における活動の支援を行います。

（オ）良好な農村環境の保全・向上を図るため、農用地や水路等の適切な保全管理により、良好な景観形成や生態系保全を推進します。

（カ）河川においては、湿地の保全・再生や礫《れき》河原の再生等、自然再生事業を推進します。

（キ）魚類等の生息環境改善等のため、河川等に接続する水路との段差解消により水域の連続性の確保、生物の生息・生育環境を整備・改善する魚のすみやすい川づくりを推進します。

（ク）「景観法」（平成16年法律第110号）に基づく景観農業振興地域整備計画、「地域における歴史的風致の維持及び向上に関する法律」（平成20年法律第40号）に基づく歴史的風致維持向上計画の制度の活用を通じ、特色ある地域の魅力の発信を推進します。

（ケ）「文化財保護法」（昭和25年法律第214号）に基づき、農村に継承されてきた民俗文化財に関して、特に重要なものを重要有形民俗文化財や重要無形民俗文化財に指定するとともに、その修理や伝承事業等を支援します。

（コ）保存及び活用が特に必要とされる有形の民俗文化財について登録有形民俗文化財に登録するとともに、保存箱等の修理・新調を支援します。

（サ）棚田や里山等の文化的景観や歴史的集落等の伝統的建造物群のうち、特に重要なものをそれぞれ重要文化的景観、重要伝統的建造物群保存地区として選定し、修理・防災等の保存及び活用に対して支援します。

（シ）地域の歴史的魅力や特色を通じて我が国の文化・伝統を語るストーリーを「日

本遺産」として認定し、コンテンツ制作やガイド育成等に対して必要な支援を行います。

（3）多面的機能に関する国民の理解の促進等

地域の伝統的農林水産業の継承や地域経済の活性化等につながる世界農業遺産及び日本農業遺産の認知度向上、維持・保全及び新規認定に向けた取組を推進します。また、歴史的・技術的・社会的価値を有する世界かんがい施設遺産の認知度向上及び新規認定に向けた取組を推進します。さらに、農村のポテンシャルを引き出して地域の活性化や所得向上に取り組む優良事例を選定し、全国へ発信することを通じて、国民への理解の促進・普及等を図るとともに、農業の多面的機能の評価に関する調査、研究等を進めます。

4　Ⅳ1～3に沿った施策を継続的に進めるための関係府省で連携した仕組みづくり

農村の実態や要望について、農林水産省が中心となって、都道府県や市町村、関係府省や民間とともに、現場に出向いて直接把握し、把握した内容を調査・分析した上で、課題の解決を図る取組を継続的に実施するための仕組みについて、地域振興施策を担う都道府県や市町村等の人材育成等の点も含めて検討を行います。

Ⅴ　東日本大震災からの復旧・復興と大規模自然災害への対応に関する施策

1　東日本大震災からの復旧・復興

「第2期復興・創生期間以降における東日本大震災からの復興の基本方針」（令和3（2021）年3月改定）等に沿って、以下の取組を推進します。

（1）地震・津波災害からの復旧・復興

ア　農地等の生産基盤の復旧・整備

（ア）被災した農地や農業用施設等の着実な復旧を進めます。

（イ）福島県（避難区域を除く）においては、個々の市町村の状況に応じて、災害廃棄物等の処理を進めることが必要であり、災害廃棄物処理代行事業により、市町への支援を継続します。避難区域については、「対策地域内廃棄物処理計画」（平成25（2013）年12月改定）に基づき、国が災害廃棄物等の処理を着実に進めていきます。

イ　経営の継続・再建

（ア）東日本大震災により被災した農業者等に対して、速やかな復旧・復興のために必要となる資金が円滑に融通されるよう利子助成金等を交付します。

（イ）海水が流入した浸水農地においても、除塩により収穫が可能と見込まれる農地については、現地調査を行い、水稲等の生育状況を踏まえて共済引受を行います。

ウ　再生可能エネルギーの導入

被災地域に存在する再生可能エネルギーを活用し小水力等発電施設の整備に係る調査設計等の取組を支援します。

エ　農山漁村対策

福島イノベーション・コースト構想に基づき、ICTやロボット技術などを活用して農林水産分野の先端技術の開発を行うとともに、状況変化等に起因して新たに現場が直面している課題の解消に資する現地実証や社会実装に向けた取組を推進します。

オ　東日本大震災復興交付金

被災市町村が農業用施設・機械を整備し、被災農業者に貸与等することにより、被災農業者の農業経営の再開を支援します。

（2）原子力災害からの復旧・復興

ア　食品中の放射性物質の検査体制及び食品の出荷制限

（ア）食品中の放射性物質の基準値を踏まえ、検査結果に基づき、都道府県に対して食品の出荷制限・摂取制限の設定・解除を行います。

（イ）都道府県等に食品中の放射性物質の検査を要請します。また、都道府県の検査計画策定の支援、都道府県等からの依頼に応じた民間検査機関での検査の実施、検査機器の貸与・導入等を行います。さらに、都道府県等が行った検査の結果を集約し、公表します。

（ウ）消費者の安全・安心を一層確保するため、独立行政法人国民生活センターと共同して、希望する地方公共団体に放射性物質検査機器を貸与し、消費サイドで食品の放射性物質を検査する体制の整備を支援します。

イ　稲の作付再開に向けた支援

令和３（2021）年産稲の作付制限区域及び農地保全・試験栽培区域における稲の試験栽培、作付再開準備区域における実証栽培等の取組を支援します。

ウ　放射性物質の吸収抑制対策

放射性物質の農作物への吸収抑制を目的とした資材の施用、品種・品目転換等の取組を支援します。

エ　農業系副産物循環利用体制の再生・確立

放射性物質の影響から、利用可能であるにもかかわらず循環利用が寸断されている農業系副産物の循環利用体制の再生・確立を支援します。

オ　避難区域等の営農再開支援

（ア）避難区域等において、除染完了後から営農が再開されるまでの間の農地等の保全管理、鳥獣被害防止緊急対策、放れ畜対策、営農再開に向けた作付・飼養実証、避難先からすぐに帰還できない農家の農地の管理耕作、収穫後の汚染防止対策、水稲の作付再開、新たな農業への転換及び農業用機械・施設、家畜等の導入を支援します。

（イ）福島相双復興官民合同チームの営農再開グループが、農業者を個別に訪問して、要望調査や支援策の説明を行います。

（ウ）原子力被災 12 市町村に対し、福島県や農業協同組合と連携して人的支援を行い、営農再開を加速化します。

（エ）被災 12 市町村において、営農再開の加速化に向けて、福島特措法による特例措置等を活用した農地の利用集積、生産と加工が一体となった高付加価値生産を展開する産地の創出を支援します。

カ　農産物等輸出回復

諸外国・地域において日本産食品に対する輸入規制が行われていることから、関係省庁が協力し、各種資料・データを提供しつつ輸入規制の緩和・撤廃に向けた働き掛けを実施します。

キ　福島県産農産物等の風評の払拭

福島県の農業の再生に向けて、生産から流通・販売に至るまで、風評の払拭を総合的に支援します。

ク　農産物等消費拡大推進

被災地及び周辺地域で生産された農林水産物及びそれらを活用した食品の消費の拡大を促すため、生産者や被災地の復興を応援する取組を情報発信するとともに、被災地産食品の販売促進等、官民の連携による取組を推進します。

ケ　農地土壌等の放射性物質の分布状況等の推移に関する調査

今後の営農に向けた取組を進めるため、農地土壌等の放射性核種の濃度を測定し、農地土壌の放射性物質濃度の推移を把握します。

コ　放射性物質対策技術の開発

被災地の営農再開のため、農地の省力的管理及び生産力回復を図る技術開発を行います。また、農地の放射性セシウムの移行低減技術を開発し、農作物の安全性を確保する技術開発を行います。

サ　ため池等の放射性物質のモニタリング調査、ため池等の放射性物質対策

ため池等における水質・底質の放射性物質の経年変化等を把握するため、放射性物質

質のモニタリング調査等を行います。また、市町村等がため池の放射性物質対策を効果的・効率的に実施できるよう技術的助言等を行います。

シ　東電福島第一原発事故で被害を受けた農林漁業者への賠償等

東電福島第一原発事故により農林漁業者等が受けた被害については、東京電力ホールディングス株式会社から適切かつ速やかな賠償が行われるよう、関係省庁、東京電力ホールディングス株式会社等との連絡を密にし、必要な情報提供や働き掛けを実施します。

ス　食品と放射能に関するリスクコミュニケーション

食品中の放射性物質に関する消費者の理解を深めるため、関係府省、各地方公共団体及び消費者団体等が連携した意見交換会等のリスクコミュニケーションの取組を促進します。

セ　福島再生加速化交付金

（ア）農地・農業用施設の整備や農業水利施設の保全管理、ため池の放射性物質対策等を支援します。

（イ）生産施設、地域間交流拠点施設等の整備を支援します。

（ウ）地域の実情に応じ、農地の畦畔《けいはん》除去による区画拡大や暗渠《あんきょ》排水整備等の簡易な基盤整備を支援します。

（エ）被災市町村が農業用施設・機械を整備し、被災農業者に貸与等することにより、被災農業者の農業経営の再開を支援します。

（オ）木質バイオマスや小水力等再生可能エネルギー供給施設、木造公共建築物等の整備を支援します。

2　大規模自然災害への備え

（1）災害に備える農業経営の取組の全国展開等

ア　自然災害等の農業経営へのリスクに備えるため、農業用ハウスの保守管理の徹底や補強、低コスト耐候性ハウスの導入、農業保険等の普及促進・利用拡大、農業版BCPの普及等、災害に備える農業経営に向けた取組を引き続き全国展開します。

イ　地域において、農業共済組合や農業協同組合等の関係団体等による推進体制を構築し、作物ごとの災害対策に係る農業者向けの研修やリスクマネジメントの取組事例の普及、農業高校、農業大学校等における就農前の啓発の取組等を引き続き推進します。

ウ　卸売市場における防災・減災のための施設整備等を推進します。

エ　基幹的な畜産関係施設等における非常用電源確保対策を推進します。

（2）異常気象などのリスクを軽減する技術の確立・普及

地球温暖化に対応する品種・技術を活用し、「強み」のある産地形成に向け、生産者・実需者等が一体となって先進的・モデル的な実証や事業者のマッチング等に取り組む産地を支援します。

（3）農業・農村の強靱《きょうじん》化に向けた防災・減災対策

ア　基幹的な農業水利施設の改修等のハード対策と機能診断等のソフト対策を組み合わせた防災・減災対策を実施します。

イ　「農業用ため池の管理及び保全に関する法律」に基づき、ため池の決壊による周辺地域への被害の防止に必要な措置を進めます。

ウ　「防災重点農業用ため池に係る防災工事等の推進に関する特別措置法」（令和2年法律第56号）の規定により都道府県が策定した推進計画に基づき、優先度の高いものから防災工事等に取り組むとともに、防災工事等が実施されるまでの間についても、ハザードマップの作成や監視・管理体制の強化等を行うなど、ハード対策とソフト対策を適切に組み合わせて、ため池の防災・減災対策を推進します。

エ　気候変動による降雨量の増大や水害の激甚化・頻発化が予測されるなど水災害リスクの増大に備えるため、大雨により水害が予測される際に、①事前に農業用ダムの水位を下げて雨水を貯留する「事前放流」、②水田に雨水を一時的に貯留させる「田んぼダム」、③ため池への雨水の一時的な貯留、④農作物への被害のみならず、市街地や集落の湛水《たんすい》被害も防止・軽減させる排水施設の整備等流域治水の取組を通じた防災・減災対策の強化に取り組みます。

オ　平成31（2019）年４月に改定した排水の計画基準に基づき、農業水利施設等の排水対策を推進します。

カ　津波、高潮、波浪その他海水又は地盤の変動による被害等から農地等を防護するため、海岸保全施設の整備等を実施します。

（４）初動対応をはじめとした災害対応体制の強化

ア　災害対応体制の強化のため、地方農政局等と農林水産本省との連携体制の構築を促進するとともに、地方農政局等の体制を強化します。

イ　地方公共団体における災害対応職員の不足に対応するため、国からの派遣人員（MAFF-SAT）の充実等、国の応援体制の充実を図ります。

ウ　被災地のニーズの変化を的確に捉え、被災者に寄り添った丁寧な対応を行うため、被災者支援のフォローアップの充実を図ります。

（５）不測時における食料安定供給のための備えの強化

ア　食料のサプライチェーンの機能を維持するため、食品産業事業者による BCP の策定や事業者、地方公共団体等の連携・協力体制を構築します。また、卸売市場における防災・減災のための施設整備等を促進します。

イ　米の備蓄運営について、米の供給が不足する事態に備え、国民への安定供給を確保するため、100万t程度（令和３（2021）年６月末時点）の備蓄保有を行います。

ウ　輸入依存度の高い小麦について、大規模自然災害の発生時にも安定供給を確保するため、外国産食糧用小麦需要量の2.3か月分を備蓄し、そのうち政府が1.8か月分の保管料を助成します。

エ　輸入依存度の高い飼料穀物について、不測の事態における海外からの供給遅滞・途絶、国内の配合飼料工場の被災に伴う配合飼料の急激な逼迫《ひっぱく》等に備え、配合飼料メーカー等が BCP に基づいて実施する飼料穀物の備蓄、災害に強い配合飼料輸送等の検討の取組に対して支援します。

オ　食品の家庭備蓄の定着に向けて、企業、地方公共団体や教育機関と連携しつつ、ローリングストック等による日頃からの家庭備蓄の重要性や、乳幼児、高齢者、食物アレルギー等への配慮の必要性に関する普及啓発を行います。

３　大規模自然災害からの復旧

（１）被災した地方公共団体等へ MAFF-SAT を派遣し、迅速な被害の把握や被災地の早期復旧を支援します。

（２）地震や豪雨等の自然災害により被災した農業者の早期の営農・経営再開を図るため、図面の簡素化等、災害査定の効率化を進めるとともに、査定前着工制度の活用を促進し、被災した農林漁業関係施設等の早期復旧を支援します。

Ⅵ　団体に関する施策

ア　農業協同組合系統組織

平成28（2016）年に施行された改正後の「農業協同組合法」に基づき、農業者の所得向上に向けた自己改革を進めていくための取組を促進します。

また、金融システムの安定に係る国際的

な基準に対応するため、「農水産業協同組合貯金保険法の一部を改正する法律案」を第204回国会に提出したところです。

イ　農業委員会系統組織

担い手への農地の集積等、農業委員会による農地利用の最適化の取組を見える化するため、最適化活動を行う農業委員・農地利用最適化推進委員の活動記録簿を作成します。

ウ　農業共済団体

農業保険について、行政機関、農業協同組合等の関係団体、農外の専門家等と連携した推進体制を構築します。また、農業保険を普及する職員の能力強化、全国における１県１組合化の実現、農業被害の防止に係る情報・サービスの農業者への提供及び広域被害等の発生時における円滑な保険事務等の実施体制の構築を推進します。

エ　土地改良区

土地改良区の組織運営基盤の強化を図るため、広域的な合併や土地改良区連合の設立に対する支援等を行います。また、「土地改良法の一部を改正する法律」（平成30年法律第43号）に基づき、土地改良区の業務運営の適正化を図る取組を推進します。

Ⅶ　食と農に関する国民運動の展開等を通じた国民的合意の形成に関する施策

食と環境を支える農業・農村への国民の理解の醸成を図るため、消費者・食品関連事業者・生産者団体を含めた官民協働による、食と農とのつながりの深化に着目した新たな国民運動のために必要な措置を講じていきます。

具体的には、農林漁業者による地域の様々な取組や地域の食と農業の魅力の発信を行うとともに、地域の農業・農村の価値や生み出される農林水産物の魅力を伝える交流イベント等を実施します。

Ⅷ　新型コロナウイルス感染症をはじめとする新たな感染症への対応

国民への食料の安定供給を最優先に、新型コロナウイルス感染症の影響を受けた農林漁業者・食品事業者が生産を継続していくための施策を、新型コロナ感染症の状況の推移を見つつ、機動的に実施します。

また、新型コロナウイルス感染症による食料供給の状況について、消費者に分かりやすく情報を提供するとともに、今回の事態も踏まえた新たな感染症等によるリスクについて調査・分析を行い、中長期的な課題や取り組むべき方向性を明らかにしていきます。

（1）新型コロナウイルス感染症拡大により、インバウンドや外食需要の減少等の影響を受けている国産農林水産物等の販路の多様化に資する新たな取組を支援します。

（2）外出の自粛等により甚大な影響を受けている飲食業や食材を供給する農林漁業者を支援するため、登録飲食店で使えるプレミアム付食事券を発行する「Go To Eat キャンペーン」を実施し、飲食店の需要喚起を図ります。

（3）肉用牛の計画的出荷に伴う追加費用、肉用牛肥育生産におけるコスト低減等の取組、在庫が高水準にある脱脂粉乳やバターを需要のある分野で活用する取組を支援します。

（4）入国制限の緩和による外国人材の入国状況を注視しつつ、労働力の確保や農業生産を支える人材の育成・確保に向けた取組を支援します。

（5）農林漁業者の資金繰りに支障が生じないよう、農林漁業セーフティネット資金等の実質無利子・無担保化等の措置、また、食品関連事業者の債務保証に必要な資金の支援を実施します。

（6）家庭食の輸出増加や新規・有望市場シェ

ア獲得、製造設備等の整備・導入等について支援します。また、新型コロナウイルス感染症の影響を受け、海外での見本市の開催や商談会等の実施が難しい中で、輸出に取り組む事業者と海外バイヤーのマッチングを推進するため、JETRO によるオンライン商談会の実施やバーチャル見本市への出展等を支援します。

（7）産地や実需者が連携し、輸入農畜産物から国産に切り替え、継続的・安定的な供給を図るための体制整備を支援します。

（8）農林漁業者や食品関連事業者、農泊関連事業者等に対し、新型コロナウイルス感染症に関する支援策や事業継続ガイドライン等の内容を周知するとともに、国民に対し、食料品の供給状況等の情報を農林水産省 Web サイトで提供します。

Ⅸ　食料、農業及び農村に関する施策を総合的かつ計画的に推進するために必要な事項

1　国民視点や地域の実態に即した施策の展開

（1）幅広い国民の参画を得て施策を推進するため、国民との意見交換等を実施します。

（2）農林水産省 Web サイト等の媒体による意見募集を実施します。

（3）農林水産省本省の意図・考え方等を地方機関に浸透させるとともに、地方機関が把握している現場の状況を適時に本省に吸い上げ施策立案等に反映させるため、必要に応じて地方農政局長等会議を開催します。

2　EBPM と施策の進捗管理及び評価の推進

（1）施策の企画・立案に当たっては、達成すべき政策目的を明らかにした上で、合理的根拠に基づく施策の立案（EBPM）を推進します。

（2）「行政機関が行う政策の評価に関する法律」（平成 13 年法律第 86 号）に基づき、主要な施策について達成すべき目標を設定し、定期的に実績を測定すること等により評価を行い、結果を施策の改善等に反映します。行政事業レビューの取組により、事業等について実態把握及び点検を実施し、結果を予算要求等に反映します。また、政策評価書やレビューシート等については、農林水産省 Web サイトで公表します。

（3）施策の企画・立案段階から決定に至るまでの検討過程において、施策を科学的・客観的に分析し、その必要性や有効性を明らかにします。

（4）農政の推進に不可欠な情報インフラを整備し、的確に統計データを提供します。

ア　農家等の経営状況や作物の生産に関する実態を的確に把握するため、農業経営統計調査、作物統計調査等を実施します。

イ　統計調査の基礎となる筆ポリゴンを活用し各種農林水産統計調査を効率的に実施するとともに、オープンデータとして提供している筆ポリゴンについて、利用者の利便性向上に向けた取組を実施します。

ウ　6 次産業化に向けた取組状況を的確に把握するため、農業経営体等を対象とした調査を実施します。

エ　令和 2（2020）年 2 月 1 日現在で実施した「2020 年農林業センサス」の報告書を作成・公表します。

オ　地域施策の検討等に資するため、「市町村別農業産出額（推計）」を公表します。

カ　専門調査員の導入による調査の外部化を推進し、質の高い信頼性のある統計データの提供体制を確保します。また、市場化テスト（包括的民間委託）を導入した統計調査を実施します。

3　効果的かつ効率的な施策の推進体制

（1）地方農政局等の各都道府県拠点を通じて、地方公共団体や関係団体等と連携強化を図り、各地域の課題やニーズを捉えた的確

な農林水産施策の推進を実施します。

（2）SNS等のデジタル媒体をはじめとする複数の広報媒体を効果的に組み合わせた広報活動を推進します。

4　行政のデジタルトランスフォーメーションの推進

農業のデジタルトランスフォーメーション（農業DX）を実現するため、以下の取組を通じて、農業政策や行政手続等の事務についてもデジタルトランスフォーメーションを推進します。

（1）eMAFF の構築と併せた法令に基づく手続や補助金・交付金の手続における添付書類の削減、デジタル技術の活用を前提とした業務の抜本見直し及び行政関係データの連携等を促進します。

（2）データサイエンスを推進する職員の養成・確保等職員の能力向上を図るとともに、得られたデータを活用したEBPMや政策評価を積極的に実施します。

5　幅広い関係者の参画と関係府省の連携による施策の推進

食料自給率の向上に向けた取組を始め、政府一体となって実効性のある施策を推進します。

6　SDGsに貢献する環境に配慮した施策の展開

「農林水産省環境政策の基本方針」（令和２（2020）年３月策定）を踏まえ、①環境負荷低減への取組と、環境も経済も向上させる環境創造型産業への進化、②生産から廃棄までのサプライチェーンを通じた取組と、これを支える政策のグリーン化及び研究開発の推進、③事業体としての農林水産省の環境負荷低減の取組と自己改革に配慮しつつ施策を実施します。

7　財政措置の効率的かつ重点的な運用

厳しい財政事情の下で予算を最大限有効に活用する観点から、既存の予算を見直した上で「農林水産業・地域の活力創造プラン」に基づき、新たな農業・農村政策を着実に実行するための予算に重点化を行い、財政措置を効率的に運用します。

「食料・農業・農村白書」についてのご質問等は、下記までお願いします。

農林水産省大臣官房広報評価課情報分析室
電話：03-3501-3883
FAX：03-6744-1526
H P：https://www.maff.go.jp/j/wpaper/w_maff/r2/index.html

令和3年版 食料・農業・農村白書

令和３年７月１日　印刷
令和３年７月15日　発行　　　定価は表紙に表示してあります。

編集　農林水産省
〒100-8950　東京都千代田区霞が関1-2-1
https://www.maff.go.jp/

発行　一般財団法人　農林統計協会
〒141-0031　東京都品川区西五反田7-22-17 TOCビル11階34号
http://www.aafs.or.jp/
電話　03-3492-2987（出版事業推進部）
　　　03-3492-2950（編　集　部）
振替　00190-5-70255

※落丁・乱丁の場合はお取り替えします。

ISBN978-4-541-04331-3　C0061